Umberto Eco

Baudolino

Roman

Aus dem Italienischen
von Burkhart Kroeber

Carl Hanser Verlag

Die Originalausgabe erschien im Jahr 2000
unter dem Titel *Baudolino*
bei Bompiani in Mailand.

3 4 5   05 04 03 02 01

ISBN 3-446-20048-7
© R.C.S. Libri S.p.A. Milano Bompiani 2000
Alle Rechte der deutschen Ausgabe
© 2001 Carl Hanser Verlag München Wien
Satz: Libro, Kriftel
Druck und Bindung: Franz Spiegel Buch GmbH, Ulm
Printed in Germany

Baudolino

* Gegen das Togatragen
Mit großem Überdruß erfüllen mich jene, / die ständig nach dem höchsten Gute suchen / Und es bis heute nicht gefunden haben. // Und wenn ich's wohl bedenke, scheint mir, / daß solches nur geschieht, / weil es nicht dort ist, wo sie's suchen. // Diese Doktoren haben es nie recht verstanden, / sind nie den richtigen Weg gegangen, / der sie zum höchsten Gute führen kann. // Denn meiner Meinung nach muß, / wer etwas finden will, / die Phantasie anstrengen. // Und mit der Erfindung spielen und raten, / und kannst du nicht geradeaus gehen, / so können dir tausend andere Wege helfen. // Dies, dünkt mich, lehrt uns die Natur: / wenn einer nicht auf dem gewohnten Weg vorankommt, / sucht er sich hintenrum eine beßre Straße. // Die Art der Erfindung ist sehr mannigfaltig; / doch um das Gute zu finden, muß man, ich hab's erprobt, / in umgekehrter Richtung gehen. // Such etwas Böses, und schon hast du es [das Gute] gefunden; / doch höchstes Gut und höchstes Übel / paaren sich wie das Federvieh auf dem Markt.

Mi fan patir costoro il grande stento,
Che vanno il sommo bene investigando,
E per ancor non v'hanno dato dentro.

E mi vo col cervello immaginando,
Che questa cosa solamente avviene
Perché non è dove lo van cercando.

Questi dottor non l'han mai intesa bene,
Mai sono entrati per buona via,
Che gli possa condurre al sommo bene.

Perché, secondo l'opinion mia,
A chi vuole una cosa ritrovare,
Bisogna adoperar la fantasia.

E giocar d'invenzione, e 'ndovinare;
E se tu non puoi ire a dirittura,
Mill'altre vie ti posson aiutare.

Questo par che c'insegna la natura,
Che quand'un non può ir per l'ordinario,
Va dret'a una strada più sicura.

Lo stil dell'invenzione è molto vario;
Ma per trovar il bene io ho provato
Che bisogna proceder pel contrario;

Cerca del male, e l'hai bell'è trovato;
Però che 'l sommo bene e 'l sommo male
S'appaion com'i polli di mercato.

(Galileo Galilei, *Contro il portar la toga*)*

1. Kapitel

Baudolino beginnt zu schreiben

RatisPone Anno ~~Dommini~~ Domini ~~mense decembri~~ mc/v kronika Baudolini cognomento de Aulario
io Baudolino di Galiaudo de li Aulari con na testa ke somilia un lione alleluja sieno rese Gratie al siniore ke mi perdoni
~~a yo face~~ habeo facto il rubamento Piu grande de la mia vita cio e ho Preso d'a uno scrinio del vescovo Oto molti folii ke forse sono cose de la ~~kancel~~ chancelleria imPeriale et li ho grattati quasi tutti meno ke d'ove non veniva via et adesso ho tanto Pergamino Per schriverci quel ke volio cio e la mia kronika anca se non la so skribere in latino ....

Regenspurg Anno Domini MCLV Chronik des Baudolino aus dem geschlecht der Aulari
ich Baudolino sohn des Galiaudo von denen Aulari mit einem haupt alswî ein leu halleluja Dank sei dem Herrn der mir möge vergêben
ich hab gemacht den gröszten raub meines lebens indem ich genommen aus einem schrein des herrn bischoffs Otto vil bögen die villeicht gehören der kaiserlichen Kanzlei und hab sie fast allesamt abgeschabet auszer wo es nit abgienc und hab nun alsô manniglîch Pergamint zum draufschreiben was ich will daz heiszt meine Chronica wiewôl ich sie nit kann schreiben in Latino
wann sie entdekken daz herrn Ottos bögen nimmer dâ sind oh was wird anheben für ein geschrei und werden denken womögelîch wars ein spiôn von denen Episkopi Romani welche nit wôlwollen unserm herren kaiser Frîderîch
aber villeicht merkets ja kainer in der kanzlei wo sie allweil irgentwas schreiben auch wanns nïemandem nutzen tuot und wer diese bögen findet ~~si li infila nel büs del kü~~ denkt sich villeicht nix weiter darbei

9

dies ist stêngeblieben von dem was allhie zuvôr gestunden und was
ich nit gut habe abschaben können sô daz mans muoz überspringen

wenn man dereinst diese pergamenta wird finden nachdem ich sie
hab beschrîben wird auch kain Kanzler sie nit verstân ~~perkê questa è
una lengua ke~~ denn dies ist ein sprach die noch niëman nit hat
geschrîben

aber auch wenn niëman nie diese sprach wird verstân wird man
trotzdem subito erraten daz ich es gewên der dies hat geschrîben diweil
alle sagen daz wir in der Frasketa ~~parliamo na Lengua ke non è da
christiani~~ spreken ein Sprak was nit is von Christenmensken

verflixt swêr is shcreiben mir tuon schon alle finger wê

mein vater Galiaudo hat immer gesagt es muoz eine gâbe der
Heiligen Juncfrouwe von Roboreto sein daz ich von kleinauf kaum
daz ich jemand sagen hör ein paar worte subito kann ich nâchâmen
seine sprach ob er gleich aus Tortona ist oder aus Gavi oder sogar aus
Mediolanum allwô man sprikt ain sprak ~~ke gnanca i cani~~ was nitmal
die hünde verstân tja und sogar als ich bin begegnet den ersten
alemannen in meim leben was waren die mannen welche die stadt
Tortona berannten lauter wilde Tiuſche die immerzu sagten rauſz und
mîngot und nach einem halben tag hab auch ich gesagt rausz und
mîngot und sie sagten Kint gê uns hôln schöne Frouwen daz wir machen
fikifuki und wans nit will macht nix brauchst nur sagen wôs is daz
wirs uns hôln

aber was ist ein Frouwen hab ich gefragt und sie sagten una domina
una donna una femina du vaſtêh ~~e facevano il segno de le Tette grosse~~
und malten grôsze brueste in di lufft und sagten weil nêmlich bei dieser
belagerung sind wir knapp mit feminae alldiweil die von Tortona sind
drinnen und wenn wir erstmal reingehn lass uns nur machen aber hier
drauszen sind weit und breit keine zu sehn und dazu vluchten sie sô
gotteslesterlîch daz sogar mir is kummen ein gensehaut

~~bravi suabi di Merda~~ ihr guten swabenleut hab ich gesagt wie soll
ich euch sagen wô Frouwen sint ich bin kein spiôn besorgts euch doch
selber

~~mamma mia momenti mi mazzavano~~
fast hättens mich umgebracht mi mazzavano o amazzavano o

necabant ietzt schreib ich schon fast Latino nit daz ich nit verstêh
Latino diweil ich gelernt hab aus einem librum latinum und wenn
jemand zu mir redet latino ich kan schon verstên aber schwieric is
~~skribere~~ schreiben in latino wan ich nit weisz wie man die worte ~~skrib~~
buchstabiret

zum exemplum: nie weisz ich obs equus oder equum heiszet und
alleweil mach ich fêler ~~mentre da noi un caballo~~ diweil bei uns ein
cavallo ist immer ein Gaul und ich mach nie fêler diweil niemand
schreibt Kawallo ja niemand schreibt überhaupt irgendwas weil ja
niemand kann lesen

damals ist die sach gut ausgegangen und die Diutschen ham mir
kein haar gekrummet alldiweil grad in dem ougenblick sind berittene
kummen und ham gerufen lôslôs wir machen neuwen Angriff, und
dann is vil grôz durchainander gewên und ich hab nix garnixmer
verstunden vor lauter escudieri allhie und hellebardieri alldâ und
drommetengetös und türm aus holz hoch wie bäum die sich bewegten
auf rädern wie karren, und obendrauff ~~balistari et fundibulari~~ schleu-
dern zum steinewerfen und solchene höllenmaschinen, und andere
schleppten lange leitern herbei, und es regnete pfeile auf sie herab
alswî hagelkörner in einem grószgewaltic Sturm, und die Unseren
schleudereten vil dicke stein mit ainer species von mächtiger Armbrust
und mir swirrten ums haupt alle iaculi welche die Tortonesen warfen
von ihren Mauern oh welch eine battaglia!

zween stunden sâsz ich unter eim gebüsch verstecket und hab
gebetet Heilige Jungfrau hilf du kannst alles. Dann ist es ruhiger
worden und nahe bei mir sind die mit der sprache von Pavia vorbei-
gelaufen und haben geschrien sie hätten so viele Tortonesen umgebracht
daz es wär wie ein Tanaro von Blut, aber sie waren sêr zufrieden
darüber weil sie meinten, sô lernt Tortona endlich es mit Mailand zu
halten

als dann auch die Alemannen mit der 𝔣𝔯𝔬𝔲𝔴𝔢𝔫 *zurückkamen*
villeicht ein paar weniger als vorher diweil auch die Tortonesen sich
nicht hatten lumpen lassen da hab ich mir gesagt ich verdrükk mich
lieber

sô bin ich marsch marsch nach hause gegangen wo es früh am
morgen war und hab meim vater Galiaudo alles erzêlt und da hat er
zu mir gesagt na bravo geh nur und setz dich mitten mang die
Belagerer daz du eines tages ne pike in den hintern kriegst weiszt
du denn nicht daz diese dinge nur für die herren gemacht sind? lass sie

*in ihrer suppe kochen wir müssen an unsere kühe denken denn wir
sind ernsthaffte leut nicht solche wie dieser Frîderîch der erst kummt
und dann gêt und dann wiederkummt und nichts richtig zu ende
bringt*

*aber dann ist Tortona doch nit gefallen weil sie blôsz die unterstadt
und nit auch die Burg eingenommen hatten und hat noch eine weile
standgehalten so daz ich zum ende meiner kronik ~~kommen~~ vorgreifen
muosz nêmlich als sie ihnen das wasser abgegraben hatten und die
Tortonesen anstatt ihr pipi zu trinken zu Frîderîch gesagt haben daz
sie ihm treu ergeben sein wollten da hat er sie abziehen lassen aber die
stadt hat er erst verbrannt und dann in trümmer gelegt soll heiszen
das alles haben die aus Pavia getan die mit den Tortonesen spinne-
feind sind denn hier bei uns ist es nit so wie bei den Alemannen wo
alle sich untereinander herzlich mögen und immer eintrechticlîch beieinander sind wie diese zwei finger meiner hand wärend bei uns die
aus Gamondio wenn sie einen aus Bergolio sehn hauens ihm gleich in
die fresse*

*aber jetzt will ich meine kronik weitererzêlen weil nemlich, wenn
ich sô durch den wald der Frasketa streifte besonders bei Nebel ich
meine den von der guten sorte bei dem du deine nasenspitze nicht mehr
siehst und die dinge ganz plötzlich vor dir auftauchen ohne daz du sie
vorher hast kommen sehn also da hab ich manchmal visionen gehabt
wie damals als ich das ~~Lioncorno~~ das Einhorn gesehen oder das
andere mal als mir San Baudolino erschienen ist und zu mir gesprochen hat und gesagt hat ~~filio de la puta andrai a linferno~~ du hurensohn wirst zur hölle fahren jawohl das hat er gesagt denn die geschichte mit dem einhorn ist sô gegangen:*

*um ein Einhorn zu fangen musz man bekanntlich eine noch nicht
entjuncferte maid unter ein baum setzen und dann riecht das einhorn
den juncfrouwelîchen geruch und kommt herbei um den kopf in ihren
schôsz zu legen und sô hab ich die Nena aus Bergolio genommen die
mit ihrem vater gekommen war um die kuh von meinem vater zu
kaufen und hab ihr gesagt komm mit in den wald daz wir ein
Einhorn fangen und hab sie unter ein grôszen Baum gesetzt weil
ich sicher war daz sie noch juncfrouwe war und hab ihr gesagt bleib
schön sitzen und mach die beine breit damit platz ist für den kopf von
dem Einhorn und sie hat gefragt wie meinst du das wie soll ich die
beine breit machen und ich sagte na da an der stelle hier mach sie
schön auseinander und hab sie berührt und da hat sie angefangen zu*

kieksen und blöken wie eine ziege die ein zicklein gebiert und ich hab nix mehr gesehn mit eim wort sie ist über mich gekommen wie eine apocalypsin und danach war sie nicht mehr rein wie eine lilie und ich hab gesagt ojêminê was machen wir jetzt um das Einhorn anzulocken und in dem moment hör ich eine stimme vom Himmel kommen die zu mir sagt das Einhorn das lioncornus qui tollit peccata mundi das wäre ich und da bin ich zwischen den büschen umhergesprungen wie ein verruckter und hab gebrüllt jip hiiii frr frr alldiweil ich noch glücklicher war als ein echtes einhorn denn ich hatte der juncfrouwe das horn in den schôsz gelegt und deswegen hat San Baudolino dann zu mir gesagt du sohn einer etcetera aber dann hat er mir vergeben und ich hab ihn später noch andre male gesehn in der demmerung aber nur wenn nebel war oder wenigstens dunst und nicht wenn die sonne ~~sgajentat oves et Boves~~ hellstrâlend am himmel stund

aber als ich dann meim vater Galiaudo erzêlt hab daz ich San Baudolino gesehn da hat er mir dreizig stockhiebe auf den bukkel gegeben und gesagt Oh Herr im Himmel ausgerechnet mir muoz das passieren daz mein sohn Visionen sieht und ist noch nicht mal imstande eine kuh zu melken! entweder ich schlag ihm den schädel ein oder ich geb ihn einem von denen mit welche über die jahrmärkte ziehen und ~~simia dafrica~~ affen aus affrika tanzen lassen! und meine liebe mamma hat geschrien du aufgeblasener nichtsnutz du bist ja noch schlimmer als alles andere was hab ich dem Herrgott getan daz ich einen sohn haben muoz der die Heiligen sieht! und mein vater Galiaudo hat gesagt es stimmt gar nicht daz er die heiligen sieht dieser kerl ist noch verlogener als Judas und denkt sich das alles nur aus um nicht arbeiten zu müssen!

ich erzehle diese Kronika weil man sonst nicht kapiert wie es an jenem abend gegangen ist als ein nebel war so dicht daz man ihn hätt mitm messer schneiden können dabei wars schon april aber bei uns gibts auch nebel im august und wer nicht aus der gegend ist kann sich leicht verirren zwischen der Bormida und der Frasketa besonders wenn kein Heiliger da ist der ihn an der hand nimmt und sô kam es daz ich auf dem heimweg war und plötzlich seh ich vor mir ein ritter hoch zu ross ganz in eisen

der ritter war ganz in eisen nicht das ross und hatte ein schwert an der seite und sah aus wie der könig von Aragona

und heisz ist mir da durch den kopf gefahren mamma mia jetzt ist *das wirklich San Baudolino! er ist gekommen um dich zur hölle zu jagen! aber der rittersmann hat gesagt* 𝕶𝖑𝖊𝖎𝖓𝖊𝖘 𝕶𝖎𝖓𝖙 𝖇𝖎𝖙𝖙𝖊 *und da hab ich begriffen daz er ein allemannischer Ritter war der sich im wald verirrt hatte wegen dem nebel und seine leut nicht mehr finden konnte es war ja auch schon fast nacht und er zeigte mir eine Moneta die ich noch nie gesehen hatte und dann war er froh daz ich in seiner sprache geantwort und auf* 𝖉𝖎𝖚𝖙𝖘𝖈𝖍 *zu ihm gesagt hab wann du sô weiterreitest landstu schön wie die sonne im sumpf*

wobei ich nit hätt sagen solln schön wie die sonne wo doch ein sô dichter nebel war daz man ihn mit einem messer hätt schneiden können aber er hat mich trotzdem verstanden

und dann hab ich ihm gesagt daz ich weisz daz die ~~tedeski~~ *tieutschen aus einem land kommen wo immer frühlinc ist und wo vielleicht die citri vom Libanus blühn aber bei uns in der Palèa ist nebel und in diesem nebel gehn bastarde um die noch die enkel der enkel von denen arabitz sind welche Carlomanio bekämpft hat und das sind grausame leut die wenn sie einen Pilgersmann sehn schlagens ihm die zähne ein und schneiden ihm die Haare ab die er aufm kopf hat und darum rate ich euch geht lieber in die hütte meines vaters Galiaudo da findet ihr eine schüssel mit warmer suppe und einen strohsack zum schlafen wärend der nacht im stall und morgen wenns hell wird zeig ich euch den weg besonders wenn ihr noch diese Moneta habt Gratie benedicte wir sind arme aber ehrliche leut*

sô hab ich ihn zu meinem vater ~~Gaian~~ *Galiaudo gebracht und der hat sofort angefangen zu schimpfen du hornochse du was hast du blôsz im kopf warum hast du meinen namen zu einem fremden gesagt man weisz doch nie nachher ist er ein vasall des markgrafen von Monferrat dem ich noch schuldig bin eine* decima de fructibus et de feno et leguminibus *oder einen futterzins oder eine gespannmiete oder werweiszwas oh du stiesel jetzt sind wir ruiniert und er wollte schon nach dem stock greifen*

da hab ich ihm gesagt daz der herr ein Alemanne ist und nicht einer aus Monferrat und er hat gesagt ich wär noch dümmer als die nacht schwarz ist aber als ich dann die Moneta erwähnt hab da hat er sich beruhigt alldiweil die leut aus Marengo die haben einen dickschädel wie ein ochs aber ein feingespür wie ein pferd und er hat gleich kapiert daz bei der Sache vielleicht was rausspringen könnte und hat zu mir gesagt hör zu, wo du doch alles sagen kannst sagt ihm dies hier:

item, daz wir arme aber ehrliche leut sind

das hab ich ihm schon gesagt

macht nix dann sags halt nochmal, item danke für den Solidus aber da ist auch noch das Heu fürs pferd, item zu der warmen suppe tu ich noch einen käse hinzu und brot und einen krug von dem guten, item sag ihm daz ich ihn da schlafen lasse wo sonst du schlaumeier immer schläfst nämlich hier neben dem feuer und du gehst heute in den stall, item er soll mir die Moneta noch einmal zeigen diweil ich will einen Genueser Solidus und dann soll er sein wie einer von unserer familie denn wir in Marengo halten die gastfreundschaft heilig

der herr hat gesagt haha *schlau wie ein fuchs seid ihr aber handel ist handel ich geb dir zween von diesen Moneta und du fragst nicht ob es ein Genueser ist denn mit einem Genueser kann ich* kaufo *dein haus und all euer vieh also nimm und sei still sô bekommst du noch immer genug und da ist mein vater still gewesen und hat die beiden moneta genommen die ihm der herr auf den tisch geworfen alldiweil wir aus Marengo wir haben einen dickschädel aber ein feingespür und dann hat er gegessen wie ein wolf (der Ritter) oder eher wie zween wölfe und als mein vater und meine mutter sind schlafen gegangen diweil sie den ganzen tag lang mit krummem bukkel geschuftet hatten derweil ich in der Frasketa umhergestreift bin, da hat der* Herre *zu mir gesagt gut dieser wein, davon trink ich noch was hier am feuer komm setz dich herzu und erzêl mir warum du so gut meine sprache kannst*

ad petitionem tuam frater Ψsingrine carissime primos libros chronicae meae missur

ne humane prauitate

auch dies hier hab ich nit abschaben können

jetzt fang ich noch einmal an mit der ckronik von jenem abend als der alemannische herr wissen wollt warum ich seine sprache so gut sprechen konnt und da hab ich ihm erzêlt daz ich diese gâbe hab wie die sankti Apostoli und daz ich auch die gabe der Visionen hab wie die Magdalenen indem daz wenn ich im wald umherlaufe seh ich plötzlich den heiligen Baudolino auf einem Einhorn in der farbe von milch und mit seim gewundenen Horn genau da wo die pferde das haben was bei uns die Nase ist

aber es ist schwer zu sagen ob pferde eine nase haben sonst könn-

tens ja auch einen Bart haben wie jener **Herre** der einen sêr schönen
bart hatte in der farbe von einem kupfertopf indes die anderen
Alemannen die ich gesehen die hatten meist gelbe haare sogar in
den ôren

und er hat zu mir gesagt Nun gut du siehst was du ein Einhorn
nennst und vielleicht meinst du das Monoceros aber woher hast du
gewuszt daz es Einhörner auf dieser Welt gibt und da hab ich ihm
gesagt daz ich es in einem buoch gelesen welches der Eremit der
Frasketa hatte und da hat er die ougen weit aufgerissen daz sie
aussahen wie die von einer eulen und hat mich gefragt Ja aber kannst
du denn auch lesen?

und ob! hab ich gesagt und jetzt erzêle ich die Historia und die geht
sô

es gibt einen heiligen Eremiten hier im wald der Frasketa dem die
leute manchmal ein huhn bringen oder einen hasen und er sitzt dann
vor einem geschriebenen buoch und betet und wenn die leute vorbei-
kommen schlägt er sich auf die brust mit einem Stein aber ich sage es
ist blôsz ein uatarone daz ist ein klumpen erde so daz es nicht so
sehr wê tut naja also an jenem tag hatten wir ihm zwei eier gebracht
und wie er da in dem buoch las hab ich mir gesagt eins für dich eins
für mich wie bei guten christen er darfs nur nit sehn aber ich weisz nit
wie ers gemacht hat wo er doch las aber er hat mich plötzlich am Hals
gepackt und da hab ich gesagt diviserunt vestimenta mea und da
hat er laut gelacht und gesagt Hehe du bist ja ein helles bürschlein
komm jeden tag her dann bring ich dir bei wie man liest

sô hat er mir die Buchstaben eingehemmert mit klapsen und kopf-
nüssen nur daz er dann hinterher als wir allein waren anfing zu sagen
was für ein schöner starker junge du bist mit was für nem schönen
löwenkopf lass doch mal sehn ob du auch starke arme hast und wie
deine brust ist und lass dich mal hier fühlen wo die beine anfangen um
zu sehn ob du auch gesund bist da hab ich kapiert worauf er hin-
auswollt und hab ihm mit dem knie in die balle gestôszen also in di
Testicula und er hat sich zusammengekrümmt und geschrien Du
Satansbraten ich geh nach Marengo und sag den leuten daz du
vom Dämon besessen bist auf daz sie dich verbrennen na gut hab
ich gesagt geh doch aber zuerst geh ich und sag daz ich dich gesehn hab
in der nacht wie du mit einer Hexen zugange warst und ihn ihr in
den mund gesteckt hast und dann sehn wir ja von wem sie werden
meinen daz er besessen ist und da hat er gesagt warte doch das hab ich

doch nur zum spâsz gesagt ich wollt doch blôsz sehn ob du ein
gottesfürchtiger junge bist also reden wir nicht mehr davon komm
morgen wieder daz ich dir beibringe wie man schreibet denn lesen ist
leicht und kostet nichts weiter du brauchst nur zu schauen und die
lippen zu bewegen aber wenn du schreiben willst brauchst du feder
und Tinte und folii *alldiweil* alba pratalia arabat et nigrum
semen seminabat *denn er sprach zwischendurch immer latein*

   aber ich hab zu ihm gesagt es genügt wenn man lesen kann dann
lernt man was man noch nit gewuszt hat indes wenn man schreibet
dann schreibt man immer nur was man schon weisz also bleib ich
lieber einer der nit schreiben kann ~~ma il kulo è il kulo~~ *aber dem sonst*
nichts fehlt

   als ich dem alemannischen herrn das erzêlt hatte lachte er lôs wie
verrückt und sagte Bravo kleiner rittersmann die Eremiten sind
allesammt Sodomiten aber sag mir was hast du sonst noch gesehen
im wald? na und weil ich daran dachte daz er ja einer von denen war
die Tortona erobern wollten für Kaiser Frîderîch hab ich mir gesagt
ich tu ihm lieber einen gefallen villeicht gibt er mir dann auch noch
eine Moneta und sô hab ich gesagt vor zween nächten da wär mir der
Heilige Baudolino erschienen und hätt gesagt der kaiser werde einen
grôszen Sieg über Tortona erringen denn Frîderîch sei der einzige und
wahre Herr der ganzen Longobardia samt der Frasketa

   da hat der herr gesagt Kint *du bist ein geschenk des Himmels willst*
du nicht mitkommen ins kaiserliche lager und dort sagen was San
Baudolino dir gesagt hat? und da hab ich gesagt daz ich gern mit-
kommen wollte und hab hinzugefügt daz San Baudolino mir auch
noch gesagt hätte daz die Heiligen Petrusundpaulus nach Tortona
kommen würden um die keiserlichen zu führen und da hat er gesagt
Ach wie Wunderbar *mir würde schon Petrus allein genügen*

   Kint komm mit und dein glück ist gemacht

   Und allsogleich oder fast alsogleich nêmlich am nêchsten morgen
hat der herr meinem vater gesagt daz er mich mitnehmen und an
einen ort bringen will wo ich lesen und schreibe lerne und vielleicht
eines tages Ministeriale werde

   mein vater Galiaudo wuszte nicht was ein Ministeriale ist aber er
hat gleich kapiert daz dann ein esser weniger im hause sein würde und
daz er mich nicht mehr würde bestrafen müeszen weil ich meiner
eigenen wege ginge aber er dachte wôl daz jener herr womöglich einer
von denen war die mit Affen auf die jahrmärkte gehn und womöglich

würde er mir die hände auf den rükken binden und das gefiel ihm
nicht aber der herr hat ihm versichert er sei ein groszer Comes
Palatinus *und bei den alemannen gebe es keine Sodomiten*

 was Sodomiten seien hat mich mein vater gefragt und ich hab ihm
erklärt daz es die swûlen sind Ach was du nicht sagst hat er darauf
gesagt die swûlen gibt es doch überall! aber als er sah daz der herr fünf
weitere Moneten aus der Tasche zog zusetzlich zu denen die er uns am
abend zuvor gegeben hatte da hat er nix mehr dagegen gehabt und hat
zu mir gesagt Geh mein sohn für dich ist es ein glück und villeicht
auch für uns und wo diese Alemannen ja soviel herumziehen und
immer wieder in unsere gegend kommen kanns ja sein daz du uns ab
und zu besuchen kommst und ich hab ihm geschworen daz ich daz
tun will und bin rasch rausgegangen aber ein wenig hats mir schon
auch das herz zusammengezogen wie ich meine mutter weinen sah als
würde ich in den tod gehen

 sô sind wir davongegangen und der herr hat gesagt ich sollte ihn
dorthin führen wo das Castrum *der Kaiserlichen ist und ich hab*
gesagt das ist ganz leicht wir brauchen blôsz der sonne zu folgen soll
heiszen dorthin gehen woher sie kommt

 und wie wir sô gehn und schon die zelte zu sehn sind kommt uns
eine compania soldaten entgegen alle im harnisch und im selben
moment in dem sie uns sehn gehen sie auf die knie und senken die
Piken und die Feldzeichen und heben die Schwerter und ich frage mich
na was soll denn das bedeuten? da rufen die Soldaten ~~Chaiser~~ **Keiser**
hier und **Kaysar** *da und* **Sanctissimus Rex** *und küssen dem herrn*
die hand und mir fällt beinah der kiefer runter so weit hab ich das
maul aufgerissen vor staunen denn erst jetzt hab ich begriffen daz
dieser herr mit dem roten bart der **Kaiser Frîderîch selber** *war*
in fleisch und bein und ich hatt ihm den ganzen abend lang lügen
erzêlt als ob er irgendein Dorfdepp wär!

 jetzt wird er mir den kopf abhaun lassen dachte ich bei mir
immerhin hats ihn dann VII Moneten gekostet denn wenn er meinen
kopf haben wollte hätt er ihn gestern abend gratis et amoredei haben
können

 aber er sagt Ihr braucht keine angst mehr zu haben es wird alles
gut ich bringe euch grôsze Neuigkeiten von einer Vision! komm **Kint**
sag allen was für eine vision du gehabt hast im wald! na und ich werfe
mich nieder als ob ich plötzlich die fallsucht hätte und verdrehe die
ougen und lasse mir sabber aus dem mund flieszen und schreie

lauthals Ich sehe! ich sehe! *und erzêle die ganze Lügenmär von San Baudolino die mich zum Wahrsager macht und alle loben* ~~domineddio~~ *den Herrn im Himmel und sagen Miracolo miracolo* 𝔤𝔬𝔱𝔱 𝔣𝔱𝔢𝔥𝔲𝔫𝔣𝔟𝔢𝔦

und da waren auch die gesandten aus Tortona die sich noch nicht entschieden hatten ob sie sich ergeben sollten oder nicht aber als sie mich hatten reden hören warfen sie sich lang ausgestreckt auf den boden und sagten wenn auch die Heiligen sich gegen sie stellten dann wärs besser sich zu ergeben denn lange könnts sô nicht weitergehn

und dann sah ich die Tortonesen die aus der stadt herauskamen männer frauen kinder und greise und alle weinten und klagten indes die alemannen sie wegführten als wärens schafe und andres schlacht-vieh und die aus Pavia schrien Alé Alé und stürmten nach Tortona hinein mit äxten und hämmern und keulen und piken denn eine stadt dem erdboden gleichzumachen daz war ihnen eine grôsze lust

und gegen abend sah ich auf dem ganzen hügel einen grôszen rauch und Tortona war quasi nicht mehr da sô ist der krieg wie mein vater Galiaudo immer sagt der krieg ist eine grôsze böse Bestie

aber besser sie als wir

und am abend ist der kaiser ganz zufrieden in die Tabernacula zurückgekehrt und hat mir in die wange gekniffen wie es mein vater nie getan hat und dann hat er einen herren gerufen der kein anderer war als der gute kanonikus Rahewin und hat zu ihm etwas gesagt was ich nit gut verstanden hab aber er wollte daz ich schreiben lernte und den abakus und daz ich auch die grammatik lernte von der ich damals noch gar nix wuszte aber jetzt weisz ich so langsam allmêhe-lich was sie ist nêmlich eine sache die sich mein vater überhaupts nie nit hätte vorstellen können

wie schön es ist gebildet zu sein wer hätte das gedacht!

gratia agamus ~~domini dominus~~ *also in summa Dank sei dem Herrn im Himmel dafür*

aber eine kronik zu schreiben bringt einen schon ziemlîch ins schwitzen sogar im winter und ich fürchte auch daz die lampe alsbald erlischt und wie jener andre sagte der daumen schmerzt mich

2. Kapitel

Baudolino begegnet Niketas Choniates

»Was ist das?« fragte Niketas, nachdem er das Pergament in den Händen herumgedreht und einige Zeilen zu lesen versucht hatte.

»Das war meine erste Schreibübung«, antwortete Baudolino. »Seit ich das geschrieben habe – ich war vielleicht vierzehn und noch kaum mehr als ein Waldbauernbub –, trage ich es überall mit mir herum wie ein Amulett. Danach habe ich noch viele andere Pergamente beschrieben, in manchen Zeiten Tag für Tag. Es kam mir so vor, als ob ich überhaupt nur existierte, um abends aufzuschreiben, was mir tagsüber widerfahren war. Später genügten mir knappe monatliche Notizen, wenige Zeilen, um mich an die wichtigsten Geschehnisse zu erinnern. Und ich sagte mir, wenn ich einmal in fortgeschrittenem Alter sein würde – wie man es jetzt sagen könnte –, würde ich anhand dieser Aufzeichnungen die *Gesta Baudolini* verfassen. So trug ich auf meinen Reisen die Geschichte meines Lebens mit mir herum. Doch bei der Flucht aus dem Reich des Priesters Johannes…«

»Priester Johannes? Nie gehört…«

»Ich werde noch von ihm sprechen, vielleicht sogar zuviel. Was ich sagen wollte, bei jener Flucht habe ich meine Aufzeichnungen verloren. Es war, als hätte ich mein Leben selbst verloren.«

»Erzähl mir, woran du dich erinnerst. Ich sammle Bruchstücke von Geschehnissen, Splitter von Begebenheiten und gewinne daraus eine Geschichte, die sich anhört, als sei sie durchwirkt von einem Plan der Vorsehung. Du hast mich gerettet und mir dadurch das bißchen Zukunft gegeben, das mir noch verbleibt. Zum Dank will ich dir die Vergangenheit wiedergeben, die du verloren hast.«

»Aber vielleicht ist meine Geschichte ja sinnlos…«

»Keine Geschichte ist sinnlos. Und ich bin einer von denen, die den Sinn auch dort zu finden wissen, wo die anderen ihn übersehen. Danach wird die Geschichte zu einem Buch der Lebenden, wie eine helltönende Posaune, deren Klang die Toten aus den Gräbern auferstehen läßt… Ich brauche nur etwas Zeit, ich muß die Geschehnisse bedenken, sie miteinander verbinden, die Zusammenhänge entdecken, auch die weniger sichtbaren. Aber wir haben ja nichts anderes zu tun, deine Genueser sagen, es wird noch ein paar Tage dauern, bis sich die Wut dieser Hunde gelegt hat.«

Niketas Choniates, vormals Redner am Hofe, oberster Richter des Reiches, Richter des Velums und Logothet der Sekreta oder – wie man bei den Lateinern sagen würde – Kanzler des Kaisers von Byzanz, zugleich Geschichtsschreiber vieler Komnenen sowie der Angeloi, betrachtete neugierig den Mann, der da vor ihm stand. Baudolino hatte ihm gesagt, sie seien sich schon einmal in Kalliupolis am Hellespont begegnet, zur Zeit Kaiser Friedrichs, aber wenn Baudolino damals dabeigewesen war, dann mußte er unauffällig zwischen den Ministerialen gestanden haben, während Niketas, der im Namen des Basileus verhandelt hatte, viel schwerer zu übersehen war. Log dieser Lateiner? Jedenfalls hatte er ihn vor der Wut der Invasoren gerettet, hatte ihn an einen sicheren Ort gebracht, ihn wieder mit seiner Familie vereinigt und versprochen, ihn heil aus Konstantinopel hinauszubringen.

Niketas betrachtete seinen Retter. Der Mann sah weniger wie ein Christ als wie ein Sarazene aus. Ein sonnenverbranntes Gesicht, eine bleiche Narbe quer über die ganze Wange, ein Kranz noch rotblonder Haare, der seinem Kopf etwas Löwenhaftes verlieh. Niketas wäre wohl recht erstaunt gewesen, wenn er erfahren hätte, daß dieser Mann bereits über sechzig Jahre alt war. Er hatte sehr große Hände, und wenn er sie verschränkt im Schoße hielt, sah man sofort die knotigen Knöchel. Bauernhände, mehr für die Hacke als für das Schwert gemacht.

Gleichwohl sprach er ein flüssiges Griechisch, ohne bei

jedem Wort feine Tröpfchen zu spucken, wie es die Fremden gewöhnlich taten, und Niketas hatte ihn erst vor kurzem mit den Invasoren in ihrer rauhen Sprache reden hören, die er schnell und trocken sprach, wie einer, der sie auch zum Schimpfen und Beleidigen zu gebrauchen weiß. Im übrigen hatte ihm Baudolino am Abend zuvor gesagt, daß er eine Gabe besitze: Es genüge ihm, zwei Leute in irgendeiner Sprache miteinander reden zu hören, und nach kurzer Zeit sei er in der Lage, mit ihnen zu sprechen. Eine einzigartige Gabe, von der Niketas gedacht hätte, sie sei nur den Aposteln gewährt.

Das Leben am Hofe, zumal an diesem, hatte Niketas gelehrt, die Menschen mit stillem Mißtrauen zu taxieren. Was ihm an Baudolino auffiel, war, daß dieser Lateiner bei allem, was er sagte, sein Gegenüber mit einer verhaltenen Ironie ansah, als wolle er ihm bedeuten, seine Worte nicht allzu ernst zu nehmen. Eine schlechte Angewohnheit, die man jedem beliebigen zubilligen mochte, nur nicht einem, von dem man eine wahrheitsgemäße Aussage erwartete, um sie dann in Geschichtsschreibung zu übersetzen. Andererseits war Niketas von Natur aus neugierig. Er liebte es, andere erzählen zu hören, und nicht nur von Dingen, die ihm noch unbekannt waren. Auch was er bereits mit eigenen Augen gesehen hatte, kam ihm, wenn er einen anderen darüber reden hörte, ganz neu vor, so als sehe er es aus einem neuen Blickwinkel, als befände er sich auf dem Gipfel eines jener Berge, die auf den Ikonen gemalt sind, und sähe die Steine so, wie sie die Apostel auf dem Gipfel sahen, und nicht wie die Gläubigen unten. Außerdem machte es ihm Vergnügen, die Lateiner zu befragen, die in allem so anders als die Griechen waren, angefangen bei ihren ganz neuen, untereinander so verschiedenen Sprachen.

Niketas und Baudolino saßen einander gegenüber in einem Turmzimmer, das doppelte Spitzbogenfenster nach drei Seiten hatte. Durch eines sah man auf das Goldene Horn und das gegenüberliegende Ufer von Pera mit dem Turm von Galata, der sich aus seiner Umgebung von eng zusammengedrängten Häusern und Hütten erhob; durch das andere sah man den Hafenkanal in den Sankt-Georgs-Arm einmünden; das dritte ging nach Westen, und dort hätte man ganz Konstantinopel sehen müssen. Doch an jenem Morgen war die zarte Farbe des Himmels verdunkelt vom dichten Rauch aus den Palästen und Kirchen, die vom Feuer verzehrt wurden.

Es war die dritte Feuersbrunst, von der die Stadt in den letzten neun Monaten heimgesucht wurde. Die erste hatte die Lager- und Vorratshäuser des Hofes zerstört, vom Blachernenpalast im Nordosten bis hinunter zur Konstantinsmauer, die zweite hatte sämtliche Warenhäuser der Venezianer, Amalfitaner, Pisaner und Juden vernichtet, von Perama bis fast an die Küste, ausgenommen allein jenes Viertel der Genueser unterhalb der Akropolis, in dem sie sich befanden, und die dritte wütete jetzt in der ganzen Stadt.

Unten tobte ein wahres Flammenmeer, die Arkaden brachen zusammen, die Paläste stürzten ein, die Säulen knickten um, die Feuerkugeln, die aus dem Zentrum des Brandes hervorstoben, verzehrten die weiter entfernten Häuser, wonach die Flammen, getrieben von launischen Winden, die das Inferno genußvoll nährten, zurückkehrten, um zu verschlingen, was sie zuvor noch ausgespart hatten. Darüber ballten sich dichte Wolken, an der Unterseite noch rötlich vom Widerschein des Feuers, aber sonst von einer anderen Farbe, bei der man nicht zu sagen vermochte, ob sie auf einer Täuschung durch die Strahlen der aufgehenden Sonne beruhte oder auf der Natur der Spezereien, der Hölzer und anderen Materialien, die dort verbrannten. Überdies kamen je nach der Windrichtung aus verschiedenen Teilen der Stadt Gerüche von Muskatnuß, Zimt, Pfeffer und Safran, Senf oder Ingwer – so daß die schönste Stadt der Welt zwar brannte, aber wie eine Räucherpfanne voller Duftstoffe.

Baudolino stand mit dem Rücken zum dritten Fenster und sah aus wie ein dunkler Schatten, umgeben vom zwiefachen Schein des anbrechenden Tages und der Feuersbrunst. Niketas hörte ihm teils zu, teils vergegenwärtigte er sich noch einmal die Geschehnisse der vergangenen Tage.

An jenem Morgen, es war Mittwoch, der 14. April Anno Domini 1204 – oder im Jahre 6712 seit Anbeginn der Welt, wie man in Byzanz zu zählen pflegte –, hatten sich die Barbaren seit nunmehr zwei Tagen endgültig in den Besitz von Konstantinopel gebracht. Das byzantinische Heer, das auf den Paraden so prachtvoll glänzte mit seinen schimmernden Rüstungen, Helmen und Schilden, und die kaiserliche Wache der englischen und dänischen Söldner mit ihren schrecklichen Doppeläxten, die noch am Freitag den Feinden tapfer entgegengetreten und nicht gewichen waren, hatten sich am Montag, als die Feinde schließlich die Mauern überwanden, gleichsam in Luft aufgelöst. Es war ein so unerwarteter Sieg gewesen, daß die Sieger gegen Abend von selbst innehielten, da sie eine nächtliche Rückeroberung fürchteten – und um sich gegen diese zu schützen, hatten sie den neuen Brand gelegt. Doch am nächsten Morgen mußte die ganze Stadt entdecken, daß der Usurpator Alexios Dukas Murtzuphlos ins Hinterland geflohen war. Die Bürger, nun verwaist und besiegt, verfluchten jenen Thronräuber, dem sie noch am Abend zuvor gehuldigt hatten, so wie sie ihn hatten hochleben lassen, als er seinen Vorgänger erwürgt hatte, und da sie nicht wußten, was sie tun sollten (Feiglinge, Feiglinge, Feiglinge, welch eine Schande, jammerte Niketas über diese Kapitulation), versammelten sie sich zu einem großen Zug, mit dem Patriarchen an der Spitze und Priestern aller Arten in ihren rituellen Gewändern und Mönchen, die um Gnade flehten, bereit, sich den neuen Machthabern zu verkaufen, wie sie sich seit jeher den alten verkauft hatten, die Kreuze und Bildnisse unseres Herrn Jesus Christus zumindest so hoch erhoben wie ihr Geschrei und Gejammer, und so zogen sie den Eroberern entgegen in der Hoffnung, sie zu besänftigen.

Welch ein Wahn, Barmherzigkeit zu erhoffen von diesen Barbaren, die nicht darauf warten mußten, daß die Feinde sich ihnen ergaben, um endlich zu tun, wovon sie seit

Monaten träumten: die größte, volkreichste, edelste und opulenteste Stadt der Welt zu plündern und sich die Beute zu teilen. Der riesige Zug der um Gnade Flehenden fand sich gegenüber Falschgläubigen mit verzerrter Miene, deren Schwerter noch rot von Blut waren und deren Pferde unruhig stampften. Als sei der Zug nicht vorhanden und niemals vorhanden gewesen, begannen sie mit der Plünderung.

O Herr Jesus Christus, welche Drangsal, welche Nöte und Qualen hatten die Unseren da zu erleiden! Warum hatten uns nicht das Toben des Meeres, eine Verdunklung oder vollständige Verfinsterung der Sonne, ein blutroter Hof des Mondes oder die Bewegungen der Sterne dieses äußerste Unglück angekündigt? – So klagte Niketas, als er am Dienstag abend in dem umherirrte, was die Hauptstadt der letzten Römer gewesen war, auf der einen Seite bemüht, den Horden der Ungläubigen aus dem Weg zu gehen, auf der anderen von immer neuen Bränden am Weitergehen gehindert, voller Verzweiflung einen Weg nach Hause suchend und voller Angst, daß inzwischen vielleicht schon einige dieser Hunde seine Familie bedrohten.

Schließlich, gegen Abend, als er nicht wagte, durch die Parks und über den offenen Platz zwischen der Hagia Sophia und dem Hippodrom zu gehen, war er zu der riesigen Kirche gelaufen, da er ihre hohen Portale offenstehen sah und nicht annahm, daß die Zerstörungswut der Barbaren so weit gehen würde, auch diesen heiligen Ort zu schänden.

Doch als er eintrat, erbleichte er vor Entsetzen. Der weite Raum war übersät mit Leichen, zwischen denen sich sturzbetrunkene feindliche Reiter bewegten. Nicht weit vor ihm war das Lumpenpack gerade dabei, mit Keulenschlägen die silberne und mit Gold beschlagene Gittertür des Presbyteriums aufzubrechen. Die prächtige Kanzel hatten sie mit Seilen umwunden, um sie herunterzureißen und durch ein Maultiergespann fortschleppen zu lassen. Eine grölende Horde trieb die Tiere mit Schlägen und Schreien an, aber die Hufe glitten auf dem blanken Steinboden aus, die Bewaffneten setzten den armen Tieren mit Stichen und Klingenhieben zu, die also Gequälten brachen vor Angst in lautes Gewieher aus, einige stürzten zu Boden und brachen sich ein Bein, so daß der ganze Raum um die Kanzel ein einziges Gemenge aus Blut und Kot war.

Teile dieser Vorhut des Antichrist machten sich über die Altäre her, Niketas sah, wie einige ein Tabernakel aufbrachen, den Kelch herausrissen, die geweihten Behältnisse auf den Boden warfen, mit ihren Dolchen die Edelsteine vom Kelch absprengten, diese in ihre Taschen steckten und den Kelch auf einen Haufen anderer zum Einschmelzen bestimmter Gegenstände warfen. Doch zuvor nahmen einige grinsend aus der Satteltasche ihres Pferdes eine Flasche Wein, gossen etwas in das geweihte Gefäß und tranken daraus, wobei sie die Bewegungen eines Zelebranten nachäfften. Schlimmer noch, auf dem nun leergeräumten Hauptaltar vollführte eine halbentblößte Prostituierte, die Züge entstellt von irgendeinem Rauschtrank, barfüßig einen Tanz, frivol auf dem Tisch der Eucharistie die heilige Liturgie parodierend, während die Männer lachten und sie aufforderten, sich auch noch die letzten Kleider vom Leibe zu reißen. Nachdem sie der Aufforderung Stück für Stück Folge geleistet hatte, war sie darangegangen, vor dem Altar den lüsternen alten Kordax zu tanzen, und schließlich hatte sie sich, müde rülpsend, in den Sessel des Patriarchen geworfen.

Weinend über das, was er sah, hatte Niketas sich rasch auf den Weg zum hinteren Teil der Kirche gemacht, wo jene Säule stand, die der Volksmund die Schwitzende nannte – denn in der Tat überzog sie sich, wenn man sie berührte, mit einem mystischen Schweiß, aber es war nicht aus mystischen Gründen, daß Niketas sie erreichen wollte. Etwa auf halbem Wege dorthin traten ihm zwei hochgewachsene Invasoren entgegen – ihm erschienen sie wie Riesen – und riefen ihm etwas in herrischem Ton zu. Es war nicht notwendig, ihre Sprache zu verstehen, um zu begreifen, daß sie aufgrund seiner höfischen Kleidung dachten, er müsse mit Gold beladen sein oder ihnen sagen können, wo er welches versteckt habe. In diesem Augenblick fühlte sich Niketas verloren, denn wie er bei seinem verzweifelten Gang durch die Straßen der eroberten Stadt gesehen hatte, genügte es nicht zu zeigen, daß man nur wenige Münzen bei sich trug, oder zu verneinen, daß man irgendwo einen Schatz verborgen habe: Ehrwürdige Greise, erniedrigte Hochgestellte, ihres Besitzes beraubte Besitzer wurden aufs schlimmste gefoltert, damit sie verrieten, wo sie ihre Habe versteckt hatten, wurden getötet, wenn sie es nicht verraten konnten, weil sie nichts mehr besaßen, oder liegengelassen, wenn sie es verrieten, nachdem sie so viele und gräßliche Qualen erlitten hatten, daß sie in jedem Fall daran starben, indes ihre Peiniger eine Steinplatte anhoben, eine falsche Wand einrissen, eine Hängedecke ruinierten und ihre gierigen Hände auf kostbares Tafelgeschirr legten, Samt und Seide befühlten, Pelze streichelten, Edelsteine und Geschmeide zwischen den Fingern drehten, Dosen und Säckchen voll seltener Spezereien beschnupperten.

So sah sich Niketas in jenem Augenblick bereits tot, er beweinte seine verlorene Familie und bat den Allmächtigen um Vergebung für seine Sünden. Im selben Augenblick kam Baudolino in die Hagia Sophia.

Er kam hereingesprengt, prächtig wie Saladin, auf einem Roß mit Schabracke, ein rotes Kreuz auf der Brust, das gezogene Schwert in der Hand, und er brüllte: »Gottverfluchte Saubande, Lumpenpack, Hurenböcke, Himmelsakra, ist das die Art, wie man mit den Dingen unseres Herrn umgeht?« Dabei drosch er mit der flachen Klinge auf jene gotteslästerlichen Plünderer ein, die genau wie er ein Kreuz auf der Brust trugen, nur daß er nicht betrunken war, sondern außer sich. Er trieb sie rechts und links auseinander, sprengte mitten hindurch, und als er bei der auf dem Patriarchensessel hingefläzten Hure ankam, bückte er sich hinunter, packte sie an den Haaren und schleifte sie in den Kot der Maultiere, wobei er ihr gräßliche Dinge zurief über die Mutter, die sie geboren hatte. Doch ringsumher waren diejenigen, die er durch sein Tun zu bestrafen glaubte, so betrunken oder so sehr damit beschäftigt, Edelsteine zusammenzuraffen, wo immer es welche geben mochte, daß sie gar nicht bemerkten, was er tat.

Während er noch dabei war, stieß er unversehens auf die zwei Riesen, die sich gerade anschickten, den armen Niketas zu foltern. Er blickte den Ärmsten an, der um Gnade flehte, ließ die Haare der Kurtisane los, die verunstaltet auf den Boden sank, und sagte in bestem Griechisch: »Bei allen zwölf Magierkönigen aus dem Morgenland, bist du nicht der Logothet Niketas, der Minister des Basileus? Was kann ich für dich tun?«

»Bruder in Christus, wer immer du sein magst«, rief Niketas, »befreie mich von diesen Barbaren, die meinen Tod wollen, rette meinen Leib, und du wirst deine Seele retten!« Die beiden lateinischen Pilger hatten von diesem Wortwechsel in orientalisch klingenden Tönen nicht viel verstanden, und so fragten sie Baudolino, der einer der ihren zu sein schien, in provenzalischer Sprache. Und in bestem Provenzalisch erwiderte Baudolino, daß dieser Mann ein Gefangener des Grafen Balduin von Flandern sei, in dessen Auftrag er gerade nach ihm gesucht habe, wegen gewisser *arcana imperii*, die zwei elende Sergenten wie sie nie und nimmer verstehen würden. Die beiden waren einen Moment wie vor den Kopf gestoßen, dann beschlossen sie, daß es nur Zeitverlust wäre, eine Diskussion anzufangen, da sie in derselben Zeit mühelos andere Schätze suchen gehen konnten, und verdrückten sich in Richtung Hauptaltar.

Niketas kniete zwar nicht nieder, um die Füße seines Retters zu küssen, auch weil er ja schon auf dem Boden lag, aber er war zu erschüttert, um mit der seinem Rang gebührenden Würde zu reagieren. »Oh, guter Mann«, sagte er, »hab Dank für deine Hilfe! Nicht alle Lateiner sind also losgelassene Bestien mit haßverzerrten Gesichtern! Nicht einmal die Sarazenen haben sich so aufgeführt, als sie Jerusalem zurückeroberten und Saladin sich mit wenigen Münzen begnügte, um die Einwohner zu verschonen! Welch eine Schande für die ganze Christenheit, Brüder bewaffnet gegen Brüder, Kreuzpilger, die das Heilige Grab befreien sollten und statt dessen, von Neid und Habgier erfaßt, das Reich der Romäer zerstören! O Konstantinopel, Konstantinopel, erhabene Stadt! Nährmutter der Kirche,

Ahnherrin des Glaubens, Weiserin der rechten Lehre, Pflegerin der Wissenschaften, Heimstatt des Schönen, so hast du nun aus der Hand Gottes den Becher des Zornes getrunken und bist verbrannt in einem noch größeren Feuer als jenem, das einst die Pentapolis zerstörte! Welche neiderfüllten, unversöhnlichen Dämonen haben die Unmäßigkeit ihres Rausches über dir ausgegossen, welche rasenden, haßerfüllten Freier haben die Hochzeitsfackel in dir entzündet? O Mutter, einst warst du bekleidet mit dem Golde und Purpur des Kaisers, jetzt bist du besudelt und in den Schmutz getreten von deinen Söhnen. Gleich in einen Käfig gesperrten Vögeln finden wir weder den Weg, diese Stadt zu verlassen, die doch die unsere war, noch die Gelassenheit, in ihr zu bleiben, sondern irren wie schweifende Sterne in ihr umher!«

»Kyrios Niketas«, erwiderte Baudolino, »man hat mir gesagt, daß ihr Griechen zuviel und über alles redet, aber ich hatte nicht gedacht, daß ihr so weit geht. Im Moment ist die einzige Frage, wie man hier rauskommt. Ich kann dich im Viertel der Genueser in Sicherheit bringen, aber du mußt mir den schnellsten und sichersten Weg zum Neorionhafen zeigen, denn dieses Kreuz, das ich auf der Brust habe, schützt nur mich, nicht dich. Hier ringsum haben die Leute das Licht des Verstandes verloren. Wenn sie mich mit einem griechischen Gefangenen sehen, werden sie denken, daß er etwas wert sein muß, und werden ihn mir wegnehmen.«

»Einen guten Weg wüßte ich schon, aber er folgt nicht den Straßen«, sagte Niketas, »und du müßtest dein Pferd zurücklassen.«

»Dann lassen wir's eben zurück«, sagte Baudolino mit einer Unbekümmertheit, die Niketas erstaunte – er wußte ja noch nicht, wie wenig ihn sein Reittier gekostet hatte.

So ließ sich Niketas auf die Beine helfen, nahm Baudolino bei der Hand und zog ihn behutsam zur Schwitzenden Säule. Er blickte umher: In der ganzen Weite des Kirchenraumes waren die Pilger, die von weitem gesehen wie wimmelnde Ameisen aussahen, mit Plündern und Raffen beschäftigt und achteten nicht auf die beiden. Er kniete sich hinter der Säule auf den Boden und zwängte die Finger in eine etwas unregelmäßige Fuge zwischen zwei Steinplatten. »Hilf mir ein wenig«, sagte er zu Baudolino. »Zu zweit werden wir's vielleicht schaffen.« Tatsächlich ließ sich die Platte nach einiger Anstrengung heben und gab den Blick auf eine dunkle Öffnung frei. »Da ist eine Treppe«, sagte Niketas. »Ich gehe voran, ich weiß, wohin man treten muß. Zieh hinter dir die Steinplatte wieder zu.«

»Was machen wir denn jetzt?« fragte Baudolino.

»Wir steigen hinunter«, sagte Niketas, »dann tasten wir uns zu einer Nische vor, dort finden wir Fackeln und Feuerzeug.«

»Schöne große Stadt, dieses Konstantinopel, und so voller Überraschungen!« kommentierte Baudolino, während er tastend die Wendeltreppe hinunterstieg. »Schade, daß diese Schweine keinen Stein auf dem anderen lassen werden!«

»Diese Schweine?« fragte Niketas. »Gehörst du denn nicht zu ihnen?«

»Ich?« wunderte sich Baudolino. »Keineswegs. Wenn du meinst, wegen meiner Kleidung – die habe ich mir bloß geliehen. Ich war schon in der Stadt, als diese Kerle eindrangen. Aber wo sind denn bloß diese Fackeln?«

»Geduld, nur noch ein paar Stufen. Sag mir, wer bist du, wie heißt du?«

»Baudolino aus Alexandria, nicht aus dem in Ägypten, sondern aus dem, das heute noch Caesarea heißt, aber wer weiß, vielleicht heißt es heute ja gar nicht mehr, sondern ist verbrannt wie Konstantinopel. Ich meine das Alexandria in Oberitalien, zwischen dem Meer und den Bergen im Norden, unweit von Mediolanum, kennst du das?«

»Ich habe von Mediolanum gehört. Es wurde einmal vom König der Alemannen zerstört. Und später hat unser Basileus den Einwohnern Geld für den Wiederaufbau gegeben.«

»Richtig, ich war beim König der Alemannen, bevor er starb. Du bist ihm einmal begegnet, als er die Propontis überquerte, vor etwa fünfzehn Jahren.«

»Fridericus Rotbart. Ein großer, hochedler Herrscher, mildtätig und barmherzig. Er hätte sich nie so benommen wie diese hier…«

»Wenn er eine Stadt eroberte, war auch er nicht zimperlich.«

Endlich waren sie am Fuß der Treppe angelangt. Niketas fand die Fackeln, entzündete sie, und im flackernden Schein der hochgehaltenen Lichter schritten sie durch einen langen Gang, dessen Wände naß glänzten, bis Baudolino auf einmal den Bauch von Konstantinopel erblickte – dort, wo sich, fast direkt unter der größten Kirche der Welt, unbemerkt eine andere Basilika in die Weite und Tiefe erstreckte, ein Wald von Säulen, die sich im Dunkel verloren wie ebenso viele Bäume eines Sumpf- oder Lagunenwaldes, der in flachem Wasser wächst. Eine ganz auf den Kopf gestellte Basilika oder Abteikirche, denn auch das Licht, das schwach auf Kapitelle fiel, die undeutlich im Schatten der hohen Gewölbe zu sehen waren, kam nicht aus Rosetten oder Fenstern, sondern aus der spiegelnden Wasserfläche am Boden, die den Fackelschein reflektierte.

»Die Stadt ist voller Zisternen«, sagte Niketas. »Die Gärten von Konstantinopel sind kein Geschenk der Natur, sondern ein Ergebnis der Kunst. Aber schau, das Wasser steht jetzt nur noch kniehoch, weil das meiste zum Löschen der Brände benutzt worden ist. Wenn die Eroberer auch noch die Aquädukte zerstören, werden alle verdursten. Normalerweise kann man hier nicht zu Fuß durch, nur mit einem Boot.«

»Geht das denn so weiter bis zum Hafen?«

»Nein, diese Zisterne endet vorher, aber ich kenne Passagen und Treppen, die sie mit anderen Zisternen und Gängen verbinden, so daß wir unterirdisch wenn nicht direkt bis zum Neorion, so doch bis zum Prosphorion gehen können. Allerdings«, sagte er bekümmert, als ob er sich erst in diesem Augenblick auf eine andere Pflicht besann, »ich kann nicht mitkommen. Ich zeige dir den Weg, aber dann muß ich umkehren. Ich muß meine Familie retten, sie ist in einem kleinen Haus hinter der Irenenkirche versteckt. Du mußt wissen«, fügte er wie zur Entschuldigung hinzu, »mein schönes großes Haus ist bei der zweiten Feuersbrunst verbrannt, damals im August...«

»Kyrios Niketas, du bist wohl nicht recht bei Trost. Erst

läßt du mich hier runtersteigen und auf mein Pferd verzichten, obwohl ich ohne dich sehr gut durch die Straßen zum Neorion gelangt wäre, und dann willst du umkehren und mich allein weitergehen lassen. Meinst du, du könntest deine Familie erreichen, bevor dich zwei andere Sergenten anhalten wie die, bei denen ich dich gefunden habe? Und selbst wenn es dir gelingt, was willst du dann tun? Früher oder später wird dich jemand finden, und wenn du meinst, du könntest die Deinen nehmen und in Sicherheit bringen – wohin willst du denn gehen?«

»Ich habe Freunde in Selymbria«, sagte Niketas zögernd.

»Ich weiß zwar nicht, wo das ist, aber um dort hinzugelangen, mußt du erstmal aus der Stadt hinaus. Kyrios Niketas, du kannst für deine Familie nichts tun. Aber wo ich dich hinbringe, dort finden wir Freunde aus Genua, die in dieser Stadt das gute und schlechte Wetter machen. Sie sind gewohnt, mit den Sarazenen zu handeln, mit den Juden, den Mönchen, der kaiserlichen Wache, den persischen Kaufleuten und jetzt auch mit den lateinischen Pilgern. Es sind gewiefte Leute, du sagst ihnen, wo sich deine Familie befindet, und sie bringen sie dir morgen dahin, wo wir sein werden. Wie sie das anstellen, weiß ich nicht, aber sie werden es tun. Sie würden es in jedem Fall für mich tun, weil wir alte Freunde sind, und um der Liebe zu Gott willen, aber sie sind immerhin Genueser, und so kann es nichts schaden, wenn du ihnen ein kleines Geschenk machst. Dann bleiben wir dort, bis sich die Lage beruhigt hat, gewöhnlich dauert eine Plünderung nicht länger als ein paar Tage, du kannst mir glauben, ich habe schon viele gesehen. Und dann gehen wir nach Selymbria oder wohin immer du willst.«

Niketas war überzeugt und bedankte sich. Und während sie weitergingen, fragte er Baudolino, warum er sich in der Stadt befand, wenn er doch kein Kreuzpilger war.

»Ich bin angekommen, als die Lateiner bereits am anderen Ufer angelegt hatten, zusammen mit anderen, die... die jetzt nicht mehr da sind. Wir sind von sehr weit her gekommen.«

»Warum habt ihr die Stadt nicht verlassen, solange noch Zeit war?«

Baudolino zögerte mit der Antwort. »Weil... weil ich hierbleiben mußte, um etwas zu begreifen.«

»Und hast du es begriffen?«

»Leider ja, aber erst heute.«

»Eine andere Frage: Warum machst du dir soviel Mühe mit mir?«

»Was soll ich denn sonst mit einem guten Christen machen? Aber im Grunde hast du schon recht. Ich hätte dich von diesen zwei Kerlen befreien und dann allein fliehen lassen können, aber ich habe mich an dich geheftet wie ein Blutegel. Schau, Kyrios Niketas, ich weiß, daß du ein Geschichtsschreiber bist, so einer, wie Bischof Otto von Freising einer war. Aber als ich Bischof Otto kannte und bei ihm war, bevor er starb, da war ich ein Knabe und hatte keine eigene Geschichte und wollte nur die der anderen erfahren. Jetzt hätte ich vielleicht eine, aber ich habe nicht nur alles verloren, was ich über meine Vergangenheit aufgeschrieben hatte, sondern ich bringe auch alles durcheinander, wenn ich mich zu erinnern versuche. Nicht, daß mir die einzelnen Fakten entfallen wären, aber ich bin nicht imstande, ihnen einen Sinn zu geben. Und nach dem, was mir heute widerfahren ist, muß ich unbedingt mit jemandem darüber sprechen, sonst werde ich verrückt.«

»Was ist dir denn widerfahren?« fragte Niketas, während er mühsam durchs Wasser stapfte – er war zwar jünger als Baudolino, aber sein Leben als Gelehrter und Höfling hatte ihn korpulent und träge gemacht.

»Ich habe einen Menschen getötet. Es war der, der vor fast fünfzehn Jahren meinen Adoptivvater ermordet hat, den besten aller Könige, den Kaiser Friedrich.«

»Aber Friedrich ist doch in Kilikien ertrunken!«

»Das glauben alle. Aber er ist ermordet worden. Kyrios Niketas, du hast mich heute abend in der Hagia Sophia wütend mit dem Schwert dreinschlagen sehen, aber glaub mir, ich hatte in meinem ganzen Leben noch niemals Blut vergossen. Ich bin ein friedlicher Mensch. Diesmal jedoch mußte ich töten, ich war der einzige, der hier für Gerechtigkeit sorgen konnte.«

»Du wirst mir alles erzählen. Aber sag mir zuerst, wie es

kam, daß du genau im rechten Augenblick, wie von der Vorsehung geschickt, in der Hagia Sophia erschienen bist, um mir das Leben zu retten.«

»Während die Pilger anfingen, die Stadt zu plündern, war ich gerade dabei, einen finsteren Ort zu betreten. Als ich vor ungefähr einer Stunde wieder herauskam, war es schon dunkel, und ich befand mich in der Nähe des Hippodroms. Ich wurde fast überrannt von einer Schar Griechen, die schreiend vor etwas davonliefen. Ich konnte mich gerade noch in den Eingang eines halbverbrannten Hauses retten, und als sie vorbei waren, sah ich die Pilger, die sie verfolgten. Da begriff ich, was im Gange war, und siedendheiß schoß mir ein Gedanke durch den Kopf: Ich war zwar ein Lateiner und kein Grieche, aber bevor diese bestialisierten Lateiner das merkten, würde zwischen mir und einem toten Griechen kein großer Unterschied mehr sein. Ach wo, das ist doch nicht möglich, sagte ich mir, die können doch nicht die größte Stadt der Christenheit zerstören wollen, gerade jetzt, wo sie sie erobert haben … Dann fiel mir ein, als ihre Vorfahren zur Zeit Gottfrieds von Bouillon in Jerusalem eindrangen, da haben sie ebenfalls alle umgebracht, Frauen, Kinder und Haustiere, obwohl die Stadt anschließend die ihre wurde, und man kann von Glück sagen, daß sie nicht auch das Heilige Grab zerstört haben. Es stimmt zwar, daß es damals Christen waren, die in eine Stadt der Ungläubigen einfielen, aber gerade jetzt auf meiner Reise habe ich erlebt, wie heftig Christen wegen eines kleinen Wörtchens übereinander herfallen können, und bekanntlich streiten sich ja unsere Priester seit Jahren mit euren Priestern über die Frage des *Filioque*. Und schließlich, da hilft nun mal nichts, wenn Krieger in eine Stadt eindringen, hält keine Religion sie zurück.«

»Was hast du dann also gemacht?«

»Ich habe den Hauseingang verlassen und bin dicht an den Mauern entlang bis zum Hippodrom gegangen. Und dort habe ich die Schönheit verblühen und sterben sehen. Du mußt wissen, seit ich mich in der Stadt befinde, bin ich immer wieder dorthin gegangen, um jene Mädchenstatue zu betrachten, ich meine die mit den wohlgeformten Füßen, mit Armen wie Schnee und roten Lippen und mit jenem Lächeln und jenen Brüsten und jenen Kleidern und jenen Haaren, die im Winde zu tanzen schienen, eine Statue, bei der man, wenn man sie von weitem sah, gar nicht glauben mochte, daß sie aus Bronze war, so lebendig wirkte sie, wie aus Fleisch und Bein...«

»Du meinst die Statue der Helena von Troja. Was ist denn mit ihr geschehen?«

»Binnen weniger Augenblicke sah ich die Säule, auf der sie stand, umstürzen wie ein gefällter Baum, es war eine einzige Staubwolke. In Stücke gebrochen lag der Körper am Boden, wenige Schritte vor mir der Kopf, und da erst bemerkte ich, wie groß die Statue gewesen war. Den Kopf hätte man nicht mit zwei Armen umfassen können, und er starrte mich von der Seite an wie der einer Liegenden, mit waagerechter Nase und senkrechten Lippen, die mir, entschuldige, wie jene vorkamen, welche die Frauen zwischen den Beinen haben, und mit Augen, aus denen die Pupillen herausgesprungen waren, so daß sie plötzlich erblindet schienen – heiliger Jesus, wie diese da!« Er tat einen Satz nach rückwärts, der das Wasser aufspritzen ließ, denn das Licht seiner Fackel war plötzlich auf einen steinernen Kopf gefallen, der, groß wie zehn menschliche Köpfe, unter einer Säule im Wasser lag, auch er auf der Seite, der halbgeöffnete Mund noch ähnlicher einer Vulva, anstelle der Haare ein lockenförmiges Schlangengewimmel und das Ganze in einer Totenblässe wie von altem Elfenbein.

Niketas lächelte. »Der befindet sich hier seit Jahrhunderten«, sagte er. »Das ist ein Medusenkopf, davon gibt es hier einige. Ich weiß nicht, woher sie kommen, sie sind von den Baumeistern als Sockel für die Säulen verwendet worden. Du bist etwas schreckhaft...«

»Ich bin nicht erschrocken, es ist nur... ich habe dieses Antlitz schon einmal gesehen. Woanders.«

Da Niketas sah, daß Baudolino ein bißchen verwirrt war, wechselte er das Thema. »Ich hatte mir schon gedacht, daß sie die Helena-Statue umstürzen würden.«

»Wenn es nur die wäre. *Alle* haben sie umgestürzt, alle zwischen dem Hippodrom und dem Forum, jedenfalls alle metallenen. Sie sind hinaufgeklettert, haben ihnen Seile oder Ketten um den Hals gelegt und sie mit zwei oder drei Paar Ochsen zu Boden gerissen. Ich habe alle Wagenlenkerstatuen fallen sehen, eine Sphinx, ein Nilpferd und ein Krokodil aus Ägypten, eine große Wölfin mit Romulus und Remus an den Zitzen und die Statue des Herakles, auch bei der habe ich erst jetzt bemerkt, wie riesig sie war, der Daumen so groß wie die Büste eines normalen Mannes... Und dann jener bronzene Obelisk mit den vielen Reliefs und der kleinen Frauenfigur auf der Spitze, die sich mit der Windrichtung drehte...«

»Die *Genossin des Windes.* Ach, welch ein Jammer! Einige waren Werke antiker heidnischer Bildhauer, noch älter sogar als die der alten Römer. Aber warum nur, warum?«

»Um sie einzuschmelzen. Die erste Regel, wenn man eine Stadt plündert, heißt: Alles einschmelzen, was man nicht mitnehmen kann. Man errichtet überall Schmelzöfen, und denk nur, all diese lichterloh brennenden Häuser, die sind doch wie lauter natürliche Herde. Und dann, du hast die Plünderer ja gesehen in der Kirche, sie können schlecht herumlaufen und allen zeigen, daß sie die Hostienteller und -kapseln aus den Tabernakeln genommen haben. Einschmelzen, sofort einschmelzen muß man die Dinger. Eine Plünderung«, dozierte Baudolino wie einer, der sein Handwerk kennt, »ist wie eine Weinlese, man muß sich die Aufgaben einteilen – da gibt es die Traubenpflücker, da gibt es die Leute, die den Most in die Bottiche füllen, da gibt es die, die den Pflückern zu essen bringen, und die, die den guten Wein vom Vorjahr holen... Eine Plünderung ist eine ernsthafte Arbeit, jedenfalls wenn man will, daß in der Stadt kein Stein auf dem anderen bleibt, wie es zu meiner Zeit in Mediolanum war. Allerdings braucht man dazu Fachleute wie damals die Pavesaner, jawohl, die wußten, wie man eine Stadt dem Erdboden gleichmacht. Diese hier haben noch viel zu lernen, stell dir vor, sie haben die Statuen umgestürzt und sich dann draufgesetzt, um zu trinken, und dann ist einer gekommen, der hat ein Mädchen an den Haaren hinter sich hergezerrt und geschrien, sie sei noch Jungfrau, und alle haben den Finger reingesteckt, um zu sehen, ob es sich lohnte... Bei einer gut gemachten Plünderung muß man sofort alles säuberlich leerräumen, Haus für Haus, erst danach darf man sich amüsieren, sonst nehmen die Gerissensten sich die besten Stücke... Kurz und gut, mein Problem war, daß ich bei Leuten dieses Schlages nichts erreichte, wenn ich ihnen lang und breit erzählte, daß auch ich aus der Markgrafschaft Montferrat war. Also gab's nur eins zu tun: Ich lauerte hinter einer Ecke, bis ein Reiter in die Gasse einbog, der wegen der vielen Becher, die er geleert hatte, nicht mehr wußte, wo's langging, und sich einfach seinem Pferd überließ. Ich brauchte nichts weiter zu tun, als ihn an einem Fuß zu ziehen, und schon fiel er herunter. Ich nahm ihm den Helm ab und ließ ihm einen Stein auf den Kopf fallen...«

»Hast du ihn umgebracht?«

»Nein, es war bröckeliges Zeug, gerade hart genug, um ihn außer Gefecht zu setzen. Ich mußte mich überwinden, weil er anfing, blaurotes Zeug zu spucken, ich zog ihm das Kettenhemd und den Rock aus, nahm seinen Helm und seine Waffen, setzte mich auf sein Pferd, und nichts wie weg durch die Gassen, bis ich zum Portal der Hagia Sophia gelangte, wo ich Leute mit Maultieren reingehen sah, und heraus kam ein Trupp Soldaten, die silberne Kandelaber schleppten mitsamt ihren armdicken Aufhängeketten, und sie redeten wie Lombarden. Als ich dieses schamlose Treiben sah, dieses Raffen und Den-Hals-nicht-voll-kriegen-Können, da geriet ich in Rage, denn die sich da so schändlich benahmen, waren ja immerhin Leute aus meiner Heimat, fromme Söhne des Papstes in Rom...«

Unter solchen Gesprächen waren die beiden, gerade als ihre Fackeln zu Ende gingen, aus der Zisterne in die inzwischen stockdunkle Nacht hinausgestiegen und hatten durch menschenleere Gassen den Turm der Genueser erreicht.

Sie hatten ans Tor geklopft, jemand war heruntergekommen, sie waren mit rauher Herzlichkeit empfangen und bewirtet worden. Baudolino schien bei diesen Leuten zu Hause zu sein, und er hatte Niketas sogleich ihrer Obhut empfohlen. Einer von ihnen hatte gesagt: »Kein Problem, wir kümmern uns drum, geht jetzt schlafen«, und das hatte er so sicher und überzeugend gesagt, daß danach nicht nur Baudolino, sondern sogar Niketas eine ruhige Nacht verbrachte.

3. Kapitel

Baudolino erklärt Niketas, was er als Junge geschrieben hatte

Am nächsten Morgen hatte Baudolino die gewandtesten unter den Genuesern zusammengerufen, Pevere, Boiamondo, Grillo und Taraburlo. Niketas hatte ihnen gesagt, wo sie seine Familie finden würden, und sie waren gleich aufgebrochen, nicht ohne ihn noch einmal zu beruhigen. Dann hatte Niketas um Wein gebeten und Baudolino einen Becher eingeschenkt mit den Worten: »Koste einmal, ob du den magst, es ist geharzter Wein. Viele Lateiner finden ihn ungenießbar und sagen, er schmecke nach Schimmel.« Nachdem Baudolino ihm versichert hatte, daß dieser griechische Nektar sein Lieblingsgetränk sei, hatte Niketas sich zurechtgesetzt, um seine Geschichte zu hören.

Baudolino schien begierig darauf, mit jemandem zu sprechen, als müsse er etwas loswerden, was ihn seit langem belastete. »Schau, Kyrios Niketas«, sagte er, während er ein ledernes Säckchen aufschnürte, das er an einem Band um den Hals trug, und ihm ein Pergament reichte. »Dies ist der Anfang meiner Geschichte.«

Niketas – der die lateinische Schrift durchaus lesen konnte – versuchte vergeblich, etwas zu verstehen.

»Was ist das?« fragte er. »Ich meine, in welcher Sprache ist das geschrieben?«

»Die Sprache weiß ich nicht. Fangen wir einmal so an: Du hast eine Vorstellung, wo Ianua oder Genua liegt und wo Mediolanum oder Mailand, wie die Teutonen oder Germanen sagen oder die Alamanoi, wie ihr Griechen sie nennt. Also, etwa auf halbem Weg zwischen diesen beiden Städten gibt es zwei Flüsse, den Tanaro und die Bormida, und dazwischen liegt eine Ebene, in der, wenn es nicht gerade so heiß ist, daß man Eier auf einem Stein braten kann, meistens Nebel herrscht, und wenn kein Nebel herrscht, dann schneit es, und wenn es nicht schneit, dann gefriert alles zu Eis, und wenn es nicht zu Eis gefriert, dann ist es trotzdem kalt. Dort bin ich geboren, in einem Landstrich, der Frascheta Marincana heißt, denn es gibt auch einen schönen Sumpf zwischen den beiden Flüssen. Es ist nicht gerade wie an den Ufern der Propontis…«

»Das denke ich mir.«

»Aber mir hat es gefallen. Es hat etwas, das einem bleibt und überallhin folgt. Ich bin viel gereist, mußt du wissen, vielleicht bis nach Groß-Indien…«

»Bist du nicht sicher?«

»Nein, ich weiß nicht genau, wie weit ich gelangt bin, sicher bis dort, wo die Menschen mit Hörnern auf dem Kopf leben und die mit dem Mund auf dem Bauch. Ich bin wochenlang durch endlose Wüsten gezogen, durch Grassteppen, die bis zum Horizont reichten, und ich habe mich immer wie ein Gefangener gefühlt, gefesselt von etwas, das meine Vorstellungskraft übersteigt. In meiner Heimat dagegen, wenn du im Nebel durch die Wälder streifst, fühlst du dich wie im Mutterleib, du fürchtest dich vor nichts und fühlst dich frei. Und auch wenn kein Nebel herrscht – du wanderst, und wenn es dich dürstet, brichst du dir einen Eiszapfen von einem Ast, und dann hauchst du dir auf die Finger, die ganz voller *geloni* sind…«

»Voller was? Ist das… etwas zum Lachen?«

»Nein, ich habe nicht *gheloioi* gesagt! Bei euch gibt es nicht mal ein Wort dafür, darum habe ich unseres nehmen müssen. *Geloni* sind kleine Beulen, die sich wegen der großen Kälte an den Fingern bilden, vorne und an den Knöcheln. Sie jucken, und wenn man sie kratzt, tun sie weh…«

»Du sprichst darüber, als hättest du sie in guter Erinnerung…«

»Kälte ist schön.«

»Jeder liebt seine Heimat. Sprich weiter.«

»Gut, also: Dort herrschten einst die Römer, die alten Römer aus Rom, meine ich, die Latein sprachen, nicht die Römer, die ihr jetzt zu sein behauptet – ihr, die ihr Griechisch sprecht und die wir Romäer nennen, oder auch abfällig *graeculi*, wenn du das despektierliche Wort verzeihst. Später ist dann das Reich jener Römer verschwunden, und in Rom ist nur der Papst geblieben, und überall in Italien sind verschiedene Völker aufgetaucht, die verschiedene Idiome sprachen. Die Leute in der Frascheta sprechen eine gemeinsame Sprache, aber schon in Tortona sprechen sie eine andere. Als ich mit Friedrich durch Italien zog, habe ich viele sehr schöne Sprachen gehört, neben denen unsere in der Frascheta eher ein Bellen ist als eine richtige Sprache, und es schreibt auch niemand in dieser Sprache, denn schreiben tut man immer noch in Latein. Daher war ich, als ich dies hier zu schreiben begann, vielleicht der erste, der so zu schreiben versuchte, wie wir sprachen.«

»Und was hast du hier geschrieben?«

»Nun, siehst du, durch mein Leben unter gebildeten Leuten wußte ich, welches Jahr wir hatten. Ich schrieb im Dezember Anno Domini 1155. Wie alt ich damals war, wußte ich nicht, mein Vater sagte zwölf, meine Mutter meinte, ich wäre schon dreizehn, vielleicht hatten ihr die Mühen, mich in der Furcht des Herrn zu erziehen, die Zeit etwas länger erscheinen lassen. Als ich schrieb, ging ich bestimmt schon auf vierzehn zu. Von April bis Dezember hatte ich schreiben gelernt. Ich hatte mich mit Eifer darauf gestürzt, nachdem der Kaiser mich mitgenommen hatte, und ich übte in jeder Lage, auf freiem Feld, unter einem Zeltdach, an die Mauer eines zerstörten Hauses gelehnt. Meistens auf kleinen Täfelchen, selten auf Pergament. Ich gewöhnte mich schon daran, wie Friedrich zu leben, der sich nie mehr als ein paar Monate am selben Ort aufhielt, und auch das immer nur im Winter – während des übrigen Jahres war er ständig unterwegs und schlief jede Nacht woanders.«

»Aber hier, was erzählst du hier?«

»Nun, zu Beginn jenes Jahres lebte ich noch bei Vater und Mutter, wir hatten ein paar Kühe und einen Garten. Ein Einsiedler aus der Gegend hatte mich lesen gelehrt. Ich trieb mich in Wald und Sumpf umher, ich war ein phantasievoller Junge, ich sah Einhörner, und einmal erschien mir im Nebel – so sagte ich – San Baudolino...«

»Ich habe noch nie von diesem heiligen Manne gehört. Ist er dir wirklich erschienen?«

»Er ist ein Heiliger aus unserer Gegend, er war Bischof von Villa del Foro. Ob ich ihn wirklich gesehen habe, ist eine andere Geschichte. Kyrios Niketas, das Problem meines Lebens ist, daß ich nie klar und deutlich getrennt habe zwischen dem, was ich wirklich sah, und dem, was ich sehen wollte...«

»Das geht vielen so...«

»Ja, aber mir ist es immer passiert, sobald ich behauptete, ich hätte dies oder jenes gesehen oder auch einen Brief gefunden, der dies oder jenes besagte (und den ich womöglich selber geschrieben hatte), dann kam es den anderen so vor, als hätten sie nur darauf gewartet. Und weißt du, Kyrios Niketas, wenn du etwas erzählst, was du dir ausgedacht hast, und die anderen sagen in einem fort: *Genauso ist es!*, dann glaubst du's am Ende selber. So trieb ich mich in der Frascheta herum und sah Heilige und Einhörner im Wald, und als ich dem Kaiser begegnete, ohne zu wissen, daß er es war, und zu ihm in seiner Sprache sprach, da erzählte ich ihm, daß mir San Baudolino gesagt habe, er – der Kaiser – werde die Stadt Tortona erobern. Ich hatte das nur so hingesagt, um ihm eine Freude zu machen, aber ihm kam es gerade recht, und er wollte, daß ich es vor allen wiederholte, besonders vor den Abgesandten aus Tortona, denn so würden sie sich davon überzeugen, daß sie auch die Heiligen gegen sich hatten, und deswegen hat er mich meinem Vater abgekauft, und der hat sofort eingewilligt, nicht so sehr wegen des bißchen Geldes, das er für mich bekam, sondern weil er dadurch einen hungrigen Esser im Hause loswurde. So hatte sich mit einem Schlag mein ganzes Leben verändert.«

»Bist du einer von seinen Pagen geworden?«

»Nein, sein Adoptivsohn. Zu jener Zeit hatte Friedrich noch keine Kinder, ich glaube, er mochte mich, weil ich ihm sagte, was die anderen ihm aus Respekt verschwiegen. Er behandelte mich, als ob ich sein leiblicher Sohn wäre, er lobte mich für mein Gekrakel, für meine ersten Rechenübungen an den zehn Fingern, für die Kenntnisse, die ich

mir über seinen Vater aneignete und über dessen Vater...
Manchmal vertraute er sich mir auch an, vielleicht dachte
er, ich verstünde es nicht.«

»Liebtest du diesen Vater mehr als deinen leiblichen,
oder warst du fasziniert von seiner Majestät?«

»Kyrios Niketas, bis dahin hatte ich mich noch nie gefragt, ob ich meinen Vater Gagliaudo liebte. Ich gab nur
acht, daß ich nicht in Reichweite seiner Fußtritte oder seiner Stockschläge kam, und das schien mir ganz normal für
einen Sohn. Daß ich ihn außerdem liebte, habe ich erst
bemerkt, als er starb. Vorher hatte ich meinen Vater, glaube
ich, nie umarmt. Zum Weinen ging ich lieber an die Brust
meiner Mutter, aber die arme Frau hatte auf so viele Tiere
zu achten, daß sie nicht viel Zeit fand, mich zu trösten.
Friedrich war von schöner Statur, sein Gesicht war weiß
und rot und nicht so lederfarben wie das meiner Dorfge-
nossen, sein Haar und Bart waren feuerrot, die Hände lang,
die Finger schmal, die Nägel wohlgepflegt, er war seiner
selbst sicher und flößte Sicherheit ein, er war fröhlich und
entschieden und flößte Fröhlichkeit und Entschiedenheit
ein, er war mutig und flößte Mut ein – ich Löwchen, er
Löwe. Er konnte grausam sein, aber zu denen, die er liebte,
war er überaus gütig und sanft. Ich habe ihn geliebt. Er war
der erste Mensch, der wirklich zuhörte, wenn ich redete.«

»Er nahm dich als Stimme des Volkes... Ein guter Herrscher hört nicht nur auf seine Höflinge, sondern versucht
zu verstehen, was seine Untertanen denken.«

»Ja, aber ich wußte nicht mehr, wer und wo ich war. Seit
meiner Begegnung mit ihm, in der Zeit von April bis Dezember, war das Heer zweimal durch Italien gezogen, einmal von der Lombardei bis nach Rom und einmal in umgekehrter Richtung, aber diesmal auf einer Schlangenlinie,
zuerst von Spoleto nach Ancona, dann hinunter nach Apu-
lien, dann wieder hinauf in die Romania und weiter nach
Verona und Tridentum und Bauzano, um schließlich über
die Berge zu ziehen und nach Deutschland zurückzukehren. Nachdem ich zwölf Jahre nur eben zwischen zwei
Flüssen verbracht hatte, war ich auf einmal im Zentrum
des Universums.«

»So kam es dir vor.«

»Ich weiß, Kyrios Niketas, das Zentrum des Universums seid ihr Romäer, aber die Welt ist größer als euer Reich, es gibt auch noch das Ultima Thule und das Land der Hibernier. Gewiß, verglichen mit Konstantinopel ist Rom ein Haufen Ruinen und Paris ein schlammiges Dorf, aber auch dort passiert hin und wieder etwas. In großen Teilen der Welt spricht man kein Griechisch, und es gibt sogar Leute, die, um auszudrücken, daß sie mit etwas einverstanden sind, *oc* sagen.«

»*Oc?*«

»*Oc.*«

»Sonderbar. Aber erzähle weiter.«

»Ich erzähle weiter. Ich sah ganz Italien, neue Orte und Gesichter, nie zuvor gesehene Kleider, Damast, Stickereien, goldbetreßte Mäntel, Schwerter, Rüstungen, ich hörte Stimmen, die ich nur mühsam nachahmen konnte, Tag für Tag. Ich erinnere mich nur noch dunkel, wie Friedrich in Pavia die eiserne Krone des Königs von Italien empfing, wie wir dann weiterzogen in das sogenannte diesseitige Italien, *Italia citerior*, die Via francigena hinunter, dann die Begegnung des Kaisers mit Papst Hadrian in Sutri, dann die Krönung in Rom...«

»Aber ist dieser euer Basileus – oder Kaiser, wie ihr sagt – nun in Pavia oder in Rom gekrönt worden? Und wieso in Italien, wenn er doch Basileus der Alamanoi war?«

»Gehen wir der Reihe nach vor, Kyrios Niketas, bei uns Lateinern ist das nicht so einfach wie bei euch Romäern. Bei euch sticht einer dem gerade herrschenden Basileus die Augen aus, wird selber Basileus, alle sind einverstanden, und sogar der Patriarch von Konstantinopel tut, was der Basileus sagt, andernfalls sticht der Basileus auch ihm die Augen aus...«

»Jetzt übertreibst du aber.«

»Ich übertreibe? Als ich hier ankam, hat man mir sogleich erklärt, daß Basileus Alexios III. auf den Thron gelangt war, weil und nachdem er den legitimen Basileus, seinen Bruder Isaakios, geblendet hatte.«

»Kommt es bei euch nie vor, daß ein König seinen Vorgänger beseitigt, um auf den Thron zu gelangen?«

»Doch, aber dann tötet er ihn, im Kampf oder mit einem Gift oder mit dem Dolch.«

»Siehst du, ihr seid Barbaren, ihr könnt euch eine weniger blutige Art, die Fragen der Herrschaft zu regeln, gar nicht vorstellen. Im übrigen war Isaakios ein Bruder von Alexios, und einen Bruder tötet man nicht.«

»Verstehe, die Blendung war ein Akt der Brüderlichkeit. Bei uns ist das anders. Der Kaiser der Lateiner, der kein Lateiner ist seit der Zeit des Carolus Magnus, ist der legitime Nachfolger der Römischen Kaiser, derer in Rom meine ich, nicht derer in Konstantinopel. Aber um sicher zu sein, daß er es auch wirklich ist, muß er sich vom Papst krönen lassen, denn das Gesetz Christi hat das der Fälscher und Lügner hinweggefegt. Um jedoch vom Papst gekrönt zu werden, muß der Kaiser auch von den italienischen Städten anerkannt werden, die alle ein bißchen machen, was sie wollen, und darum muß er zum König von Italien gekrönt werden – vorausgesetzt natürlich, daß ihn vorher die deutschen Fürsten gewählt haben. Klar?«

Niketas hatte schon vor geraumer Zeit gelernt, daß die Lateiner, wenngleich Barbaren, sehr kompliziert waren, bar jeder Subtilität und allen Differenzierungsvermögens, wenn es um Fragen der Theologie ging, aber fähig, ein Haar in vier Teile zu spalten, wenn es um Rechtsfragen ging. In all den Jahrhunderten, in denen die byzantinischen Römer ihre Zeit mit der Abhaltung aus- und ergiebiger Konzile verbracht hatten, um die Natur Unseres Herrn zu definieren, ohne dabei die Macht in Frage zu stellen, die noch unmittelbar aus Konstantinopel kam – in all diesen Jahren hatten die Weströmer die Theologie den Priestern in Rom überlassen und ihre Zeit damit verbracht, sich gegenseitig zu vergiften oder die Köpfe einzuschlagen, um zu klären, ob es noch einen Kaiser gab und wer es war, mit dem schönen Ergebnis, daß sie keinen richtigen Kaiser mehr hatten.

»Nun gut, Friedrich brauchte also eine Krönung in Rom. Muß eine feierliche Sache gewesen sein...«

»Nur bis zu einem bestimmten Punkt. Erstens, weil Sankt Peter in Rom verglichen mit der Hagia Sophia eine

Hütte ist, noch dazu eine eher verwahrloste. Zweitens, weil die Lage in Rom während jener Tage sehr verworren war, der Papst hatte sich in der Nähe von Sankt Peter in seiner Burg verschanzt, und auf der anderen Seite des Tibers gebärdeten sich die Römer als die Herren der Stadt. Drittens, weil nicht recht klar war, ob nun der Papst den Kaiser ärgerte oder der Kaiser den Papst.«

»Wie meinst du das?«

»Nun, wenn ich die Fürsten und Bischöfe am Hofe reden hörte, dann waren sie aufgebracht über die Art, wie der Papst den Kaiser behandelte. Die Krönung sollte an einem Sonntag stattfinden, und sie wurde an einem Samstag vollzogen, der Kaiser sollte am Hauptaltar gesalbt werden, und Friedrich wurde an einem Seitenaltar gesalbt, und nicht auf dem Kopf, wie es früher üblich war, sondern an den Schulterblättern, und nicht mit dem geweihten Salböl, dem Chrisma, sondern mit dem Öl der Katechumenen – du verstehst vielleicht nicht den Unterschied, ich habe ihn damals auch nicht verstanden, aber alle am Hof waren zornrot im Gesicht. Ich hatte erwartet, daß auch Friedrich toben würde wie eine Pantherkatze, aber er war dem Papst gegenüber die Höflichkeit selbst, und rot im Gesicht war eher der Papst, als ob er ein schlechtes Geschäft gemacht hätte. Hinterher habe ich Friedrich ganz offen gefragt, warum die Barone gemurrt hatten und er nicht, und da antwortete er, ich müsse den Wert der liturgischen Symbole verstehen, bei denen genüge ein Nichts, um alles zu ändern. Ihm sei es wichtig gewesen, daß die Krönung stattfand und vom Papst vollzogen wurde, aber sie sollte nicht allzu feierlich werden, sonst hätte es bedeutet, daß er nur dank des Papstes Kaiser war, dabei war er es durch den Willen der deutschen Fürsten. Ich sagte zu ihm, daß er schlau wie ein Fuchs sei, denn das sei gewesen, als ob er zum Papst gesagt hätte: Hör mal, Papst, du bist hier bloß der Notar, die Verträge habe *ich* mit dem Ewigen Vater geschlossen. Er lachte und gab mir einen Klaps und sagte: Bravo, du hast die richtige Art, die Dinge zu sagen. Danach fragte er mich, was ich in Rom gemacht hatte während jener Tage, denn er war so beschäftigt mit den Zeremonien gewesen, daß er mich aus den Augen verloren hatte. Ich sagte, ich hätte mir angesehen, mit was für Festlichkeiten sie die Krönung gefeiert hätten. Es war nämlich so, daß den Römern, ich meine den Bewohnern von Rom, die Sache mit der Krönung in Sankt Peter nicht gefallen hatte, denn der römische Senat, der wichtiger als der Pontifex sein wollte, hatte Friedrich auf dem Kapitol krönen wollen. Das aber hatte Friedrich abgelehnt, denn wenn er bei der Rückkehr nach Deutschland gesagt hätte, er sei vom Volk gekrönt worden, dann würden nicht nur die deutschen Fürsten, sondern auch die Könige von Frankreich und England höhnisch sagen, na das ist aber eine schöne Salbung durch den heiligen Pöbel, während wenn er sagte, er sei vom Papst gekrönt worden, dann würden es alle ernst nehmen. Die Sache war aber noch komplizierter, und das habe ich erst hinterher begriffen. Die deutschen Fürsten hatten seit einer Weile angefangen, von einer *translatio imperii* zu sprechen, womit sie sagen wollten, daß das Erbe der Römischen Kaiser auf sie übergegangen sei. Wenn sich nun Friedrich vom Papst krönen ließ, dann hieß das soviel wie, daß sein Recht auch vom Stellvertreter Christi auf Erden anerkannt wurde, der dies ja auch dann wäre, wenn er nicht in Rom, sondern zum Beispiel in Edessa oder in Regensburg residierte. Ließ sich der Kaiser dagegen vom Senat und *Populusque Romanus* krönen, dann hieß das soviel wie, daß das Reich noch immer in Rom beheimatet war und es keine *translatio* gegeben hatte. Pfiffig ausgedacht hatten sich das die Römer – bravo, Schlauberger, wie mein Vater Gagliaudo immer sagte. Klar, daß Friedrich hierbei nicht mitmachen wollte. Deswegen sind die erbosten Römer dann, als das große Krönungsmahl im Gange war, über den Tiber gekommen und haben nicht bloß ein paar Priester umgebracht, was damals alle Tage vorkam, sondern auch zwei oder drei Kaiserliche. Friedrich sah rot vor Wut, er unterbrach das Mahl und ließ sie alle abschlachten, danach schwammen im Tiber mehr Leichen als Fische, und am Ende des Tages hatten die Römer begriffen, wer der Herr war, aber als Fest betrachtet war es sicher keine sehr schöne Sache gewesen. Daher war Friedrich nicht gut auf jene italienischen Städte zu sprechen, und so kam es, als er Ende Juli vor Spoleto eintraf und Gastrecht verlangte und die Spoletaner allerlei Ausflüchte machten, daß er noch zorniger wurde als in Rom und ein Gemetzel veranstaltete, mit dem verglichen das hier in Konstantinopel bloß ein Kinderspiel ist... Du mußt verstehen, Kyrios Niketas, ein Herrscher muß als Herrscher auftreten, ohne seine Gefühle zu schonen... Ich habe viel gelernt in jenen Monaten, nach Spoleto kam die Begegnung mit den Gesandten aus Byzanz in Ancona, dann die Rückkehr nach Oberitalien, das sogenannte *Italia ulterior*, bis hinauf zu den Hängen der Alpen, die Otto Pyrenäen nannte, und es war das erste Mal, daß ich die Gipfel der Berge schneebedeckt sah. Und derweil führte mich, Tag für Tag, der Kanonikus Rahewin in die Kunst des Schreibens ein.«

»Muß hart gewesen sein für einen Jungen...«

»Nein, hart war es nicht. Sicher, wenn ich etwas nicht verstand, gab mir der Kanonikus eine Kopfnuß, was mir jedoch nach den Schlägen meines Vaters nicht soviel ausmachte, aber sonst hingen mir alle an den Lippen. Wenn es mir zum Beispiel in den Sinn kam zu sagen, ich hätte eine Sirene im Meer gesehen – nachdem der Kaiser mich eingeführt hatte als einen, der Heilige sah –, dann glaubten mir alle und sagten bravo, bravo...«

»Das wird dich gelehrt haben, deine Worte zu wägen.«

»Im Gegenteil, es hat mich gelehrt, sie überhaupt nicht zu wägen. Ich bildete mir langsam ein: Was immer ich sage, ist wahr, *weil* ich es gesagt habe... Als wir nach Rom zogen, erzählte mir ein Priester namens Konrad von den *mirabilia* jener Stadt, von den sieben Automaten des Kapitols, die für die sieben Tage der Woche standen und jeder mit einem Glöckchen jeden Aufstand in einer Provinz des Reiches meldeten, oder von den Bronzestatuen, die sich von selber bewegten, oder von einem Palast voller Zauberspiegel... Dann kamen wir nach Rom, und an dem Tag, als sie das Gemetzel am Ufer des Tibers machten, bin ich frühmorgens losgezogen und kreuz und quer durch die Stadt gewandert. Und ob du's glaubst oder nicht, ich habe bloß Schafherden zwischen antiken Ruinen gesehen und unter

48

den Torbögen Leute, die sich in der Sprache der Juden unterhielten und Fisch verkauften, aber *mirabilia* habe ich keine gesehen, außer einer Reiterstatue im Lateran, aber auch die ist mir nicht besonders großartig vorgekommen. Doch als wir dann auf dem Rückweg waren und ich von allen gefragt wurde, was ich gesehen hätte – konnte ich da etwa sagen, in Rom gäb's nur Schafe zwischen Ruinen und Ruinen zwischen Schafen? Man hätte mir nicht geglaubt. So habe ich von den *mirabilia* erzählt, von denen mir erzählt worden war, und habe noch ein paar hinzugefügt, zum Beispiel, daß ich im Lateranpalast einen goldenen und mit Diamanten besetzten Reliquienschrein gesehen hätte, in dem der Nabel und die Vorhaut Unseres Herrn gewesen seien. Alle hingen mir an den Lippen und sagten ein ums andere Mal, wie schade, daß wir an jenem Tag die Römer abschlachten mußten und all diese *mirabilia* nicht sehen konnten! Nicht anders ist es mir auch später ergangen, in all diesen Jahren habe immer wieder von den Wundern Roms fabulieren hören, in Deutschland und in Burgund und sogar hier in Konstantinopel, bloß weil ich von ihnen gesprochen hatte.«

Inzwischen waren die Genueser zurückgekommen, gekleidet als Mönche, die Glöckchen läutend vor einer Schar düsterer, von Kopf bis Fuß in schmutzigweiße Lumpen gehüllter Gestalten einherhergingen. Es war die Familie des Herrn Niketas, seine schwangere Frau mit dem Jüngsten auf dem Arm und die übrigen Söhne und Töchter, höchst anmutige junge Mädchen, eine Reihe weiterer Angehöriger und ein paar Diener. Die Genueser hatten sie durch die Stadt geführt, als wären sie eine Schar von Leprakranken, und sogar die Kreuzpilger waren bei ihrem Anblick rasch zur Seite gewichen.

»Wie haben sie euch bloß ernst nehmen können?« fragte Baudolino lachend. »Bei den Leprakranken kann ich es ja noch verstehen, aber ihr seht nun wirklich nicht gerade wie Mönche aus!«

»Mit allem Respekt, diese Kreuzpilger sind eine Bande von Einfaltspinseln«, sagte Taraburlo. »Im übrigen, nachdem wir nun schon so lange hier leben, haben auch wir ein bißchen Griechisch gelernt. Wir haben unterwegs immerzu *Kyrieleison pighé pighé* vor uns hin gemurmelt, im Singsang, als wär's eine Litanei, und da sind sie beiseite gesprungen, die einen haben sich bekreuzigt, andere haben uns zwei gestreckte Finger entgegengehalten, und wieder andere haben sich an den Sack gefaßt.«

Ein Diener brachte Niketas eine Schatulle, Niketas zog sich in eine Ecke des Raumes zurück, um sie zu öffnen, kam mit ein paar goldenen Münzen zurück und gab sie den Hausherren, die sich überschwenglich bedankten und ihm versicherten, daß er bis zu seiner Abreise nach Belieben über das Haus verfügen könne. Die vielköpfige Familie wurde auf die benachbarten Häuser verteilt, zwischen schmutzige enge Gassen, in die sich kein Lateiner auf der Suche nach Beute hineingetraut hätte.

Soweit befriedigt, hatte Niketas den Genueser Pevere gerufen, der das höchste Ansehen unter seinen Gastgebern zu genießen schien, und ihm erklärt, daß er, wenn er längere Zeit bei ihnen versteckt bleiben müsse, deswegen nicht auf seine gewohnten Freuden verzichten wolle. Die Stadt brenne zwar, aber im Hafen kämen weiterhin Schiffe an, desgleichen die Boote der Fischer, die ja andernfalls draußen im Goldenen Horn bleiben müßten, ohne ihre Ware entladen zu können. Wenn man Geld habe, könne man die notwendigen Dinge zu einem günstigen Preis bekommen. Was eine annehmbare Küche betreffe, so gebe es unter den soeben Geretteten seinen Vetter Theophilos, der ein ausgezeichneter Koch sei, man brauche sich bloß von ihm sagen zu lassen, welche Zutaten er benötige... So konnte Niketas am Mittag seinem Gast ein Mahl nach Logothetenbrauch vorsetzen. Es war ein gemästetes Zicklein, gefüllt mit Knoblauch, Zwiebeln und Porree und bestrichen mit einer würzigen Fischtunke.

»Vor mehr als zweihundert Jahren«, sagte Niketas, »kam hierher nach Konstantinopel, als Gesandter eures Königs Otto, ein Bischof eurer Kirche namens Liutprand, den Basileus Nikephoros zu einem Gastmahl einlud. Es war keine schöne Begegnung, und später erfuhren wir, daß

Liutprand einen Bericht über seine Reise verfaßt hatte, in dem er uns hiesige Römer als schmutzige, grobe, unkultivierte und schlechtgekleidete Leute beschrieb. Er konnte auch unseren geharzten Wein nicht ertragen, und ihm schienen alle unsere Speisen in Öl zu ertrinken. Aber von *einem* Gericht sprach er mit Begeisterung, und das war dieses.«

Baudolino ließ sich das Zicklein schmecken und fuhr fort, auf Niketas' Fragen zu antworten.

»Also, während du unter Soldaten lebtest, hast du schreiben gelernt. Aber lesen konntest du schon?«

»Ja, aber schreiben ist anstrengender. Zumal in Latein. Denn du mußt wissen, wenn der Kaiser Soldaten in ein anderes Land schicken wollte, dann sagte er es auf Alemannisch, aber wenn er an den Papst oder an seinen Vetter Jasomirgott schrieb, dann mußte es auf Lateinisch sein, desgleichen alle Dokumente seiner Kanzlei. Ich hatte anfangs große Mühe, die Buchstaben auf die Tafel zu malen, ich schrieb Wörter und Sätze ab, deren Bedeutung ich nicht verstand, aber schließlich, am Ende des Jahres, konnte ich leidlich schreiben. Allerdings hatte Rahewin noch keine Zeit gehabt, mir die Grammatik beizubringen. Ich konnte abschreiben, aber nicht aus eigener Kraft formulieren. Deswegen schrieb ich in der Sprache meiner heimischen Frascheta. Aber war das wirklich die Sprache der Frascheta? Ich vermischte sie mit Erinnerungen an andere Idiome, die ich ringsum gehört hatte – bei den Leuten in Asti, Pavia, Mailand und Genua, das heißt bei Leuten, die so verschieden sprachen, daß sie sich untereinander oft nicht verstanden. Später haben wir in unserer Gegend eine Stadt gebaut, mit Leuten, die von hier und da kamen, die sich zusammenfanden, um einen Turm zu bauen, und dabei haben sie alle in gleicher Weise gesprochen. Ich glaube, es war ein bißchen die Methode, die ich erfunden hatte.«

»Du warst so etwas wie ein Nomothet«, sagte Niketas.

»Ich weiß nicht genau, was das bedeutet, aber vielleicht ist es so gewesen. Jedenfalls schrieb ich die nächsten Bögen schon in einem passablen Latein. Ich war inzwischen in

Regensburg, in einem ruhigen Kloster, unter der Obhut des Bischofs Otto, und in jener Zeit des Friedens gingen Bögen um Bögen durch meine Hände... Ich lernte. Du wirst bemerkt haben, daß dieses Pergament schlecht abgeschabt worden ist, man sieht noch Teile von dem, was darunter gestanden hatte. Ich war wirklich ein Schuft, ich bestahl meinen Lehrer: Zwei Nächte lang schabte und kratzte ich ab, was ich für alte Schriften hielt, um Platz zum Schreiben zu haben. In den Tagen darauf war Bischof Otto ganz verzweifelt, weil er die erste Fassung seiner *Chronica sive Historia de duabus civitatibus,* an der er seit über zehn Jahren geschrieben hatte, nicht mehr finden konnte, und er beschuldigte den armen Rahewin, sie auf einer Reise verloren zu haben. Zwei Jahre später entschloß er sich, sie neu zu schreiben, und ich war sein Schreiber, aber ich habe nie gewagt, ihm zu gestehen, daß ich die erste Fassung seiner *Chronica* abgekratzt hatte. Wie du siehst, gibt es eine Gerechtigkeit, denn auch ich habe nun meine Chronik verloren, nur habe ich nicht den Mut, sie neu zu schreiben. Ich weiß allerdings, daß Otto beim Neuschreiben etwas geändert hat...«

»Inwiefern?«

»Wenn man Ottos *Chronica* liest, die eine Geschichte der Welt ist, dann sieht man, daß er von uns Menschen keine gute Meinung hatte. Die Welt hatte möglicherweise gut angefangen, aber dann ist es immer schlechter mit ihr gegangen, mit einem Wort: *mundus senescit,* die Welt vergreist, wir nähern uns dem Ende... Doch gerade in dem Jahr, in dem Otto seine *Chronica* neu zu schreiben begann, hatte ihn der Kaiser gebeten, auch seine Taten zu verherrlichen, und Otto hatte sich darangemacht, die *Gesta Friderici* zu schreiben, die er dann nicht mehr beenden konnte, weil er nur wenig später als ein Jahr darauf gestorben ist, so daß Rahewin sie fortsetzen mußte. Nun kann man jedoch die großen Taten seines Kaisers nicht gebührend beschreiben, wenn man nicht überzeugt ist, daß mit seiner Thronbesteigung ein neues Zeitalter beginnt, daß es sich also, mit einem Wort, um eine Freudengeschichte handelt, eine *historia iucunda...*«

»Man kann die Geschichte der eigenen Herrscher schreiben, ohne auf Strenge zu verzichten, indem man erklärt, wie und warum sie ihrem Untergang entgegengehen...«

»Mag sein, daß du so vorgehst, Kyrios Niketas, der gute Otto von Freising tat es jedenfalls nicht, ich berichte nur, wie die Dinge gelaufen sind. Dieser fromme Mann schrieb also einerseits seine *Chronica* neu, in der die Welt schlechter und schlechter wird, und andererseits die *Gesta Friderici*, worin die Welt nicht anders konnte, als immer besser zu werden. Du wirst sagen: Er widersprach sich. Wenn es nur das wäre! Ich habe den Verdacht, daß in der ersten Fassung seiner *Chronica* die Welt noch viel schlechter war und daß Otto, um sich nicht allzusehr zu widersprechen, beim Neuschreiben seiner *Chronica* immer nachsichtiger mit uns armen Menschen wurde. Und das habe ich provoziert, weil ich die erste Fassung abgeschabt hatte. Wer weiß, wenn sie erhalten geblieben wäre, hätte Otto vielleicht nicht den Mut gehabt, die *Gesta* zu schreiben, und da diese *Gesta* es sind, aufgrund deren man künftig sagen wird, was Friedrich alles getan und nicht getan hat, könnte es sein, daß letztlich, wenn ich die erste *Chronica* nicht abgeschabt hätte, Friedrich am Ende gar nicht all das getan hat, was wir als seine Taten rühmen.«

Mein lieber Baudolino, dachte Niketas bei sich, du bist wie der kretische Lügner: Du sagst mir, du seist ein durchtriebener Lügner und willst, daß ich dir glaube. Du willst mir einreden, daß du aller Welt Lügenmärchen erzählt hast, nur mir nicht. In all den Jahren am Hof dieser Herrscher habe ich gelernt, den Fallstricken noch raffinierterer Meisterlügner, als du einer bist, zu entgehen... Du selbst hast eingestanden, daß du nicht mehr recht weißt, wer du bist, und vielleicht liegt das gerade daran, daß du so viele Lügen erzählt hast, sogar dir selbst. Und nun verlangst du von mir, daß ich dir die Geschichte zusammenreime, die du selbst nicht zu fassen bekommst. Aber ich bin kein Lügner deines Schlages. Mein Leben lang habe ich die Erzählungen anderer befragt, um aus ihnen die Wahrheit ans Licht zu fördern. Vielleicht erwartest du von mir eine Geschichte, die dich davon freisprechen soll, daß du jemanden getötet hast, um den Tod deines Friedrich zu rächen. Du konstruierst dir Schritt für Schritt diese Liebesgeschichte mit deinem Kaiser, damit es dann ganz natürlich erscheint, wenn du uns erklärst, daß du die Pflicht hattest, ihn zu rächen. Immer vorausgesetzt, daß er wirklich ermordet worden ist, und zwar von dem, den du getötet hast...

Nach diesen Gedanken blickte Niketas zum Fenster hinaus. »Das Feuer erreicht die Akropolis«, sagte er.

»Ich bringe der Stadt Unglück.«

»Du hältst dich wohl für allmächtig. Das ist eine Sünde des Hochmuts.«

»Nein, eher ein Akt der Selbstkasteiung. Mein ganzes Leben lang ist es mir so ergangen: Kaum hatte ich mich einer Stadt genähert, schon wurde sie zerstört. Ich bin geboren in einer Gegend, die übersät ist mit kleinen Ortschaften und ein paar bescheidenen Burgen, von reisenden Händlern hörte ich die Schönheiten der *urbs Mediolani* preisen, aber was eine richtige Stadt ist, wußte ich nicht, ich war noch nicht einmal bis Tortona gelangt, dessen Türme ich in der Ferne sah, und Asti oder Pavia wähnte ich an den Grenzen des Irdischen Paradieses. Aber als ich dann in die Welt hinauszog, wurden alle Städte, in die ich kam, entweder gerade zerstört oder waren schon verbrannt: Tortona, Spoleto, Crema, Mailand, Lodi, Ikonion und schließlich Pndapetzim. Und so wird es auch bei dieser hier sein. Bin ich vielleicht – wie würdet ihr Griechen sagen – ein Polioklast kraft bösen Blickes?«

»Man soll sich nicht schlechter machen, als man ist.«

»Du hast recht. Einmal wenigstens habe ich eine Stadt gerettet, nämlich meine Heimatstadt, und zwar mit einer Lüge. Du meinst, ein einziges Mal genügt, um den bösen Blick auszuschließen?«

»Es bedeutet, daß es kein Schicksal gibt.«

Baudolino schwieg einen Augenblick. Dann drehte er sich um und betrachtete das, was Konstantinopel gewesen war. »Trotzdem fühle ich mich schuldig. Die das da draußen angerichtet haben sind Venezianer und Leute aus Flandern und vor allem fränkische Ritter aus der Champagne, aus Blois, aus Troyes, Orléans und Soissons, um nicht von meinen Landsleuten aus dem Montferrat zu sprechen. Ich hätte es vorgezogen, daß die Türken diese Stadt zerstörten.«

»Die Türken würden das niemals tun«, sagte Niketas. »Zu denen haben wir beste Beziehungen. Es waren die Christen, vor denen wir auf der Hut sein mußten. Aber vielleicht seid ihr ja die Hand Gottes, der euch geschickt hat, zur Strafe für unsere Sünden.«

»*Gesta Dei per Francos*«, sagte Baudolino.

4. Kapitel

Baudolino spricht mit dem Kaiser und verliebt sich in die Kaiserin

Am Nachmittag fing Baudolino wieder an zu erzählen, und Niketas beschloß, ihn nicht mehr zu unterbrechen. Er wollte ihn rasch heranwachsen sehen, um zum springenden Punkt zu gelangen. Er hatte noch nicht begriffen, daß Baudolino selbst den springenden Punkt noch nicht gefunden hatte und gerade deshalb erzählte, um ihn zu finden.

Friedrich hatte Baudolino in die Obhut von Bischof Otto und dessen Sekretär Rahewin gegeben. Otto, ein Sprößling des großen Adelsgeschlechts der Babenberger, war als Bruder der Mutter ein Onkel des Kaisers, wenn auch nur knapp zehn Jahre älter als er. Ein Gelehrter von höchstem Rang, hatte er zuerst in Paris bei dem großen Abaelard studiert und sich dann für den Orden der Zisterzienser entschieden, und er war noch jung an Jahren gewesen, als ihm die Würde des Bischofs von Freising verliehen wurde. Nicht daß er dieser noblen Stadt viel Zeit und Kraft gewidmet hätte – erklärte Baudolino seinem Zuhörer –, in der abendländischen Christenheit wurden die Söhne von Adelsfamilien oft zu Bischöfen dieses oder jenes Ortes ernannt, ohne sich wirklich dorthin verfügen zu müssen. Es genügte, die Einkünfte zu kassieren.

Otto war noch nicht fünfzig, wirkte aber fast doppelt so alt. Immer ein bißchen hüstelnd, geplagt von täglich wechselnden Zipperlein, mal Hüft-, mal Rückenschmerzen, dazu ein Blasensteinleiden, auch etwas triefäugig wegen des vielen Lesens und Schreibens, dem er sowohl im Licht der Sonne wie auch in dem einer Lampe oblag. Überaus reizbar, wie es bei Gichtkranken häufig vorkommt, hatte er bei seinem ersten Gespräch mit Baudolino fast knurrend ge-

sagt: »Du hast dir die Gunst des Kaisers mit allerlei Lügenmärchen erkauft, nicht wahr?«

»Nein, bestimmt nicht, Meister, ich schwöre es«, hatte
Baudolino protestiert. Und darauf Otto: »Ein Lügner, der
etwas verneint, bejaht es. Komm mit, ich werde dir alles
beibringen, was ich weiß.«

Woran man sieht, daß Herr Otto im Grunde ein her-
zensguter Mann war, der Baudolino gleich mochte, weil er
in ihm einen hellen Jungen mit rascher Auffassungsgabe
erkannte. Aber er hatte auch gleich bemerkt, daß Baudolino nicht nur lautstark verkündete, was er gelernt, sondern
auch, was er sich bloß ausgedacht hatte. »Baudolino«, sagte
er zu ihm, »du bist ein geborener Lügner.«

»Warum sagt Ihr so etwas, Meister?«

»Weil es wahr ist. Aber glaub nicht, daß ich dir deshalb
einen Vorwurf mache. Willst du ein Mann der Schrift werden und womöglich eines Tages auch Historien schreiben,
so mußt du auch lügen und Geschichten erfinden können,
sonst wird deine Historia langweilig. Aber du mußt es in
Maßen tun. Die Welt verurteilt die Lügner, die nichts als
Lügen erzählen, selbst über die geringsten Dinge, und sie
preist die Poeten, die nur Lügen über die allergrößten Dinge erzählen.«

Baudolino nahm sich diese Lehren seines Meisters zu
Herzen, und in welchem Ausmaß auch dieser ein Lügner
war, ging ihm erst langsam auf, als er entdeckte, wie sehr
sich Herr Otto beim Übergang von der *Chronica sive Historia
de duabus civitatibus* zu den *Gesta Friderici* widersprach. Darum
kam er zu dem Schluß, daß er, um ein vollendeter Lügner zu
werden, sich auch die Reden der anderen anhören mußte,
um zu sehen, wie die Leute sich abwechselnd von der einen
oder der anderen Sache überzeugen ließen. Über die lombardischen Städte zum Beispiel hörte er mehrere Gespräche
zwischen dem Kaiser und Bischof Otto mit an.

»Wie kann man nur so barbarisch sein? Nicht umsonst
trugen ihre Könige einst eine Krone aus Eisen!« erregte
sich Friedrich. »Hat ihnen denn niemand beigebracht, daß
man dem Kaiser Respekt schuldet? Baudolino, ist dir klar,
was das heißt? Sie maßen sich die *regalia* an!«

»Und was sind diese *regalioli*, lieber Vater?« Alle lachten, und besonders laut lachte Herr Otto, der noch das alte Latein konnte, das gute, in dem ein *regaliolus* ein Piephahn war.

»*Regalia, regalia, iura regalia*, Baudolino, du Holzkopf«, rief Friedrich. »Das sind die Rechte, die mir zustehen, zum Beispiel die Ernennung der Richter, die Erhebung von Steuern auf öffentlichen Straßen, auf Märkten, auf den schiffbaren Flüssen, das Recht, Münzen zu prägen, und ... und ... und was noch, Rainald?«

»... die Nutzung der materiellen Erträge aus den Geldbußen und Verurteilungen, aus der Aneignung von Erbschaften ohne legitime Erben, aus der Konfiskation wegen krimineller Tätigkeit oder wegen Schließung inzestuöser Ehen, ebenso die Nutzung der Abgaben von den Erträgen der Bergwerke, der Salinen, der Fischteiche, auch der Prozentsätze aller im öffentlichen Raum gefundenen Schätze«, fuhr Rainald von Dassel fort, der bald darauf zum Kanzler ernannt werden sollte, also zum zweiten Mann des Reiches.

»Genau. Und all diese Rechte haben sich diese Städte angemaßt. Sie müssen jeden Sinn für das Richtige und das Gute verloren haben, welcher Dämon hat ihnen so den Verstand vernebelt?«

»Mein lieber Neffe und Kaiser«, unterbrach ihn Otto, »du denkst offenbar an Mailand, an Pavia und an Genua, als wären sie Ulm oder Augsburg. Die Städte in Deutschland sind durch den Willen eines Fürsten entstanden und haben sich von Anfang an zu ihren Fürsten bekannt. Bei den italienischen Städten ist das anders. Sie sind gegründet worden, als die deutschen Kaiser mit anderen Dingen beschäftigt waren, und sie sind gewachsen, indem sie sich die Abwesenheit ihrer Fürsten zunutze machten. Wenn du von Stadtvögten sprichst, die du ihnen vorsetzen willst, dann empfinden sie diese *potestatis insolentiam* als ein unerträgliches Joch und lassen sich lieber von selbstgewählten Konsuln regieren.«

»Gefällt es ihnen denn nicht, sich von ihrem Kaiser schützen zu lassen und teilzuhaben an der Würde und dem Ruhm eines Reiches?«

»Das gefällt ihnen sehr, und um nichts auf der Welt möchten sie auf diesen Vorteil verzichten, sonst würden sie bald irgendeinem anderen Monarchen zur Beute fallen, dem Kaiser von Byzanz oder womöglich dem Sultan von Ägypten. Aber ihr Kaiser soll ihnen möglichst fern bleiben. Du lebst umgeben von deinen Rittern, vielleicht machst du dir nicht klar, daß in diesen Städten andere Verhältnisse herrschen. Sie erkennen die großen Lehnsherren der Ländereien und Wälder nicht an, da in der Regel auch Ländereien und Wälder zu den Städten gehören – außer denen des Markgrafen von Montferrat und wenigen anderen. Bedenke, daß in den Städten junge Leute, die ein Handwerk betreiben und deinen Hof nie betreten dürften, sich um die Verwaltung kümmern und Befehle erteilen, und manche sind sogar schon zur Ritterwürde erhoben worden...«

»Da sieht man's, die Welt steht kopf!« rief Friedrich.

»Mein lieber Vater«, mischte sich Baudolino ein, »du behandelst doch aber auch mich wie einen aus deiner Familie, obwohl ich im Dreck aufgewachsen bin. Wie paßt das zusammen?«

»Sehr gut paßt das zusammen, wenn *ich* es will, kann ich dich auch zum Herzog machen, denn ich bin der Kaiser und kann jeden beliebigen per Dekret in den Adelsstand erheben. Das heißt aber nicht, daß jeder beliebige sich selbst adeln kann! Begreifen denn diese Städter nicht, daß, wenn die Welt kopfsteht, auch sie ihrem Untergang entgegengehen?«

»Offenbar nicht, lieber Neffe«, sagte Otto. »Diese Städte mit ihrer Art, sich selbst zu regieren, sind mittlerweile der Ort, an dem sich aller Reichtum konzentriert, die Händler kommen von überallher zusammen, und die Mauern sind schöner und solider als die Mauern vieler Burgen.«

»Auf wessen Seite stehst du, Onkel?« schnaubte der Kaiser.

»Auf deiner, mein kaiserlicher Neffe, aber gerade deshalb ist es meine Pflicht, dir verstehen zu helfen, worin die Stärke deiner Gegner liegt. Wenn du darauf beharrst, von diesen Städten zu verlangen, was sie dir nicht geben wollen, wirst du den Rest deines Lebens damit verbringen, sie zu belagern, sie zu besiegen und sie nach wenigen Monaten glänzender als zuvor wiederauferstehen zu sehen, so daß du von neuem über die Alpen ziehen mußt, um sie erneut zu unterwerfen, während deine kaiserliche Bestimmung ganz woanders liegt.«

»Und wo sollte meine kaiserliche Bestimmung liegen?«

»Friedrich, ich habe in meiner *Chronica* geschrieben – die durch ein unerklärliches Mißgeschick verlorengegangen ist, ich werde sie wohl neu schreiben müssen, Gott strafe den pflichtvergessenen Rahewin, der ist sicher verantwortlich für den Verlust! –, ich habe geschrieben, daß vor geraumer Zeit, als Eugen III. auf dem Stuhl Petri saß, der syrische Bischof Hugo von Gabala, der mit einer armenischen Gesandtschaft zu Besuch beim Papst war, ihm erzählte, es gebe im äußersten fernen Osten, in der Nähe des Irdischen Paradieses, das Reich eines Priesterkönigs, des sogenannten Presbyters Johannes, der sicher ein christlicher König sei, wenn auch ein Anhänger der nestorianischen Häresie, und dessen Vorfahren jene Magier aus dem Morgenlande gewesen seien, Priesterkönige auch sie, aber Inhaber einer uralten Weisheit, die das Jesuskind in der Krippe besucht hatten.«

»Und was habe ich, der Kaiser des Heiligen Römischen Reiches, mit diesem Priester Johannes zu tun, den der Herr noch lange als Priesterkönig bewahren möge in seinem Maurenreich, wo immer das liegen mag?«

»Siehst du, mein illustrer Neffe, der du ›Mauren‹ sagst und dabei genauso denkst wie die anderen christlichen Könige, die sich in der Verteidigung Jerusalems verausgaben – eine überaus fromme Unternehmung, kein Zweifel, aber überlaß sie dem König von Frankreich, nachdem jetzt ohnehin die Franken in Jerusalem das große Wort führen. Die Bestimmung der Christenheit und eines jeden Reiches, das sich als heilig und römisch versteht, liegt jenseits der Mauren. Es gibt ein christliches Reich im Osten von Jerusalem und dem Lande der Ungläubigen. Und der Kaiser, dem es gelänge, die beiden Reiche zu vereinigen, würde dadurch das Reich der Ungläubigen und selbst das von Byzanz auf zwei einsame Inseln reduzieren, die verloren im großen Meer seines Ruhmes lägen!«

»Phantasien, lieber Onkel. Bleiben wir mit den Beinen auf dem Boden, wenn's recht ist. Und kehren wir noch einmal zu diesen italienischen Städten zurück. Erkläre mir, liebster Onkel, warum einige von ihnen, wenn ihre Lebenslage doch so begehrenswert ist, sich mit mir gegen die anderen verbünden und nicht alle gemeinsam gegen mich antreten.«

»Jedenfalls bisher noch nicht«, warf Rainald vorsichtig ein.

»Ich wiederhole«, erklärte Otto, »sie wollen ihre Untertanenbeziehung zum Reich nicht verleugnen. Und deshalb bitten sie dich um Hilfe, wenn eine andere Stadt sie unterdrückt, wie es Mailand mit Lodi tut.«

»Aber wenn ihre Lebenslage als Stadt so ideal ist, warum versucht dann jede unentwegt, ihre Nachbarstadt zu unterdrücken, als wollte sie deren Territorium schlucken und sich in ein Reich verwandeln?«

Hier meldete sich Baudolino mit seinem Wissen als Landeskind zu Wort. »Lieber Vater, die Sache ist die, daß dort unten jenseits der Alpen nicht nur die Städte, sondern auch die Dörfer größtes Vergnügen dran haben, sich gegenseitig eins auf die Rübe zu ... aua!« (Herr Otto erzog auch mit Kniffen und Püffen) »ich meine, sich gegenseitig zu demütigen. So ist das bei uns. Man kann den Fremden hassen, aber am meisten haßt man den Nachbarn. Und wenn der Fremde einem hilft, dem Nachbarn eins auszuwischen, dann ist er willkommen.«

»Und warum ist das so?«

»Weil die Leute schlecht sind, aber wie mein Vater immer sagte, die in Asti sind noch schlechter als Barbarossa.«

»Und wer ist Barbarossa?« erboste sich Kaiser Friedrich.

»Du bist das, lieber Vater, dort unten nennen sie dich so, und ich weiß nicht, was daran schlimm sein soll, denn einen roten Bart hast du ja wirklich, und er steht dir sehr gut. Wenn sie etwa hätten sagen wollen, daß du einen kupferfarbenen Bart hast, würdest du dann lieber Barbadirame genannt werden? Ich würde dich genauso lieben und ehren, wenn du einen schwarzen Bart hättest, aber da du nun mal einen roten hast, sehe ich nicht, wieso du solch ein Theater machen mußt, weil sie dich Barbarossa nennen. Was ich dir sagen wollte, wenn du dich nicht wegen dem Bart so aufgeregt hättest: Du kannst ganz ruhig bleiben, denn meiner Meinung nach werden die sich niemals alle gegen dich verbünden. Sie fürchten nämlich, wenn sie siegen, wird einer von ihnen stärker als die anderen. Darum nehmen sie lieber dich. Wenn du sie's nicht allzu teuer bezahlen läßt.«

»Glaub dem Jungen nicht alles«, warf Otto lächelnd ein. »Er ist ein geborener Lügner.«

»O nein«, protestierte Friedrich, »was er über die italienischen Verhältnisse sagt, ist meistens sehr richtig. Zum Beispiel lehrt er uns gerade jetzt, daß unsere einzige Chance bei den italienischen Städten darin besteht, sie möglichst weit auseinanderzudividieren. Nur wissen wir leider nie, wer auf unserer Seite steht und wer auf der anderen.«

»Wenn unser Baudolino recht hat«, sagte Rainald von Dassel spöttisch, »dann hängt die Frage, ob sie mit oder gegen uns sind, nicht von uns ab, sondern davon, welcher Stadt sie gerade eins auswischen wollen.«

Für Baudolino war es ein bißchen schmerzlich zu sehen, daß es diesem großen, starken und mächtigen Friedrich nicht gelang, die Denkweise seiner italienischen Untertanen zu verstehen. Dabei verbrachte er mehr Zeit auf der Apenninenhalbinsel als in seinen deutschen Landen. Er mag meine Landsleute, sagte sich Baudolino, und er begreift nicht, warum sie ihn verraten. Vielleicht ist das der Grund, warum er sie niedermetzelt. Er ist wie ein eifersüchtiger Ehemann.

In den Monaten nach ihrer Rückkehr hatte Baudolino jedoch wenig Gelegenheit, Friedrich zu sehen, da dieser erst einen Reichstag in Regensburg und dann noch einen in Worms vorbereitete. Er mußte zwei sehr gefährliche Verwandte bei Laune halten, Heinrich den Löwen, dem er endlich das Herzogtum Bayern gab, und Heinrich Jasomirgott, für den er eigens ein Herzogtum Österreich erfand. Im März des folgenden Jahres kündigte Otto seinem Zögling an, daß sie im Juni alle nach Würzburg gehen würden, wo Friedrich sich glücklich zu verheiraten gedachte. Der Kaiser war schon einmal verheiratet gewesen, hatte sich jedoch vor einigen Jahren von seiner Frau getrennt und wollte nun die Gräfin Beatrix von Burgund heimführen, die als Mitgift ihre Grafschaft bis hinunter zur Provence einbrachte. Bei einer so großen Mitgift werde es sich gewiß um eine Vernunftehe handeln, dachten Otto und Rahewin, und in diesem Geist machte sich auch Baudolino darauf gefaßt, am Arm seines Adoptivvaters eine ältliche Jungfer zu sehen, deren Reize eher in den Gütern ihrer Vorfahren als in ihrer persönlichen Schönheit lagen.

»Ich gebe zu, ich war eifersüchtig«, sagte Baudolino zu Niketas. »Da hatte ich nun seit kurzem einen zweiten Vater gefunden, und schon wurde er mir wieder, zumindest teilweise, von einer Stiefmutter genommen.«

Hier machte Baudolino eine Pause, zeigte eine gewisse Verlegenheit, fuhr sich mit einem Finger über die Narbe und enthüllte dann die schreckliche Wahrheit: Als er nach Würzburg kam, entdeckte er, daß Beatrix von Burgund ein zwanzigjähriges Mädchen von außerordentlicher Schönheit war – zumindest kam sie ihm so vor, und kaum hatte er sie erblickt, konnte er keinen Muskel mehr rühren und starrte sie mit aufgerissenen Augen an. Sie hatte golden glänzendes Haar, ein makellos schönes Gesicht, der Mund klein und rot wie eine reife Frucht, die Zähne weiß und regelmäßig, die Haltung aufrecht, der Blick bescheiden, die Augen klar. Züchtig und zugleich gewinnend in ihrer Rede, zarten Leibes und feingliedrig, schien sie im Glanz ihrer Anmut alle zu beherrschen, die sie umgaben. Sie verstand es – höchste Tugend für eine künftige Herrscherin –, ihrem Gatten untertan zu erscheinen, indem sie vorgab, ihn als ihren Herrn und Gebieter zu fürchten, aber sie war seine Herrin, wenn es darum ging, ihm ihren Willen als Gattin zu bekunden, was sie mit solcher Grazie tat, daß jede ihrer Bitten sogleich Gehör fand, als wär's ein Befehl. Wollte man noch etwas zu ihrem Lob hinzufügen, so könnte man sagen, sie war geübt im Lesen und Schreiben, gewandt im Musizieren und bezaubernd im Singen. So daß, schloß Baudolino, der Name Beatrix wirklich hervorragend für sie paßte.

Für Niketas war es nicht schwer zu begreifen, daß der junge Mann sich auf den ersten Blick in seine fast ebenso junge Stiefmutter verliebt hatte, nur daß er – da er sich zum ersten Mal verliebte – nicht wußte, was ihm da widerfuhr. Es ist ja schon ein blitzartig blendendes, umwerfendes Ereignis, wenn man sich als Bauernsohn zum ersten Mal in ein pickliges Bauernmädchen verliebt, um wieviel mehr also erst, wenn man sich als Bauernsohn zum ersten Mal in eine zwanzigjährige Kaiserin mit milchweißer Haut verliebt!

Baudolino begriff sofort instinktiv, daß das, was er da empfand, eine Art Diebstahl am Eigentum seines Vaters war, weshalb er sich einzureden versuchte, er betrachte seine Stiefmutter aufgrund ihrer Jugend als eine Art Schwester. Aber dann wurde ihm klar, obwohl er nicht viel Moraltheologie studiert hatte, daß es auch nicht erlaubt war, eine Schwester in dieser Weise zu lieben – jedenfalls nicht mit diesem Erschauern und dieser heftigen Leidenschaft, die ihm der Anblick Beatrixens einflößte. Darum senkte er errötend den Kopf, und genau in diesem Augenblick streckte Beatrix, der Friedrich seinen Adoptivsohn Baudolino vorstellte (als einen »sonderbaren und liebenswerten Wildfang der Poebene«, wie er sich ausdrückte), zärtlich ihre Hand aus und streichelte ihm erst über die Wange und dann übers Haar.

Baudolino schwanden beinahe die Sinne, ihm wurde ganz schwarz vor Augen, und die Ohren dröhnten ihm wie beim Läuten der Kirchenglocken zu Ostern. Was ihn wieder zu sich kommen ließ, war die schwere Hand Ottos, der ihm auf den Nacken klopfte und zwischen den Zähnen flüsterte: »Auf die Knie, du Tölpel!« Er besann sich darauf, daß er vor der Kaiserin des Heiligen Römischen Reiches stand, die auch Königin von Italien war, beugte die Knie, und von diesem Moment an benahm er sich untadelig wie ein perfekter Höfling, nur daß er nachts nicht schlafen konnte und, anstatt über dieses unerklärliche Damaskus-Erlebnis zu jubeln, wegen der unerträglichen Glut dieser unbekannten Leidenschaft weinte.

Niketas betrachtete seinen löwenköpfigen Gesprächspartner, würdigte die Gewähltheit seiner Ausdrücke, seine zurückhaltende Rhetorik in einem fast literarischen Griechisch, und fragte sich, was für einen Menschen er da vor sich hatte, der imstande war, die Sprache der Bauern zu sprechen, wenn er von Dörflern redete, und die der Könige, wenn es um Herrscher ging. Ob er wohl eine Seele hat, fragte er sich, dieser Mensch, der seine Erzählung so zu formen weiß, daß sie verschiedene Seelen ausdrücken kann? Und wenn er verschiedene Seelen hat, durch den Mund welcher von ihnen wird er mir, wenn er spricht, jemals die Wahrheit sagen?

5. Kapitel

Baudolino gibt Friedrich weise Ratschläge

Am nächsten Morgen lag die Stadt fast vollständig unter einer dichten Rauchwolke. Niketas hatte ein wenig Obst gekostet, war unruhig im Turmzimmer umhergegangen und hatte dann Baudolino gebeten, einen der Genueser nach einem gewissen Architas zu schicken, der ihm das Gesicht pflegen sollte.

Seh sich einer das an, dachte Baudolino, hier geht die Stadt in Flammen auf, die Leute werden auf der Straße niedergemetzelt, vor zwei Tagen mußte dieser Mann noch fürchten, seine ganze Familie zu verlieren, und jetzt will er, daß ihm jemand eine Gesichtspflege macht. Wie verwöhnt die Männer des Hofes in dieser verdorbenen Stadt doch sind – Friedrich hätte so einen längst hochkant aus dem Fenster geworfen.

Nach einer Weile kam der erwähnte Architas mit einem Korb voll silberner Instrumente und kleiner Gefäße mit den überraschendsten Parfüms. Er war ein Künstler, der einem zuerst das Gesicht zur Entspannung in warme Tücher hüllte, dann daranging, es mit schmutzlösenden Cremes zu bestreichen, es zu reinigen und zu glätten, jede Unreinheit zu beseitigen und schließlich die Runzeln mit Schminke zu füllen, die Augen mit einem leichten Lidschatten zu versehen, die Lippen ein wenig zu röten, die Härchen in den Ohren zu schneiden, um nicht von dem zu reden, was er mit dem Bart- und Haupthaar machte. Niketas ließ alles mit geschlossenen Augen über sich ergehen, umschmeichelt von wissenden Händen, gewiegt von der Stimme Baudolinos, der fortfuhr, seine Geschichte zu erzählen. Es war eher Baudolino, der sich von Zeit zu Zeit unterbrach, um zu fragen, was dieser Meister der Schönheit da gerade tat, zum Beispiel als er aus einem seiner Gefäße eine Eidechse holte, ihr den Kopf und den Schwanz abschnitt, sie so gründlich zerkleinerte, daß er sie gleichsam zerstieß, und die so entstandene Paste dann in einem Tiegel mit Öl erhitzte. Was für eine Frage, das war der Sud, mit dem die wenigen Haare, die Niketas noch auf dem Kopf trug, genährt, seidig gemacht und parfümiert wurden. Und diese Fläschchen? Nun, das waren Essenzen aus Muskatnuß oder aus Kardamom, oder Rosenwasser, jede zur Pflege eines bestimmten Gesichtsteils; dieser Honigseim diente zur Stärkung der Lippen und dieser andere, dessen Geheimnis nicht enthüllt werden durfte, zur Straffung des Zahnfleischs.

Am Ende war Niketas eine rundum strahlende Pracht, wie es sich gehörte für einen Richter des Velums und Logotheten der Sekreta, und wie neugeboren glänzte er gerade an jenem fahlen Morgen vor dem düsteren Hintergrund des rauchenden Konstantinopel. Und Baudolino verspürte eine gewisse Hemmung, ihm von seinem Leben als Heranwachsender in einem kalten, unwirtlichen Kloster der Lateiner zu erzählen, wo Ottos prekäre Gesundheit ihn zwang, gekochtes Gemüse, Kohlsuppen und gelegentlich eine Hühnerbrühe mit ihm zu teilen.

In jenem Jahr hatte Baudolino nur wenig Zeit am Hofe verbringen dürfen (wo er, wenn er sich dort befand, immer zugleich voller Angst und voller Hoffnung war, Beatrix zu begegnen). Friedrich mußte zuerst Angelegenheiten mit den Polen regeln (*Polanos de Polunia*, schrieb Bischof Otto, *gens quasi barbara ad pugnandum promptissima*), für März hatte er einen erneuten Reichstag in Worms anberaumt, um einen weiteren Zug nach Italien vorzubereiten, wo Mailand mit seinen Satelliten immer aufmüpfiger wurde, dann für September einen Reichstag in Würzburg und für Oktober einen in Besançon, kurzum, man konnte meinen, er habe die Hummeln im Leib. Baudolino dagegen war die meiste Zeit in der Abtei von Morimond bei Otto geblieben, hatte seine Studien bei Rahewin fortgesetzt und dem immer mehr kränkelnden Bischof als Schreiber gedient.

Als sie zu jenem Buch der *Chronica* kamen, in dem der Presbyter Johannes erwähnt wird, fragte Baudolino, was es bedeute, *christianus sed nestorianus* zu sein. Wären demnach diese Nestorianer nur irgendwie halbe Christen und keine richtigen?

»Nun, mein Sohn, um die volle Wahrheit zu sagen, Nestorius war ein Ketzer, aber wir haben ihm viel zu verdanken. Du mußt wissen, in Indien waren es die Nestorianer, die dort, nach dem Apostel Thomas, das Christentum verbreiteten, und zwar bis an die Grenzen jener fernen Länder, aus denen die Seide kommt. Nestorius hat nur einen allerdings schweren Fehler begangen, im Hinblick auf unseren Herrn Jesus Christus und seine allerheiligste Mutter. Wie du weißt, glauben wir fest an die Existenz einer einzigen göttlichen Natur, die gleichwohl aus drei verschiedenen Personen besteht: die Dreieinigkeit von Vater, Sohn und Heiligem Geist. Aber wir glauben ebenfalls, daß in Christus nur eine einzige Person war, eben die göttliche, die aber zwei Naturen hatte, eine menschliche und eine göttliche. Nestorius hingegen vertrat die Ansicht, daß in Christus nicht nur zwei Naturen existiert hätten, eine menschliche und eine göttliche, sondern auch zwei Personen. Infolgedessen habe Maria nur die menschliche Person geboren, weshalb man sie nicht Mutter Gottes nennen könne, sondern nur Mutter des Menschen Christus – nicht *Theotókos*, Gottesgebärerin, sondern höchstens *Christotókos*.«

»Ist es schlimm, so zu denken?«

»Es ist schlimm, und es ist nicht schlimm«, erregte sich Otto. »Du kannst die Heilige Jungfrau genausogut lieben, auch wenn du so über sie denkst wie Nestorius, aber du tust ihr damit weniger Ehre an. Außerdem ist eine Person die individuelle Substanz eines *animal rationale*, eines Vernunftwesens, und wenn in Christus zwei Personen existierten, waren das dann zwei individuelle Substanzen von zwei Vernunftwesen? Wohin führt solches Denken? Will man vielleicht sagen, Christus habe mal so und mal so argumentiert? Das soll nun freilich nicht heißen, daß der Presbyter Johannes ein gefährlicher Ketzer wäre, aber es wird gut sein, wenn er in Kontakt mit einem christlichen Herrscher tritt, der ihm den wahren Glauben nahebringt, denn da er gewiß ein ehrlicher Mann ist, wird er dann nicht umhinkönnen, sich zu bekehren. Sicher ist allerdings, daß du diese Dinge nie begreifen wirst, wenn du dich nicht daranmachst, ein bißchen Theologie zu studieren. Du bist ein heller Junge, Rahewin ist ein guter Lehrer, solange es um Lesen, Schreiben, ein bißchen Rechnen und ein paar Grammatikregeln geht, aber Trivius und Quadrivius sind etwas ganz anderes. Um zur Theologie zu gelangen, müßtest du Dialektik studieren, und das sind Dinge, die du nicht hier in Morimond lernen kannst. Du mußt an ein richtiges *Studium* gehen, an eine Schule, wie es sie nur in großen Städten gibt.«

»Aber ich will an kein *Studium* gehen, von dem ich ja nicht mal weiß, was das ist.«

»Wenn du es erst mal begriffen hast, wirst du sehr gern hingehen, mein Sohn. Schau, es heißt allgemein, daß die menschliche Gesellschaft auf drei Kräften beruht, auf den Kriegern, den Mönchen und den Bauern, und vielleicht ist das bis gestern auch so gewesen. Aber wir leben in einer neuen Zeit, in der die Gelehrten ebenso wichtig zu werden beginnen, die, auch ohne Mönche zu sein, das Recht studieren, die Philosophie, die Bewegungen der Himmelskörper und vielerlei andere Dinge, wobei sie weder ihrem Bischof noch ihrem König ständig über alles Rechenschaft ablegen müssen. Und diese *Studia*, die jetzt langsam in Bologna oder Paris entstehen, sind Orte, wo das Wissen gepflegt und weitergegeben wird, und Wissen ist eine Form von Macht. Ich war ein Schüler des großen Abaelard, dem Gott gnädig sein möge, denn er hat viel gesündigt, aber er hat auch viel gelitten und gebüßt. Nach seinem Unglück, als er in einem wütenden Akt der Rache entmannt worden war, ist er Mönch und Abt geworden und hat fern der Welt gelebt. Aber auf der Höhe seines Ruhms war er Magister in Paris, verehrt von seinen Studenten und geachtet von den Mächtigen, eben wegen seines Wissens.«

Baudolino sagte sich, daß er seinen Lehrer Otto niemals verlassen würde, von dem er weiterhin vieles lernte. Doch ehe die Bäume das vierte Mal blühten, seit er ihn kannte, lag Bischof Otto im Sterben, entkräftet von Sumpffieber, Gliederschmerzen, Blutandrang in der Brust und seinem alten Blasensteinleiden. Zahlreiche Ärzte, darunter auch einige Araber und Juden, also die besten, die ein christlicher Kaiser einem Bischof anbieten konnte, hatten seinen geschwächten Körper mit zahllosen Aderlässen gemartert, doch – aus Gründen, die jene Koryphäen der Wissenschaft sich nicht zu erklären vermochten – nachdem sie ihm fast alles Blut abgesaugt hatten, ging es ihm noch schlechter, als wenn sie es ihm gelassen hätten.

Zuerst hatte er Rahewin an sein Bett gerufen, um ihm die Fortführung seiner Geschichte der Taten Friedrichs anzuvertrauen, wobei er ihm sagte, das sei keine schwere Arbeit, er solle einfach die Fakten berichten und dem Kaiser die jeweils passenden Worte aus den antiken Texten in den Mund legen. Dann rief er Baudolino. »*Puer dilectissimus*«, sagte er, »ich gehe fort. Man könnte auch sagen, ich kehre zurück, und ich bin nicht sicher, welcher Ausdruck der angemessenere ist, so wie ich auch nicht sicher bin, ob meine Geschichte der beiden Reiche oder meine Chronik der Taten Friedrichs die richtigere ist...« (Du verstehst, Kyrios Niketas, fügte Baudolino ein, das Leben eines Jungen kann gezeichnet sein vom Bekenntnis eines sterbenden Lehrers, der sich zwischen zwei Wahrheiten nicht mehr entscheiden kann.) »Nicht, daß ich froh bin fortzugehen oder zurückzukehren, aber der Herr will es nun einmal so, und seinen Wunsch in Frage zu stellen hieße riskieren, daß er mich auf der Stelle niederstreckt, daher will ich lieber die kurze Zeit nutzen, die er mir noch läßt. Hör zu. Du weißt, daß ich versucht habe, dem Kaiser die politische Lage der Städte jenseits der Alpen zu erklären. Der Kaiser kann nichts anderes tun, als sie seiner Herrschaft zu unterwerfen, aber man kann ihre Unterwerfung auf verschiedene Art erreichen, und vielleicht findet man einen anderen Weg als den der Belagerung und des Massakers. Versuch also du, der du das Ohr des Kaisers hast und immerhin ein Sohn jenes Landes bist, dein Bestes zu tun, um die Ansprüche unseres Herrn mit denen deiner Städte zu versöhnen, so daß möglichst wenige Menschen sterben und alle am Ende zufrieden sind. Um das zu erreichen, mußt du lernen, nach allen Regeln der Kunst zu folgern und zu argumentieren, und darum habe ich den Kaiser gebeten, dich zum Studium nach Paris zu schicken. Nicht nach Bologna, wo man sich nur mit dem Recht beschäftigt, und ein Bruder Leichtfuß wie du soll seine Nase nicht in die Pandekten stecken, denn mit dem Gesetz darf man nicht lügen. In Paris wirst du Rhetorik studieren und die Dichter lesen. Rhetorik ist die Kunst, auf elegante Weise etwas zu sagen, von dem man nicht sicher weiß, ob es wahr ist, und die Dichter haben die Pflicht, schöne Lügen zu erfinden. Es kann auch nichts schaden, wenn du ein bißchen Theologie studierst, aber ohne ein richtiger Theologe werden zu wollen, denn mit den Dingen des Allmächtigen soll man nicht scherzen. Studiere genug, um hinterher eine gute Figur bei Hofe zu machen, wo du sicherlich ein Ministeriale wirst, das ist der höchste Posten, den ein Bauernsohn anstreben kann, du wirst wie ein Ritter auf gleicher Stufe mit vielen Herren stehen und deinem Adoptivvater treu dienen können. Tu dies alles zu meinem Gedenken, und Jesus vergebe mir, wenn ich ungewollt seine Worte benutzt habe.«

Dann gab er ein Röcheln von sich und blieb reglos liegen. Baudolino wollte ihm schon die Augen schließen, im Glauben, er habe seinen letzten Seufzer getan, da öffnete Otto noch einmal den Mund und wisperte mit den letzten Atemzügen: »Baudolino, denk an das Reich des Presbyters Johannes. Nur wenn man danach sucht, wird man das Banner der Christenheit über Byzanz und Jerusalem hinaustragen können. Ich habe dich viele Geschichten erfinden hören, die der Kaiser geglaubt hat. Also wenn du keine anderen Nachrichten über jenes Reich hast, erfinde welche. Merk dir, ich bitte dich nicht zu bezeugen, was du für falsch hältst – das wäre Sünde –, sondern falsch zu bezeugen, was du für richtig hältst. Das ist ein gutes Werk, denn es behebt den Mangel an Beweisen für etwas, das zweifellos existiert oder geschehen ist – und zweifellos existiert ein Priesterkönig Johannes jenseits der Länder der Perser und der Armenier, hinter Bakta, Ekbatana, Persepolis, Susa und Arbela, woher die Magier kamen...

Dränge Friedrich nach Osten, denn von dort kommt das Licht, das ihn beleuchten wird als den größten aller Könige... Zieh den Kaiser aus jenem Sumpf, der sich zwischen Mailand und Rom erstreckt... er könnte sonst bis zum Tod darin befangen bleiben. Er muß sich fernhalten von einem Reich, in dem auch ein Papst befiehlt. Sonst ist er immer nur zur Hälfte Kaiser. Denk daran, Baudolino... Der Priester Johannes... Der Weg nach Osten...«

»Aber warum sagt Ihr das zu mir, Meister, und nicht zu Rahewin?«

»Weil Rahewin keine Phantasie hat, er kann nur berichten, was er gesehen hat, und manchmal nicht einmal das, weil er nicht versteht, was er gesehen hat. Du dagegen kannst dir etwas vorstellen, was du nicht gesehen hast... Oh, warum wird es auf einmal so dunkel?«

Baudolino, der ein Lügner war, sagte, er solle sich nicht beunruhigen, es liege daran, daß der Abend komme. Genau zur Mittagsstunde gab Otto ein leises Pfeifen aus der schon rauhen Kehle von sich, und die Augen blieben offen und starr, als betrachte er seinen Priester Johannes auf dem Thron. Baudolino schloß ihm die Augen und vergoß echte Tränen.

Traurig über den Tod seines Lehrers, war Baudolino für einige Monate an den Hof zu Friedrich zurückgekehrt. Zuerst hatte er sich mit dem Gedanken getröstet, daß er dort nicht nur den Kaiser, sondern auch die Kaiserin wiedersehen würde. Dann *sah* er sie wieder und verfiel in noch größere Traurigkeit. Vergessen wir nicht, daß Baudolino sich zu jener Zeit seinem siebzehnten Lebensjahr näherte, und mochte seine Verliebtheit vorher noch wie die Verwirrung eines Knaben erscheinen, die er selbst kaum verstand, so wurde sie jetzt immer mehr bewußtes Begehren und erlittene Qual.

Um nicht trübsinnig am Hof zu verkümmern, begleitete er Friedrich regelmäßig ins Feld, und dort wurde er Zeuge von Dingen, die ihm ganz und gar nicht gefielen. Die Mailänder hatten Lodi zum zweiten Mal zerstört, beziehungsweise beim ersten Mal hatten sie es geplündert, aus allen

Häusern Vieh, Hafer und Hausrat mitgenommen, dann alle Bewohner aus der Stadt getrieben und ihnen gesagt, wenn sie nicht freiwillig gingen, müßten sie alle über die Klinge springen, Frauen, Alte und Kinder, auch die noch in der Wiege lagen. Die Lodianer hatten nur Hunde und Katzen zurückgelassen und waren zu Fuß im Regen auf die Felder hinausgezogen, auch die Herren, die nun keine Pferde mehr hatten, die Frauen mit Kleinkindern auf dem Arm, und manchmal stürzten sie unterwegs oder rutschten in die Gräben. Sie hatten sich in die Gegend zwischen Adda und Serio geflüchtet, wo sie ein paar elende Hütten fanden, in denen sie kreuz und quer übereinander schliefen.

Das alles hatte jedoch den Mailändern noch nicht gereicht: Sie waren wiedergekommen, hatten die wenigen noch in der Stadt Versteckten gefangengenommen, alle Reben und Pflanzen abgehackt und schließlich die Häuser in Brand gesteckt, womit sie auch noch die meisten Hunde und Katzen liquidierten.

Dergleichen Dinge kann ein Kaiser nicht dulden, und darum war Friedrich erneut nach Italien gezogen, mit einer großen Armee aus Burgundern, Lothringern, Böhmen, Ungarn, Schwaben, Franken und vielen anderen mehr. Als erstes hatte er ein neues Lodi in Montegezzone gegründet, dann ging er an die Belagerung Mailands, begeistert unterstützt von Truppen aus Pavia, Cremona, Pisa, Lucca, Florenz und Siena, Vicenza, Treviso, Padua, Ferrara, Ravenna, Modena und so weiter, die sich alle mit dem Kaiser verbündet hatten, um Mailand zu demütigen.

Und sie demütigten es wirklich. Am Ende des Sommers ergab sich die Stadt, und die Mailänder unterzogen sich einem Ritual, durch das sich sogar Baudolino gedemütigt fühlte, obgleich er sonst nichts mit den Mailändern gemein hatte. Die Besiegten zogen in stiller Prozession vor den Sieger wie Leute, die um Gnade flehen, alle barfuß und in Sackleinen gehüllt, auch der Bischof, und die Bewaffneten trugen ihr Schwert um den Hals. Friedrich, nun wieder großmütig geworden, gab den Gedemütigten den Friedenskuß.

Hat sich das nun für die gelohnt, fragte sich Baudolino, erst so großspurig und gewalttätig gegenüber Lodi aufzutreten und dann so beschämt die Hosen runterzulassen? Lohnt es sich, in diesem Lande zu leben, wo alle den Anschein erwecken, sie hätten gelobt, Selbstmord zu begehen, und wo einer dem anderen hilft, sich umzubringen? Ich will weg von hier! – In Wirklichkeit wollte er auch weg von Beatrix, denn irgendwo hatte er gelesen, daß die Liebeskrankheit durch Entfernung von der geliebten Person geheilt werden kann (und er hatte noch nicht andere Bücher gelesen, in denen umgekehrt behauptet wurde, daß es gerade die Entfernung sei, die das Feuer der Leidenschaft anfacht). So ging er zu Friedrich, um ihn an Ottos Rat zu erinnern und sich nach Paris schicken zu lassen.

Er fand den Kaiser, wie er betrübt und aufgebracht in seinem Zimmer hin und her ging, während Rainald von Dassel in einer Ecke wartete, daß er sich beruhigte. Nach einer Weile blieb Friedrich stehen, sah Baudolino in die Augen und sagte: »Junge, du bist mein Zeuge: Ich mühe mich ab, die Städte Italiens unter ein einheitliches Gesetz zu stellen, aber jedesmal muß ich wieder von vorne anfangen. Vielleicht ist mein Gesetz falsch? Wer sagt mir, ob mein Gesetz richtig ist?« Darauf Baudolino, fast ohne zu überlegen: »Mein lieber Vater, wenn du so zu fragen anfängst, kommst du an kein Ende mehr, dabei gibt es den Kaiser doch gerade deswegen. Er ist nicht Kaiser, weil er die richtigen Ideen hat, sondern die Ideen sind richtig, weil *er* sie hat, und basta!« Friedrich sah ihn verdattert an, dann sagte er zu Rainald: »Dieser Junge sagt die Dinge besser als ihr alle! Wenn seine Worte jetzt noch in gutes Latein gesetzt wären, klängen sie ganz wunderbar.«

»*Quod principi placuit legis habet vigorem* – was dem Fürsten gefällt, hat Gesetzeskraft«, sagte Rainald von Dassel. »Ja, das klingt sehr weise und unumstößlich. Aber es müßte im Evangelium geschrieben stehen, wie soll man sonst alle Welt dazu bringen, diese schöne Idee gutzuheißen?«

»Wir haben ja gesehen, was in Rom passiert ist«, sagte Friedrich, »wenn ich mich vom Papst salben lasse, akzeptiere ich damit, daß seine Macht größer ist als meine, und wenn ich den Papst am Kragen packe und in den Tiber werfe, gelte ich als eine Geißel Gottes, die nicht einmal

74

ein Attila gutheißt. Wo zum Teufel finde ich jemanden, der meine Rechte definieren kann, ohne zu beanspruchen, daß er über mir steht? So jemanden gibt es in der ganzen Welt nicht.«

»Vielleicht gibt es keine solche Macht«, sagte Baudolino, »aber es gibt das Wissen.«

»Wie meinst du das?«

»Als Bischof Otto mir erklärte, was ein *Studium* ist, sagte er, daß diese Gemeinschaften von Meistern und Schülern aus eigener Kraft funktionieren, die Schüler kommen von überall in der Welt, gleichgültig, wer ihr Souverän ist, und sie bezahlen ihre Meister, die daher nur von den Schülern abhängig sind. So läuft es bei den Magistern der Rechtswissenschaft in Bologna, und so läuft es jetzt auch in Paris, wo die Magister zuerst in der Kathedralenschule lehrten und daher vom Bischof abhängig waren, aber dann sind sie eines schönen Tages auf den Berg der heiligen Genoveva gezogen, und dort suchen sie nun nach der Wahrheit und lehren, ohne dabei auf den Bischof oder den König zu hören.«

»Wenn ich ihr König wäre, würd' ich's sie schon lehren. Aber angenommen, es wäre so?«

»Es wäre so, wenn du ein Gesetz machtest, in dem du anerkennst, daß die Magistres von Bologna wirklich unabhängig von jeder anderen Macht sind, sowohl von dir wie vom Papst wie von jedem anderen Souverän, allein dem Recht verpflichtet. Sobald sie mit dieser Würde ausgestattet sind, die auf der Welt einzigartig ist, werden sie erklären, daß – gemäß der Vernunft, der Natur und der Tradition – das einzige Recht nur das römische ist und der einzige, der es repräsentiert, der Kaiser des Heiligen Römischen Reiches – und daß natürlich, wie es Herr Rainald so schön gesagt hat, *quod principi placuit legis habet vigorem.*«

»Und warum sollten sie das sagen?«

»Weil du ihnen dafür das Recht gibst, es sagen zu *dürfen*, und das ist nicht wenig. So bist du zufrieden, und sie sind zufrieden, und wie mein Vater Gagliaudo immer sagte, ihr beide sitzt in einer Tonne aus Eisen.«

»Sie werden nicht bereit sein, so etwas zu tun«, murmelte Rainald.

»O doch«, erwiderte Friedrich, »ich sage dir, sie werden bereit sein. Allerdings müssen sie zuerst diese Erklärung abgeben, und erst dann gebe ich ihnen die Unabhängigkeit, sonst würden alle denken, sie hätten es als Gegenleistung für eine Gabe von mir getan.«

»Also ich denke, wenn jemand sagen will, daß ihr euch abgesprochen habt, dann wird er das trotzdem sagen«, kommentierte Baudolino skeptisch. »Aber ich möchte den sehen, der sich zu sagen getraut, daß die Doktoren in Bologna keinen Pfifferling wert seien, nachdem sogar der Kaiser hingegangen ist, um sie demütig nach ihrer Meinung zu fragen. Von diesem Moment an ist ihr Wort das Evangelium.«

So verlief die Sache dann wirklich, noch im selben Jahr in Roncaglia, wo zum zweiten Mal ein großer Reichstag stattfand. Für Baudolino war es zunächst ein großes Spektakel. Wie Rahewin ihm erklärte – damit er nicht dachte, es sei alles nur ein Zirkusspiel mit überall knatternden Fahnen, Wappen, bunten Zelten, Händlern und Gauklern –, hatte Friedrich auf dem linken Ufer des Po ein typisches römisches Lager errichten lassen, um daran zu erinnern, daß seine Würde aus Rom kam. In der Mitte dieses Lagers stand das kaiserliche Zelt wie ein Tempel, und wie ein Kranz umgaben es die Zelte der Lehnsherren, Vasallen und Valvassoren. Bei Friedrich befanden sich der Erzbischof von Köln, der Bischof von Bamberg, Daniel von Prag, Konrad von Augsburg und andere mehr. Am rechten Po-Ufer lagerten die Italiener, der Gesandte des Apostolischen Stuhls, der Patriarch von Aquileia, der Erzbischof von Mailand, die Bischöfe von Turin, Alba, Ivrea, Asti, Novara, Vercelli, Tortona, Pavia, Como, Lodi, Cremona, Piacenza, Reggio, Modena, Bologna und Gott weiß wer noch. Als Präses dieser majestätischen und wahrhaft universalen Versammlung eröffnete Friedrich die Debatte.

Um es kurz zu machen – sagte Baudolino, denn er wollte Niketas nicht mit den Meisterwerken der kaiserlichen, rechtswissenschaftlichen und kirchlichen Redekunst langweilen –, vier Doktoren aus Bologna, die berühmtesten, Schüler des großen Irnerius, waren vom Kaiser gebeten worden, eine unanfechtbare Lehrmeinung über seine Machtbefugnisse abzugeben, und drei von ihnen, Bulgarus, Jacopus und Hugo von Porta Ravegnana, hatten sich so geäußert, wie Friedrich es wollte, nämlich das Recht des Kaisers aus dem römischen Recht abgeleitet. Anderer Ansicht war lediglich ein gewisser Martinus.

»Dem Friedrich dann wohl die Augen ausstechen ließ«, kommentierte Niketas. »Aber nein, nicht doch!« erwiderte Baudolino. »Ihr Romäer stecht diesem und jenem die Augen aus und versteht nicht mehr, wo das Recht ist, weil ihr euren großen Justinian vergessen habt. Gleich darauf verkündete Friedrich die *Constitutio Habita*, womit er die Autonomie der Rechtsschule von Bologna anerkannte, und wenn die Rechtsschule autonom war, konnte Martinus sagen, was er wollte, und nicht einmal der Kaiser hätte ihm deswegen ein Haar krümmen können. Denn wenn er es getan hätte, wären die Doktoren ja nicht mehr autonom gewesen, und wenn sie nicht autonom wären, hätte ihr Urteil keinerlei Wert und Friedrich liefe Gefahr, als Usurpator zu gelten.«

Ausgezeichnet, dachte Niketas, dieser Baudolino will mir zu verstehen geben, *er* habe faktisch das Reich begründet und seine Macht sei so groß, daß er einen beliebigen Satz bloß auszusprechen brauche, schon werde er wahr. Hören wir uns den Rest an.

In der Zwischenzeit hatten die Genueser einen Korb mit Obst hereingebracht, denn es war Mittag geworden, und Niketas mußte sich ein wenig stärken. Sie hatten gesagt, daß die Plünderung weitergehe, weshalb es besser sei, noch im Hause zu bleiben. Baudolino erzählte weiter.

Friedrich kam also zu dem Schluß: Wenn ein noch fast bartloser Jüngling, erzogen von einem Trottel wie Rahewin, schon so scharfsinnige Ideen hatte, was würde dann erst aus ihm werden, wenn man ihn wirklich zum Studieren nach Paris schickte? Er umarmte ihn väterlich und empfahl ihm, ein wirklicher Gelehrter zu werden, nachdem er selbst wegen der Regierungsgeschäfte und der militärischen Unternehmungen nie die Zeit gehabt habe, sich gebührend zu bilden. Die Kaiserin gab ihm zum Abschied einen Kuß auf die Stirn – wir stellen uns Baudolinos Entzücken vor – und sagte zu ihm (denn diese wunderbare Frau konnte, obwohl sie eine große Dame und Kaiserin war, auch lesen und schreiben): »Und schreib mir gelegentlich, berichte mir, wie es dir geht und was du so treibst. Das Leben ist kurz und eintönig. Deine Briefe werden mir ein Trost sein.«

»Ich werde schreiben, ich schwöre es«, versicherte Baudolino mit einer Inbrunst, die die Umstehenden hätte stutzig machen müssen. Aber niemand faßte einen Verdacht – wen wundert schon die Erregtheit eines Jünglings, der im Begriff ist, nach Paris zu gehen –, außer vielleicht Beatrix selbst. Tatsächlich sah sie ihn an, als sähe sie ihn zum ersten Mal, und ihr milchweißes Antlitz überzog sich mit einer plötzlichen Röte. Doch Baudolino hatte bereits mit einer Verbeugung, die ihn zwang, zu Boden zu blicken, den Saal verlassen.

6. Kapitel

Baudolino geht nach Paris

Baudolino kam ein bißchen verspätet nach Paris, denn in jene Schulen trat man damals nicht selten noch vor dem vierzehnten Lebensjahr ein, und er war schon zwei Jahre älter. Aber er hatte bei Otto soviel gelernt, daß er sich erlaubte, nicht alle Vorlesungen zu hören, um lieber anderes zu tun, wie wir gleich sehen werden.

Er war mit einem Gefährten aufgebrochen, einem Rittersohn aus Köln, der es vorgezogen hatte, sich anstelle des Kriegshandwerks den freien Künsten zu widmen, nicht ohne den Unmut seines Vaters zu erregen, aber unterstützt von seiner Mutter, die seine Gaben als frühreifer Dichter so unermüdlich und hochtönend pries, daß Baudolino seinen richtigen Namen, falls er ihn je erfahren, vergessen hatte. Er nannte ihn den Poeten, und so taten es später auch alle anderen, die ihn kennenlernten. Baudolino fand bald heraus, daß der Poet in Wahrheit noch nie ein Gedicht geschrieben hatte, sondern immer nur verkündete, daß er es zu tun gedenke. Da er jedoch sehr gekonnt die Gedichte anderer vorzutragen verstand, war auch sein Vater am Ende überzeugt, daß der Junge ein Musensohn sei, und hatte ihn ziehen lassen, ohne ihm allerdings mehr als das Nötigste mitzugeben, da er der irrigen Meinung war, das wenige, was zum Leben in Köln genügte, werde auch für Paris vollauf genügen.

Kaum angelangt, konnte Baudolino es gar nicht erwarten, dem Wunsch der Kaiserin zu gehorchen, und schrieb ihr mehrere Briefe. Anfangs glaubte er noch, daß seine glühende Leidenschaft dadurch ein wenig gemildert würde, aber bald wurde ihm bewußt, wie schmerzlich es war, ihr zu schreiben, ohne ihr sagen zu können, was er wirklich empfand. Er schrieb ihr perfekte und liebenswürdige Briefe, in denen er Paris schilderte, eine Stadt, die schon damals reich an schönen Kirchen war, in der man eine prickelnde Luft atmete, deren Himmel weit und heiter war, außer wenn es regnete, was aber nur ein- bis zweimal am Tag geschah, weshalb sie für einen, der aus dem fast immerwährenden Nebel kam, als ein Ort immerwährenden Frühlings erschien. Es gab einen gewundenen Fluß mit zwei Inseln darin, das Wasser war köstlich zu trinken, und gleich vor den Mauern erstreckten sich balsamisch duftende Orte, zum Beispiel eine Wiese nahe der Abtei von Saint-Germain, wo man herrliche Nachmittage beim Ballspiel verbringen konnte.

Er schilderte auch seine Mühen in den ersten Tagen, als es darum ging, ein Zimmer für sich und seinen Gefährten zu finden, ohne sich von den Vermietern um seine ganze Barschaft bringen zu lassen. Für teures Geld hatten sie schließlich einen ausreichend großen Raum gefunden, möbliert mit einem Tisch, zwei Bänken, Regalen für die Bücher und einer Truhe. Zum Schlafen gab es ein hohes Bett mit einer Flaumdecke aus Straußenfedern und ein niedriges auf Rollen mit einer Flaumdecke aus Gänsefedern, das tagsüber unter das hohe geschoben wurde. Der Brief verschwieg, daß die beiden Zimmergenossen, was die Verteilung der Betten anging, nach kurzem Zögern beschlossen hatten, jeden Abend mittels einer Schachpartie um das bequemere Bett zu spielen, denn Schach galt am Hof als ein nicht sehr empfehlenswertes Spiel.

Ein anderer Brief berichtete, daß sie morgens zu sehr früher Stunde aufstehen mußten, denn die Vorlesungen begannen um sieben und dauerten bis zum späten Nachmittag. Mit einem schönen Stück Brot und einem Becher Wein bereitete man sich darauf vor, den Magistern in einer Art Stall zu lauschen, wo man am Boden auf einer dünnen Lage Stroh saß und es kälter als draußen war. Beatrix war gerührt und empfahl, nicht mit dem Wein zu sparen, sonst fühle ein junger Mann sich den ganzen Tag flau im Magen, und sich einen Diener zu nehmen, nicht nur, damit er die schweren Bücher trage, die selber zu tragen sich für eine

Person von Rang nicht schicke, sondern auch, damit er Holz kaufe und rechtzeitig den Kamin im Zimmer anheize, so daß es am Abend schön warm sei. Und für all diese Ausgaben schickte sie vierzig Susaner Solidi, eine Summe, die ausreichte, um einen Ochsen zu kaufen.

Der Diener wurde nicht genommen und das Holz nicht gekauft, da die beiden Federbetten durchaus für die Nacht genügten, und das Geld wurde vernünftiger ausgegeben, da man die Abende in Tavernen verbrachte, die sehr gut geheizt waren und es erlaubten, nach einem Tag voll anstrengender Studien neue Kräfte zu sammeln, indem man Becher leerte und den Kellnerinnen in den Hintern kniff. Außerdem konnte man sich an jenen Orten fröhlicher Labung, zum Beispiel im Silbernen Schild, im Eisernen Kreuz oder in den Drei Kandelabern, zwischen einem Schluck und dem anderen mit Schweine- oder Hühnerpasteten, zwei Täubchen oder einer gebratenen Gans erquicken, und wenn man ärmer war mit einem Teller Kutteln oder Hammelfleisch. Baudolino half dem mittellosen Poeten, nicht bloß von Kutteln zu leben. Doch der Poet war ein kostspieliger Freund, denn die Menge Weines, die er vertrug, ließ den Susaner Ochsen zusehends abmagern.

Diese Details überspringend, berichtete Baudolino sodann von seinen Lehrern und den schönen Dingen, die er bei ihnen lernte. Beatrix war sehr empfänglich für diese Offenbarungen, die ihr erlaubten, ihren Wissensdurst zu stillen, und so las sie mit großer Aufmerksamkeit diese Briefe, in denen Baudolino ihr von Grammatik, Dialektik und Rhetorik erzählte, von Arithmetik, Geometrie, Musik und Astronomie. Doch Baudolino fühlte sich immer niederträchtiger, denn er verschwieg ihr nicht nur, was sein Herz bedrängte, sondern auch alles andere, was er tat und was man weder einer Mutter noch einer Schwester erzählen konnte, weder einer Kaiserin noch gar der geliebten Frau.

Erstens spielten sie häufig Ball, was zwar an sich harmlos wäre, aber dabei kam es oft zu Raufereien mit den Leuten der Abtei von Saint-Germain oder auch zwischen Studenten verschiedener Herkunft, zum Beispiel denen aus der Picardie und denen aus der Normandie, und dann beschimpfte man sich auf Lateinisch, damit auch jeder richtig verstand, daß und wie er beleidigt wurde. Lauter Dinge, die dem Grand Prévost von Paris nicht gefielen, weshalb er seine Bogenschützen losschickte, um die Hitzigsten zu verhaften. Versteht sich, daß die Studenten an diesem Punkt ihre Differenzen vergaßen und sich alle gemeinsam gegen die Bogenschützen wandten.

Niemand in der Welt war jedoch korrupter als die Bogenschützen des Prévost von Paris, und so mußten jedesmal, wenn ein Student verhaftet wurde, alle in die Tasche greifen, um ihn wieder freizubekommen. Das aber machte die Pariser Vergnügungen noch kostspieliger.

Zweitens wird ein Student, der keine amourösen Affären hat, von seinen Gefährten verspottet. Leider jedoch waren Frauen das am schwersten Erreichbare für einen Studenten in Paris. Studentinnen gab es nur sehr wenige, und man hörte noch immer Legenden von der schönen Heloïse, die ihren Geliebten den Verlust seiner *pudenda* gekostet hatte, auch wenn es eine Sache war, Student zu sein, also *per definitionem* anrüchig und bloß geduldet, und eine andere, Professor zu sein wie der große und vom Unglück verfolgte Abaelard. Mit käuflicher Liebe ließ sich dem Mangel nicht sehr weit abhelfen, denn sie war teuer, und so mußte man sehen, daß man da und dort eine Bedienung im Wirtshaus oder ein Mädchen im Viertel bezirzte, aber im Viertel gab es immer mehr Studenten als Mädchen.

Es sei denn, man verstand es, mit lässiger Miene und keckem Blick auf der Isle de la Cité umherzuspazieren und Damen der guten Gesellschaft zu verführen. Sehr begehrt waren Gattinnen jener Metzger der Place de Grève, die nach einer ehrenvollen Berufskarriere nicht mehr eigenhändig schlachteten, sondern den Fleischmarkt beherrschten und wie Herren auftraten. Mit einem Gatten zur Seite, der als junger Mann Rinderviertel geschleppt und in fortgeschrittenem Alter einen gewissen Wohlstand erlangt hatte, waren die Damen empfänglich für den Charme der stattlicheren Studenten, um so mehr, je jünger diese waren. Aber die besagten Damen kleideten sich in pompöse Gewänder, geschmückt mit Pelzen, silbernen Gürteln und

Juwelen, wodurch es auf den ersten Blick schwierig war, sie von den Luxus-Prostituierten zu unterscheiden, die es wagten, obwohl die Gesetze es ihnen verboten, sich in derselben Weise zu kleiden. Dadurch waren die Studenten peinlichen Mißverständnissen ausgesetzt, derentwegen sie dann von ihren Freunden gehänselt wurden.

Hinzu kam: Wenn es einmal gelang, eine wirkliche Dame zu erobern, oder gar ein noch unbescholtenes junges Mädchen, so merkte es früher oder später der Gatte oder der Vater, es kam zu Handgreiflichkeiten, wenn man nicht gar zu den Waffen griff, das Ergebnis war manchmal ein Toter und oft ein Verletzter, meist war es der Gatte oder der Vater, und dann gab es wieder Ärger mit den Bogenschützen des Prévost. Baudolino hatte nie jemanden umgebracht, und gewöhnlich hielt er sich auch von den Schlägereien fern, aber mit einem Gatten (und Metzger) hatte er es zu tun bekommen. In Liebe erglüht, aber vorsichtig in den Dingen des Krieges, hatte er, als der Gatte plötzlich hereinkam, in der Hand einen jener Fleischerhaken, mit denen man die geschlachteten Tiere aufhängt, sogleich aus dem Fenster zu springen versucht. Doch während er noch die Höhe abschätzte, fing er sich rechtzeitig vor dem Absprung einen Hieb ein, der seine Wange für immer mit einer Narbe zierte, die eines Kriegsmannes würdig gewesen wäre.

Im übrigen geschah es auch nicht alle Tage, daß man weniger vornehme Damen eroberte, es verlangte geduldiges Warten (zum Schaden der Vorlesungen) und ganze Tage auf der Lauer am Fenster, wobei naturgemäß Langeweile aufkam. Wurde diese zu groß, gab man die Verführungsträume auf und goß Wasser auf die Passanten oder beschoß die Damen durch ein Blasrohr mit Erbsen oder rief den vorbeigehenden Magistern Spottnamen nach, und wenn diese sich dann empörten, verfolgte man sie in Grüppchen bis zu ihrem Haus und warf Steine an ihre Fenster, denn die Studenten waren ja schließlich diejenigen, die sie bezahlten, und hatten daher gewisse Rechte.

Baudolino war faktisch dabei, Niketas zu erzählen, was er Beatrix verschwiegen hatte, nämlich daß er sich anschickte, einer jener Scholaren zu werden, die in Paris die *artes libe-rales* studierten oder in Bologna die Jurisprudenz oder in Salerno die Medizin oder in Toledo die Magie, die aber nirgendwo lernten, wie man sich wohlgesittet benahm. Niketas wußte nicht recht, ob er sich darüber empören, wundern oder amüsieren sollte. In Byzanz gab es nur private Schulen für Söhne wohlhabender Familien, man lernte dort ab dem zartesten Kindesalter Grammatik und las fromme Schriften sowie die Meisterwerke der Klassiker, ab dem elften Lebensjahr studierte man Poesie und Rhetorik, um zu lernen, Texte nach den literarischen Vorbildern der Antike zu schreiben, und je seltener die Begriffe waren, die man verwendete, je komplexer die syntaktischen Strukturen, desto mehr galt man als geeignet für eine leuchtende Zukunft in der kaiserlichen Verwaltung. Danach aber wurde man entweder Gelehrter in einem Kloster, oder man studierte bei Privatlehrern Dinge wie Recht oder Astronomie. Aber man studierte ernsthaft, anders als in Paris, wo die Studenten offenbar alles mögliche trieben, bloß nicht studierten.

Baudolino korrigierte ihn: »So kann man das nicht sagen. In Paris wurde hart gearbeitet. Zum Beispiel nahm man nach den ersten Jahren bereits an Disputen teil, und im Disput lernt man, Einwände vorzutragen und zu einer *determinatio* zu gelangen, das heißt zur definitiven Lösung einer Frage. Und du darfst auch nicht meinen, die Vorlesungen seien das wichtigste für einen Studenten und die Taverne sei nur ein Ort, wo man seine Zeit vertut. Das Schöne am Studium ist, daß man zwar auch von den Magistern lernt, aber mehr noch von den Mitstudenten, besonders den älteren, wenn sie dir erzählen, was sie gelesen haben, und du entdeckst, daß die Welt voll wunderbarer Dinge sein muß, die du alle kennenlernen möchtest, wozu dir jedoch – da das Leben zu kurz ist, um in alle Länder der Erde zu reisen – gar nichts anderes übrigbleibt, als alle Bücher zu lesen.«

Baudolino hatte schon viele Bücher bei Otto gelesen, doch er hätte sich niemals träumen lassen, daß es so viele auf der Welt geben könnte wie in Paris. Sie waren nicht für jedermann zugänglich, aber sein guter Stern oder vielmehr sein fleißiger Besuch nicht nur der Tavernen, sondern auch der Vorlesungen führte ihn mit Abdul zusammen.

»Um dir zu erklären, Kyrios Niketas, was Abdul mit den Bibliotheken zu tun hatte, muß ich einen Schritt zurückgehen. Also, eines Morgens, während ich eine Vorlesung hörte, wie immer auf meine Finger hauchend, um sie zu wärmen, und mit frierendem Hintern, denn das Stroh schützte wenig vor dem kalten Boden, der eisig war wie ganz Paris in jenen Wintertagen, beobachtete ich unweit von mir einen Jungen, der seiner Hautfarbe nach ein Sarazene zu sein schien, aber er hatte rotes Haar, was bei den Mauren nicht vorkommt. Ich weiß nicht, ob er der Vorlesung folgte oder seinen Gedanken nachhing, jedenfalls ging sein Blick ins Leere. Ab und zu zog er schuddernd seine Kleider um sich zusammen, dann starrte er wieder vor sich hin, und manchmal kritzelte er etwas auf seine Tafel. Ich reckte den Hals und sah, daß es zum Teil jene Fliegendreckkrakel waren, die das arabische Alphabet darstellen, und zum Teil eine Sprache, die Latein zu sein schien, es aber nicht war und mich sogar ein wenig an die Dialekte meiner Heimat erinnerte. Kurz und gut, am Ende der Vorlesung sprach ich ihn an, er reagierte sehr freundlich, als ob er sich schon lange gewünscht hätte, jemanden zu finden, mit dem er sprechen konnte, wir machten einen Spaziergang am Fluß entlang, und er erzählte mir seine Geschichte.«

Er hieß also Abdul, ganz wie ein Maure, aber seine Mutter stammte aus Hibernia, und das erklärte sein rotes Haar, denn alle, die von jener abgelegenen Insel im hohen Nordwesten kommen, haben diese Haarfarbe und stehen im Ruf, bizarr und verträumt zu sein. Der Vater war Provenzale, aus einer Familie, die sich nach der Eroberung Jerusalems vor fünfzig Jahren in Übersee niedergelassen hatte. Wie Abdul zu erklären versuchte, hatten diese noblen Franken in den Reichen jenseits des Meeres die Sitten und Gebräuche der von ihnen eroberten Völker übernommen, sie schmückten sich mit Turbanen und anderen Türkerien, sie sprachen die Sprache ihrer Feinde, und es fehlte nicht viel, daß sie auch die Vorschriften des Korans befolgten. So kam es, daß ein (zur Hälfte) hibernischer Junge mit rotem Haar den Namen Abdul trug und ein braungebranntes Gesicht hatte, braungebrannt von der Sonne Syriens, unter der er geboren war. Er dachte auf Arabisch, und auf Provenzalisch erzählte er sich die alten Sagen der eisigen Nordmeere, die er von seiner Mutter gehört hatte.

Baudolino hatte ihn gleich gefragt, ob er nach Paris gekommen sei, um wieder ein guter Christ zu werden und so zu sprechen, wie es sich für wohlerzogene Leute gehörte, also in gutem Latein. Doch über die Gründe, warum er nach Paris gekommen war, blieb Abdul recht zurückhaltend. Er deutete lediglich an, daß ihm etwas widerfahren sei, etwas Beunruhigendes offenbar, eine Art schreckliche Prüfung, der er noch als Kind unterzogen worden sei, wonach seine Eltern beschlossen hätten, ihn nach Paris zu schicken, um ihn einer Blutrache zu entziehen. Während er davon sprach, verdüsterte sich sein Blick, er errötete, soweit ein Maure erröten kann, seine Hände zitterten, und Baudolino beschloß, das Thema zu wechseln.

Der Junge war intelligent, schon nach wenigen Monaten in Paris sprach er sowohl Latein als auch die lokale Volkssprache, er wohnte bei einem Onkel, der Kanonikus in der Abtei von Sankt Viktor war, einer der Pilgerstätten des Wissens in jener Stadt (und vielleicht in der ganzen christlichen Welt), mit einer Bibliothek, die reicher war als die von Alexandria. Und so erklärt sich, daß in den folgenden Monaten, durch Abduls Vermittlung, auch Baudolino und der Poet Zugang zu jenem Hort der universalen Gelehrtheit bekamen.

Baudolino fragte Abdul, was er sich während der Vorlesung notiert hatte, und sein neuer Freund sagte, in arabischer Sprache habe er sich gewisse Dinge notiert, die der Magister zur Dialektik geäußert habe, denn das Arabische sei zweifellos die am besten geeignete Sprache für Philosophie. Die anderen Notizen seien provenzalisch gewesen. Er wollte zuerst nicht darüber sprechen und sträubte sich eine Weile, aber im Ton und mit der Miene dessen, der weiter gebeten werden will, und schließlich übersetzte er einige Zeilen. Es waren Verse, und sie lauteten ungefähr: *O meine Liebe in fernem Land, / deinetwegen leidet mein Herz, / und ich finde keine Arznei, / es sei denn, ich folge deinem Ruf...*

»Schreibst du Gedichte?« fragte Baudolino.

»Ich singe Lieder. Ich singe, was ich empfinde. Ich liebe eine ferne Prinzessin.«

»Eine Prinzessin? Wer ist sie?«

»Das weiß ich nicht. Ich habe sie gesehen – oder vielmehr, nicht wirklich, aber es ist, als hätte ich sie gesehen –, während ich im Heiligen Land einer Prüfung... äh, also, während ich ein Abenteuer erlebte, von dem ich dir noch nicht erzählt habe. Mein Herz war sofort entflammt, und ich schwor ihr ewige Liebe. Ich beschloß, ihr mein Leben zu weihen. Vielleicht werde ich ihr eines Tages begegnen, aber ich habe Angst davor, daß es wirklich geschieht. Es ist so schön, sich nach einer unmöglichen Liebe zu verzehren.«

Baudolino wollte schon »Bravo, Schlauberger« sagen, wie sein Vater Gagliaudo immer sagte, aber da fiel ihm ein, daß auch er sich nach einer unmöglichen Liebe verzehrte (obwohl er Beatrix ohne Zweifel gesehen hatte und ihr Bild ihn in schlaflosen Nächten verfolgte), und das Schicksal des armen Abdul dauerte ihn.

So begann eine schöne Freundschaft. Noch am selben Abend erschien Abdul im Zimmer Baudolinos und des Poeten mit einem Instrument, das Baudolino noch nie gesehen hatte, ein mandelförmiges Ding mit vielen Saiten, und während er sanft diese Saiten zupfte, sang er in provenzalischer Sprache:

> *Quan lo rius de la fontana*
> *S'esclarzis si cum far sol,*
> *E par la flors aiglentina*
> *E-l rossignoletz el ram*
> *Volv e refraing et aplana*
> *Son doutz chantar et afina,*
> *Dreitz es qu'ieu lo mieu refraigna.*

Wenn der Bach aus der Quelle
hell sprudelt, wie sich's gehört,
und die Hundsrose blüht
und die Nachtigall auf dem Zweig
anstimmt und dreht und wendet
und verfeinert ihr süßes Lied,
ist's recht, daß auch ich anstimme das meine.

O meine Liebe in fernem Land,
mein Herze leidet um dich,
und ich finde keine Arznei,
es sei denn, ich folgte deinem Ruf
mit der Last süßer Liebe
in einen Garten, hinter einen Vorhang,
mit einer begehrten Gefährtin.

Keinen Tag kann ich dir nahe sein,
wen wundert's, daß ich entflamme.
Nie gab es eine schönere Christin,
noch eine Jüdin noch Sarazenin,
denn Gott hat es nicht gewollt,
und mit Manna ist wohlversorgt,
wer nur ein wenig von deiner Liebe gewinnt.

Mein Herz hört nicht auf zu begehren
dich, die ich am innigsten liebe,
und ich glaube, mein Wollen narrt mich,
meine Begierde verdunkelt die Sonne.
Denn stechender als ein Dorn
ist der Schmerz, der die Liebeslust heilt,
drum soll man mich nicht beweinen.

Die Melodie war süß, die Akkorde weckten unbekannte oder
schlummernde Leidenschaften, und Baudolino dachte an Beatrix.

»Herr im Himmel«, seufzte der Poet, »warum kann ich
nicht so schöne Verse schreiben?«

»Ich will kein Dichter werden. Ich singe nur für mich,
das genügt. Wenn du sie haben willst, schenke ich sie dir«,
sagte Abdul großmütig.

»O ja«, antwortete der Poet, »und wenn ich sie dann ins Deutsche übersetze, klingen sie schrecklich fade...«

Abdul wurde der Dritte in ihrem Bunde, und immer wenn Baudolino versuchte, nicht an Beatrix zu denken, nahm dieser verdammte Maure mit rotem Haar sein vermaledeites Instrument zur Hand und sang Lieder, die Baudolino das Herz zerspringen ließen.

> Wenn die Nachtigall im Gezweig
> Liebe spendet und sucht und nimmt
> und jubelnd anstimmt ihr Lied
> und lockend zu ihrem Gesellen blickt
> und hell die Bäche sind und die Wiesen grün
> ob der neuen Fröhlichkeit, die regiert,
> dann strömt mir große Freude ins Herz.
>
> Nach einer Freundschaft sehne ich mich,
> denn ich wüßte kein höheres Glück,
> um das ich bete und das ich begehre,
> als die Liebe, die sie mir schenkt,
> und die flink sich einnistet
> in mein wehes Gemüt
> mit einem schmerzlichen Ton.

Baudolino nahm sich vor, auch eines Tages Lieder für seine ferne Kaiserin zu schreiben, aber er wußte nicht recht, wie man das anstellte, da weder Otto noch Rahewin jemals zu ihm von Poesie gesprochen hatten, außer wenn sie ihn irgendeine sakrale Hymne erlernen ließen. Fürs erste nutzte er Abdul, um sich Zugang zur Bibliothek von Sankt Viktor zu verschaffen, wo er lange Vormittage verbrachte, indem er – statt den Magistern zu lauschen – mit halboffenem Mund phantastische Texte verschlang, nicht die Handbücher der Grammatik, sondern die Geschichten von Plinius, den Alexanderroman, die Geographie von Solinus, die Etymologien von Isidor und anderes mehr.

Er las von fernen Ländern, in denen die Krokodile leben, große Wasserschlangen, die Tränen vergießen, nachdem sie Menschen gefressen haben, und die nur den Oberkiefer bewegen und keine Zunge haben; dazu die Hippopotamoi, die halb Mensch und halb Pferd sind, die Bestie Leukokroka, die den Leib eines Esels hat, das Hinterteil eines Hirsches, die Brust und die Schenkel eines Löwen, ein Horn mit zwei Spitzen, einen bis zu den Ohren reichenden Mund, aus dem eine beinahe menschliche Stimme ertönt, und anstelle der Zähne einen einzigen Knochen. Er las von Ländern, in denen Menschen ohne Kniegelenke leben, Menschen ohne Zunge, Menschen mit Riesenohren, in die sie ihren Leib hüllen können, um ihn vor Kälte zu schützen, und jene Skiapoden oder Schattenfüßler, die nur ein Bein haben, aber ungemein schnell damit rennen können.

Da er Beatrix keine eigenen Lieder schicken konnte (und es, hätte er welche geschrieben, nicht gewagt hätte), beschloß er, wie man der Geliebten Blumen oder Juwelen schickt, ihr alle Wunder zu schenken, die er in den Büchern entdeckte. So schrieb er ihr von Gegenden, wo die Bäume des Mehls und des Honigs wachsen, vom Berg Ararat, auf dessen Gipfel man an klaren Tagen die Reste der Arche Noah sieht, und die hinaufgestiegen sind, sagen, sie hätten den Finger in die Öffnung gelegt, durch welche der böse Geist entflohen sei, als Noah das *Benedicite* rezitierte. Er erzählte ihr von Albanien, einem riesigen Land, wo die Menschen weißer als anderswo sind und Haare dünn wie Katzenschnurrbärte haben; von einem Land, in dem einer, der sich nach Osten wendet, seinen Schatten nach rechts wirft; von einem anderen mit ungemein wilden Bewohnern, die bei der Geburt eines Kindes tiefe Trauer bekunden und große Feste feiern, wenn eines stirbt; von Regionen, wo sich Gebirge aus Gold erheben, bewacht von Ameisen, groß wie Hunde, und wo die Amazonen leben, Kriegerinnen, die ihre Männer im Nachbarland halten, ihre neugeborenen Söhne töten oder zum Vater schicken und ihren Töchtern mit glühenden Eisen eine Brust amputieren, den hochrangigen die linke, so daß sie den Schild besser tragen können, den niederen die rechte, so daß sie besser mit dem Bogen schießen können. Und schließlich erzählte er ihr vom Nil, einem der vier Flüsse, die aus dem

Berg des Irdischen Paradieses entspringen: Er fließt durch die Wüsten Indiens, versinkt in den Untergrund, kommt beim Berg Atlas wieder hervor und sucht sich dann durch Ägypten den Weg zum Meer.

Doch als er bei seiner Lektüre zu Indien gelangte, vergaß er fast seine Beatrix und verlor sich in anderen Phantasien, denn er hatte sich in den Kopf gesetzt, daß in jenem Teil der Welt, wenn überhaupt irgendwo, das Reich jenes Presbyters Johannes sein müsse, von dem Bischof Otto gesprochen hatte. Baudolino hatte nie aufgehört, an diesen Priesterkönig zu denken, er dachte an ihn jedesmal, wenn er von einem unbekannten Land las, besonders wenn das Pergament farbige Miniaturen von seltsamen Wesen enthielt, von Menschen mit Hörnern auf dem Kopf oder von jenen Pygmäen, die ständig mit Kranichen kämpfen. Er dachte so oft an ihn, daß er den Priester Johannes in seinen Gedanken schon wie einen Freund der Familie behandelte. Daher war es für ihn von großer Bedeutung zu wissen, wo dieser Johannes sich befinden mochte, und wenn es ihn nirgendwo gab, mußte er wenigstens irgendein Indien finden, in das er ihn versetzen konnte, denn er fühlte sich gebunden durch einen Eid, den er dem lieben Bischof Otto am Sterbebett (wenn auch nicht wirklich) geschworen hatte.

Er erzählte auch seinen beiden Gefährten von jenem Priester, und sie waren sofort sehr angetan von dem Spiel und teilten ihm jeden vagen oder kuriosen Hinweis mit, den sie irgendwo in einer Handschrift fanden, um ihn die Myrrhen- und Weihrauchdüfte seines Indiens riechen zu lassen. Abdul erwärmte sich für die Idee, daß seine ferne Prinzessin, wenn sie denn fern sein mußte, ihre strahlende Schönheit sicher im fernsten aller Länder versteckte.

»Ja«, meinte Baudolino, »aber auf welchen Wegen gelangt man nach Indien? Es kann nicht weit vom Irdischen Paradies entfernt sein, also im Osten des Ostens, wo die Erde aufhört und der Ozean beginnt...«

Sie waren noch nicht bis zu den Vorlesungen über Astronomie gelangt und hatten sehr vage Vorstellungen über die Form der Erde. Der Poet war noch überzeugt, sie sei eine flache Scheibe, über deren Ränder die Wasser des Ozeans hinunterstürzen, Gott weiß wohin. Baudolino dagegen war von Rahewin – wenn auch mit einiger Skepsis – dahingehend belehrt worden, daß nicht nur die großen Philosophen der Antike und Ptolemäus, der Vater aller Astronomen, sondern auch der heilige Isidor versichert hätten, die Erde sei eine Kugel, ja Isidor sei sich dessen sogar so gutchristlich sicher gewesen, daß er den Umfang des Äquators auf achtzigtausend Stadien festgesetzt habe. Jedoch, hatte Rahewin mit ausgebreiteten Händen gesagt, ebenso wahr sei, daß einige Kirchenväter, darunter der große Lactantius, daran erinnert hätten, daß der Bibel zufolge die Erde die Form eines Tabernakels habe, daß man also Himmel und Erde zusammen sehen müsse wie einen Schrein, einen Tempel mit seiner schönen Kuppel und seinem Boden, kurz, wie eine große Schachtel und nicht wie einen Ball. Rahewin selbst, der ein sehr vorsichtiger Mann war, hielt sich lieber an das, was der heilige Augustinus gesagt hatte, nämlich daß womöglich die heidnischen Philosophen recht hätten und die Erde rund sei und die Bibel nur bildlich von einem Tabernakel gesprochen habe, daß aber das Wissen um ihre Form nichts zur Lösung des einzigen schwerwiegenden Problems jedes guten Christen beitrage, nämlich wie man seine Seele rette, und daher sei es vertane Zeit, wenn man auch nur eine halbe Stunde über die Form der Erde nachdenke.

»Das scheint mir richtig«, sagte der Poet, der es eilig hatte, in die Taverne zu gehen, »und es ist unnütz, nach dem Irdischen Paradies zu suchen, denn es muß ein Wunder an hängenden Gärten gewesen sein, und da es seit der Vertreibung Adams und Evas unbewohnt ist, hat sich niemand mehr um die Pflege und Sicherung der Terrassen gekümmert, und spätestens während der Sintflut muß alles in den Ozean abgerutscht sein.«

Abdul hingegen war sicher, daß die Erde die Form einer Kugel hatte. »Denn wäre sie eine Scheibe«, argumentierte er mit unbestreitbarer Logik, »so müßte mein Blick – der durch meine Liebe überaus scharf ist, wie bei allen Liebenden – in sehr weiter Ferne irgendein Zeichen der Gegenwart meiner Geliebten erspähen können, doch die Krümmung der Erde entzieht sie meinem Begehren.« Und nach einiger Suche in der Bibliothek der Abtei von Sankt Viktor hatte er Karten gefunden, die er seinen Freunden aus dem Gedächtnis aufzeichnete.

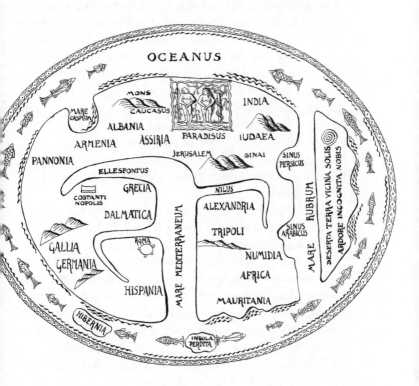

»Die Erde ist umgeben vom Ring des Oceanus, und sie wird von drei großen Wasserläufen geteilt, dem Hellespont, dem Mare Mediterraneum und dem Nil.«

»Einen Moment, wo ist Osten?«

»Hier oben natürlich, wo Asien liegt, und im äußersten Osten, genau da, wo die Sonne aufgeht, ist das Irdische Paradies. Links davon liegt der Berg Kaukasus und daneben das Kaspische Meer. Nun müßt ihr wissen, daß es von Indien gleich drei gibt, ein Groß-Indien, wo es sehr heiß ist, gleich rechts vom Paradies, ein Nördliches Indien, jenseits

93

des Kaspischen Meeres, also hier oben links, wo es so kalt ist, daß das Wasser zu Kristall gefriert, und wo die Völker Gog und Magog leben, die Alexander der Große hinter einer Mauer eingesperrt hat, und schließlich noch ein Gemäßigtes Indien nahe bei Afrika. Und Afrika seht ihr hier rechts unten im Süden, wo der Nil verläuft und wo sich der Arabische Golf und der Persische Golf zum Roten Meer hin öffnen, auf dessen anderer Seite das Wüstenland liegt, das sehr nahe an der Äquatorsonne und daher so heiß ist, daß niemand sich dort hinwagen kann. Im Westen von Afrika, nahe bei Mauretanien, habt ihr die Inseln des Glücks oder die Verlorene Insel, die vor vielen Jahrhunderten von einem Heiligen aus meiner Heimat entdeckt worden ist. Unten im Norden ist das Land, in dem wir leben, mit Konstantinopel am Hellespont und Griechenland und Rom, und im äußersten Norden die Germanen und die Insel Hibernia.«

»Aber wie kannst du so eine Karte ernst nehmen«, fragte der Poet feixend, »die dir die Erde als Scheibe präsentiert, wo du doch behauptest, sie sei eine Kugel?«

»Na überleg doch mal«, erwiderte Abdul ungehalten. »Könntest du eine Kugel so darstellen, daß man alles sähe, was sich auf ihr befindet? Eine Karte muß dir den Weg zeigen, und beim Gehen siehst du die Erde nicht rund, sondern flach vor dir liegen. Und außerdem, auch wenn sie eine Kugel ist, ist die ganze untere Hälfte unbewohnt und vom Ozean besetzt, denn würde dort jemand leben, müßte er ja mit den Füßen nach oben und dem Kopf nach unten leben! Daher genügt ein Kreis wie dieser, um die obere Halbkugel darzustellen. Aber ich werde die Karten der Abtei noch besser studieren, auch weil ich in der Bibliothek einen Scholaren kennengelernt habe, der alles über das Irdische Paradies weiß.«

»Ach wirklich? War er dort, als Eva Adam den Apfel gab?« fragte der Poet.

»Man braucht nicht an einem Ort gewesen zu sein, um alles über ihn zu wissen«, antwortete Abdul. »Sonst wüßten die Seeleute mehr als die Theologen.«

Dies alles nur, erklärte Baudolino seinem Zuhörer, um zu sagen, daß unsere Freunde schon in ihren ersten Jahren in Paris, als sie noch quasi bartlos waren, sich auf jene Sache einzulassen begannen, die sie viele Jahre später bis an die äußersten Ränder der Welt führen sollte.

7. Kapitel

Baudolino läßt Beatrix Liebesbriefe und den Poeten Gedichte schreiben

Im Frühling entdeckte Baudolino, daß seine Liebe immer größer wurde, wie es Liebenden in dieser Jahreszeit ergeht, und daß sie durch die schalen Affären mit irgendwelchen Mädchen nicht befriedigt wurde, sondern sich durch den Vergleich ins Riesenhafte steigerte, denn Beatrix hatte außer dem Vorteil der Anmut, der Intelligenz und der königlichen Salbung auch noch den der Abwesenheit. Über die Reize der Abwesenheit hörte Abdul nicht auf, ihn zu quälen, indem er die Abende damit verbrachte, sein Instrument zu streicheln und weitere Lieder zu singen, so daß Baudolino schließlich, um sie voll zu genießen, auch Provenzalisch lernte.

> *Lanquan li jorn son lonc en mai,*
> *M'es bels doutz chans d'auzels de loing,*
> *E quan me sui partitz de lai,*
> *Remembra-m d'un'amor de loing...*

> Wenn lang die Tage sind im Mai,
> klingt süß mir Vogelgesang aus der Ferne,
> und seit ich diese Reise begonnen,
> gedenke ich unverwandt einer fernen Liebe.
> Ich gehe so tief gebeugt vor Verlangen,
> daß weder Gesang noch blühender Weißdorn
> mir besser gefallen als eisiger Winter.

Baudolino sinnierte: Eines Tages wird Abdul die Hoffnung verlieren, jemals seine Prinzessin zu sehen. Oh, der Glückliche! Mein Leid ist schlimmer als seines, denn ich werde meine Geliebte zweifellos wiedersehen *müssen*, früher oder später, und ich habe nicht das Glück, sie niemals gesehen zu haben, sondern das Unglück, zu wissen, wer sie ist und wie sie aussieht. Doch wenn Abdul Trost darin findet, uns sein Leid zu schildern, warum sollte ich dann nicht Trost darin finden, ihr das meine zu schildern? Mit anderen Worten, Baudolino hatte intuitiv erkannt, daß es sein Herzeleid mildern könnte, wenn er niederschrieb, was er empfand, und es tat ihm leid, wenn er dadurch dem Objekt seiner Liebe diese Schätze an Zärtlichkeit vorenthielt. So schrieb Baudolino in tiefer Nacht, während der Poet selig schlummerte:

»Der Nordstern scheint auf den Pol, und der Mond erhellt die Nacht. Mir aber dient als Führer ein einziger Himmelskörper, und wenn nach dem Weichen der Dunkelheit mein Stern im Osten aufgeht, will mein Geist nichts von des Schmerzes Düsternis wissen. Du bist mein lichtbringender Stern, der die Nacht vertreibt, denn ohne dich ist der Tag selbst finstere Nacht, mit dir jedoch ist die Nacht selbst hellichter Tag.«

Und weiter: *»Wenn es mich hungert, sättigst du mich, wenn es mich dürstet, gibst du mir zu trinken. Doch was sage ich, du speisest mich, aber sättigst mich nicht. Denn nie bin ich deiner satt geworden, nie werde ich genug von dir haben…«* Und abermals: *»So groß ist deine Süße, so herrlich deine Beständigkeit, so unbeschreiblich der Ton deiner Stimme, so wunderbar deine Schönheit und die sie krönende Anmut, daß es eine grobe Unhöflichkeit wäre, auch nur zu versuchen, sie in Worten auszudrücken. Möge das Feuer, das uns verzehrt, immerfort wachsen und neue Nahrung finden und, je mehr davon verborgen bleibt, desto mehr um sich greifen und die Neidischen wie die Eifersüchtigen täuschen, so daß es stets zweifelhaft bleibt, wer von uns beiden mehr liebt, und sich zwischen uns unablässig ein wunderschöner Wettstreit abspielt, in dem beide siegen…«*

Keine Frage, es waren schöne Briefe, und wenn er sie am Ende noch einmal durchlas, zitterte Baudolino und verliebte sich immer mehr in eine Kreatur, die ihm so glühende Worte einzugeben vermochte. Weshalb er es mit der Zeit immer unerträglicher fand, nicht zu wissen, wie Beatrix auf diese sanfte Gewalt reagiert hätte, und beschloß, sie eine Antwort geben zu lassen. Also schrieb er, wobei er ihre Schrift zu imitieren versuchte:

»In der Liebe, die mir aus dem innersten Herzen quillt und duftender aufsteigt als jedes andere Aroma, wünscht die, die dein ist mit Leib und Seele, den dürstenden Blumen deiner Jugend die Frische ewigen Glückes... Dir, meine freudige Hoffnung, biete ich meinen Glauben an, und mit aller Ergebenheit auch mich selbst, solange ich lebe...«

»O bleib mir gewogen«, antwortete er sogleich, *»denn in dir liegt mein Wohlergehen beschlossen, in dir liegt meine Hoffnung und meine Ruhe. Ich bin morgens noch kaum richtig aufgewacht, schon hat meine Seele dich wiedergefunden, wohlbehütet in ihrem eigenen Innern...«*

Darauf sie hemmungslos: *»Seit jenem Augenblick, da wir uns zum ersten Mal sahen, habe ich nur dich bevorzugt, und dich bevorzugend habe ich dich gewollt, dich wollend habe ich dich gesucht, dich suchend habe ich dich gefunden, dich findend habe ich dich geliebt, dich liebend habe ich dich begehrt, dich begehrend habe ich dich in meinem Herzen über alles gestellt... und habe von deinem Honig gekostet... Ich grüße dich, mein Herz, mein Alles, meine einzige Freude...«*

Diese Korrespondenz, die sich über einige Monate hinzog, spendete Baudolinos erhitztem Gemüt zunächst eine gewisse Kühlung, dann eine große Freude und schließlich eine Art flammenden Stolz, da der Liebende sich nicht erklären konnte, wieso die Geliebte ihn derart glühend liebte. Wie alle Verliebten wurde Baudolino prahlerisch, wie alle Verliebten schrieb er, eifersüchtig wolle er ganz allein mit der Geliebten ihrer beider Geheimnis genießen, aber zugleich wolle er, daß alle Welt auf dem laufenden über ihr Glück sei und die überströmende Liebenswürdigkeit seiner Geliebten bestaune.

So blieb es nicht aus, daß er den Briefwechsel eines Tages seinen Freunden zeigte. Er äußerte sich nur sehr vage und zurückhaltend über das Wie und Woher. Er log nicht, im Gegenteil, er sagte, er zeige ihnen die Briefe gerade *weil* sie ein Produkt seiner Phantasie seien. Aber die beiden hielten gerade dies für eine Lüge und beneideten ihn sehr um sein Glück. Abdul las die Briefe, als wären sie von seiner Prinzessin, und erregte sich mächtig, als hätte *er* sie erhalten. Der Poet, der sich nach außen hin betont desinteressiert an diesem literarischen Spiel zeigte (wobei er jedoch vor Neid verging, weil nicht er diese schönen Briefe geschrieben und dadurch noch schönere provoziert hatte), verliebte sich in Ermangelung einer Person zum Verlieben in die Briefe selbst – was nicht verwunderlich sei, kommentierte Niketas lächelnd, denn in der Jugend sei man geneigt, sich in die Liebe an sich zu verlieben.

Vielleicht um neue Motive für seine Lieder aus ihnen zu ziehen, machte sich Abdul gewissenhafte Kopien der Briefe, um sie nachts in Sankt Viktor zu lesen. Bis er eines Tages entdeckte, daß jemand ihm die Kopien entwendet hatte, und schon fürchtete, irgendein ausschweifender Kanonikus habe sie, nachdem er sich lüstern an ihnen gütlich getan, zwischen die tausend Handschriften der Abtei geworfen. Schaudernd verschloß Baudolino seine Briefsammlung in der Truhe, und seit jenem Tage schrieb er keine Zeile mehr, um die Empfängerin nicht zu kompromittieren.

Da er jedoch seinen Gemütsaufwallungen eines Achtzehnjährigen irgendwie Ausdruck verschaffen mußte, begann er nun Gedichte zu schreiben. Hatte er in den Briefen von seiner reinen Liebe gesprochen, so übte er sich nun in jener Trinklieder- und Tavernendichtung, mit der die Scholaren seiner Zeit ihr ausschweifend-ungebundenes Leben feierten, nicht ohne einen leicht melancholischen Hinweis auf die Vergeudung, die sie damit trieben.

Um Niketas eine Probe seines Talents zu geben, rezitierte er ein paar Verse:

> *Feror ego veluti – sine nauta navis,*
> *ut per vias aeris – vaga fertur avis...*
> *Quidquid Venus imperat – labor est suavis,*
> *quae numquam in cordibus – habitat ignavis.*

Da er sah, daß Niketas nicht sehr gut Latein verstand, gab er ihm eine ungefähre Übersetzung: »Ich treibe dahin wie ein Boot ohne Steuermann, wie auf luftigen Wegen der Vogel schweift... Doch was Venus gebietet, ist wonnige Mühe, denn niemals wohnt sie in feigen Seelen...«

Als Baudolino diese und andere Verse dem Poeten zeigte, wurde der zuerst gelb vor Neid und dann blaß vor Scham, und weinend gestand er die Unfruchtbarkeit seiner Phantasie, verfluchte sein dichterisches Unvermögen und rief, er wäre lieber impotent im organischen Sinn als so unfähig auszudrücken, was er in seinem Herzen empfand – genau das nämlich, was Baudolino so trefflich ausgedrückt habe, weshalb er sich frage, ob er es ihm nicht direkt aus dem Herzen abgelesen habe. Sodann gab er zu bedenken, wie stolz sein Vater gewesen wäre, wenn er erfahren hätte, daß er so schöne Verse verfaßte, denn schließlich werde er früher oder später gezwungen sein, vor der Familie und vor der Welt jenen Kurznamen *Poet* zu rechtfertigen, der ihm zwar schmeichle, aber ihm auch das Gefühl gebe, ein *poeta gloriosus* zu sein, ein Prahler, der sich eine ihm nicht zustehende Würde anmaßt.

Baudolino sah ihn so tief verzweifelt, daß er ihm das Pergament in die Hände drückte und sagte, er könne die Gedichte haben und als die seinen ausgeben. Ein kostbares Geschenk, denn wie es sich traf, hatte Baudolino gerade in seinem letzten Brief an Beatrix, um ihr etwas Neues zu erzählen, die Gedichte mitgeschickt und dabei als das Werk eines Freundes ausgegeben. Beatrix hatte sie Friedrich vorgelesen, Rainald von Dassel hatte sie gehört, und da er ein Liebhaber der Poesie war, wenn auch vorwiegend mit Palastintrigen befaßt, hatte er gesagt, er würde den Dichter gern in seine Dienste nehmen...

Gerade in jenem Jahr war Rainald von Dassel mit der hohen Würde des Erzbischofs von Köln bekleidet worden, und der Gedanke, Hofdichter eines Erzbischofs zu werden, also gewissermaßen Erzdichter, *Archipoeta*, wie er halb scherzend und halb prahlerisch sagte, gefiel dem Poeten nicht schlecht, auch weil er nicht viel Lust hatte zu studieren, das väterliche Geld in Paris ohnehin nicht genügte und er sich nicht ganz zu Unrecht sagte, daß ein Hofpoet den ganzen Tag lang essen und trinken konnte, ohne sich um anderes kümmern zu müssen.

Nur daß man, um als Hofpoet leben zu können, Gedichte verfassen müßte. Baudolino versprach, ihm wenigstens ein

Dutzend zu schreiben, aber nicht alle auf einmal. »Schau«, erklärte er ihm, »große Dichter sind nicht immer diarrhöisch, manche leiden auch an Verstopfung, und das sind die größten. Du mußt den Eindruck erwecken, als würdest du von den Musen gequält und könntest nur hin und wieder ein Distichon absondern. Mit dem, was ich dir geben werde, kommst du schon ein paar Monate hin, aber laß mir Zeit, denn ich bin zwar nicht verstopft, aber auch nicht diarrhöisch. Also schieb die Abreise hinaus und schick Herrn Rainald ab und zu ein paar Verse, um ihn bei Laune zu halten. Fürs erste wird es gut sein, dich mit einer Widmung vorzustellen, einer Eloge auf deinen Wohltäter.«

Er dachte einen Abend lang darüber nach und gab ihm dann einige Verse für Rainald:

> *Praesul discretissime – veniam te precor,*
> *morte bona morior – dulci nece necor,*
> *meum pectum sauciat – puellarum decor,*
> *et quas tactu nequeo – saltem corde moechor,*

was soviel hieß wie: »Hochedler Bischof, ich bitte um Nachsicht, denn ich sterbe einen schönen Tod, und eine süße Wunde rafft mich dahin: Die Schönheit der Mädchen durchbohrt mir das Herz, und jene, die ich nicht berühren kann, besitze ich wenigstens in Gedanken.«

Niketas fand, daß sich die lateinischen Bischöfe an nicht gerade sehr heiligen Liedern ergötzten, aber Baudolino sagte, er müsse sich zweierlei klarmachen: erstens, was ein lateinischer Bischof sei, von dem nicht verlangt werde, auf jeden Fall ein heiliger Mann zu sein, besonders wenn er zugleich auch Kanzler des Reiches war, und zweitens, wer und was Rainald war, nämlich kaum Bischof und vorwiegend Kanzler, gewiß ein Liebhaber der Poesie, aber mehr noch darauf aus, sich die Talente eines Dichters für seine politischen Ziele nutzbar zu machen, was er dann ja auch tun sollte.

»Also ist der Poet mit deinen Versen berühmt geworden?«

»So ist es. Fast ein Jahr lang schickte er Herrn Rainald mit vor Ehrerbietung überfließenden Briefen die Verse, die ich ihm schrieb, und am Ende bestand Rainald darauf, daß dieses ungewöhnliche Talent auf der Stelle an seinen Hof kam. Der Poet machte sich also auf die Reise, ausgerüstet mit einem schönen Vorrat an Versen, mit dem er mindestens ein Jahr überleben konnte, wenn er sich als gebührend verstopft gebärdete. Es war ein Triumph. Ich habe nie verstanden, wie man stolz auf eine Berühmtheit sein kann, die man als Almosen empfangen hat, aber der Poet war's zufrieden.«

»Und ich verstehe nicht, welche Freude du daran haben konntest, deine Schöpfungen einem anderen zugeschrieben zu sehen. Ist es nicht gräßlich, wenn ein Vater die Frucht seiner Lenden anderen als Almosen gibt?«

»Die Bestimmung von Trinkliedern ist es, von Mund zu Mund zu gehen, ihr Autor ist glücklich, wenn er hört, daß sie gesungen werden, und es wäre egoistisch, sie nur vorzeigen zu wollen, um den eigenen Ruhm zu vergrößern.«

»Ich glaube nicht, daß du so bescheiden bist. Du bist glücklich darüber, ein weiteres Mal der Fürst der Lüge gewesen zu sein, und rühmst dich dessen, so wie du hoffst, daß eines Tages jemand deine Liebesbriefe zwischen den Handschriften von Sankt Viktor findet und sie wer weiß wem zuschreibt.«

»Ich habe gar nicht die Absicht, bescheiden zu wirken. Es macht mir Vergnügen, Dinge geschehen zu lassen und der einzige zu sein, der weiß, daß sie mein Werk sind.«

»Dein Fall wird nicht besser, mein Freund«, sagte Niketas. »Ich hatte dir nachsichtig unterstellt, du wolltest der Fürst der Lüge sein, und jetzt gibst du mir zu verstehen, du wärest gerne der Herrgott.«

8. Kapitel

Baudolino im Irdischen Paradies

Baudolino studierte in Paris, aber er blieb auf dem laufenden über die Entwicklung in Italien und Deutschland. Rahewin hatte dem Wunsche Ottos gehorchend die *Gesta Friderici* fortgesetzt, doch als er ans Ende des vierten Buches gelangt war, hatte er aufgehört, da es ihm blasphemisch erschien, die Zahl der Evangelien zu übertrumpfen. Er hatte den Hof verlassen, zufrieden mit der erfüllten Pflicht, und langweilte sich nun in einem bayerischen Kloster. Als Baudolino ihm schrieb, daß er die Bücher der unerschöpflichen Bibliothek von Sankt Viktor in Reichweite habe, bat er ihn, ihm doch ein paar seltene Traktate zu nennen, die sein Wissen bereichern könnten.

Baudolino, der Ottos Meinung über die geringe Phantasie des armen Kanonikus teilte, hielt es für sinnvoll, sie ein wenig zu nähren, und nannte ihm nicht nur einige Titel von Codizes, die er gesehen hatte, sondern auch frei erfundene wie etwa einen *Tractatus de optimitate triparum* des Doctor Venerabilis Beda, eine *Ars honeste petandi*, ein *De modo cacandi*, ein *De castramentandis crinibus* und ein *De patria diabolorum*. Lauter Werke, die das Erstaunen und die Neugier Rahewins erregten, so daß er sich beeilte, Abschriften dieser unbekannten Schätze der Wissenschaft zu erbitten. Baudolino hätte ihm diesen Dienst auch gerne erwiesen, gleichsam als Wiedergutmachung dafür, daß er einst jenes Pergament aus Herrn Ottos Besitz entwendet und abgeschabt hatte, aber er wußte beim besten Willen nicht, was er abschreiben sollte, und so mußte er sich in die Ausrede flüchten, besagte Werke befänden sich zwar in der Abtei von Sankt Viktor, stünden aber im Geruch der Häresie und würden daher niemandem gezeigt.

»Später habe ich dann erfahren«, sagte Baudolino zu Niketas, »daß Rahewin an einen ihm bekannten Pariser Gelehrten geschrieben und ihn gebeten hatte, jene Handschriften von den Mönchen in Sankt Viktor zu erbitten, die natürlich keine Spur davon fanden und ihren Bibliothekar der Pflichtvergessenheit ziehen, woraufhin der Ärmste hoch und heilig schwor, sie noch niemals gesehen zu haben. Ich stelle mir vor, daß schließlich irgendein Kanonikus, um die Sache in Ordnung zu bringen, die betreffenden Werke tatsächlich geschrieben hat, und ich hoffe, daß man sie eines Tages findet.«

Unterdessen hielt ihn der Poet über die Taten Friedrichs auf dem laufenden. Die italienischen Kommunen hielten sich nicht an alles, was sie auf dem Reichstag von Roncaglia geschworen hatten. Vereinbart war, daß die aufbegehrenden Städte ihre Mauern schleiften und ihre Kriegsmaschinen vernichteten, aber die Städter taten nur so, als ob sie die Gräben um die Stadt zuschütteten, ließen sie jedoch weiter bestehen. Friedrich schickte Boten nach Crema, um die dortigen Bürger zur Eile zu treiben, doch die Cremeser drohten, die kaiserlichen Gesandten zu töten, wenn sie sich nicht schnellstens aus dem Staube machten, und töteten wirklich einige, die nicht rechtzeitig entkamen. Alsdann wurden Rainald von Dassel und ein Pfalzgraf nach Mailand geschickt, um dort die Stadtvögte zu ernennen, denn die Mailänder konnten nicht einerseits behaupten, sie anerkennten die kaiserlichen Rechte, und sich andererseits ihre eigenen Konsuln wählen. Aber auch hier fehlte nicht viel, daß den beiden Gesandten das Fell gegerbt worden wäre, und diesmal waren es nicht irgendwelche Boten, sondern immerhin der Kanzler des Reiches und einer der Grafen aus der nächsten Umgebung des Kaisers! Damit nicht zufrieden, belagerten die Mailänder das Kastell von Trezzo und legten dessen Besatzung in Ketten. Schließlich griffen sie erneut die Stadt Lodi an, und wenn jemand Lodi angriff, sah der Kaiser rot. So beschloß er, um ein Exempel zu statuieren, die Stadt Crema zu belagern.

Zunächst ging die Belagerung nach den Regeln eines

Krieges zwischen Christen vonstatten. Die Cremeser, unterstützt von den Mailändern, machten ein paar schöne Ausfälle und nahmen viele Kaiserliche gefangen. Die Cremoneser (die sich aus Haß auf ihre Nachbarn in Crema für diesmal auf die Seite des Reiches stellten, zusammen mit den Pavesern und den Lodianern) bauten große Belagerungsmaschinen – die am Ende mehr Belagerern als Belagerten das Leben kosten sollten, aber so liefen die Dinge damals. Es habe wunderschöne Zusammenstöße gegeben, erzählte genüßlich der Poet, und alle erinnerten sich an das eine Mal, als der Kaiser sich von den Lodianern zweihundert leere Fässer geben ließ, sie mit Erde füllen und in den Graben werfen ließ, den Rest zuschütten und mit Reisig bedecken ließ, das die Lodianer mit mehr als zweihundert Karren herangeschafft hatten, so daß man schließlich mit den Rammen oder »Widdern« darüberfahren konnte, um Breschen in die Mauer zu schlagen.

Doch als sie dann mit dem größten der hölzernen Türme, den die Cremoneser gebaut hatten, zum Angriff schritten und die Belagerten anfingen, mit ihren Wurfmaschinen so viele Steine zu schleudern, daß der Turm umzufallen drohte, geriet der Kaiser in Rage. Er ließ Kriegsgefangene aus Crema und Mailand vorn und seitlich an den Turm binden, denn er dachte, wenn die Belagerten ihre Brüder, Vettern, Söhne und Väter da vor sich sähen, würden sie nicht zu schießen wagen. Er hatte nicht bedacht, wie sehr auch die Cremeser inzwischen in Rage waren, sowohl diejenigen auf den Mauern wie auch diejenigen, die außen vor den Mauern an den Turm gebunden waren. Letztere nämlich riefen ihren Brüdern zu, sich nicht um sie zu kümmern, und die auf den Mauern fuhren fort, mit zusammengebissenen Zähnen und Tränen in den Augen, als Henker ihrer eigenen Verwandten den Turm zu beschießen, wobei sie neun der Ihren töteten.

Studenten aus Mailand, die nach Paris kamen, schworen Baudolino, es seien auch kleine Kinder an den Turm gebunden gewesen, aber der Poet versicherte ihm, das sei nur ein bösartiges Gerücht. Tatsache ist, daß an diesem Punkt auch der Kaiser beeindruckt war und die restlichen Gefangenen losbinden ließ. Aber Cremeser und Mailänder, außer sich vor Wut über das Ende ihrer Kameraden, griffen sich in der Stadt ihrerseits gefangene Kaiserliche und Lodianer, schleppten sie auf die Mauern und töteten sie kaltblütig vor den Augen Friedrichs. Daraufhin ließ dieser zwei gefangene Cremeser vor die Mauern bringen, beschuldigte sie als Banditen und Meineidige, machte ihnen an Ort und Stelle den Prozeß und verurteilte sie zum Tode. Die Cremeser ließen ihn wissen, wenn er die beiden hängen lasse, würden sie ihrerseits alle Gefangenen hängen, die sie noch als Geiseln in der Stadt hatten, Friedrich erwiderte, das wolle er sehen, und ließ die beiden hängen. Woraufhin die Cremeser, ohne ein weiteres Wort zu sagen, alle ihre Geiseln *coram populo* aufknüpften. Friedrich, der nur noch tobte, ließ seinerseits alle Cremeser herbeiholen, die er noch hatte, ließ vor der Stadt einen Wald von Galgen errichten und machte Anstalten, alle hängen zu lassen. Bischöfe und Äbte stürzten herbei und flehten ihn an, Gnade walten zu lassen – er, der doch der Quell des Erbarmens sein müsse, dürfe nicht die Ruchlosigkeit seiner Feinde nachahmen. Der Kaiser war berührt von dieser Intervention, doch er konnte die Drohung nicht einfach zurücknehmen, und so beschloß er, wenigstens neun jener Unglücklichen hinzurichten.

Als Baudolino dies alles hörte, brach er in Tränen aus. Nicht nur, weil er von Natur aus ein Mann des Friedens war, schon die bloße Vorstellung, daß sein heißgeliebter Adoptivvater sich mit solchen Verbrechen besudelt hatte, bewog ihn, in Paris zu bleiben und weiterzustudieren – und auf dunkle Weise, ohne daß er sich dessen bewußt wurde, überzeugte sie ihn auch, daß es keine Sünde war, die Kaiserin zu lieben. So fing er wieder an, immer leidenschaftlichere Briefe zu schreiben, sowie Antworten, die einem Eremiten das Blut in Wallung gebracht hätten. Nur daß er sie diesmal nicht mehr seinen Freunden zeigte.

Da er sich trotzdem schuldig fühlte, beschloß er, etwas zum Ruhme seines Herrn zu tun. Otto hatte ihm als Vermächtnis und letzten Auftrag hinterlassen, den Priester Johannes aus dem Dunkel des bloßen Gerüchts zu holen.

Also widmete sich Baudolino fortan der Suche nach jenem unbekannten, jedoch – laut Otto – gewiß hochberühmten Priester.

Da Baudolino und Abdul, nachdem sie die Jahre des Triviums und des Quadriviums hinter sich hatten, im Disputieren wohlgeübt waren, stellten sie sich als erstes die Frage: Gibt es wirklich einen Priester Johannes? Allerdings stellten sie sich diese Frage unter Bedingungen, die Baudolino seinem byzantinischen Zuhörer zu erklären eine gewisse Hemmung verspürte.

Seit der Poet fort war, wohnte Abdul bei Baudolino. Eines Abends, als Baudolino nach Hause kam, saß Abdul allein im Zimmer und sang eines seiner schönsten Lieder, in dem er davon träumte, seiner fernen Prinzessin zu begegnen, doch als er sie schon fast zum Greifen nahe vor sich hatte, schien sie plötzlich rückwärts zu gehen. Baudolino begriff nicht recht, ob es die Worte waren oder die Musik, aber das Bild Beatrixens, das ihm sofort erschienen war, als er dem Gesang lauschte, entschwand und löste sich vor seinen Augen in nichts auf. Abdul sang weiter, und nie war ihm sein Gesang so verführerisch vorgekommen.

Als das Lied zu Ende war, sank Abdul erschöpft zusammen. Baudolino fürchtete schon, er werde in Ohnmacht fallen, und beugte sich über ihn, aber Abdul hob eine Hand, als wollte er ihn beruhigen, und begann auf einmal leise zu lachen, einfach so, ohne Grund. Er lachte, und dabei zitterte er am ganzen Körper. Baudolino dachte, er hätte Fieber, Abdul sagte immer noch lachend, er solle ihn lassen, er werde sich schon wieder beruhigen, er kenne das, er wisse, worum es sich handle. Und schließlich, gedrängt von Baudolinos Fragen, entschloß er sich, ihm sein Geheimnis zu beichten.

»Hör zu, mein Freund. Ich habe ein bißchen grünen Honig genommen, nur ein kleines bißchen. Ich weiß, daß es eine teuflische Versuchung ist, aber manchmal hilft es mir beim Singen. Hör zu, und schilt mich nicht. Als ich ein kleiner Junge war, hatte ich im Heiligen Land eine wunderbare und schreckliche Geschichte gehört. Es hieß, nicht weit von Antiochia lebte eine Sarazenensippe, die in den Bergen hauste, hoch oben auf einer nur den Adlern zugänglichen Burg. Ihr Anführer nannte sich Aloadin, und er flößte sowohl den sarazenischen wie den christlichen Fürsten größten Schrecken ein. Mitten in seiner Burg nämlich, so hieß es, gab es einen Garten mit allen Arten von Früchten und Blumen, durch welchen Bäche von Wein, Milch, Honig und Wasser flossen, und überall tanzten und sangen Mädchen von unvergleichlicher Schönheit. In diesem Garten durften nur junge Männer leben, die Aloadin entführen ließ, um sie an diesem Ort des Entzückens an nichts als Lust zu gewöhnen. Ich sage Lust, denn jene Mädchen waren, wie ich die Erwachsenen raunen hörte – wobei ich verwirrt errötete –, willig und stets bereit, die jungen Männer zu befriedigen, sie verschafften ihnen unbeschreibliche und, wie ich vermute, zermürbende Freuden. So daß naturgemäß jeder, der an diesen Ort gelangte, ihn um keinen Preis wieder verlassen wollte.«

»Nicht schlecht, dein Aloadin oder wie er sich nannte«, sagte Baudolino lächelnd, während er dem Freund ein feuchtes Tuch an die Stirn drückte.

»Das meinst du«, entgegnete Abdul, »weil du noch nicht die ganze Geschichte kennst. Eines schönen Morgens erwachte einer der jungen Männer in einem kahlen, sonnendurchglühten Hof und fand sich in Ketten liegen. Nach einigen qualvollen Tagen wurde er zu Aloadin gebracht, warf sich vor ihm auf die Knie, drohte sich umzubringen und flehte, ihn wieder in jenen lustvollen Garten zurückzuversetzen, auf dessen Wonnen er nicht mehr verzichten könne. Da eröffnete ihm Aloadin, er sei beim Propheten in Ungnade gefallen und könne seine Gunst nur wiedererlangen, wenn er bereit sei, eine große Tat zu vollbringen. Er gab ihm einen goldenen Dolch und sagte, er solle sich an den Hof eines mit ihm verfeindeten Herrn begeben und ihn töten. Auf diese Weise würde er sich erneut verdienen, was er begehrte, und sollte es ihn das Leben kosten, würde er sofort ins Paradies kommen, wo es genauso schön sei wie in jenem Garten, aus dem er verbannt worden sei, ja sogar noch schöner. So kam es, daß Aloadin eine enorme

Macht hatte und alle Fürsten ringsum in Schrecken versetzte, ob Mauren oder Christen, denn seine Abgesandten waren zu jedem Opfer bereit.«

»Na dann«, kommentierte Baudolino, »doch lieber eine dieser schönen Pariser Tavernen und ihre Mädchen, die man haben kann, ohne sich dafür zu verkaufen. Aber du, was hast du mit dieser ganzen Geschichte zu tun?«

»Viel habe ich damit zu tun, denn als Zehnjähriger bin ich von Aloadins Männern entführt worden. Und bin fünf Jahre bei ihnen geblieben.«

»Und als Zehnjähriger hast du all diese Mädchen genossen? Und dann bist du losgeschickt worden, um jemanden zu ermorden? Abdul, was erzählst du mir da?«

»Ich war noch zu klein, um sofort unter die glücklichen jungen Männer eingereiht zu werden, ich wurde als Diener einem Eunuchen zugeteilt, der sich um ihr Wohlergehen kümmerte. Aber hör zu, was ich entdeckte. Fünf Jahre lang hatte ich nie etwas von irgendeinem Garten gesehen, denn die jungen Männer lagen immer aneinandergekettet in jenem kahlen, sonnendurchglühten Hof. Jeden Morgen nahm der Eunuch aus einem Schrank kleine Silbergefäße, die eine honigartige, aber grünliche Flüssigkeit enthielten, trat vor jeden der Gefangenen und verabreichte ihm einen Löffel davon. Sie schluckten das Zeug und begannen sofort, sich und den anderen all jene Genüsse und Wonnen zu schildern, von denen die Legende berichtet. Verstehst du, sie verbrachten den Tag selig lächelnd mit offenen Augen. Gegen Abend fühlten sie sich müde und begannen zu lachen, manchmal leise, manchmal unbändig laut, und dann schliefen sie ein. So kam es, daß ich allmählich begriff, welcher Täuschung sie von Aloadin unterzogen wurden: Sie lagen in Ketten und bildeten sich ein, im Paradies zu leben, und um dieses Glücksgefühl nicht zu verlieren, wurden sie zu willigen Mordwerkzeugen ihres Herrn. Wenn sie dann heil von ihren Unternehmungen zurückkamen, wurden sie wieder in Ketten gelegt, sahen und hörten jedoch erneut, was der grüne Honig ihnen vorgaukelte.«

»Und du?«

»Eines Nachts, während alle schliefen, bin ich in den

Raum geschlichen, wo die Silbergefäße mit dem grünen Honig aufbewahrt wurden, und habe davon gekostet. Gekostet, sage ich? Zwei Löffel habe ich davon genommen, und sofort fing ich an, wunderbare Dinge zu sehen...«

»Schien dir, du wärst in jenem Garten?«

»Nein, vielleicht haben die von dem Garten geträumt, weil Aloadin ihnen bei der Ankunft davon erzählt hatte. Ich glaube, dieser Honig läßt einen immer das sehen, was man sich im innersten Herzen wünscht. Ich befand mich in der Wüste, oder vielmehr in einer Oase, und ich sah eine prächtige Karawane kommen, Kamele mit Federbüschen und eine Schar von Mauren mit bunten Turbanen, die Trommeln und Zymbeln schlugen. Und hinter ihnen, auf einem von vier Riesen getragenen Thron mit Baldachin, kam *sie*, die Prinzessin. Ich kann dir nicht schildern, wie sie aussah, sie war so... wie soll ich sagen... so strahlend, daß ich nur einen blendenden Glanz in Erinnerung habe...«

»Aber wie war ihr Gesicht, war sie schön?«

»Ihr Gesicht habe ich nicht gesehen, sie war verschleiert.«

»Aber in wen hast du dich dann verliebt?«

»In sie, weil ich sie nicht gesehen habe. Ich fühlte auf einmal im Herzen, hier innen, verstehst du, eine unendliche Süße, eine Sehnsucht, die seither nie wieder erloschen ist. Die Karawane zog weiter in Richtung der Dünen, ich begriff, daß die Vision niemals wiederkommen würde, ich sagte mir, daß ich dieser Kreatur hätte folgen müssen, aber gegen Morgen begann ich zu lachen, und damals glaubte ich, es wäre aus Freude, doch es war ein Effekt des grünen Honigs, der eintritt, wenn seine Wirkung allmählich nachläßt. Als ich aufwachte, stand die Sonne schon hoch am Himmel, und fast hätte mich der Eunuch dort gefunden. Da nahm ich mir vor zu fliehen, um die ferne Prinzessin wiederzufinden.«

»Aber du hattest doch begriffen, daß sie nur eine Vorspiegelung des grünen Honigs war.«

»Ja, die Vision war eine Vorspiegelung, aber was ich seitdem im innersten Herzen empfand, war keine, das war echtes Verlangen. Ein Verlangen, das du empfindest, ist keine Illusion, es ist wirklich vorhanden.«

»Aber es war das Verlangen nach einer Illusion.«

»Ja, aber ich wollte dieses Verlangen nun nicht mehr verlieren. Es war genug, um mein ganzes Leben auszufüllen.«

Kurz, Abdul hatte schließlich einen Fluchtweg aus der Burg gefunden und war glücklich heimgekehrt zu seiner Familie, die ihn schon verloren gegeben hatte. Sein Vater, der Aloadins Rache fürchtete und ihn daher aus dem Heiligen Land entfernen wollte, schickte ihn nach Paris. Vor seiner Flucht aus der Burg hatte Abdul sich eines jener Silbergefäße mit grünem Honig verschafft, doch wie er Baudolino erklärte, hatte er nie mehr davon gekostet aus Furcht, die verfluchte Substanz könnte ihn wieder in jene Oase versetzen und ihn seine Ekstase immer von neuem erleben lassen. Er wußte nicht, ob er die Erregung aushalten würde. Die Prinzessin hatte er nun im Herzen, und niemand würde sie ihm mehr nehmen können. Lieber ein fernes Ziel ersehnen als ein falsches Erinnerungsbild besitzen.

Doch mit der Zeit, um Kräfte für seine Lieder zu finden, in denen die Prinzessin anwesend war, anwesend in ihrem Fernsein, hatte er hin und wieder gewagt, ein kleines bißchen von dem Honig zu kosten, nur eine Löffelspitze, gerade soviel, daß die Zunge einen Geschmack verspürte. Er hatte kurze Ekstasen gehabt, und so war es auch an jenem Abend gewesen.

Abduls Geschichte ging Baudolino im Kopf herum, und ihn reizte die Möglichkeit, eine wenn auch nur kurze Vision zu haben, in der ihm die Kaiserin erscheinen würde. Die kleine Kostprobe konnte ihm Abdul nicht verweigern. Baudolino verspürte nur eine leichte Starre und das Bedürfnis zu lachen. Aber er fühlte sich geistig erregt. Merkwürdigerweise nicht von Beatrix, sondern vom Priester Johannes – so daß er sich fragte, ob der wahre Gegenstand seines Verlangens nicht, mehr als die Dame seines Herzens, jenes unauffindbare Reich war. Und so kam es, daß die beiden an jenem Abend – Abdul fast wieder frei von der Wirkung des Honigs, Baudolino leicht benebelt – erneut über den Priester zu diskutieren begannen, indem sie sich genau die Frage seiner Existenz stellten. Und da offenbar die Wirkung des grünen Honigs darin bestand, das Nie-gesehene real und handgreiflich erscheinen zu lassen, ent-schieden sie sich für die Bejahung der Frage.

Er existiert, entschied Baudolino, denn es gibt keine Gründe, die gegen seine Existenz sprechen. Er existiert, stimmte Abdul zu, denn er habe von einem Scholaren gehört, daß es jenseits des Landes der Meder und Perser christliche Könige gebe, die mit den Heiden jener Regionen kämpften.

»Wie heißt dieser Scholar?« fragte Baudolino lallend.

»Boron«, antwortete Abdul. Und so machten sie sich am nächsten Morgen auf die Suche nach Boron.

Er war ein fahrender Scholar, der aus Montbéliard stammte, sich zur Zeit in Paris aufhielt (wo er die Biblio-thek von Sankt Viktor frequentierte) und schon morgen wer weiß wo sein konnte, denn er verfolgte offenbar ein bestimmtes Projekt, über das er mit niemandem sprach. Er hatte einen großen Strubbelkopf und rote Augen vom vie-len Lesen bei Kerzenlicht, aber er schien tatsächlich ein Ausbund von Gelehrsamkeit zu sein. Er faszinierte die beiden gleich bei ihrer ersten Begegnung, natürlich in einer Taverne, indem er ihnen subtilste Fragen vorlegte, über die ihre Magister tagelang disputiert hätten – ob sich Sperma einfrieren ließe, ob eine Prostituierte empfangen könne, ob der Schweiß am Kopf übler rieche als an anderen Körper-teilen, ob die Ohren rot würden, wenn man sich schämte, ob ein Mann über den Tod der Geliebten mehr trauere als über ihre Hochzeit mit einem anderen, ob die Adligen hängende Ohren haben müßten und ob die Verrückten bei Vollmond noch verrückter würden. Die Frage, die ihn am meisten beschäftigte, war die nach der Existenz der Leere, ein Thema, in dem er sich besser als jeder andere Philosoph auszukennen behauptete.

»Die Leere«, dozierte Boron mit schon leicht belegter Zunge, »existiert nicht, weil die Natur sie verabscheut.

Daß sie nicht existiert, ist erstens aus philosophischen Gründen evident, denn würde sie existieren, müßte sie entweder Substanz oder Akzidens sein. Körperliche Substanz ist sie nicht, denn sonst wäre sie greifbar und würde Raum füllen, und unkörperliche Substanz ist sie auch nicht, denn sonst wäre sie intelligent, wie die Engel. Aber sie ist auch nicht Akzidens, denn Akzidentia existieren nur als Attribute von Substanzen. Zweitens existiert die Leere nicht aus physischen Gründen: Nimm ein zylindrisches Gefäß...«

»Aber wieso«, unterbrach ihn Baudolino, »liegt dir soviel daran zu beweisen, daß die Leere nicht existiert? Was kümmert's dich?«

»Es kümmert mich, es kümmert mich. Die Leere kann entweder interstitiell sein, das heißt in den Zwischenräumen zwischen Körper und Körper in unserer irdischen Welt existieren, oder sie kann ausgedehnt sein, hinaus über die Ränder des Universums, das wir sehen, nur begrenzt durch die große Kugel der Himmelskörper. Wenn dem so wäre, könnten in jener Leere andere Welten existieren. Doch wenn man beweist, daß die interstitielle Leere nicht existiert, dann kann die ausgedehnte erst recht nicht existieren.«

»Aber was kümmert's dich, ob es andere Welten gibt?«

»Es kümmert mich, es kümmert mich. Denn wenn es sie gäbe, hätte unser Herr Jesus Christus sich in jeder von ihnen für unsere Sünden opfern und in jeder von ihnen Brot und Wein verwandeln müssen. Und folglich wäre der höchste Gegenstand, der Zeugnis und Überrest jenes Wunders ist, nicht einzig und einmalig, sondern es gäbe viele Kopien davon. Und welchen Wert hätte mein Leben, wenn ich nicht wüßte, daß es irgendwo einen höchsten Gegenstand gibt, den es zu finden gilt?«

»Und was wäre dann dieser höchste Gegenstand?«

Hier wurde Boron auf einmal sehr wortkarg. »Meine Sache«, sagte er, »das ist nichts für profane Ohren. Aber sprechen wir von etwas anderem: Wenn es viele Welten gäbe, dann gäbe es auch viele erste Menschen, viele Adams und Evas, die viele Male die Ursünde begangen hätten.

Und folglich gäbe es viele Irdische Paradiese, aus denen sie verjagt worden wären. Haltet ihr es für denkbar, daß es von etwas so erhabenem wie dem Irdischen Paradies jede Menge Kopien gibt, so wie es viele Städte mit einem gewundenen Fluß und einem Hügel wie dem der Sainte-Geneviève gibt? Das Irdische Paradies gibt es nur einmal, in einem fernen Land jenseits des Reiches der Meder und Perser.«

Damit waren sie beim springenden Punkt angelangt und erzählten Boron von ihren Spekulationen über den Priester Johannes. Jawohl, Boron hatte diese Geschichte mit den christlichen Königen im fernen Orient von einem Mönch gehört. Er hatte den Bericht über einen Besuch gelesen, den vor vielen Jahren ein Patriarch aus Indien bei Papst Calixtus II. gemacht hatte. Darin wurde geschildert, wie mühsam es für den Papst gewesen war, sich mit ihm zu verständigen, wegen ihrer verschiedenen Sprachen. Der Patriarch hatte die Stadt Hulna beschrieben, durch die einer der Flüsse fließt, die im Irdischen Paradies entspringen, der Physon, den andere auch Ganges nennen, und wo auf einem Berg außerhalb der Stadt das Heiligtum steht, in welchem der Leib des Apostels Thomas aufbewahrt wird. Dieser Berg war unerreichbar, da er sich in der Mitte eines Sees erhob, aber für acht Tage im Jahr wich das Wasser des Sees zurück, und die guten Christen jener Stadt konnten hinübergehen, um den Leib des Apostels zu verehren, der noch ganz unversehrt war, als ob er gar nicht tot wäre, ja dessen Antlitz sogar, wie der Text besagte, strahlend wie ein Stern war, dessen Haare rot und schulterlang waren, der einen Bart trug und Kleider anhatte, die gerade erst frisch genäht zu sein schienen.

»Aber nichts besagt, daß dieser Patriarch der Priester Johannes war«, schloß Boron vorsichtig.

»Nein, sicher nicht«, meinte Baudolino, »aber es zeigt, daß man seit langer Zeit von einem fernen, glücklichen und hierorts unbekannten Reich spricht. Hör zu, in seiner *Historia de duabus civitatibus* hat mein vielgeliebter Bischof Otto berichtet, ein gewisser Hugo von Gabala habe gesagt, daß Johannes, nachdem er die Perser besiegt hatte, den Christen im Heiligen Land zu Hilfe kommen wollte, aber am

Ufer des Flusses Tigris haltmachen mußte, weil er keine Schiffe hatte, um seine Männer übersetzen zu lassen. Also lebt Johannes jenseits des Tigris. Klar? Aber das Schöne ist, daß das alle gewußt haben mußten, bevor Hugo davon sprach. Lesen wir noch einmal aufmerksam nach, was Otto geschrieben hat, der ja nichts unüberlegt geschrieben hat. Wieso mußte dieser Hugo hingehen und dem Papst erklären, warum Johannes den Christen in Jerusalem nicht hatte helfen können, als müßte er ihn rechtfertigen? Weil offensichtlich jemand in Rom tatsächlich schon diese Hoffnung gehabt hatte. Und an der Stelle, wo Otto sagt, daß Hugo den Namen Johannes nennt, fügt er hinzu: *sic enim eum nominare solent* – so nämlich pflegen sie ihn zu nennen. Was bedeutet dieser Plural? Offenbar, daß nicht nur Hugo, sondern auch andere *solent*, pflegen – und folglich schon damals pflegten – ihn so zu nennen. Weiter schreibt Otto, daß Hugo behauptet, Johannes habe sich, wie die Magier, von denen er abstammte, nach Jerusalem begeben wollen, aber dann schreibt er nicht, daß Hugo beteuert, daß es ihm nicht gelungen sei, sondern *fertur*, es wird berichtet, und andere, im Plural, *asserunt*, versichern, daß es ihm nicht gelungen sei. Ihr seht, wir lernen von unseren Meistern, daß es keinen besseren Prüfstein der Wahrheit gibt«, schloß Baudolino, »als die Kontinuität der Tradition.«

Abdul raunte Baudolino ins Ohr, vielleicht habe auch Bischof Otto manchmal grünen Honig genommen, aber Baudolino stieß ihm mit dem Ellbogen in die Rippen.

»Ich habe noch nicht verstanden, warum euch dieser Priester so wichtig ist«, sagte Boron, »aber wenn es irgendwo etwas zu suchen gibt, dann nicht an einem Fluß, der aus dem Irdischen Paradies kommt, sondern im Irdischen Paradies selbst. Und da hätte ich manches zu erzählen...«

Baudolino und Abdul drängten ihn, mehr über das Irdische Paradies zu sagen, aber er hatte den Fässern der Drei Kandelaber zu sehr zugesprochen und sagte, er könne sich an nichts mehr erinnern. Als hätten sie beide denselben Gedanken, ohne einander etwas zu sagen, faßten die beiden Freunde den wankenden Boron unter die Arme und brachten ihn in ihr Zimmer. Dort gab ihm Abdul eine wohlabgemessene winzige Menge grünen Honig, nur eine Löffelspitze, und eine weitere teilte er sich mit Baudolino. Woraufhin Boron, nachdem er einen Moment wie vor Schreck erstarrt geblieben und sich umgeschaut hatte, als ob er nicht mehr wüßte, wo er war, etwas vom Paradies zu sehen begann.

Er sprach und erzählte von einem gewissen Tugdalus, der anscheinend sowohl die Hölle wie das Paradies besucht hatte. Von der Hölle brauche er nicht zu reden, aber das Paradies sei ein Ort voller Güte, Freude, Fröhlichkeit, Wonne, Schönheit, Gesundheit, Eintracht, Einigkeit, Anstand, Nächstenliebe und Ewigkeit ohne Grenzen, es werde geschützt von einer Mauer aus Gold, hinter welcher sich viele mit Edelsteinen geschmückte Sitze erhöben, auf denen Männer und Frauen säßen, junge und alte, gekleidet in seidene Tücher, und ihre Gesichter strahlten wie die Sonne, und ihre Haare glänzten wie pures Gold, und alle sängen *Halleluja* und läsen ein Buch mit goldenen Lettern.

»Nun«, sagte Boron sehr vernünftig, »in die Hölle kann jeder kommen, man muß es nur wollen, und manchmal kommt auch jemand von dort zurück und erzählt davon in Form eines Alptraums, eines Inkubus oder Sukkubus oder sonst einer schlimmen Vision. Aber kann man wirklich annehmen, daß jemand, der solche Dinge gesehen haben will, ins Himmlische Paradies gelangt ist? Und selbst wenn es dort tatsächlich so zuginge, ein Lebender wäre niemals so schamlos, es zu erzählen, gewisse Mysterien muß ein anständiger und bescheidener Mensch doch für sich behalten!«

»Gebe Gott, daß nie einer auf dem Angesicht der Erde erscheint, der so sehr von Eitelkeit zerfressen ist«, kommentierte Baudolino, »daß er das Vertrauen mißbraucht, das der Herr ihm geschenkt hat!«

»Nun also«, sagte Boron, »ihr kennt sicher die Geschichte von Alexander dem Großen, der am Ufer des Ganges anlangt und dort eine Mauer vorfindet, die dem Lauf des Flusses folgt, aber nirgendwo ein Tor hat. Er folgt der Mauer, und nach drei Tagen sieht er ein kleines Fenster, aus dem ein alter Mann schaut; die Reisenden verlangen, daß die Stadt Alexander als dem König der Könige einen Tribut zollt, aber der Alte erwidert, dies sei die Stadt der Glückseligen. Alexander, der zwar ein großer König, aber ein Heide war, kann unmöglich in der Himmlischen Stadt angelangt sein, folglich muß das, was er und Tugdalus gesehen haben, das Irdische Paradies gewesen sein. Dasselbe, das ich in diesem Moment gerade sehe...«

»Wo?«

»Da.« Er deutete in eine Ecke des Zimmers. »Ich sehe einen Ort mit lieblichen grünen Wiesen, auf denen Blumen und duftende Kräuter wachsen, während ringsum ein süßer Geruch in der Luft liegt, der bewirkt, daß es mich überhaupt nicht mehr nach Speise und Trank verlangt. Ich sehe eine herrliche Wiese mit vier ehrwürdig aussehenden Männern, sie tragen goldene Kronen auf dem Kopf und Palmzweige in den Händen... Ich höre einen Gesang, ich rieche Balsamduft, o mein Gott, ich spüre eine Süßigkeit auf der Zunge wie von Honig... Ich sehe eine Kirche, ganz aus Kristall, mit einem Altar in der Mitte, aus dem Wasser quillt, weiß wie Milch. Die Kirche glänzt und strahlt auf der Nordseite wie ein einziger riesiger Edelstein, im Osten ist sie rot wie Blut, im Westen weiß wie Schnee, und über ihr funkeln unzählige Sterne, die heller sind als die Sterne an unserem Himmel. Ich sehe einen Mann mit schlohweißem Haar, er ist gefiedert wie ein Vogel, und seine Augen sind kaum zu sehen unter den dichten weißen Brauen. Er zeigt mir einen Baum, der diejenigen, die in seinem Schatten sitzen, niemals alt werden läßt und von jeder Krankheit heilt, und einen anderen, der Blätter in allen Regenbogenfarben hat. Aber wieso sehe ich dies alles heute abend?«

»Vielleicht hast du irgendwo etwas davon gelesen, und der Wein hat es dir wieder vors geistige Auge gebracht«, sagte Abdul. »Dieser treffliche Mann, der auf meiner Insel lebte und kein anderer war als der heilige Brendan, ist über die Meere gesegelt bis zu den äußersten Rändern der Erde, und er hat eine Insel entdeckt, die prallvoll von reifen Trauben war, blauen, roten und weißen, und es gab dort sieben wunderbare Brunnen und sieben Kirchen, eine aus Kristall, die andere aus Granat, die dritte aus Saphir, die vierte aus Topas, die fünfte aus Rubin, die sechste aus Smaragd und die siebente aus Korallengestein, und jede hatte sieben Altäre und sieben Ewige Lampen. Und vor jeder Kirche mitten auf einem Platz stand eine Säule aus Chalzedon, auf deren Spitze sich ein Rad mit Schellenglöckchen drehte.«

»Nein, nein, was ich sehe, ist keine Insel«, ereiferte sich Boron, »es ist ein Gelobtes Land im fernen Indien, ich sehe dort Menschen mit riesigen Ohren und mit einer doppelten Zunge, so daß sie mit zwei Personen auf einmal reden können... Und was für reiche Ernten dort sind, es scheint, als wüchse dort alles ganz von allein!«

»Sicher«, warf Baudolino ein, »schließlich steht im Exodus geschrieben, daß dem Volk Gottes ein Land versprochen war, in dem Milch und Honig fließen.«

»Werfen wir nicht alles durcheinander«, sagte Abdul, »das im Exodus ist das Gelobte Land, das *nach* dem Sündenfall kam, während das Irdische Paradies das Land unserer Urahnen *vor* dem Sündenfall war.«

»Abdul, wir sind hier nicht in einer *disputatio*. Es geht nicht darum, den Ort zu identifizieren, zu dem wir hingehen werden, sondern zu begreifen, wie der ideale Ort beschaffen sein müßte, zu dem jeder gern hingehen würde. Und da ist es doch evident: Wenn es solche Wunderdinge wie die genannten nicht nur im Irdischen Paradies gegeben hat, sondern auch heute noch gibt, und zwar auf Inseln, die Adam und Eva nie betreten haben, dann müßte das Reich des Priesters Johannes diesen Orten ziemlich ähnlich sein. Wir versuchen zu begreifen, wie ein Reich des Überflusses und der Tugend beschaffen sein müßte, in dem es keine Lüge, keine Habgier und keine Ausschweifung gibt. Denn warum sollte man sonst danach streben wie nach dem christlichen Reich schlechthin?«

»Aber ohne zu übertreiben«, mahnte Abdul, »sonst glaubt uns keiner, ich meine, sonst glaubt keiner, daß es möglich ist, so weit in die Ferne zu gehen.«

Er hatte »in die Ferne« gesagt. Eben noch hatte Baudolino geglaubt, daß Abdul, während er sich das Irdische Paradies vorstellte, wenigstens für einen Abend seine unmögliche Passion vergessen hätte. Aber nein. Er dachte immer daran. Er sah das Paradies vor sich, aber er suchte darin nach seiner Prinzessin. Tatsächlich murmelte er, während allmählich die Wirkung des grünen Honigs nachließ: »Vielleicht werden wir eines Tages hingehen, *lanquan li jorn son lonc en mai*, wenn lang die Tage sind im Mai...«

Boron fing leise an zu lachen.

»Du siehst, Kyrios Niketas«, sagte Baudolino, »wenn ich nicht den Versuchungen dieser Welt erlag, verbrachte ich meine Nächte damit, mir andere Welten vorzustellen. Ein bißchen mit Hilfe des Weins, ein bißchen mit Hilfe des grünen Honigs. Es gibt nichts Besseres, als sich andere Welten vorzustellen«, erklärte er, »um zu vergessen, wie leidvoll die ist, in der wir leben. So jedenfalls dachte ich damals. Ich hatte noch nicht begriffen, daß man, wenn man sich andere Welten vorstellt, am Ende auch diese verändert.«

»Versuchen wir fürs erste, heiter in dieser zu leben, die Gott uns zugewiesen hat«, sagte Niketas. »Schau, was unsere unvergleichlichen Genueser für Köstlichkeiten der hiesigen Küche bereitet haben. Probier nur einmal von dieser Suppe aus verschiedenen Meeres- und Flußfischen. Vielleicht habt ihr ja auch gute Fische in euren Ländern, obwohl ich mir vorstellen kann, daß sie in eurer beißenden Kälte nicht so gut gedeihen wie hier in der warmen Propontis. Wir würzen die Suppe mit in Olivenöl gerösteten Zwiebeln, Fenchel und anderen Kräutern sowie zwei Bechern trockenen Weines. Du gibst sie auf zwei Scheiben Brot, und du kannst Avgolemonos dazu nehmen, das ist diese Sauce aus Eidotter und Limonensaft mit einem Spritzer Brühe. Ich denke, so müssen Adam und Eva im Irdischen Paradies gespeist haben. Freilich vor dem Sündenfall. Danach haben sie sich wohl eher mit Kutteln begnügt, wie in Paris.«

9. Kapitel

Baudolino tadelt den Kaiser und verführt die Kaiserin

Unterdessen hatte Baudolino, mal mit nicht sehr ernsthaften Studien, mal mit Phantastereien über den Garten Eden, vier Winter in Paris verbracht. Es drängte ihn, Friedrich wiederzusehen und mehr noch Beatrix, die in seiner erhitzten Phantasie mittlerweile alle erdnahen Züge verloren hatte und zu einer Bewohnerin jenes Eden geworden war, fast wie Abduls ferne Prinzessin.

Eines Tages hatte Rainald den Poeten um eine Ode auf den Kaiser gebeten. Der entsetzte Poet, der nicht mehr aus noch ein wußte und, um Zeit zu gewinnen, seinem Herrn gesagt hatte, er müsse erst noch auf die richtige Inspiration warten, sandte einen Hilferuf an Baudolino. Dieser verfaßte ein exzellentes Gedicht, *Salve mundi domine*, in dem er Friedrich über alle anderen Herrscher stellte und sein Joch als süß bezeichnete. Aber er wollte sich nicht darauf verlassen, es durch einen Boten zu schicken, sondern beschloß, selbst nach Italien zu reisen, wo inzwischen so viele Dinge geschehen waren, daß er Mühe hatte, sie für Niketas zusammenzufassen.

»Rainald hatte sein Leben damit verbracht, ein Bild des Kaisers als Herrn der Welt zu schaffen, als Friedensfürst, Quell allen Rechts und niemandes Untertan, *rex et sacerdos*, König und Priester zugleich, wie Melchisedek, und so konnte es nicht ausbleiben, daß er mit dem Papst in Konflikt geriet. Nun war jener Papst Hadrian, der Friedrich in Rom gekrönt hatte, zur Zeit der Belagerung von Crema gestorben, und die Mehrheit der Kardinäle hatte Kardinal Bandinelli zum neuen Papst Alexander III. gewählt. Für Rainald war das eine Ohrfeige, denn zwischen ihm und

Bandinelli stand es wie zwischen Hund und Katze, und in der Frage des päpstlichen Primats wich der neue Pontifex keine Handbreit zurück. Ich weiß nicht, wie Rainald es angestellt hat, aber irgendwie hatte er dann erreicht, daß einige Kardinäle und Anhänger des Senats einen Gegenpapst wählten, Viktor IV., den er und Friedrich nach Belieben lenken und benutzen konnten. Natürlich hat Alexander III. sowohl Friedrich wie Viktor unverzüglich exkommuniziert, und es genügte nicht zu erklären, Alexander sei nicht der richtige Papst und seine Exkommunikation sei ungültig, denn einerseits neigten die Könige von Frankreich und England dazu, ihn anzuerkennen, und andererseits war es für die italienischen Städte ein Geschenk des Himmels, einen Papst zu haben, der sagte, daß der Kaiser ein Kirchenspalter sei und man ihm folglich keinen Gehorsam schulde. Zudem kamen Berichte, daß Alexander mit eurem Basileus Manuel verhandelte, auf der Suche nach einem größeren Reich als demjenigen Friedrichs, um sich darauf zu stützen. Wenn Rainald wollte, daß Friedrich als einziger Erbe des Römischen Reiches anerkannt wurde, mußte er den überzeugenden Beweis einer Abstammung finden. Das war der Grund, warum er den Poeten an die Arbeit gesetzt hatte.«

Niketas hatte Mühe, Baudolinos Geschichte säuberlich Jahr für Jahr zu verfolgen. Ihm schien nicht nur, daß auch sein Augenzeuge ein bißchen durcheinanderbrachte, was jeweils vorher und nachher geschehen war, sondern er fand auch, daß die Geschehnisse mit und um Friedrich sich immerfort wiederholten, und er begriff nicht mehr, wann nun die Mailänder wieder zu den Waffen gegriffen hatten, wann sie Lodi erneut bedrohten und wann der Kaiser von neuem nach Italien gezogen war. Wenn dies eine Chronik wäre, sagte er sich, bräuchte man bloß irgendeine Seite aufzuschlagen und fände immer dieselben Geschichten. Als wäre es einer von jenen Träumen, in denen ständig dasselbe passiert und man sich flehentlich wünscht, endlich aufzuwachen.

Immerhin glaubte Niketas verstanden zu haben, daß die Mailänder schon seit zwei Jahren, mal mit verbalen Bosheiten, mal mit Scharmützeln, Friedrich in Schwierigkeiten gebracht hatten, und daß im folgenden Jahr der Kaiser, unterstützt von den Städten Novara, Asti, Vercelli, dem Markgrafen von Montferrat und dem von Malaspina, dem Grafen von Biandrate sowie den Bürgern von Como, Lodi, Bergamo, Cremona, Pavia und einigen anderen Städten neuerlich an die Belagerung Mailands gegangen war. Eines schönen Morgens im Frühling traf Baudolino, inzwischen zwanzigjährig, mit dem *Salve mundi domine* für den Poeten und seinem Briefwechsel mit Beatrix, den er nicht als Beute für Diebe in Paris hatte zurücklassen wollen, vor den Toren jener Stadt ein.

»Ich hoffe, Friedrich hat sich in Mailand besser aufgeführt als in Crema«, sagte Niketas.

»Eher noch übler, nach dem, was ich bei meiner Ankunft erfuhr. Sechs Gefangenen aus Melzo und Roncate hatte er die Augen ausstechen lassen, einem Mailänder hatte er nur eines ausgestochen, damit er die anderen nach Mailand zurückführen konnte, aber dafür hatte er ihm die Nase abgeschnitten. Und wenn er jemanden ertappte, der Waren nach Mailand einzuschmuggeln versuchte, ließ er ihm die Hände abhacken.«

»Da siehst du, auch er ließ Augen ausstechen.«

»Aber nur einfachen Leuten, nicht edlen Herren wie ihr. Und nur seinen Feinden, nicht seinen Verwandten.«

»Rechtfertigst du ihn?«

»Jetzt ja, damals nicht. Damals war ich entsetzt. Ich wollte ihn zuerst gar nicht wiedersehen. Aber ich mußte ihm meine Aufwartung machen, das war nicht zu vermeiden.«

Als der Kaiser ihn nach so langer Zeit wiedersah, machte er Anstalten, ihn zu umarmen, aber Baudolino konnte nicht an sich halten. Er wich zurück, brach in Tränen aus und sagte ihm ins Gesicht, daß er ruchlos sei, daß er nicht behaupten könne, Quell der Gerechtigkeit zu sein, wenn er sich so ungerecht verhalte, und daß er sich schäme, sein Adoptivsohn zu sein.

Jeden anderen, der es gewagt hätte, ihm so etwas ins Gesicht zu sagen, hätte Friedrich nicht nur mit dem Verlust beider Augen sowie der Nase dafür büßen lassen, sondern auch mit dem Verlust der Ohren. Statt dessen war er betroffen über Baudolinos Zorn und versuchte sich – er, der Kaiser – zu rechtfertigen: »Es war Auflehnung, Baudolino, Auflehnung gegen das Gesetz, und du warst der erste, der mir gesagt hat, ich sei das Gesetz. Ich kann nicht vergeben, ich darf nicht gütig sein. Es ist meine Pflicht, erbarmungslos zu sein. Meinst du, mir macht das Spaß?«

»Und *wie* dir das Spaß macht, mein Vater! Mußtest du all diese Leute töten, damals vor zwei Jahren in Crema, und jetzt diese anderen in Mailand verstümmeln? Und das nicht etwa im Kampf, sondern kaltblütig, aus Starrsinn, aus Rache, wegen einer Beleidigung!«

»Ah, du verfolgst meine Taten, als wärest du Rahewin! Nun denn, so wisse, es war nicht Starrsinn, es war ein Exempel. Es war die einzige Art und Weise, diese ungehorsamen Söhne zu beugen. Meinst du, Caesar und Augustus wären gütiger gewesen? Es ist Krieg, Baudolino, weißt du, was das heißt? Du, der du in Paris den großen Bakkalaureus spielst, weißt du, daß ich dich, wenn du zurückkommst, am Hof unter meinen Ministerialen haben will und dich vielleicht sogar zum Ritter schlagen werde? Meinst du, du kannst mit dem Kaiser des Heiligen Römischen Reiches umherziehen, ohne dir die Hände schmutzig zu machen? Kein Blut kannst du sehen? Dann sag es mir, und ich lasse dich Mönch werden. Aber als Mönch mußt du keusch sein, merk dir das, man hat mir Geschichten von dir in Paris erzählt, die gar nicht zu einem Mönch passen wollen. Woher hast du diese Narbe da? Es wundert mich, daß du sie im Gesicht hast und nicht am Hintern!«

»Vielleicht haben dir deine Spione Geschichten von mir in Paris erzählt, aber ich habe überall, ohne Spione zu brauchen, eine schöne Geschichte über dich in Adrianopel gehört. Lieber meine Geschichten mit Pariser Ehemännern als deine mit byzantinischen Mönchen!«

Friedrich erstarrte und wurde bleich. Er wußte sehr gut, wovon Baudolino sprach (der die Sache von Otto gehört hatte). Als er noch Herzog von Schwaben war, hatte er das Kreuz genommen und sich an der zweiten Expedition ins

Heilige Land beteiligt, um dem christlichen Reich in Jerusalem zu Hilfe zu kommen. Und während das Heer der Christen sich mühsam voranbewegte, war bei Adrianopel einer seiner Ritter, der sich vom Troß entfernt hatte, überfallen und getötet worden, vermutlich von lokalen Banditen. Es hatte schon einige Spannungen zwischen Lateinern und Byzantinern gegeben, und Friedrich nahm den Zwischenfall als jenen letzten Tropfen, der das Faß zum Überlaufen bringt. Wie damals in Crema packte ihn eine rasende Wut: Er griff ein nahe gelegenes Kloster an und metzelte alle Mönche nieder.

Der Vorfall war als dunkler Fleck auf seinem Namen haftengeblieben; alle taten so, als hätten sie ihn vergessen, und sogar Otto verschwieg ihn in seinen *Gesta Friderici*, um statt dessen gleich darauf zu erwähnen, wie sich der junge Herzog vor einer heftigen Überschwemmung unweit von Konstantinopel zu retten vermochte – ein Zeichen, daß der Himmel ihm seine schützende Hand nicht entzogen hatte. Der einzige, der die Sache nicht vergessen hatte, war Friedrich selbst, und daß die Wunde der bösen Tat nicht verheilt war, bewies nun seine Reaktion. Nachdem er zuerst erbleicht war, wurde er zornrot, ergriff einen bronzenen Leuchter und stürzte sich auf Baudolino, als wollte er ihn erschlagen. Er konnte sich gerade noch im letzten Moment zurückhalten, ließ die Waffe sinken, als er den Jungen schon am Hals gepackt hatte, und fauchte ihn mit zusammengebissenen Zähnen an: »Bei allen Teufeln der Hölle, sag nie wieder, was du da gesagt hast!« Dann verließ er das Zelt. Auf der Schwelle drehte er sich noch einmal um: »Geh der Kaiserin deine Aufwartung machen, und dann verschwinde wieder zu deinen weibischen Studiengefährten in Paris.«

»Dir werd' ich zeigen, ob ich weibisch bin, dir werd' ich zeigen, wozu ich imstande bin«, knurrte Baudolino, als er das Lager verließ, wobei er selber nicht wußte, was er denn Schreckliches anstellen könnte, er fühlte nur, daß er seinen Adoptivvater haßte und ihm etwas Böses tun wollte.

Immer noch wütend, erreichte er die Unterkunft der

Kaiserin. Er küßte artig den Saum ihres Kleides, dann ihre Hand, sie wunderte sich über seine Narbe und fragte besorgt, was das sei. Er antwortete wegwerfend, das sei ein Zusammenstoß mit Straßenräubern gewesen, so was passiere nun mal, wenn man in der Welt umherziehe. Beatrix sah ihn bewundernd an, und man muß sagen, daß dieser Zwanzigjährige mit seinem Löwenkopf, den die Narbe noch männlicher machte, inzwischen ein stattliches Mannsbild geworden war. Die Kaiserin lud ihn ein, sich zu setzen und seine letzten Erlebnisse zu erzählen. Und während sie, unter einem anmutigen Baldachin sitzend, lächelnd stickte, kauerte er sich ihr zu Füßen und begann zu erzählen, ohne recht zu wissen was, nur um seine Erregung zu besänftigen. Doch während er sprach, betrachtete er von unten nach oben ihr wunderschönes Gesicht und machte erneut alle Liebesqualen der letzten Jahre durch – aber nun alle auf einmal, verhundertfacht –, bis Beatrix mit einem ihrer holdesten Lächeln zu ihm sagte: »Aber du hast nicht soviel geschrieben, wie ich es dir befohlen hatte und wie ich es mir gewünscht hätte.«

Vielleicht hatte sie es im schwesterlichen Ton eines sanften Tadels gesagt, vielleicht war es auch nur, um das Gespräch zu beleben, doch für Baudolino konnte Beatrix nichts sagen, ohne daß ihre Worte gleichzeitig Balsam und Gift waren. Mit zitternden Händen griff er in seine Brust, zog die Briefe hervor, seine an sie und ihre an ihn, und flüsterte, während er sie ihr reichte: »Das stimmt nicht, Herrin, ich habe sehr viele geschrieben, und du hast mir geantwortet.«

Beatrix verstand nicht, nahm die Briefe und begann sie zu lesen, halblaut, um die beiden Handschriften besser zu entziffern. Baudolino, der zwei Schritte vor ihr saß, rang schwitzend die Hände, sagte sich, daß er ein Narr sei, daß sie ihn gleich hinausjagen und ihre Wachen rufen würde, und wünschte, er hätte einen Dolch, um ihn sich ins Herz zu stoßen. Beatrix fuhr fort zu lesen, und ihre Wangen röteten sich immer mehr, ihre Stimme zitterte, während sie jene feurigen Worte buchstabierte, als zelebrierte sie eine blasphemische Messe. Sie erhob sich, schien mindestens zweimal zu wanken, wies mindestens zweimal Baudolinos Hilfe zurück, als er vorsprang, um sie zu halten, und sagte dann mit schwacher Stimme: »O Junge, Junge, was hast du getan!«

Baudolino näherte sich ihr erneut, um ihr zitternd die Briefe aus der Hand zu nehmen, sie streckte am ganzen Leibe zitternd die Hand vor, um ihm den Nacken zu streicheln, er drehte den Kopf zur Seite, um ihr nicht in die Augen sehen zu müssen, sie fuhr ihm sanft mit den Fingerspitzen über die Narbe. Um auch dieser Berührung auszuweichen, drehte er von neuem den Kopf, aber sie war ihm inzwischen zu nahe gekommen, und so fanden sie sich unversehens Nase an Nase. Baudolino verschränkte die Hände auf dem Rücken, um sich eine Umarmung zu verbieten, aber inzwischen berührten sich ihre Lippen, und nachdem sie sich berührt hatten, öffneten sie sich ein bißchen, so daß für einen Moment, nur einen der wenigen Momente, die dieser Kuß dauerte, durch ihre halbgeöffneten Lippen auch ihre Zungen einander berührten.

Als diese blitzartige Ewigkeit vorüber war, wich Beatrix zurück, nun weiß wie eine Kranke, sah Baudolino streng in die Augen und sagte: »Bei allen Heiligen des Paradieses, tu nie wieder, was du da getan hast!«

Sie hatte das ohne Zorn gesagt, fast gefühllos, als stünde sie kurz vor einer Ohnmacht. Dann wurden ihre Augen feucht, und sie fügte sanft hinzu: »Ich bitte dich.«

Baudolino fiel auf die Knie und berührte fast mit der Stirn den Boden, dann stürzte er Hals über Kopf hinaus, ohne zu wissen, wohin er lief. Später machte er sich klar, daß er in einem einzigen Augenblick vier Verbrechen begangen hatte: Er hatte die Majestät der Kaiserin beleidigt, er hatte sich mit Ehebruch befleckt, er hatte das Vertrauen seines Vaters verraten, und er hatte der infamen Versuchung zur Rache nachgegeben. Rache, denn hätte ich – fragte er sich –, wenn Friedrich jenes Gemetzel nicht begangen, er mich also nicht beschimpft und ich keinen Haß auf ihn verspürt hätte, gleichfalls getan, was ich getan habe? Während er noch versuchte, der Antwort auf diese Frage auszuweichen, machte er sich bewußt, daß er, wenn die

Antwort diejenige wäre, die er befürchtete, die fünfte und schrecklichste seiner Sünden begangen hätte: Er hätte die Tugend seines Idols unabwaschbar befleckt, nur um seinen Groll auf Friedrich zu befriedigen, er hätte das, was der Zweck seines Daseins geworden war, in ein schnödes Mittel verwandelt.

»Kyrios Niketas, dieser Verdacht hat mich viele Jahre lang begleitet, auch wenn ich die herzzerreißende Schönheit jenes Augenblicks nicht vergessen konnte. Ich war immer verliebter, aber diesmal hatte ich keinerlei Hoffnung mehr, nicht einmal im Traum. Denn wenn ich irgendeine Vergebung haben wollte, mußte ihr Bild auch aus meinen Träumen verschwinden. Im Grunde, sagte ich mir während vieler langer schlafloser Nächte, im Grunde habe ich alles gehabt und kann nichts anderes mehr wollen.«

Die Nacht sank auf Konstantinopel herab, und der Himmel war nicht mehr gerötet. Der Brand erlosch allmählich, und nur auf einigen Hügeln der Stadt sah man noch Reste glimmen. Niketas hatte unterdessen zwei Kelche mit Honigwein bestellt. Baudolino nahm einen Schluck, während er ins Leere starrte. »Das ist Wein aus Thasos. Zuerst gibt man eine Paste aus honiggetränktem Emmer in den Krug, dann mischt man einen starken würzigen Wein mit einem delikateren. Der Geschmack ist süß, nicht wahr?« fragte Niketas. »Ja, sehr«, antwortete Baudolino, der an andere Dinge zu denken schien. Dann stellte er den Kelch ab.

»An jenem selben Abend«, schloß er, »habe ich für immer darauf verzichtet, ein Urteil über Friedrich zu fällen, denn ich fühlte mich ihm gegenüber schuldig. Was ist schlimmer: einem Feind die Nase abzuschneiden oder die Frau deines Wohltäters auf den Mund zu küssen?«

Am nächsten Tag ging er zu seinem Adoptivvater, um ihn um Vergebung für seine harten Worte zu bitten, und errötete, als er merkte, daß Friedrich es war, der Gewissensbisse empfand. Der Kaiser umarmte ihn, entschuldigte sich für seinen Wutausbruch und sagte, daß er den hundert Speichelleckern, die er um sich habe, einen Sohn wie ihn vorziehe, der sich traue, es ihm zu sagen, wenn er sich irre. »Nicht einmal mein Beichtvater hat den Mut dazu«, gestand er ihm lächelnd. »Du bist der einzige Mensch, zu dem ich Vertrauen habe.«

Baudolino begann seine Schuld dadurch abzuzahlen, daß er vor Scham verging.

10. Kapitel

Baudolino findet die Könige aus dem Morgenland und läßt Karl den Großen heiligsprechen

Baudolino war vor den Mauern Mailands eingetroffen, als die Mailänder der Belagerung nicht mehr standhalten konnten, auch ihrer inneren Zwietracht wegen. Am Ende hatten sie Parlamentäre geschickt, um die Kapitulation auszuhandeln, und die Bedingungen waren dieselben wie jene, die auf dem Reichstag in Roncaglia festgelegt worden waren; mit anderen Worten, vier Jahre später, trotz aller Toten und Verwüstungen, war es noch genauso wie vorher. Oder besser gesagt, es war eine noch schmählichere Kapitulation als die vorangegangene. Friedrich hätte den Besiegten auch diesmal gerne großmütig verziehen, aber Rainald blies gnadenlos ins Feuer. Man müsse den Mailändern eine Lektion erteilen, die allen in Erinnerung bleiben würde, und man müsse diejenigen Städte zufriedenstellen, die sich auf die Seite des Kaisers gestellt hatten, nicht aus Liebe zu ihm, sondern aus Haß auf Mailand.

»Baudolino«, sagte der Kaiser zu seinem Adoptivsohn, »bitte schilt mich diesmal nicht. Manchmal muß auch ein Kaiser tun, was seine Berater wollen.« Und leise fügte er hinzu: »Dieser Rainald macht mir mehr Angst als die Mailänder.«

So hatte er angeordnet, daß alle Bewohner die Stadt verlassen mußten, Männer, Frauen und Kinder, und daß Mailand dem Erdboden gleichgemacht werde.

Die Lager rings um die Stadt wimmelten nun von Mailändern, die ziellos umherliefen, einige hatten sich in die Nachbarstädte geflüchtet, andere blieben draußen vor den Mauern in der Hoffnung, daß der Kaiser ihnen vergeben und sie wieder hineinlassen werde. Es regnete, die Flüchtlinge zitterten nachts vor Kälte, die Kinder wurden krank, die Frauen weinten, die Männer hockten, nun entwaffnet, niedergeschlagen an den Straßenrändern und reckten die Fäuste zum Himmel, denn es war jetzt empfehlenswerter, den Allmächtigen zu verfluchen, als den Kaiser, dessen Männer umhergingen und sich nach dem Grund der allzu lauten Klagen erkundigten.

Zuerst hatte Friedrich versucht, die rebellische Stadt durch Anzünden zu vernichten, dann hielt er es für besser, die Sache den Italienern zu überlassen, die Mailand heftiger haßten als er. Den Lodianern übertrug er die Zerstörung der Porta Orientale, die damals Porta Renza genannt wurde, den Cremonesern die Schleifung der Porta Romana, den Pavesanern die Stein-für-Stein-Abtragung der Porta Ticinese, den Novaresern die Einebnung der Porta Vercellina, denen aus Como die restlose Beseitigung der Porta Comacina und denen aus dem Seprio und der Martesana die Verwandlung der Porta Nuova in eine Ruine. Lauter Aufgaben, die von den Bürgern jener Städte mit Vergnügen erfüllt wurden, hatten sie doch dem Kaiser sogar viel Geld für das Privileg bezahlt, ihre Abrechnung mit dem besiegten Mailand eigenhändig vornehmen zu dürfen.

Am Tag nach Beginn der Demolierungsarbeiten machte Baudolino einen Erkundungsgang durch die Stadt. An manchen Stellen sah man nichts als eine große Staubwolke. Drang man in diese Staubwolke ein, entdeckte man da und dort Grüppchen von Leuten, die emsig bei der Arbeit waren – hier einige, die eine Fassade mit dicken Seilen umwanden und gemeinsam daran zogen, bis sie zusammenbrach, dort andere Abbruchexperten, die das Dach einer Kirche mit Spitzhacken bearbeiteten, bis es abgedeckt war, und die dann mit Rammböcken auf die Mauern losgingen oder Säulen zu Fall brachten, indem sie Keile unter die Sockel trieben.

Baudolino verbrachte ein paar Tage damit, durch die verwüsteten Straßen zu laufen. Er sah den Campanile der größten Kirche einstürzen, einen schöneren und mächtigeren gab es in ganz Italien nicht. Am eifrigsten waren die Lodianer, die nichts anderes ersehnten, als endlich Rache zu nehmen: Sie hatten als erste ihre Zerstörungsaufgabe erledigt und eilten dann zu den Cremonesern, um ihnen beim Niederreißen der Porta Romana zu helfen. Die Pavesaner schienen jedoch die besten Experten zu sein, sie schlugen nicht einfach wahllos zu, sondern beherrschten ihre Wut: Sie kratzten den Mörtel zwischen den Steinen heraus oder untergruben die Basis der Mauern, so daß der Rest von selber einstürzte.

Kurzum, wer nicht begriff, was da geschah, konnte Mailand für eine fröhliche Baustelle halten, wo jeder fleißig arbeitete mit einem Lied zum Lobe des Herrn auf den Lippen. Nur daß es war, als liefe die Zeit zurück: Es schien, als erhöbe sich aus dem Nichts eine neue Stadt, und in Wahrheit sank eine alte Stadt in Schutt und Staub. Mit diesen Gedanken im Kopf beeilte sich Baudolino am Ostersonntag, als der Kaiser große Festlichkeiten in Pavia anberaumt hatte, die *mirabilia urbis Mediolani* zu entdecken, solange noch etwas von Mailand da war. So kam es, daß er nach einer Weile auf eine wunderschöne, noch unversehrte Basilika stieß, in deren Nähe gerade einige Pavesaner unermüdlich, wiewohl es ein verordneter Feiertag war, den Abriß eines Stadtpalastes beendeten. Von ihnen erfuhr er, daß es die Basilika des Sankt Eustorgius sei und daß sie am nächsten Tag drankommen werde. »Sie ist viel zu schön, um stehengelassen zu werden, findest du nicht?« sagte verständnisinnig einer der Demolierer.

Baudolino trat in das Kirchenschiff, in dem es kühl, still und leer war. Jemand hatte bereits die Altäre und die Seitenkapellen geplündert, einige Hunde, die wer weiß woher gekommen waren, hatten den Ort einladend gefunden und durch Bepinkeln der Säulen zu ihrer Bleibe gemacht. Vom Hauptaltar ertönte ein klagendes Muhen. Es war eine schöne Kuh, und Baudolino fragte sich bei ihrem Anblick, was für ein Haß die Zerstörer Mailands beseelen mußte, daß sie selbst eine so appetitliche Beute verschmähten, nur um die Stadt so schnell wie möglich dem Erdboden gleichzumachen.

In einer Seitenkapelle vor einem Steinsarkophag erblickte er einen alten Pfarrer, der verzweifelt schluchzte oder eher winselte wie ein verwundetes Tier; sein Gesicht war weißer als das Weiß seiner Augen, und sein spindeldürrer Körper zuckte bei jedem Laut. Baudolino wollte ihm irgendwie helfen und reichte ihm eine Wasserflasche, die er bei sich trug. »Danke, guter Christ«, sagte der Alte, »aber mir bleibt nur noch, auf den Tod zu warten.«

»Sie werden dich nicht töten«, sagte Baudolino, »die Belagerung ist vorbei, der Friede besiegelt, die da draußen wollen nur deine Kirche zerstören, nicht dir das Leben nehmen.«

»Und was ist mein Leben ohne meine Kirche? Aber ich weiß schon, das ist die gerechte Strafe des Himmels, denn ich habe aus Ehrgeiz vor vielen Jahren gewollt, daß meine Kirche die schönste und berühmteste von allen sein sollte, und habe eine Sünde begangen.«

Welche Sünde konnte dieser arme Alte schon begangen haben? Baudolino fragte es ihn.

»Vor vielen Jahren hat mir ein orientalischer Reisender die prächtigsten Reliquien der Christenheit zum Kauf angeboten: die unversehrten Leiber der drei Magier aus dem Morgenland.«

»Die drei Magierkönige? Alle drei? Unversehrt?«

»Drei Magier, unversehrt. Sie schienen zu leben, ich meine, sie schienen gerade erst gestorben zu sein. Ich wußte, daß es nicht wahr sein konnte, denn von den Magiern spricht nur ein Evangelium, das des Matthäus, und es sagt nur sehr wenig über sie. Es sagt nicht, wie viele sie waren, woher sie kamen, ob sie Könige oder Weise waren... Es sagt nur, daß sie nach Jerusalem kamen, indem sie einem Stern folgten. Kein Christenmensch weiß, woher sie stammten und wohin sie zurückgekehrt sind. Wer hätte ihr Grab finden können? Deswegen habe ich den Mailändern nie zu sagen gewagt, daß ich diesen Schatz besaß. Ich fürchtete, sie würden ihn aus Habgier dazu benutzen, die Gläubigen ganz Italiens herzulocken, um mit einer falschen Reliquie Geld zu verdienen...«

»Also hast du nicht gesündigt.«

»Ich *habe* gesündigt, denn ich habe sie an diesem geweihten Ort verborgen gehalten. Ich habe immer auf ein Zeichen des Himmels gewartet, aber es ist nicht gekommen.

Jetzt will ich nicht, daß diese Vandalen sie finden. Sie könnten die drei sterblichen Hüllen unter sich aufteilen, um einige dieser Städte, die uns heute zerstören, mit einer überragenden Würde auszustatten. Ich bitte dich, mach, daß alle Spuren meiner einstigen Schwäche verschwinden. Such dir Helfer, komm heute abend, um diese zweifelhaften Reliquien fortzuschaffen und verschwinden zu lassen. Mit ein wenig Mühe sicherst du dir dadurch das Paradies, das ist doch nicht wenig.«

»Siehst du, Kyrios Niketas, und da ist mir eingefallen, daß Otto von den Magiern im Zusammenhang mit dem Reich des Priesters Johannes gesprochen hatte. Sicher, wenn dieser arme alte Pfarrer sie einfach so vorgezeigt hätte, als wären sie aus dem Nichts gekommen, hätte ihm niemand geglaubt. Aber muß eine Reliquie, um echt zu sein, wirklich auf den Heiligen oder das Ereignis zurückgehen, von dem sie ein Teil ist?«

»Nein, kaum. Viele Reliquien, die hier in Konstantinopel aufbewahrt werden, sind höchst zweifelhafter Herkunft, aber der Gläubige, der sie küßt, spürt, daß ihnen übernatürliche Düfte entströmen. Es ist der Glaube, der sie echt macht, nicht sie den Glauben.«

»Genau. Auch ich dachte mir, daß eine Reliquie dann etwas taugt, wenn sie ihren Platz in einer wahren Geschichte findet. Außerhalb der Geschichte des Priesters Johannes mochten diese Magier der Betrug eines Teppichhändlers sein, innerhalb der wahrheitsgemäßen Geschichte dieses Priesterkönigs wurden sie zu einem sicheren Zeugnis. Eine Pforte ist nur eine Pforte, wenn sie einen Palast um sich herum hat, sonst wäre sie nur eine Öffnung, was sage ich, nicht einmal das, denn eine Leere ohne etwas Volles drumherum ist nicht mal eine Leere. So begriff ich damals, daß ich im Besitz der Geschichte war, in der diese Magier etwas bedeuten konnten. Ich dachte mir, wenn ich etwas über Johannes sagen mußte, um den Kaiser dazu zu bringen, sich auf den Weg nach Osten zu machen, dann würde die Bestätigung durch die Magier, die fraglos aus dem Osten kamen, meine Argumentation bestärken.

Diese armen drei Könige aus dem Morgenland schliefen da in ihrem Sarkophag und ließen zu, daß Pavesaner und Lodianer die Stadt zerstörten, die sie ohne es zu wissen in ihren Mauern beherbergte. Sie schuldeten ihr nichts, dieser Stadt, sie hielten sich nur vorübergehend in ihr auf, wie in einer Herberge, um nach einer Weile weiterzuziehen, im Grunde waren sie von Natur aus Weltenbummler – hatten sie sich nicht von wer weiß woher aufgemacht, um einem Stern zu folgen? Mir oblag es, diesen drei Leibern ein neues Bethlehem zu geben.«

Baudolino wußte, daß eine gute Reliquie geeignet war, das Schicksal einer ganzen Stadt zu verändern, sie zum Ziel einer ununterbrochenen Pilgerfahrt zu machen, eine Kirche in eine Wallfahrtsstätte zu verwandeln. Wer könnte ein Interesse an diesen Magiern haben? Rainald von Dassel fiel ihm ein: Vor kurzem war ihm das Erzbistum Köln angetragen worden, aber er mußte noch hingehen und sich offiziell weihen lassen. In den eigenen Dom einzuziehen und dabei die Reliqien der drei Könige mitzubringen, das wäre wahrhaftig ein Coup. Suchte Rainald nicht fortwährend nach Symbolen der kaiserlichen Macht? Und hier hatte er nicht bloß einen, sondern gleich drei Könige, die zugleich auch noch Priester gewesen waren!

Baudolino fragte den Pfarrer, ob er die Reliqien einmal sehen könne. Der Alte bat ihn zu helfen, man müsse den Sarkophagdeckel so weit beiseite schieben, daß der Schrein zum Vorschein komme, in dem sie aufbewahrt würden.

Es war Schwerarbeit, aber es lohnte sich. O Wunder: die Leichname der drei Könige schienen noch lebendig zu sein, obgleich die Haut ausgedörrt und ganz schrumpelig war. Aber sie war nicht braun oder schwarz geworden, wie es sonst bei mumifizierten Leichen vorkommt. Zwei der Magier hatten fast milchweiße Gesichter, einer mit einem langen weißen Bart, der bis zur Brust reichte, unversehrt, wenn auch steif geworden, so daß er wie Zuckerwatte aussah, der andere bartlos. Der dritte war schwarz wie Ebenholz, aber nicht wegen der vergangenen Zeit, sondern weil er auch im Leben ein Schwarzer gewesen sein mußte, er schien wie aus Holz geschnitzt, ja er hatte sogar etwas wie eine Kerbe auf der linken Wange. Er trug einen kurzen Bart und hatte fleischige Lippen, die sich aufstülpten und zwei einzelne Zähne zeigten, weiß und bleckend. Alle drei hatten die Augen weit offen, groß und erstaunt, mit Pupillen, die glitzerten wie aus Glas. Sie waren in drei Mäntel gehüllt, einer weiß, einer grün, einer rot, und darunter trugen sie Hosen nach Barbarenart, aber aus purem Damast und mit Perlen verziert.

Baudolino eilte zurück ins kaiserliche Lager und begab sich unverzüglich zu Rainald. Der Kanzler begriff sofort, welchen Wert die Entdeckung hatte, und sagte: »Es muß alles heimlich und rasch erfolgen. Man wird nicht einen ganzen Schrein abtransportieren können, das ist zu auffällig. Wenn hier jemand mitbekommt, was du gefunden hast, wird er nicht zögern, es uns zu entwenden, um es in seine eigene Stadt zu bringen. Ich lasse drei hölzerne Tragbahren machen, auf denen bringt ihr sie nachts aus der Stadt, und wenn ihr gefragt werdet, sagt, es seien die Leichen dreier tapferer Freunde, die bei der Belagerung gefallen seien. Es genügt, wenn ihr zu dritt seid: du, der Poet und einer von meinen Dienern. Ihr bringt sie an einen sicheren Ort, wo sie fürs erste bleiben können. Bevor ich sie nach Köln mitnehmen kann, müssen glaubwürdige Zeugnisse über die Herkunft der Reliquien und über die Magier selbst produziert werden. Kehre gleich morgen zurück nach Paris, wo du gelehrte Männer kennst, und finde alles über ihre Geschichte heraus, was du nur finden kannst.«

In der Nacht wurden die drei Könige in eine Krypta der Sankt-Georgs-Kirche außerhalb der Mauern verbracht. Rainald wollte sie sehen, doch als er sie erblickte, brach er in eine Reihe von nicht gerade erzbischöflich anmutenden Verwünschungen aus: »Mit Hosen? Und mit dieser Mütze, die wie eine Narrenkappe aussieht?«

»Herr Rainald, so waren offenbar damals die Könige aus dem Morgenland gekleidet. Vor Jahren war ich einmal in Ravenna und habe dort ein Mosaik gesehen, in dem die drei Magier auf dem Kleid der Kaiserin Theodora mehr oder weniger so dargestellt waren.«

»Na ja, das mag vielleicht diese Graeculi in Byzanz überzeugen. Aber stell dir vor, ich präsentiere die Magier in Köln, angezogen wie Jahrmarktszauberer! Zieht sie anders an.«

»Und wie?« fragte der Poet.

»Und wie, und wie! Ich lasse dich an meinem Hof essen und trinken wie ein Feudalherr, dafür daß du mir zwei oder drei Gedichte im Jahr schreibst, und du weißt nicht, wie du mir diejenigen anziehen sollst, die als erste Unseren Herrn Jesus Christus angebetet haben?! Natürlich so, wie die Leute *glauben*, daß sie angezogen sein mußten! Als Bischöfe, als Päpste, als Archimandriten, was weiß ich?«

»Die Hauptkirche und der Bischofspalast sind geplündert worden, vielleicht können wir noch irgendwo heilige Paramente auftreiben. Ich werde es versuchen«, sagte der Poet.

Es war eine schreckliche Nacht. Die Paramente hatten sich auftreiben lassen, auch etwas, das aussah wie drei Tiaren, aber das Problem war, die drei Mumien zu entkleiden. Die Gesichter mochten ja noch wie lebendig erscheinen, aber die Körper waren – bis auf die völlig vertrockneten Hände – nur noch ein Geflecht aus Weidenruten und Stroh, das bei jedem Versuch, ihnen die Kleider auszuziehen, sofort auseinanderfiel.»Egal«, sagte Rainald, »wenn sie erstmal in Köln sind, wird niemand mehr den Schrein öffnen. Führt Stöcke ein, irgendwas, das sie aufrecht hält, wie man's bei Vogelscheuchen macht. Aber respektvoll bitte!«

»Herrje«, lamentierte der Poet, »auch sturzbesoffen hätte ich nie gedacht, daß ich irgendwann mal den Heiligen Drei Königen hinten reinfahren würde.«

»Sei still und mach«, sagte Baudolino. »Wir handeln zum höheren Ruhme des Reiches.« Der Poet fluchte gotteslästerlich, aber am Ende sahen die Magier aus wie Kardinäle der Heiligen Römischen Kirche.

Am nächsten Morgen reiste Baudolino nach Paris ab. Dort machte ihn Abdul, der über die orientalischen Dinge einiges wußte, mit einem Kanonikus von Sankt Viktor bekannt, der noch viel mehr darüber wußte.

»Die Magier aus dem Morgenland, ha!« sagte er. »In der Tradition werden sie dauernd genannt, und viele Kirchenväter haben von ihnen gesprochen, aber drei der vier Evangelien verschweigen sie, und die Zitate aus Jesaja und anderen Propheten sind unklar, manche haben sie so gelesen, als sprächen sie von den Magiern, aber sie könnten auch anderes gemeint haben. Wer waren sie, wie hießen sie wirklich? Einer sagt Hormidz aus Seleukia, König von Persien, Jazdegard, König von Saba, und Peroz, König von Seba; andere Hor, Basander und Karundas. Aber nach Auskunft höchst glaubwürdiger Autoren hießen sie Gaspar, Melkon und Baldassarre, oder Melco, Caspare und Fadizzarda. Oder auch Magalath, Galgalath und Saracin. Oder vielleicht Appelius, Amerus und Damascus...«

»Appelius und Damascus sind sehr schöne Namen, sie erinnern an ferne Länder«, sagte Abdul versonnen.

»Und wieso Karundas nicht?« protestierte Baudolino.

»Es geht nicht darum, drei Namen zu finden, die dir gefallen, sondern drei richtige Namen.«

Der Kanonikus fuhr fort: »Ich würde für Bithisarea, Melichiorre und Gataspha plädieren, der erste König von Godolien und Saba, der zweite König von Nubien und Arabien, der dritte König von Tharsis und der Insel Egrisoulla. Kannten sie sich schon, bevor sie die Reise antraten? Nein, sie sind sich erst in Jerusalem begegnet und haben sich wunderbarerweise sofort erkannt. Andere sagen jedoch, sie seien Weise gewesen, die auf dem Berg Vaus oder Berg des Sieges lebten, von dessen Gipfel aus sie die Zeichen am Himmel erforschten, und nach dem Besuch beim Jesuskind seien sie dorthin zurückgekehrt, und später hätten sie sich mit dem Apostel Thomas zusammengetan, um Indien zu missionieren, allerdings seien sie nicht drei, sondern zwölf gewesen.«

»Zwölf Magierkönige? Ist das nicht zuviel?«

»Das sagt auch Johannes Chrysostomos. Anderen Autoren zufolge hießen sie Zhrwndd, Hwrmzd, Awstsp, Arsk, Zrwnd, Aryhw, Arthsyst, Astnbwzn, Mhrwq, Ahsrs, Nsrdyh und Mrwdk. Aber man muß vorsichtig sein, denn Origenes sagt, sie seien drei gewesen, wie die drei Söhne Noahs und wie die drei Indien, aus denen sie kamen.«

Die Magier mochten von ihm aus auch zwölf gewesen sein, meinte Baudolino, aber in Mailand hätten sie drei gefunden, und für diese drei müßten sie eine akzeptable Geschichte konstruieren. »Sagen wir, sie hießen Kaspar, Melchior und Balthasar, das sind Namen, die man leichter aussprechen kann als diese wunderlichen Rülpser und Nieser, die unser ehrwürdiger Magister da eben von sich gegeben hat. Das Problem ist, wie sie nach Mailand gekommen sind.«

»Das scheint mir kein Problem zu sein«, sagte der Kanonikus, »nachdem sie nun einmal dort angekommen sind. Ich bin überzeugt, ihr Grab auf dem Berg Vaus hat die Kaiserin Helena gefunden, die Mutter Konstantins. Eine Frau, die imstande war, das echte Kreuz Christi zu finden, war sicherlich auch imstande, die echten Magier zu finden. Und Helena hat sie nach Konstantinopel in die Hagia Sophia gebracht.«

»Nein, das nicht, sonst fragt uns der Ostkaiser noch, wie wir sie bekommen haben«, sagte Abdul.

»Keine Angst«, sagte der Kanonikus. »Wenn sie in der Basilika des heiligen Eustorgius gewesen waren, hatte sie zweifellos dieser Heilige dorthin gebracht, der von Byzanz aufgebrochen war, um Bischof von Mailand zu werden – zur Zeit des Basileus Maurikios, lange bevor bei uns Karl der Große lebte. Eustorgius konnte die Magier unmöglich gestohlen haben, infolgedessen hatte er sie vom Kaiser des Byzantinischen Reiches geschenkt bekommen.«

Mit einer so schön konstruierten Geschichte kehrte Baudolino am Ende des Jahres zu Rainald zurück, und er erinnerte ihn auch daran, daß die Magier, folgte man Otto, die Vorfahren des Priesters Johannes gewesen sein mußten, dem sie ihre Würde und ihre Funktion vererbt hatten. Daher die Macht dieses Priesters über die drei Indien oder zumindest eines von ihnen.

Rainald hatte diese Worte von Otto ganz vergessen, doch kaum hörte er Baudolino einen Priester erwähnen, der ein Reich beherrschte, also einen neuerlichen König mit Priesterfunktionen, Papst und Monarch zugleich, war er überzeugt, damit eine gute Waffe gegen Alexander III. zu haben: die Magier Priesterkönige, Johannes ein Priesterkönig – was für eine wunderbare Figur, Allegorie, Weissagung, Prophezeiung, Antizipation jener kaiserlichen Würde, mit welcher er Friedrich auszustatten bemüht war!

»Baudolino«, sagte er sofort, »um die Magier kümmere ich mich jetzt, denk du an den Priester Johannes. Nach allem, was du mir erzählt hast, haben wir bisher nur Gerüchte, das reicht nicht. Wir brauchen ein Dokument, das seine Existenz bestätigt und aus dem hervorgeht, wer und wo er ist und wie er lebt.«

»Und wo soll ich das finden?«

»Wenn du keins finden kannst, stell eins her. Der Kaiser hat dich studieren lassen, jetzt ist der Moment gekommen, dein Können zu zeigen. Und dir die Erhebung in den Ritterstand zu verdienen, sobald du deine Studien beendet hast, die meines Erachtens ohnehin schon zu lange dauern.«

»Verstehst du, Kyrios Niketas?« sagte Baudolino. »Damit war der Priester Johannes für mich kein Spiel mehr, er war jetzt zu einer Pflicht geworden. Und ich mußte ihn nicht mehr im Gedenken an Otto suchen, sondern um eine Anweisung Rainalds zu befolgen. Wie mein Vater Gagliaudo sagte, ich war immer ein *Bastian contrario* gewesen, einer, der stets das Gegenteil dessen tut, was man ihm sagt. Wenn man mich zu etwas zwang, verging mir gleich die Lust dazu. So gehorchte ich Rainald und kehrte sofort nach Paris zurück, aber nur um der Kaiserin nicht zu begegnen. Abdul hatte wieder angefangen, Lieder zu komponieren, und ich entdeckte, daß die Büchse mit dem grünen Honig inzwischen halb leer war. Ich erzählte ihm von dem Unternehmen mit den Magiern, und er nahm sein Instrument und sang: *Niemand wundere sich, wenn ich / nur die liebe, die mich niemals sehen wird. / Von einer anderen Liebe weiß mein Herz nichts, / außer der, die es niemals erblickt, / noch wird mich jemals andere Freude ergötzen / und was soll mir auch Gutes daraus erwachsen / ah, ah...* Ah, ah... Ich gab es auf, mit ihm über meine Pläne zu diskutieren, und in Sachen Priester Johannes unternahm ich etwa ein Jahr lang nichts.«

»Und die Magierkönige?«

»Rainald brachte die Reliquien zwei Jahre später nach Köln, aber er war großzügig, denn einige Zeit vorher war er Domprobst in Hildesheim gewesen, und bevor er die Überreste der drei Könige in den Kölner Schrein verschloß, ließ er jedem einen Finger abschneiden und als Geschenk an seine alte Kirche schicken. Zu jener Zeit hatte Rainald jedoch andere Probleme zu lösen, und keine geringen. Genau zwei Monate bevor er seinen triumphalen Einzug in Köln halten konnte, war der Gegenpapst Viktor gestorben. Fast alle hatten erleichtert aufgeatmet: so ordneten sich die Dinge von selber, und vielleicht würde sich Friedrich nun mit Alexander aussöhnen. Doch Rainald lebte von diesem Schisma, verstehst du, mit zwei Päpsten kam es mehr auf ihn an als mit einem allein. Daher produzierte er einen neuen Gegenpapst, Paschalis III., indem er eine Parodie des Konklave veranstaltete, mit einer Handvoll Kirchenmänner, die er gleichsam von der Straße aufgelesen hatte. Friedrich war nicht überzeugt. Er sagte mir...«

»Warst du zu ihm zurückgekehrt?«

Baudolino seufzte: »Ja, für ein paar Tage. In jenem selben Jahr hatte die Kaiserin ihm einen Sohn geboren.«

»Wie hast du reagiert?«

»Ich begriff, daß ich sie endgültig vergessen mußte. Ich aß sieben Tage lang nichts und trank nur Wasser, denn ich hatte irgendwo gelesen, daß Hungern den Geist reinigt und am Ende Visionen erzeugt.«

»Stimmt das?«

»O ja, aber in den Visionen sah ich *sie*. Da beschloß ich, daß ich dieses Kind sehen mußte, um mir den Unterschied zwischen Traum und Vision zu verdeutlichen. So kehrte ich an den Hof zurück. Seit jenem wunderbaren und schrecklichen Tag waren über zwei Jahre vergangen, und seit damals hatten wir uns nicht wiedergesehen. Beatrix hatte nur Augen für ihr Kind und schien bei meinem Anblick keinerlei Unruhe zu verspüren. Da sagte ich mir, daß ich, auch wenn ich mich nicht damit begnügen konnte, Beatrix wie eine Mutter zu lieben, dieses Kind wie einen Bruder lieben würde. Doch als ich dann das kleine Wesen in der Wiege betrachtete, konnte ich den Gedanken nicht abweisen, daß es, wären die Dinge anders gelaufen, mein Kind hätte sein können. Auf jeden Fall lief ich immer Gefahr, mich als Blutschänder zu fühlen.«

Unterdessen plagten Friedrich ganz andere Probleme. Ein halber Papst, sagte er einmal zu Rainald, garantiere seine Rechte nur wenig, die drei Magierkönige kämen ihm schon zupaß, aber sie genügten nicht, denn die Magier gefunden zu haben heiße ja nicht unbedingt, von ihnen abzustammen. Der Papst habe es gut, der könne sich auf Petrus berufen, und Petrus sei von Jesus selbst auserwählt worden, aber was mache der arme Kaiser des Heiligen Römischen Reiches? Solle er sich auf Caesar berufen, der schließlich noch Heide war?

Hier brachte Baudolino eine Idee vor, die ihm gerade in den Sinn gekommen war, nämlich daß Friedrich seine Würde ja auf Karl den Großen zurückführen könne. »Aber Karl der Große war vom Papst gesalbt worden, das bringt uns nicht weiter«, entgegnete Friedrich.

»Es sei denn, du läßt ihn heiligsprechen«, sagte Baudolino. Friedrich fuhr ihn an, er solle gefälligst erst nachdenken, bevor er solche Dummheiten sage. »Das ist keine Dummheit«, beharrte jedoch Baudolino, denn inzwischen hatte er nicht nur nachgedacht, sondern sich die Szene, die aus seiner Idee hervorgehen konnte, schon ausgemalt, so daß er sie gleichsam vor Augen sah. »Paß auf: Du gehst nach Aachen, wo Karl der Große begraben liegt, läßt seine sterbliche Hülle exhumieren, tust sie in einen schönen Reliquienschrein in der Mitte der Pfalzkapelle, und in deiner Gegenwart, mit einem Gefolge von treuen Bischöfen, darunter Herr Rainald, der als Erzbischof von Köln auch Metropolit jener Provinz dort ist, und mit einer Bulle des Papstes Paschalis, der dich legitimiert, läßt du Karl den Großen zum Heiligen proklamieren. Verstehst du? Du läßt den Gründer des Heiligen Römischen Reiches zum Heiligen proklamieren: Ist er erst einmal heilig, steht er über dem Papst, und du als sein legitimer Nachkomme bist aus dem Stamm eines Heiligen, also keinerlei Autorität unterworfen, auch nicht der, die sich anmaßen wollte, dich zu exkommunizieren.«

»Beim Barte Karls des Großen!« rief Friedrich aus, und seine roten Barthaare stellten sich vor Erregung auf. »Hast du gehört, Rainald? Dieser Junge hat wie immer recht!«

So geschah es dann, wenn auch erst am Ende des darauffolgenden Jahres, denn gewisse Dinge brauchen Zeit, um gut vorbereitet zu werden.

Als Idee sei es ja schon verrückt gewesen, bemerkte Niketas, und Baudolino antwortete: »Aber es hat funktioniert«, wobei er ihn mit unverhohlenem Stolz ansah. Natürlich, dachte Niketas bei sich, deine Eitelkeit ist grenzenlos, du hast es sogar geschafft, aus Karl dem Großen einen Heiligen zu machen. Von Baudolino durfte man sich nun alles erwarten. »Und wie ging es weiter?« fragte er.

»Während Friedrich und Rainald sich darauf vorbereiteten, Karl den Großen heiligzusprechen, machte ich mir langsam klar, daß weder er noch die Magier genügten. Die waren jetzt alle vier im Paradies, die Magier bestimmt und hoffentlich auch Karl der Große, sonst würde in Aachen ein schöner Betrug inszeniert, aber wir brauchten noch etwas, das hier auf Erden existierte, einen Ort, wo der Kaiser sagen konnte: Hier stehe ich, und dies bestätigt mein Recht. Das einzige, was der Kaiser, so gesehen, auf dieser Erde finden konnte, war das Reich des Priesters Johannes.«

11. Kapitel

Baudolino baut dem Priester Johannes einen Palast

Am Freitag morgen kamen drei Genueser, Pevere, Boiamondo und Grillo, und bestätigten, was man auch von
weitem gut sehen konnte: Der Brand war erloschen, so
gut wie von allein, da niemand sich allzuviel Mühe gemacht
hatte, ihn zu bekämpfen. Das hieß freilich nicht, daß man
nun gefahrlos durch Konstantinopel spazieren konnte. Im
Gegenteil, da die Kreuzpilger sich nun leichter durch die
Straßen bewegen konnten, verstärkten sie ihre Jagd auf
wohlhabende Bürger, und zwischen den noch rauchenden
Trümmern zerstörten sie das wenige, was noch stehengeblieben war, auf der Suche nach den letzten Schätzen, die
den ersten Razzien entgangen waren. Niketas seufzte resigniert und bestellte sich Samoswein. Er bat auch, daß
man ihm Sesamkerne in ganz wenig Öl röstete, zum langsamen Kauen zwischen einem Schluck und dem anderen,
und dazu wünschte er sich noch Nüsse und Pistazien, um
besser der Erzählung zu folgen, in der fortzufahren er
Baudolino ermunterte.

Eines Tages wurde der Poet mit einem Auftrag von Rainald
nach Paris geschickt, und so nutzte er die Gelegenheit, sich
wieder einmal mit Baudolino und Abdul den Tavernenfreu-
den zu überlassen. Er lernte auch Boron kennen, aber dessen Phantasien über das Irdische Paradies schienen ihn
wenig zu interessieren. Die Jahre am Hof hatten ihn verändert, fand Baudolino. Er war härter geworden, er trank
zwar immer noch gern, aber er schien aufzupassen, daß
es nicht zu reichlich wurde, um wachsam zu bleiben wie
jemand, der auf eine Beute lauert.

»Baudolino«, sagte er eines Tages, »ihr vertut hier eure

Zeit. Was wir in Paris lernen sollten, haben wir gelernt. Aber alle diese Doktoren würden sich ins Hemd machen, wenn ich morgen zu einer Disputation im großen Aufzug als Ministeriale erschiene, mit dem Schwert an der Seite. Am Hof habe ich vier Dinge gelernt: Wenn du neben großen Männern stehst, wirst du selber groß, die Großen sind in Wirklichkeit ziemlich klein, die Macht ist alles, und es gibt keinen Grund, daß du sie dir nicht eines Tages selber nimmst, zumindest teilweise. Man muß warten können, sicher, aber man darf auch nicht die Gelegenheit verpassen.«

Er spitzte jedoch sofort die Ohren, als er hörte, daß seine Freunde noch immer vom Priester Johannes sprachen. Als er sie vor bald zwei Jahren in Paris verlassen hatte, schien diese Geschichte noch eine bloße Bücherwurm-Phantasie gewesen zu sein, aber in Mailand hatte er Baudolino zu Rainald darüber reden hören wie über etwas, das zu einem sichtbaren Zeichen der kaiserlichen Macht werden könnte, mindestens so wie die wiedergefundenen Magier. Daher begann ihn die Sache zu interessieren, und er beteiligte sich daran, als konstruierte er eine Kriegsmaschine. Je länger er davon sprach, desto mehr schien es, als verwandelte sich für ihn das Land des Priesters Johannes, gleich dem irdischen Jerusalem, aus einem Wallfahrtsort in ein zu eroberndes Land.

So erinnerte er die Freunde daran, daß der Priester nach dem Fund der Magier noch viel bedeutender geworden war als vorher, er mußte sich nun wirklich als *rex et sacerdos* präsentieren. Als König der Könige mußte er eine Residenz haben, neben welcher die der christlichen Herrscher, einschließlich des Basileus der Schismatiker in Konstantinopel, wie Hundehütten erschienen, und als Priester mußte er einen Tempel haben, neben dem die Kirchen des Papstes finstere Löcher wären. Er brauchte einen angemessenen Palast.

»Das Modell gibt es«, sagte Boron, »es ist das Himmlische Jerusalem, wie es der Apostel Johannes in der Apokalypse gesehen hat. Die Anlage muß von hohen Mauern umgeben sein, mit zwölf Toren entsprechend den zwölf

Stämmen Israels, drei nach Süden, drei nach Westen, drei nach Osten und drei nach Norden...«

»Hui, hui«, alberte der Poet, »und der Priester geht durch das eine rein und durchs andere raus, und wenn's stürmt, schlagen und klappern sie alle gleichzeitig, stell dir bloß mal vor, wie's da ziehen muß, also ich würde in so einem Palast nicht mal tot sein wollen...«

»Laß mich weiterreden. Die Grundsteine der Mauern sind aus Jaspis, Saphir, Chalzedon, Smaragd, Sardonyx, Sarder, Chrysolith, Beryll, Topas, Chrysopras, Hyazinth und Amethyst, und die zwölf Tore sind zwölf Perlen, und der Vorplatz ist reines Gold, durchscheinend wie Glas.«

»Nicht schlecht«, sagte Abdul, »aber ich glaube, das Modell muß eher das des Tempels von Jerusalem sein, wie ihn der Prophet Ezechiel beschrieben hat. Kommt morgen mit in die Abtei. Einer der Kanoniker, der hochgelahrte Richard von Sankt Viktor, ist dort auf der Suche nach einer Möglichkeit, den Plan des Tempels zu rekonstruieren, denn der Text des Propheten ist stellenweise unklar.«

»Kyrios Niketas«, sagte Baudolino, »ich weiß nicht, ob du dich je mit den Maßen des Tempels beschäftigt hast.«

»Noch nicht.«

»Tu's nie, man kann dabei den Verstand verlieren. Im ersten Buch der Könige heißt es, der Tempel sei sechzig Ellen lang, zwanzig breit und dreißig hoch, und die Vorhalle sei zwanzig Ellen breit und zehn tief. Im zweiten Buch der Chronik heißt es jedoch, die Vorhalle sei hundertzwanzig Ellen hoch. Mit anderen Worten, bei zwanzig Ellen Breite, zehn Ellen Tiefe und hundertzwanzig Ellen Höhe wäre die Vorhalle nicht nur viermal so hoch wie der ganze Tempel, sondern auch so schmal, daß sie beim geringsten Windstoß zusammenbräche. Richtig verzwickt wird es aber, wenn du die Vision Ezechiels liest. Da stimmt kein einziges Maß, da paßt nichts zusammen, weshalb viele fromme Leute betont haben, Ezechiel habe eben eine *Vision* gehabt, was ein bißchen so ist, als ob man sagte, er habe etwas zuviel getrunken und alles doppelt gesehen. Nicht weiter schlimm, der arme Ezechiel durfte sich auch mal ein bißchen irren, hätte dann nur nicht der erwähnte Richard von Sankt Viktor folgende Überlegung angestellt: Wenn jedes Ding, jede Zahl, jeder Strohhalm in der Bibel eine spirituelle Bedeutung hat, dann muß man sehr genau hinsehen, was sie wortwörtlich sagt, denn für die spirituelle Bedeutung ist es eine Sache, zu sagen, daß etwas drei Ellen lang ist, und eine andere, daß es neun Ellen lang ist, da diese beiden Zahlen verschiedene mystische Werte haben. Du machst dir keine Vorstellung, wie es in Richards Vorlesung über den Tempel zuging. Er hatte das Buch Ezechiel vor Augen und arbeitete mit einer Schnur, um alle Maße zu nehmen. Er zeichnete den Umriß dessen, was Ezechiel beschrieben hatte, dann nahm er Stäbe und Brettchen aus dünnem Holz und schnitt sie zurecht, assistiert von seinen Schülern, und versuchte sie zusammenzufügen mit Leim und Nägeln ... Er wollte den Tempel nachbauen und verkleinerte die Maße proportional, das heißt, wo Ezechiel eine Elle sagte, ließ er einen Fingerbreit schneiden ... Alle naselang brach das Ganze zusammen, Richard schalt seine Helfer, sie hätten nicht richtig festgehalten oder zuwenig Leim genommen, sie rechtfertigten sich, er habe ihnen falsche Maße gegeben. Dann korrigierte sich der Meister und sagte, vielleicht stehe im Text zwar *porta*, aber gemeint sei sicherlich *porticus*, also Vorhalle, sonst ergäbe sich ein Tor, das so groß sei wie der ganze Tempel, andere Male überlegte er sich's anders und sagte, wenn zwei Maße nicht zusammenpaßten, liege es daran, daß Ezechiel sich das eine Mal auf das Maß des ganzen Gebäudes bezogen habe und das andere Mal nur auf das eines Teils. Oder er habe manchmal, wenn er Elle sagte, die geometrische Elle gemeint, die sechs gewöhnliche Ellen mißt. Kurzum, ein paar Tage lang war's ein Vergnügen, dem frommen Mann zuzusehen, wie er sich erboste, und wir prusteten jedesmal los, wenn der Tempel wieder zusammenbrach. Um es ihn nicht merken zu lassen, taten wir so, als läsen wir etwas vom Boden auf, das uns gerade runtergefallen war, aber dann merkte der Kanonikus, daß uns dauernd irgendwas runterfiel, und da hat er uns rausgeschmissen.«

In den folgenden Tagen regte Abdul an, daß vielleicht, da Ezechiel schließlich einer vom Volke Israel war, jemand von seinen Glaubensbrüdern ein bißchen Licht in die Sache bringen könnte. Und als seine Freunde entrüstet einwandten, man könne sich doch nicht bei der Lektüre der Heiligen Schriften von einem Juden beraten lassen, da bekanntlich diese perfiden Leute den Text der heiligen Bücher entstellten, um jede Bezugnahme auf den kommenden Christus zu tilgen, enthüllte ihnen Abdul, daß einige der größten Pariser Gelehrten sich bisweilen durchaus, wenn auch im stillen, das Wissen der Rabbiner zunutze machten, zumindest bei Stellen, in denen nicht von der Ankunft des Messias die Rede sei. Wie sich's traf, hatten die Kanoniker von Sankt Viktor gerade in jenen Tagen einen Rabbiner in ihre Abtei eingeladen, den noch jungen, aber schon hochberühmten Solomon von Gerona.

Natürlich wohnte Solomon nicht in der Abtei, die Kanoniker hatten für ihn ein feuchtes und dunkles Zimmer in einer der finstersten Gassen von Paris gefunden. Er war tatsächlich ein Mann in noch jungen Jahren, obwohl sein hageres Gesicht von Meditation und Studium gezeichnet schien. Er sprach ein gutes Latein, war aber nicht ganz leicht zu verstehen, denn er hatte eine kuriose Eigenart: Er besaß alle Zähne, oben und unten, vom mittleren Schneidezahn bis ganz hinten auf der linken Seite des Mundes, aber keinen einzigen auf der rechten. Obgleich es Vormittag war, zwang ihn die Dunkelheit des Zimmers, beim Schein einer Lampe zu lesen, und als die Besucher eintraten, legte er die Hände auf eine vor ihm liegende Pergamentrolle, wie um sie vor neugierigen Blicken zu schützen – eine überflüssige Vorsichtsmaßnahme, denn die Rolle war mit hebräischen Lettern beschrieben. Er versuchte sich zu entschuldigen, es sei dies ein Buch, das die Christen zu Recht verabscheuten, das berüchtigte *Toledot Jeschu*, in dem erzählt werde, daß Jesus der Sohn einer Kurtisane und eines Söldners gewesen sei, eines gewissen Pantera. Aber gerade die Kanoniker von Sankt Viktor hätten ihn gebeten, ihnen einige Seiten daraus zu übersetzen, weil sie sehen wollten, wie weit die Perfidie der Juden gehen könne. Er mache diese Arbeit bereitwillig, denn auch er finde dieses Buch zu streng, da Jesus gewiß ein tugendhafter Mensch gewesen sei, auch wenn er die Schwäche gehabt habe, sich zu Unrecht für den Messias zu halten, aber vielleicht sei er dazu vom Fürsten der Finsternis verführt worden, auch die Evangelien räumten ja ein, daß der Versucher es mehr als einmal bei ihm probiert habe.

Nach der Form des Tempels gemäß Ezechiels Beschreibung gefragt, lächelte er: »Selbst den aufmerksamsten Kommentatoren des heiligen Textes ist es nicht gelungen, die genaue Form des Tempels zu bestimmen. Auch der große Rabbi Solomon ben Isaak hat eingeräumt, daß man, folgt man dem Buchstaben des Textes, nicht begreift, wo die äußeren nördlichen Räume sind, wo sie im Westen anfangen und wie viele sich von dort aus nach Osten erstrecken und so weiter. Ihr Christen versteht nicht, daß der heilige Text aus einer Stimme hervorgeht. Wenn der Herr, *ha-qadosch baruch hu*, der Heilige sei gesegnet immerdar, zu seinen Propheten spricht, läßt er sie seine Stimme hören, er läßt sie nicht Figuren sehen, wie es bei euch mit euren bemalten Seiten vorkommt. Gewiß ruft die Stimme Bilder im Herzen des Propheten hervor, aber diese Bilder sind nicht starr, sie zerfließen, sie wechseln die Form je nach der Melodie jener Stimme, und wenn ihr die Worte des Herrn, immerdar gesegnet sei der Heilige, auf Bilder reduzieren wollt, friert ihr jene Stimme ein, als wäre sie frisches Wasser, das zu Eis wird und den Durst nicht mehr stillt, sondern die Glieder in die Starre des Todes fallen läßt. Der Kanonikus Richard möchte, um den spirituellen Sinn jedes Teils des Tempels zu begreifen, ihn gerne nachbauen, so wie es ein Maurermeister tun würde, aber es wird ihm nicht gelingen. Visionen gleichen den Träumen, in denen die Dinge sich ineinander verwandeln, nicht den Bildern in euren Kirchen, auf denen die Dinge immer gleich bleiben.«

Alsdann fragte Rabbi Solomon, warum seine Besucher wissen wollten, wie der Tempel beschaffen war, und sie erzählten ihm von ihrer Suche nach dem Reich des Priesters Johannes. Der Rabbiner zeigte sich sehr interessiert. »Vielleicht wißt ihr nicht«, sagte er, »daß auch unsere Texte von einem geheimnisvollen Reich im fernen Osten sprechen, wo noch die zehn verstreuten Stämme Israels leben sollen.«

»Ich habe von diesen Stämmen gehört«, sagte Baudolino, »aber ich weiß nur sehr wenig über sie.«

»Steht alles geschrieben. Nach dem Tod Salomons gerieten die zwölf Stämme, in welche Israel damals geteilt war, miteinander in Streit. Nur zwei von ihnen, der Stamm Juda und der Stamm Benjamin, blieben dem Geschlecht Davids treu, die zehn anderen zogen nach Norden, wo sie dann von den Assyrern besiegt und zu Sklaven gemacht wurden. Man hat nie wieder von ihnen gehört. Esra sagt, sie seien fortgezogen in ein niemals zuvor von Menschen bewohntes Land, in eine Gegend namens Arsareth, und andere Propheten haben geweissagt, eines Tages würden sie wiedergefunden werden und triumphierend zurückkehren nach Jerusalem. Nun ist vor über hundert Jahren einer unserer Brüder, Eldad vom Stamme Dan, in Qayrawan eingetroffen, in Afrika, wo eine Gemeinde des Auserwählten Volkes lebt, und hat gesagt, er komme aus dem Reich der zehn verstreuten Stämme, einem gesegneten Land, wo man ein friedliches, durch keinerlei Untat gestörtes Leben führe und wo in den Flüssen wirklich Milch und Honig flössen. Dieses Land sei von allen anderen abgetrennt durch den Fluß Sambatyon, der so breit sei, daß nur der Pfeil des stärksten Bogens hinüberreiche, der aber kein Wasser führe, es flössen dort vielmehr in reißendem Strom nur Sand und Steine, die einen solchen Lärm machten, daß man ihn auch noch eine halbe Tagereise weit höre, und diese tote Materie fließe so schnell, daß jeder, der den Fluß überqueren wolle, von ihr fortgerissen werde. Nur am Sabbat halte dieser steinerne Fluß inne, und nur am Sabbat könne man ihn daher überqueren, doch keiner der Söhne Israels dürfe die Sabbatruhe verletzen.«

»Aber die Christen könnten hinüber?« fragte Abdul.

»Nein, denn am Sabbat macht eine Feuerwand die Ufer des Flusses unzugänglich.«

»Und wie hat Eldad es dann geschafft, nach Afrika zu gelangen?« fragte der Poet.

»Das weiß ich nicht, aber wer bin ich, daß ich mir erlauben könnte, die Dekrete des Herrn, gesegnet sei der immerdar Heilige, zu diskutieren? Unfromme Menschen könnten Eldad hinübergetragen haben, oder auch ein Engel. Das Problem für unsere Rabbiner, die sofort über diese Erzählung zu diskutieren begannen, von Babylon bis Spanien, war eher ein anderes: Wenn die zehn verstreuten Stämme nach Gottes Gesetz lebten, müßten ihre Gesetze dieselben sein wie in Israel, aber nach dem, was Eldad erzählte, waren es andere.«

»Aber wenn das, wovon Eldad gesprochen hatte, das Reich des Priesters Johannes war«, sagte Baudolino, »dann wären seine Gesetze tatsächlich andere als die euren, aber ähnlich den unseren, nur besser!«

»Das ist es, was uns von euch Nichtjuden trennt«, sagte Rabbi Solomon. »Ihr habt die Freiheit, euch an euer Gesetz zu halten oder nicht, und habt es verdorben, so daß ihr nun einen Ort sucht, wo es noch befolgt wird. Wir haben unser Gesetz unangetastet gelassen, aber wir haben nicht die Freiheit, es zu befolgen oder nicht. Dennoch wisse, daß es auch mein Wunsch wäre, jenes Reich zu finden, denn es könnte sein, daß dort unsere zehn verstreuten Stämme und die Gojim in Frieden und Harmonie miteinander leben, jeder frei, sein eigenes Gesetz zu befolgen, und die bloße Existenz dieses wunderbaren Reiches wäre ein Beispiel für alle Kinder des Allerhöchsten, der Gesegnete immerdar heilig sei. Und obendrein sage ich dir, daß ich jenes Reich noch aus einem anderen Grund gern fände. Nach dem, was Eldad gesagt hat, spricht man dort noch die Heilige Sprache, jene Ursprache, die der Allerhöchste, der Heilige immerdar gesegnet sei, dem Adam gegeben hat und die beim Turmbau zu Babel in alle Winde zerstreut worden ist.«

»Ich weiß eine schön verrückte Geschichte«, sagte Abdul. »Meine Mutter hat mir immer erzählt, daß die Sprache Adams auf ihrer Insel rekonstruiert worden sei, nämlich in Gestalt der gälischen Sprache, die sich aus neun Wortarten zusammensetze – Nomen, Pronomen, Verb, Adverb, Partizip, Konjunktion und so weiter –, also aus ebenso vielen wie den neun Materialien, aus denen der Turm zu Babel bestanden habe: Ton und Wasser, Wolle und Blut, Holz und Kalk, Pech, Leinen und Teer... Es seien die zweiundsiebzig Weisen der Schule von Fenius gewesen, welche die gälische Sprache zusammengebastelt hätten aus Fragmenten aller zweiundsiebzig Idiome, die nach der babylonischen Sprachverwirrung entstanden seien, und daher enthalte das Gälische die besten Elemente aus allen Sprachen und habe, genau wie die Sprache Adams, die gleiche Form wie die geschaffene Welt, so daß in ihr jeder Name das Wesen dessen ausdrücke, was er benenne.«

Rabbi Solomon lächelte nachsichtig. »Viele Völker glauben, daß die Sprache Adams die ihre sei, wobei sie vergessen, daß Adam nur die Sprache der Torah sprechen konnte, nicht die jener Bücher, die von falschen und lügnerischen Göttern erzählen. Den zweiundsiebzig Sprachen, die nach der Verwirrung entstanden sind, fehlen grundlegende Buchstaben. So kennen die Gojim beispielsweise nicht das *Het*, und die Araber haben kein *Peh*, und deswegen ähneln manche Sprachen dem Grunzen der Schweine, andere dem Krächzen der Frösche oder dem Kreischen der Kraniche, und das sind genau die Sprachen von Völkern, welche die richtige Lebensführung aufgegeben haben. Dennoch stand die ursprüngliche Torah im Moment der Schöpfung vor dem Angesicht des Allerhöchsten, heilig sei immerdar der Gesegnete, geschrieben wie schwarzes Feuer auf weißem Feuer, in einer Ordnung, die nicht die der geschriebenen Torah ist, wie wir sie heute lesen, und die sich erst nach dem Sündenfall Adams manifestiert hat. Deshalb verbringe ich jede Nacht Stunden und Stunden damit, in großer Konzentration die Lettern der geschriebenen Torah zu buchstabieren, um sie zu verrühren und kreisen zu lassen wie das Rad einer Windmühle und daraus wiedererstehen zu lassen die ursprüngliche Ordnung der ewigen Torah, die vor der Schöpfung bestand und übergeben wurde den Engeln des Allerhöchsten, gesegnet sei der Heilige immerdar. Wenn ich wüßte, daß es ein fernes Reich gibt, in dem die ursprüngliche Ordnung sich gehalten hat und somit auch die Sprache, die Adam mit seinem Schöpfer vor dem Sündenfall sprach, würde ich gern mein ganzes Leben darauf verwenden, nach diesem Reich zu suchen.«

Bei diesen Worten war in Solomons Antlitz ein solches Leuchten getreten, daß die Freunde sich fragten, ob es nicht gut sein würde, ihn an ihren künftigen Sitzungen teilnehmen zu lassen. Der Poet fand das ausschlaggebende Argument: Daß dieser Jude im Reich des Priesters Johannes seine Ursprache und seine zerstreuten zehn Stämme wiederfinden wolle, dürfe sie nicht stören; der Priester Johannes müsse so mächtig sein, daß er sogar über die verstreuten Stämme der Juden herrschte, und warum sollte er nicht auch die Sprache Adams sprechen? Das Hauptproblem sei doch jetzt erst einmal, dieses Reich zu konstruieren, und dabei könne ein Jude genauso nützlich sein wie ein Christ.

Bei alledem hatten sie sich noch nicht entschieden, wie der Palast des Priesters beschaffen sein sollte. Sie lösten dieses Problem in der folgenden Nacht, zu fünft in Baudolinos Zimmer versammelt. Inspiriert vom *genius loci* entschloß sich Abdul, den neuen Freunden das Geheimnis des grünen Honigs zu enthüllen, wobei er sagte, es könne ihnen helfen, sich den Palast des Priesters nicht bloß zu denken, sondern ihn direkt vor sich zu sehen.

Rabbi Solomon sagte sofort, er kenne beträchtlich mystischere Methoden, sich Visionen zu verschaffen, für diese Nacht genüge es ihm, die vielfachen Kombinationen der Lettern des heiligen Namens Gottes zu murmeln und sie auf der Zunge zu drehen wie eine Rolle, ohne sie je zur Ruhe kommen zu lassen, daraus entstehe ein Strudel von Gedanken wie von Bildern, der sich immer schneller drehe, bis man in eine selige Erschöpfung verfalle.

Der Poet war zuerst mißtrauisch, dann entschloß er sich zu probieren, wobei er die Kraft des Honigs mit der des Weins zu zähmen gedachte, und am Ende verlor er jedes Maß und faselte besser als die anderen.

So kam es, daß er, als er den richtigen Rauschzustand erreicht hatte, den Vorschlag machte – unterstützt durch fahrige Striche, die er mit einem in Wein getauchten Finger auf den Tisch malte –, daß der Palast so sein müsse wie der, welchen der Apostel Thomas für Gundophar, den König der Inder, gebaut habe: Decken und Architrave aus zyprischem Holz, das Dach aus Ebenholz, darüber eine Kuppel, gekrönt von zwei goldenen Äpfeln, auf deren jedem zwei Karfunkel schimmerten, so daß am Tag das Gold im Licht der Sonne erglänzte und bei Nacht die Edelsteine in dem des Mondes. Danach hörte er auf, sich auf sein Gedächtnis und die Autorität des Apostels zu verlassen, und sah Pforten aus Sardonyx, geschmückt mit Hörnern der Hornviper, die den Eintretenden daran hinderten, Gift in den Palast zu bringen, und Fenster aus Kristall, goldene Tische, getragen von elfenbeinernen Säulen, Lampen mit Balsamöl und schließlich das Bett des Priesters aus Saphir zum Schutze der Keuschheit, denn – so endete der Poet – »dieser Johannes mag König sein, soviel ihr wollt, aber er ist auch Priester, und daher nix mit Frauen.«

»Alles sehr schön soweit«, sagte Baudolino, »aber im Palast eines Königs, der über ein so ausgedehntes Reich gebietet, würde ich in irgendeinem Saal auch jene Automaten unterbringen, die es in Rom gegeben haben soll, die immer sofort meldeten, wenn es irgendwo in einer der vielen Provinzen einen Aufstand gab.«

»Ich glaube nicht«, meinte Abdul, »daß es im Reich des Priesters Johannes irgendwo Aufstände geben kann, wo doch überall Friede und Harmonie herrschen.« Trotzdem gefiel ihm die Idee mit den Automaten, denn schließlich wußte ja jeder, daß ein so großer Herrscher, ob Maure oder Christ, Automaten am Hof haben mußte. Also *sah* er sie und machte sie durch eine schöne Redewendung auch für seine Freunde sichtbar: »Der Palast steht auf einem Berg, und der Berg ist aus Onyx, und sein Gipfel ist so glattpoliert, daß er glänzt wie der Mond. Der Tempel ist rund, er hat eine Kuppel aus Gold, und golden sind auch seine Wände, besetzt mit Edelsteinen, die so funkeln, daß sie im Winter heizen und im Sommer kühlen. Die Decke ist besetzt mit Saphiren, die den Himmel darstellen, und mit Karfunkeln für die Sterne. Eine vergoldete Sonne und ein versilberter Mond sind die Automaten, die über das Himmelsrund wandern, und mechanische Vögel singen jeden Tag, während vier Engel aus Goldbronze sie mit Trompeten begleiten. Der Palast erhebt sich über einem verborgenen Brunnen, in welchem Pferdegespanne einen Mühlstein bewegen, den sie entsprechend dem Wechsel der Jahreszeiten rotieren lassen, so daß er zu einem Abbild des Kosmos wird. Unter dem Kristallboden schwimmen Fische und allerlei Fabelwesen des Meeres. Aber ich habe auch von Spiegeln gehört, in denen man alles sehen kann, was irgendwo geschieht. Das wäre doch sehr nützlich für den Priester, um auch die äußersten Grenzen seines Reiches zu kontrollieren...«

Der Poet, der sich immer mehr für die Architektur erwärmte, begann den Spiegel zu zeichnen und erklärte dazu: »Er ist sehr hoch oben angebracht, man steigt über hundertfünfundzwanzig Stufen aus Porphyr zu ihm hinauf...«

»Und aus Alabaster«, suggerierte Boron, der sich bisher schweigend der Wirkung des Honigs überlassen hatte.

»Na gut, tun wir auch Alabaster mit rein. Und die obersten Stufen sind aus Amber und Panthera.«

»Was ist Panthera? Der Vater von Jesus?« fragte Baudolino.

»Red keinen Unsinn, das steht bei Plinius, das ist ein bunter Stein. Aber in Wirklichkeit steht der Spiegel auf einem einzigen Pfeiler. Oder nein, dieser Pfeiler stützt eine Basis, auf der zwei Pfeiler stehen, und diese stützen eine Basis, auf der vier Pfeiler stehen, und so immer weiter, bis auf der mittleren Basis vierundsechzig Pfeiler stehen. Diese stützen eine Basis mit zweiunddreißig Pfeilern, diese eine mit sechzehn, und so immer weiter, bis ganz oben nur noch ein einziger Pfeiler steht, auf dem sich der Spiegel erhebt.«

»Hör zu«, sagte Rabbi Solomon, »bei dieser Pfeilerkonstruktion stürzt der Spiegel runter, sobald sich einer unten nur leise anlehnt.«

»Du sei still, du bist falsch wie die Seele des Judas. Erst findest du nichts dabei, wenn euer Ezechiel einen Tempel sieht, bei dem niemand kapiert, wie er gebaut sein soll, und wenn ein christlicher Maurer kommt und dir sagt, daß er zusammenkracht, antwortest du ihm, Ezechiel hätte halt

Stimmen gehört und nicht auf Figuren geachtet, und dann darf ich nur Spiegel bauen, die nicht umkippen? Ich will dir was sagen, ich stelle zwölftausend Bewaffnete als Wachen für den Spiegel auf, alle rings um den untersten Pfeiler, damit sie gut auf ihn aufpassen und sich keiner anlehnen kann. In Ordnung?«

»In Ordnung, in Ordnung, der Spiegel ist deine Sache«, sagte der Rabbi konziliant.

Abdul verfolgte diese Reden lächelnd, während er versonnen ins Leere blickte, und Baudolino begriff, daß er in jenem Spiegel mindestens einen Schatten seiner fernen Prinzessin erblicken wollte.

»In den nächsten Tagen mußten wir uns beeilen, denn der Poet mußte wieder zurück, und er wollte den Rest der Geschichte noch mitkriegen«, sagte Baudolino zu Niketas. »Doch wir waren jetzt auf dem richtigen Weg.«

»Auf dem richtigen Weg? Aber dieser Priester war doch, so will mir scheinen, noch unglaubwürdiger als die Heiligen Drei Könige in Kardinalsgewändern und Karl der Große inmitten der Himmlischen Heerscharen...«

»Der Priester würde schon noch glaubwürdig werden, wenn er erst einmal ein persönliches Lebenszeichen von sich gab, in Gestalt eines Briefes an Friedrich.«

12. Kapitel

Baudolino schreibt den Brief des Priesters Johannes

Auf die Idee, einen Brief des Priesters Johannes zu schreiben, kamen sie durch eine Geschichte, die Rabbi Solomon von den Arabern in Spanien gehört hatte. Ein Seefahrer namens Sindbad, der zur Zeit des Kalifen Harun al-Raschid gelebt hatte, war eines Tages schiffbrüchig auf einer Insel gelandet, die sich genau auf der Linie des Äquinoktiums befand, so daß dort Tag und Nacht jeweils genau zwölf Stunden dauerten. Sindbad sagte, er habe dort viele Inder gesehen, also mußte die Insel in der Nähe von Indien sein. Die Inder brachten ihn zu dem Prinzen von Sarandib. Dieser saß, wenn er ausritt, gewöhnlich auf einem Thron, der acht Ellen hoch auf dem Rücken eines Elefanten befestigt war, und wurde rechts und links in Zweierreihen von seinen Vasallen und Ministern begleitet. Vor ihm ging ein Herold mit einem goldenen Speer und hinter ihm ein zweiter mit einem goldenen Stab, der an der Spitze einen Smaragd hatte. Wenn er vom Thron herabstieg, um sich zu Pferd voranzubewegen, folgten ihm tausend Reiter, gekleidet in Seide und Brokat, und ein anderer Herold lief ihm voraus und rief, es nahe ein König, der eine Krone besitze, wie sie nicht einmal Salomon je besessen habe. Der Prinz gab Sindbad eine Audienz und stellte ihm viele Fragen über das Reich, aus dem er kam. Am Ende bat er ihn, dem Kalifen Harun al-Raschid einen Brief zu überbringen, in dem stand: »Es entbietet Dir seinen Friedensgruß der Prinz von Sarandib, vor dem tausend Elefanten stehen und in dessen Palast die Zinnen aus Juwelen sind. Wir betrachten Dich als einen Bruder und bitten Dich, uns eine Antwort zu senden. Und wir bitten Dich, dieses bescheidene Geschenk anzunehmen.« Das bescheidene Geschenk war ein riesiger Pokal aus Rubin, bis zum Rand mit Perlen gefüllt. Geschenk und Brief hatten den Namen des großen Harun al-Raschid noch angesehener in der arabischen Welt gemacht.

»Sicher war dieser Sindbad im Reich des Priesters Johannes gewesen«, sagte Baudolino, »Nur daß es auf Arabisch anders heißt. Aber er hat gelogen, als er sagte, der Priester habe den Brief und das Geschenk an den Kalifen gesandt, denn Johannes ist ein Christ, wiewohl ein nestorianischer, und wenn er jemandem einen Brief zu schicken hätte, dann würde er ihn an Kaiser Friedrich schreiben.«

»Dann laß uns doch diesen Brief schreiben«, sagte der Poet.

Bei ihrer Jagd nach Daten und Fakten, die sie zur Konstruktion des gesuchten Priesterreiches brauchen konnten, stießen unsere Freunde auf einen gewissen Kyot. Er war ein junger Mann aus der Champagne, der gerade eine Reise in die Bretagne hinter sich hatte und noch ganz erfüllt war von Geschichten über ruhelos umherziehende Ritter, Zauberer, Feen und Geister, die sich die Bewohner jenes Landes abends am Feuer erzählten. Als Baudolino ihm gegenüber die Wunder des Palastes des Priesterkönigs Johannes erwähnte, rief er ganz aufgeregt: »Ja, von solch einem Schloß oder einem ganz ähnlichen habe ich auch schon in der Bretagne gehört! Es ist das Schloß, in dem sie den Gradal aufbewahren!«

»Was weißt du über den Gradal?« fragte Boron mit einem plötzlichen Mißtrauen, als hätte Kyot die Hand nach etwas ausgestreckt, das *ihm* gehörte.

»Was weißt denn du darüber?« fragte Kyot ebenso mißtrauisch zurück.

»He, he«, mischte sich Baudolino ein, »wie es scheint, liegt euch beiden sehr viel an diesem Gradal. Was ist das denn? Soweit ich weiß, müßte ein *gradalis* so etwas wie ein Napf oder eine Schüssel sein.«

»Napf, Schüssel!« sagte Boron mit mildem Tadel. »Eher ein Kelch.« Dann, als entschlösse er sich, ein Geheimnis zu lüften: »Ich wundere mich, daß ihr noch nie davon gehört habt. Es ist die kostbarste Reliquie der ganzen Christenheit, der Kelch, in welchem Jesus beim Letzten Abendmahl den Wein in Blut verwandelt hat und in welchem dann Joseph von Arimathia das Blut aus der Seite des Gekreuzigten aufgefangen hat. Manche sagen, der Name dieses Kelches sei *Saint Graal*, andere sagen statt dessen *Sangreal*, königliches Blut, denn wer ihn besitze, gehöre dadurch zu einem Geschlecht auserwählter Ritter, die vom selben Stamme seien wie David und wie Unser Herr Jesus Christus.«

»Graal oder Gradal?« fragte der Poet, der sofort aufhorchte, wenn er von etwas hörte, das eine Macht verleihen konnte.

»Man weiß es nicht«, sagte Kyot. »Einige sagen auch Grasal und andere Graalz. Und es ist nicht gesagt, daß er ein Kelch ist. Die ihn gesehen haben, erinnern sich nicht an die Form, sondern wissen nur, daß er ein Gegenstand war, der außergewöhnliche Kräfte besaß.«

»Wer hat ihn denn gesehen?« fragte der Poet.

»Sicher die Ritter, die ihn in Broceliande hüteten. Aber auch von ihnen hat sich jede Spur verloren, ich habe nur Leute kennengelernt, die von ihm erzählen.«

»Es wäre besser, wenn man von dieser Sache weniger erzählen würde und lieber versuchte, mehr darüber zu wissen«, meinte Boron. »Dieser junge Mann war gerade in der Bretagne, und kaum hat er davon reden gehört, schon sieht er mich an, als wollte ich ihm etwas wegnehmen, was er gar nicht hat. So geht es allen. Man hört irgendwo vom Gradal reden, und schon glaubt man, man sei der einzige, der ihn finden werde. Ich war auch in der Bretagne, sogar auf den Inseln jenseits des Meeres, ich habe dort volle fünf Jahre verbracht, ohne zu erzählen, nur um zu suchen...«

»Und hast du ihn gefunden?« fragte Kyot.

»Das Problem ist nicht, den Gradal zu finden, sondern die Ritter, die wußten, wo er sich befand. Ich bin durchs Land gezogen und habe nach ihnen gefragt, aber ich bin ihnen nie begegnet. Vielleicht war ich kein Auserwählter. Und jetzt seht ihr mich hier zwischen alten Pergamenten wühlen in der Hoffnung, eine Spur zu entdecken, die mir beim Durchstreifen jener Wälder entgangen ist...«

»Was reden wir hier eigentlich vom Gradal?« sagte Baudolino. »Wenn er sich in der Bretagne befindet oder auf jenen Inseln, braucht er uns nicht zu interessieren, denn er hat nichts mit dem Priester Johannes zu tun.« Falsch, widersprach Kyot, denn wo sich das Schloß befinde, in dem der Gradal gehütet werde, sei nie recht geklärt worden, aber unter den vielen Geschichten, die er gehört habe, sei eine gewesen, nach welcher einer von jenen Rittern, ein gewisser Feirefiz, ihn wiedergefunden und dann einem seiner Söhne geschenkt habe, einem Priester, der später König von Indien geworden sein solle.

»Faseleien«, sagte Boron. »Meinst du, ich hätte jahrelang am falschen Ort gesucht? Wer hat dir denn die Geschichte von diesem Feirefiz erzählt?«

»Jede Geschichte kann gut sein«, meinte der Poet, »und wenn du Kyots Geschichte folgst, kannst du womöglich deinen Gradal finden. Aber im Moment ist es für uns nicht so wichtig, ihn zu finden, sondern erstmal zu klären, ob es sich lohnt, ihn mit dem Priester Johannes zu verbinden. Mein lieber Boron, wir suchen hier nicht einen Gegenstand, sondern jemanden, der über ihn spricht.« Dann wandte er sich an Baudolino: »Was hältst du davon? Der Priester Johannes besitzt den Gradal, aus ihm bezieht er seine allesüberragende Würde, und die könnte er doch auf Friedrich übertragen, indem er ihm das Ding zum Geschenk macht!«

»Und es könnte derselbe Rubinkelch sein, den der Prinz von Sarandib dem Harun al-Raschid gesandt hatte«, regte Solomon an, wobei er vor lauter Erregung begann, durch den zahnlosen Teil seines Mundes zu pfeifen. »Die Sarazenen verehren Jesus als einen großen Propheten, sie könnten den Kelch gefunden haben, und dann könnte Harun ihn seinerseits dem Priester geschenkt haben ...«

»Großartig!« sagte der Poet. »Der Kelch als vorausweisendes Symbol der Wiedergewinnung dessen, was die Mauren zu Unrecht besessen hatten. Von wegen Jerusalem!«

Sie beschlossen, es zu versuchen. Abdul gelang es, nachts aus dem Skriptorium der Abtei von Sankt Viktor ein kostbares, noch nie beschriebenes Pergament zu entwenden. Es fehlte nur noch ein Siegel, um es wie den Brief eines Königs aussehen zu lassen. In jenem Studentenzimmer, das für zwei gedacht war und in dem sich nun sechs Personen um einen wackligen Tisch drängten, diktierte Baudolino mit geschlossenen Augen, als hätte er eine Eingebung. Abdul schrieb, weil seine Handschrift, die er bei den Christen in Übersee erlernt hatte, am ehesten an die Art und Weise erinnerte, wie ein Orientale lateinische Buchstaben schrieb. Bevor er anfing, schlug er vor, damit alle im richtigen Maße scharfsinnig und erfinderisch seien, den Rest des noch in der Dose befindlichen grünen Honigs zu verteilen, doch Baudolino entgegnete, an diesem Abend gelte es, einen klaren Kopf zu behalten.

Als erstes fragten sie sich, ob der Priester nicht in seiner adamitischen Sprache schreiben müßte, oder zumindest in Griechisch, aber dann kamen sie zu dem Schluß, daß ein König wie er zweifellos Sekretäre hatte, die alle Sprachen beherrschten, und daß er an Friedrich aus Höflichkeit in lateinischer Sprache schreiben würde. Auch weil, hatte Baudolino hinzugefügt, der Brief ja den Papst und die anderen christlichen Fürsten überzeugen sollte und daher vor allem auch ihnen verständlich sein mußte.

Der Presbyter Johannes, kraft der Macht und Herrlichkeit Gottes und Unseres Herrn Jesus Christus Herr der Herrschenden, an Friedrich, den Kaiser des Heiligen Römischen Reiches, dem er Gesundheit und fortdauernden Genuß der göttlichen Gnade wünscht.

Unserer Majestät war schon berichtet worden, daß Du Unsere Exzellenz in hoher Achtung hältst und daß Kunde von Unserer Magnifizenz zu Dir gelangt ist. Aber nun haben Wir von Unseren Emissären erfahren, daß Du Uns etwas Erfreuliches und Vergnügliches schicken willst, auf daß sich Unsere Mildtätigkeit daran ergötze. Gern nehmen Wir die Gabe an und schicken Dir durch einen Unserer Boten ein Zeichen von Uns, begleitet vom Wunsche zu wissen, ob Du mit Uns dem rechten Glauben folgst und ob Du in allem an Unseren Herrn Jesus Christus glaubst. In Anbetracht der Größe Unserer Freigebigkeit: wenn Dir etwas dienlich ist, was Dir Vergnügen bereiten könnte, laß es Uns wis-

sen, sei es durch einen Wink gegenüber Unserem Boten oder durch ein Zeugnis Deiner Liebe. Nimm dafür als Gegengabe...

»Warte mal«, sagte Abdul, »das könnte doch der Moment sein, in dem er Friedrich den Gradal schickt!«

»Ja, schon«, sagte Baudolino, »aber diese beiden Pfeifenköpfe Boron und Kyot haben uns immer noch nicht gesagt, um was es sich dabei eigentlich handelt.«

»Sie haben so viele Geschichten gehört, sie haben so viele Dinge gesehen, vielleicht erinnern sie sich nicht mehr an alles. Deswegen hatte ich ja vorgeschlagen, von dem Honig zu nehmen: Der lockert ihnen die Gedanken.«

Vielleicht hatte er recht, der diktierende Baudolino und der schreibende Abdul konnten sich mit Wein begnügen, aber die Zeugen, oder besser die Quellen der Offenbarung, mußten mit grünem Honig angestachelt werden. So kam es, daß nach wenigen Augenblicken Boron, Kyot (verblüfft über die neuen Gefühle, die ihn überkamen) und der Poet, der an dem Honig inzwischen Gefallen gefunden hatte, sich mit einem selig-blöden Lächeln auf den Boden setzten und wild drauflosphantasierten wie Aloadins Geiseln.

»Ah! Oh!« rief Kyot aus. »Ich sehe einen großen Saal und Fackeln, die ihn erleuchten mit einem Licht, wie man es sich nie hätte vorstellen können. Und da erscheint ein Knappe mit einer Lanze so weiß, daß sie im Licht des Kaminfeuers schimmert. Und aus der Spitze der Lanze quillt ein Blutstropfen und rinnt den Schaft hinunter bis auf die Hand des Knappen... Dann kommen zwei weitere Knappen mit vergoldeten Leuchtern, auf denen jeweils mindestens zehn Kerzen brennen. Die Knappen sind wunderschön anzusehen... Und da, jetzt tritt eine Jungfrau herein, die den Gradal hält, und durch den Saal verbreitet sich ein gleißendes Licht... die Kerzen verblassen wie der Mond und die Sterne, wenn die Sonne aufgeht. Der Gradal ist aus reinstem Gold, besetzt mit den kostbarsten Edelsteinen, die es zur See und zu Lande gibt... Und jetzt tritt eine andere Jungfrau herein, die eine silberne Schale trägt...«

»Was ist denn nun dieser verdammte Gradal?« rief der Poet.

»Ich kann ihn nicht sehen, ich sehe nur ein Licht…«

»Du siehst nur ein Licht«, sagte Boron, »aber ich sehe mehr. Da sind Fackeln, die den Saal erleuchten, ja, aber jetzt hört man ein Donnern, ein schreckliches Grollen, als wollte der Palast im Boden versinken. Eine große Finsternis bricht herein… Nein, jetzt erleuchtet ein Sonnenstrahl den Palast siebenmal heller als zuvor. Oh, und da kommt der Heilige Gradal, bedeckt mit einem weißen Samttuch, und den Palast erfüllen die Düfte aller Spezereien der Welt. Und während der Gradal rings um den Tisch getragen wird, füllen sich die Teller vor den Augen der Ritter mit allen nur denkbaren Speisen…«

»Aber was zum Teufel ist denn bloß dieser Gradal?« rief der Poet erneut.

»Nicht fluchen, er ist ein Kelch.«

»Woher weißt du das, wenn er doch unter einem Samttuch ist?«

»Ich weiß es eben«, versteifte sich Boron. »Man hat es mir gesagt.«

»Verflucht sollst du sein in den Jahrhunderten, gemartert werden sollst du von tausend Dämonen! Es scheint, du hättest eine Vision, und dann erzählst du uns, was dir andere *sagen*, und nicht, was du siehst? Du bist ja schlimmer als dieser blöde Ezechiel, der nicht wußte, was er sah, weil diese Juden nicht Bilder betrachten, sondern angeblich nur auf Stimmen hören!«

»Ich muß doch bitten, schamloses Lästermaul!« erboste sich Solomon. »Nicht für mich, aber die Bibel ist ein heiliges Buch, auch für euch verabscheuenswerte Gojim!«

»Beruhige dich, beruhige dich«, sagte Baudolino. »Aber hör mal, Boron. Nehmen wir an, der Gradal ist der Kelch, in dem Unser Herr den Wein verwandelt hat. Wie aber konnte Joseph von Arimathia das Blut des Gekreuzigten darin auffangen, wenn doch der Heiland, als er vom Kreuz abgenommen wurde, schon tot war, und Tote ja, wie du weißt, nicht bluten?«

»Selbst als Toter konnte Jesus noch Wunder wirken.«

»Es war kein Kelch«, mischte sich Kyot ein. »Derselbe Mann, der mir die Geschichte mit Feirefiz erzählt hat, hat mir auch verraten, daß der Gradal ein vom Himmel gefallener Stein war, *lapis ex coelis*, und wenn er ein Kelch war, dann nur, weil er aus diesem Stein geschnitten worden ist.«

»Und warum soll er nicht die Lanzenspitze gewesen sein, die dem Heiland in die Seite gebohrt hat?« fragte der Poet. »Hast du nicht vorhin gesagt, du hättest einen Knappen in den Saal treten sehen, der eine blutende Lanze trug? Siehst du, und ich sehe nicht einen, sondern drei Knappen mit einer Lanze, aus der Bäche von Blut rinnen... Und ich sehe einen als Bischof gekleideten Mann mit einem Kreuz in der Hand, der auf einem Sessel sitzt, welcher von vier Engeln getragen wird, und die Engel stellen ihn vor dem silbernen Tisch ab, auf dem jetzt die Lanze liegt... Dann zwei Knaben, die ein Tablett hereintragen, auf dem der abgeschlagene Kopf eines Menschen liegt, blutüberströmt. Und jetzt spricht der Bischof die heilige Formel über der Lanze und hebt die Hostie empor, und in der Hostie erscheint das Bild eines Kindes! Ich sage euch: Die Lanze ist der wundertätige Gegenstand, und sie ist Zeichen der Macht, weil sie Zeichen der Stärke ist!«

»Nein, aus der Lanze quillt Blut, aber die Tropfen fallen in einen Kelch, zum Beweis des Wunders, von dem ich gesprochen habe«, sagte Boron. »Es ist so einfach...« Und er begann zu lächeln.

»Geben wir's auf«, sagte Baudolino resigniert. »Lassen wir den Gradal sein, was er sein mag, und schreiben wir weiter den Brief.«

»Meine Freunde«, sagte da Rabbi Solomon mit der Distanz dessen, der als Jude nicht sehr beeindruckt war von jener hochheiligen Reliquie. »Diesen Priester Johannes gleich zu Beginn ein so kostbares Geschenk machen zu lassen kommt mir übertrieben vor. Außerdem könnte, wer den Brief liest, Friedrich womöglich bitten, ihm dieses Wunderding zu zeigen. Immerhin können wir ja nicht ausschließen, daß die Geschichten, die Kyot und Boron gehört haben, schon vielerorts zirkulieren, also würde ein Wink genügen, und wer verstehen will, versteht schon. Schreibt lieber nicht Gradal, schreibt auch nicht Kelch, benutzt einen unbestimmteren Ausdruck. Die Torah nennt die erhabensten Dinge nie direkt beim Namen, spricht sie nie im Wortsinn aus, sondern immer nur in einem verborgenen Sinn, den der fromme Leser nach und nach erraten muß, da der Allerhöchste, der Heilige sei immerdar gesegnet, ihn erst am Ende der Zeiten verstanden wissen wollte...«

»Gut, sagen wir also«, schlug Baudolino vor, »er schickt ihm einen Schrein, eine Truhe, eine Lade. Sagen wir: *accipe istam veram arcam*, nimm diese echte Lade entgegen...«

»Das ist nicht schlecht«, sagte Rabbi Solomon. »Es *ent*- und *ver*hüllt zugleich. Es öffnet den Weg zum Strudel der Interpretation.«

So fuhren sie fort zu schreiben:

Wenn Du in Unser Herrschaftsgebiet kommen willst, machen Wir Dich zum Größten und Würdigsten Unseres Hofes, und Du kannst Dich an Unseren Schätzen erfreuen. Mit diesen, die Wir im Überfluß haben, wirst Du sodann überschüttet werden, wenn Du in Dein Reich zurückkehren willst. Gedenke der Letzten Ziele und sündige hinfort nicht mehr.

Nach dieser frommen Ermahnung ging der Priester dazu über, seine Macht zu beschreiben.

»Keine Demut«, empfahl Abdul, »der Priester steht so hoch über allem, daß er sich Hochmut erlauben kann.«

Sehr richtig. Baudolino entledigte sich aller Hemmungen und diktierte. Jener Herr der Herrschenden, *dominus dominantium*, überragte alle Könige auf Erden an Macht, und seine Reichtümer waren grenzenlos, zweiundsiebzig Könige zahlten ihm Tribut, zweiundsiebzig Provinzen gehorchten ihm, auch wenn sie nicht alle christlich waren – womit Solomon zufriedengestellt war, denn so gehörten auch die verstreuten Stämme Israels zu seinen Untertanen. Seine Herrschaft erstreckte sich über die drei Indien, sein Gebiet reichte von den fernsten Wüsten im Osten bis zum Turm von Babel. Jeden Monat bedienten an seiner Tafel sieben Könige, zweiundsiebzig Herzöge und dreihundertfünfundsechzig Grafen, und jeden Tag speisten an seiner Tafel zwölf Erzbischöfe, zwanzig Bischöfe, der Patriarch des

Heiligen Thomas, der Metropolit von Samarkand und der Erzpriester von Susa.

»Ist das nicht zuviel?« fragte Solomon.

»Nein, nein«, sagte der Poet, »es geht darum, sowohl den Papst in Rom wie den Kaiser von Byzanz vor Neid zerplatzen zu lassen. Setz noch hinzu, daß der Priester Johannes gelobt hat, mit einem mächtigen Heer das Heilige Grab zu besuchen, um die Feinde Christi niederzuwerfen. Dies nur zur Bestätigung dessen, was Otto gesagt hatte, und um dem Papst das Maul zu stopfen, falls er etwa einwenden sollte, daß es ihm nicht gelungen sei, den Tigris zu überschreiten. Johannes wird es erneut probieren, darum lohnt es sich, ihn aufzusuchen und ein Bündnis mit ihm zu schließen.«

»Gebt mir jetzt ein paar Ideen, um das Reich zu bevölkern«, sagte Baudolino. »Es müssen dort jede Menge exotische Tiere leben, Elefanten, Kamele, Dromedare, Flußpferde, Krokodile, Panther, Wildesel, weiße und rote Löwen, stumme Zikaden, Greife, Tiger, Lamien, Hyänen, lauter solche, die man bei uns nie sieht und deren Leiber kostbare Trophäen für die sind, die sich entschließen, dort auf die Jagd zu gehen. Und dann nie gesehene Menschen, von denen jedoch in den Büchern über die Natur der Dinge und des Kosmos die Rede ist...«

»Wilde Pfeilschützen, Menschen mit Hörnern, Faune, Satyrn, Pygmäen, Kynozephalen, Giganten, die vierzig Ellen groß sind, Zyklopen, die nur ein Auge haben«, schlug Kyot vor.

»Gut, gut, schreib, Abdul, schreib!« sagte Baudolino.

Im übrigen brauchten sie nur aufzugreifen, was in den Jahren zuvor gedacht und gesagt worden war, und es ein bißchen zu verschönern. Das Land des Priesters Johannes quoll über von Milch und Honig (Rabbi Solomon war entzückt, Nachklänge der Torah zu finden), es gab darin weder Schlangen noch Skorpione, es wurde durchzogen vom Fluß Ydonus, der direkt aus dem Irdischen Paradies kommt, und in ihm fanden sich... Sand und Steine, schlug Kyot vor. Nein, antwortete Rabbi Solomon, das ist der Sambatyon. Ach ja, der Sambatyon, müssen wir den nicht auch mit reinnehmen? Doch, aber später, der Ydonus kommt aus dem Irdischen Paradies, und daher enthält er... Smaragde, Topase, Karfunkel, Saphire, Chrysolithe, Onyxe, Berylle, Amethyste, zählte Kyot auf, der erst vor kurzem dazugekommen war und nicht verstand, warum seine Freunde hier unmißverständliche Zeichen des Überdrusses von sich gaben (wenn ihr mir noch *einmal* mit einem Topas kommt, schluck ich ihn runter und kacke ihn aus dem Fenster raus! schrie Baudolino), denn inzwischen, nach all den Inseln der Seligen und Paradiesen, die sie im Laufe ihrer Recherche gesehen hatten, konnten sie keine Edelsteine mehr ausstehen.

So schlug Abdul vor, in Anbetracht, daß ja das Reich im Orient lag, seltene Spezereien zu nennen, und sie optierten für Pfeffer. Von dem Boron behauptete, er wachse auf Bäumen, die voller Schlangen seien, und wenn er reif sei, stecke man die Bäume in Brand, damit die Schlangen herunterkämen und sich in ihre Löcher verkröchen; alsdann trete man zu den Bäumen und schüttele sie, so daß der Pfeffer von den Zweigen falle, und dann werde er zubereitet, aber niemand wisse, wie.

»Können wir jetzt auch den Sambatyon reintun?« fragte Solomon. »Rein damit«, sagte der Poet, »dadurch wird klar, daß die zehn verstreuten Stämme jenseits des Flusses leben. Oder besser noch, erwähnen wir sie ausdrücklich, dann trägt der Umstand, daß Friedrich auch die zehn Stämme Israels wiederfinden kann, noch mehr zu seinem Ruhme bei.« Abdul merkte an, daß der Sambatyon auch deshalb benötigt werde, weil er das unüberwindliche Hindernis darstellte, das alles Streben vereitele und die Begierde anstachele, sprich: die Eifersucht. Jemand schlug vor, auch einen unterirdischen Bach voller Edelsteine zu erwähnen, und Baudolino meinte, Abdul könne ihn ruhig hinschreiben, aber er, Baudolino, wolle damit nichts zu tun haben, aus Angst, noch einmal das Wort Topas zu hören. Unter Berufung auf Plinius und Isidor von Sevilla beschlossen sie statt dessen, in jenes Land auch die Salamander zu tun, das sind vierbeinige Schlangen, die nur im Feuer leben.

»Es genügt, daß es wahr ist, dann tun wir sie rein«, sagte Baudolino. »Hauptsache, wir erzählen hier keine Fabeln.«

Der Brief erging sich noch eine Weile über die Tugenden, die in jenem Lande herrschten: Jeder Pilger werde aufs wärmste empfangen, es gebe keinerlei Arme, es gebe weder Räuber noch Habgierige noch Schmeichler. Gleich danach versicherte der Priester, er sei überzeugt, daß ihm niemand an Reichtum und an Zahl seiner Untertanen gleichkomme. Um eine Probe dieses Reichtums zu geben, die übrigens auch Sindbad in Sarandib gesehen hatte, beschrieb er sodann, wie er gegen seine Feinde in den Krieg zu ziehen pflegte, nämlich indem er anstelle von Fahnen dreizehn hohe, reich mit Juwelen besetzte Kreuze vor sich herziehen ließ, jedes auf einem Wagen und jeder Wagen gefolgt von zehntausend Reitern und hunderttausend Fußsoldaten. Zog er dagegen in Friedenszeiten aus, so wurde ihm nur ein schlichtes hölzernes Kreuz vorangetragen, zum Gedenken an die Passion des Herrn, sowie ein goldenes Gefäß voller Erde zur Mahnung, daß wir aus Staub sind und wieder zu Staub zerfallen werden. Damit jedoch niemand vergaß, daß der Vorbeiziehende immerhin der König der Könige war, wurde ihm auch ein silbernes Gefäß voller Gold vorangetragen. »Wenn du da jetzt wieder Topase reintust, haue ich dir das Ding über den Schädel«, warnte Baudolino. Daraufhin ließ Abdul sie für diesmal beiseite.

»Aber schreib noch, daß es dort keine Ehebrecher gibt und daß dort niemand lügen darf, und wer es doch tut, stirbt auf der Stelle, will sagen, es ist so, als ob er stürbe, denn er wird ausgestoßen und niemand kümmert sich mehr um ihn.«

»Aber ich habe schon geschrieben, daß es dort keine Laster gibt und keine Räuber...«

»Egal, schreib's nochmal, das Reich des Priesters Johannes muß als ein Ort erscheinen, wo es den Christen gelingt, Gottes Gebote zu befolgen, während es dem Papst nicht gelungen ist, bei seinen Kindern etwas auch nur annähernd Ähnliches zu erreichen, im Gegenteil, er lügt selber, sogar noch mehr als die anderen. Im übrigen, je mehr du darauf insistierst, daß dort niemand lügt, desto einleuchtender wird, daß alles, was Johannes sagt, die reinste Wahrheit ist.«

Weiter schrieb Johannes, daß er jedes Jahr mit einem großen Heer das Grab des Propheten Daniel im zerstörten Babylon besuche, daß man in seinem Lande Fische fange, aus deren Blut die Purpurfarbe gewonnen werde, und daß er seine Herrschaft auch über die Amazonen und die Brahmanen ausübe. Das mit den Brahmanen war Boron nützlich erschienen, weil die Brahmanen von Alexander dem Großen gesehen worden waren, als dieser an die Ränder des allerfernsten Ostens gelangt war. Ihre Präsenz bewies daher, daß das Reich des Priesters Johannes sogar das Reich Alexanders geschluckt hatte.

Nun blieb nichts weiter mehr zu tun, als seinen Palast und seinen magischen Spiegel zu beschreiben, und über diesen hatte der Poet schon an den vorangegangenen Abenden alles Nötige gesagt. Er rief es nur kurz in Erinnerung, wobei er Abdul ins Ohr flüsterte, damit Baudolino nicht schon wieder von Topasen und Beryllen reden hörte, denn es war klar, daß sie diesmal nicht fehlen durften.

»Ich glaube, wer das liest«, sagte Rabbi Solomon am Ende, »wird sich fragen, warum ein so mächtiger König sich lediglich Priester nennen läßt.«

»Richtig, und das bringt uns zum Schluß«, sagte Baudolino. »Schreib, Abdul...«

Warum, o geliebter Friedrich, sich Unsere Erhabenheit nicht einen würdigeren Titel als den des Presbyters gestattet, ist eine Frage, die Deiner Klugheit Ehre macht. Gewiß haben Wir an Unserem Hofe Ministerialen, die mit viel höheren Titeln und Ämtern versehen sind, besonders was die kirchliche Hierarchie betrifft... Unser Truchseß ist Primas und König, Unser Mundschenk König und Erzbischof, Unser Kämmerer Bischof und König, Unser Seneschall König und Archimandrit, Unser Küchenmeister König und Abt. Daher hat Unsere Hoheit, da sie es nicht ertragen konnte, mit den nämlichen Titeln und Würden bezeichnet zu werden, von denen Unser Hof überfließt, aus Demut beschlossen, einen geringeren Titel und niedrigeren Rang zu führen. Für den Augenblick mag

es Dir genügen zu wissen, daß Unser Reich sich auf der einen Seite
über vier Monate Fußmarsch erstreckt und auf der anderen so weit,
daß niemand weiß, wo es endet. Könntest Du die Sterne am Him-
mel zählen und die Sandkörner am Meer, so könntest Du Unsere
Besitztümer und Unsere Macht ermessen.

Es wurde schon fast hell, als unsere Freunde den Brief beendeten. Die vom Honig genommen hatten, befanden sich noch in einem Zustand lächelnden Staunens, die nur Wein getrunken hatten, waren beschwipst, der Poet, der sich beides genehmigt hatte, konnte sich nur mit Mühe auf den Beinen halten. Singend torkelten sie durch die Gassen und Straßen, zeigten einander voller Ehrfurcht das Pergament und glaubten inzwischen fest, daß es soeben aus dem Reich des Priesters Johannes eingetroffen sei.

»Hast du es gleich an Rainald geschickt?« fragte Niketas.
»Nein. Nach der Abreise des Poeten haben wir es monatelang immer wieder gelesen und überarbeitet, einzelne Stellen abgeschabt und neu geschrieben. Immer wieder schlug jemand irgendeine Ergänzung vor.«
»Aber Rainald wartete doch sicher auf den Brief, oder?«
»Die Sache war die, daß Rainald inzwischen seines Postens als Reichskanzler enthoben und durch den Mainzer Erzbischof Christian von Buch ersetzt worden war. Gewiß war Rainald in seiner Eigenschaft als Erzbischof von Köln auch Erzkanzler von Italien und noch immer sehr mächtig, was man unter anderem auch daran sah, daß er es war, der die Heiligsprechung Karls des Großen in Aachen organisiert hatte, aber diese Auswechslung bedeutete, zumindest in meinen Augen, daß Friedrich begonnen hatte, Herrn Rainald als zu aufdringlich zu empfinden. Wie also konnten wir dem Kaiser einen Brief präsentieren, der im Grunde von Rainald gewünscht worden war? Ich habe vergessen zu sagen, daß in jenem selben Jahr der Heiligsprechung die Kaiserin Beatrix einen zweiten Sohn geboren hatte und der Kaiser daher an anderes dachte, auch weil, wie man hörte, sein erster Sohn ständig krank war. So verging alles in allem mehr als ein Jahr.«

»Hat Rainald euch nicht gedrängt?«

»Zuerst hatte er anderes im Kopf. Dann starb er. Während Friedrich in Rom war, um Alexander III. zu vertreiben und seinen Gegenpapst auf den Thron zu setzen, brach dort eine Pestseuche aus, und die Pest rafft Arm und Reich dahin. Auch Rainald starb. Ich war erschüttert, obwohl ich ihn nie wirklich gemocht hatte. Er war arrogant und nachtragend, doch er war ein kühner Mann gewesen und hatte sich bis zum Ende für seinen Herrn geschlagen. Friede seiner Seele. Aber hatte nun, ohne ihn, unser Brief noch einen Sinn? Er wäre als einziger schlau genug gewesen, ihn sich zunutze zu machen, indem er ihn in den Kanzleien der ganzen christlichen Welt zirkulieren ließ.«

Baudolino machte eine Pause. »Und dann war da auch noch die Geschichte mit meiner Stadt.«

»Welcher Stadt? Bist du nicht in einem Sumpf geboren?«

»Stimmt, ich gehe zu schnell vor. Wir müssen erst noch meine Stadt erbauen.«

»Endlich erzählst du mal nicht von einer zerstörten Stadt!«

»Ja«, sagte Baudolino, »es war das erste und einzige Mal in meinem Leben, daß ich eine Stadt entstehen und nicht untergehen sah.«

13. Kapitel

Baudolino sieht eine neue Stadt entstehen

Seit zehn Jahren lebte Baudolino nun in Paris, er hatte alles gelesen, was man lesen konnte, er hatte Griechisch gelernt von einer byzantinischen Prostituierten, er hatte Gedichte und Liebesbriefe geschrieben, die anderen zugeschrieben worden waren, er hatte praktisch ein Reich konstruiert, das inzwischen niemand besser kannte als er und seine Freunde, aber er studierte noch immer. Er tröstete sich mit dem Gedanken, daß es ja schon eine recht beachtliche Leistung war, überhaupt in Paris zu studieren, wenn man bedachte, daß er in einem Sumpf geboren und zwischen Kühen aufgewachsen war; dann sagte er sich, daß studieren zu gehen für arme Schlucker wie ihn ja auch leichter war als für die Söhne von Herren, die kämpfen lernen mußten, nicht lesen und schreiben... Mit einem Wort, er fühlte sich nicht ganz wohl in seiner Haut.

Eines Tages wurde ihm klar, daß er inzwischen, einen Monat mehr, einen weniger, sechsundzwanzig Jahre alt sein mußte: Da er mit dreizehn von zu Hause fortgegangen war, hatte er sich seit genau dreizehn Jahren nicht mehr dort sehen lassen. Er verspürte ein Gefühl, das wir Heimweh nennen würden, nur daß er selbst, der es noch nie verspürt hatte, nicht wußte, was es war. Daher hielt er es für den Wunsch, seinen Adoptivvater wiederzusehen, und so beschloß er, sich nach Basel zu begeben, wo Friedrich auf der Rückkehr von einem erneuten Italienzug haltgemacht hatte.

Er hatte den Kaiser seit der Geburt von dessen erstem Sohn nicht mehr gesehen. Während er den Brief des Priesters Johannes schrieb und immer wieder umschrieb, hatte Friedrich alles mögliche unternommen, hatte sich wie ein Flußaal von Norden nach Süden bewegt, hatte im Sattel gegessen und geschlafen wie seine barbarischen Ahnen, und seine Residenz war immer dort gewesen, wo er sich gerade befand. Zwei weitere Male war er nach Italien gezogen. Beim zweiten Mal hatte er auf der Rückkehr eine Schmach in Susa erlitten, wo sich die Bürger gegen ihn erhoben und ihn gezwungen hatten, heimlich und verkleidet zu fliehen, während sie Beatrix als Geisel behielten. Später hatten sie sie zwar gehen lassen, ohne ihr ein Haar zu krümmen, aber Friedrich war übel gedemütigt worden und hatte Susa Rache geschworen. Und als er dann wieder in Deutschland war, konnte er sich beileibe nicht ausruhen, sondern mußte die deutschen Fürsten besänftigen.

So kam es, daß Baudolino den Kaiser in einer sehr trüben Stimmung vorfand. Er begriff, daß er sich einerseits immer mehr Sorgen über die Gesundheit seines ältesten Sohnes machte, der ebenfalls Friedrich hieß, und andererseits über die Entwicklung in der Lombardei.

»Zugegeben«, räumte er ein, »und das sage ich nur dir: Meine Stadtvögte und Gesandten, meine Steuereinnehmer und Prokuratoren haben nicht nur verlangt, was mir zustand, sondern siebenmal mehr. Für jede Feuerstelle haben sie pro Jahr drei Solidi in alter Münze eingetrieben und für jede Mühle an schiffbaren Gewässern vierundzwanzig alte Denare, den Fischern haben sie ein Drittel des Fangs weggenommen, und wenn einer kinderlos starb, haben sie das Erbe konfisziert. Ich weiß, ich hätte auf die Klagen hören sollen, die mich erreichten, aber ich hatte andere Sorgen … Und jetzt haben sich die lombardischen Gemeinden, wie es scheint, seit einigen Monaten in einer Liga organisiert, einem antikaiserlichen Städtebund, verstehst du? Und was haben sie als erstes beschlossen? Die Mauern Mailands wieder aufzubauen!«

Daß die italienischen Städte aufsässig und rebellisch waren, war nichts Neues, aber eine Liga, das bedeutete die Errichtung einer anderen *Res publica*. Gewiß war nicht anzunehmen, daß diese Liga lange halten würde, wenn man bedachte, wie sehr sich die italienischen Städte untereinander haßten, aber auf jeden Fall handelte es sich um einen Schlag, einen *vulnus* gegen die Ehre des Reiches.

Wer gehörte zu dieser Liga? Gerüchten zufolge hatten sich in einer Abtei unweit von Mailand die Vertreter von Cremona, Mantua, Bergamo, vielleicht auch Piacenza und Parma versammelt, aber das war nicht sicher. Die Gerüchte hörten jedoch nicht auf, man sprach auch von Venedig, Verona, Padua, Vicenza, Treviso, Ferrara und Bologna. »Stell dir vor, Bologna!« rief Friedrich wütend, während er vor Baudolino auf und ab stapfte. »Du erinnerst dich doch noch? Dank meiner Güte können ihre verdammten Magister mit ihren verdammten Studenten soviel Geld machen, wie sie wollen, ohne mir oder dem Papst darüber Rechenschaft abzulegen, und jetzt beteiligen sie sich an dieser Liga! Kann man's noch schändlicher treiben? Fehlt nur noch Pavia!«

»Oder Lodi«, warf Baudolino ein, um etwas ganz Abwegiges zu sagen. »Lodi?! Lodi?!« brüllte der Rotbart, nun auch im Gesicht so rot, daß es aussah, als werde ihn gleich der Schlag treffen. »Wenn ich den Nachrichten glauben darf, die ich bekomme, hat Lodi bereits an ihren Treffen teilgenommen! Ich reiße mir das Herz aus dem Leibe, um diese Elenden zu beschützen, die ohne mich von den Mailändern alle paar Monate plattgemacht würden bis auf die Grundmauern, und jetzt machen sie gemeinsame Sache mit ihren Henkern und verschwören sich gegen ihren Wohltäter!«

»Lieber Vater«, fragte Baudolino, »was heißt dieses ›Wenn ich glauben darf‹ und ›Wie es scheint‹? Hast du keine sicheren Nachrichten?«

»Ja habt ihr Studenten in Paris den Sinn dafür verloren, wie die Dinge laufen in dieser Welt? Wenn es eine Liga gibt, dann gibt es eine Verschwörung, und wenn es eine Verschwörung gibt, dann haben die, die es vorher mit dir hielten, dich verraten und erzählen dir genau das Gegenteil dessen, was sie treiben, und so erfährt der Kaiser als letzter, was vorgeht, genau wie jene Ehemänner, die eine untreue Frau haben, über deren Untreue alle Bescheid wissen außer ihnen selbst!«

Er hätte kein schlechteres Beispiel wählen können, denn genau in dem Augenblick kam Beatrix herein, die von der Ankunft des lieben Baudolino gehört hatte. Baudolino kniete nieder, um ihr die Hand zu küssen, ohne ihr in die Augen zu sehen. Beatrix zögerte einen Moment. Vielleicht meinte sie, wenn sie keine Zeichen der Vertrautheit und Zuneigung gäbe, würde sie ihre Verlegenheit verraten; daher legte sie ihm die andere Hand mütterlich auf den Kopf und kraulte ihm ein bißchen im Haar – wobei sie ganz vergaß, daß eine Frau von Anfang Dreißig einen erwachsenen, nur wenige Jahre jüngeren Mann nicht mehr so behandeln konnte. In Friedrichs Augen war ihr Verhalten jedoch ganz normal: er Vater, sie Mutter, wenn auch beide nur Adoptiveltern. Wer sich fehl am Platze fühlte, war Baudolino. Diese zweifache Berührung, die Nähe ihrer Person, der Duft ihres Kleides, als wäre es der ihrer Haut, der Klang ihrer Stimme – und welch ein Glück, daß er ihr in dieser Haltung nicht in die Augen sehen konnte –, all dies erfüllte ihn mit einem unsäglichen Entzücken, das allerdings beeinträchtigt wurde durch das Gefühl, mit dieser schlichten Huldigungsgeste ein weiteres Mal seinen Stiefvater zu verraten.

Er hätte nicht gewußt, wie er sich verabschieden sollte, hätte der Kaiser ihn nicht um einen Gefallen gebeten oder ihm einen Befehl erteilt, was auf dasselbe hinauslief. Um in den italienischen Dingen klarer zu sehen und sich dabei weder auf seine offiziellen Gesandten noch auf seine extra gesandten Offiziellen verlassen zu müssen, hatte er beschlossen, einige wenige Männer seines Vertrauens hinzuschicken, die das Land kannten, aber nicht sofort als Kaiserliche erkannt werden würden, auf daß sie die Atmosphäre erkundeten und glaubwürdige, nicht durch Verrat verfälschte Zeugnisse sammelten.

Baudolino gefiel die Vorstellung, auf diese Weise der Verlegenheit zu entgehen, die er am Hofe empfand, aber gleich darauf überkam ihn ein anderes Gefühl: Er verspürte eine tiefe Erregung bei dem Gedanken, seine heimatlichen Orte wiederzusehen, und begriff endlich, daß er sich deswegen auf die Reise gemacht hatte.

Nachdem er durch mehrere Städte gekommen war, gelangte er eines Tages munter fürbaß reitend, oder besser gesagt gemächlich auf einem Muli dahinzockelnd, denn er gab sich als Händler aus, der friedlich über die Dörfer zog, auf jene Höhen, hinter welchen er nach einem guten Stück Ebene den Tanaro würde durchwaten müssen, um zwischen Karstland und Sümpfen die heimische Frascheta zu erreichen.

Obwohl man damals, wenn man von zu Hause fortging, wirklich fortging, ohne die Absicht, jemals wiederzukommen, spürte Baudolino in diesem Augenblick ein Kribbeln in seinen Adern, denn plötzlich packte ihn der dringende Wunsch, zu wissen, ob seine Eltern noch lebten.

Nicht nur seine Eltern, denn unwillkürlich standen ihm auch Jungen aus der Umgebung vor Augen, der Masulu von den Panizzas, mit dem er Fallen für wilde Kaninchen aufgestellt hatte, der Porcelli, genannt il Ghino (oder war es der Ghini, genannt il Porcello?), den sie, kaum daß sie ihn sahen, immer mit Steinen beworfen hatten und er zurück, der Aleramo Scaccabarozzi, genannt il Ciula, und der Cuttica aus Quargnento, mit denen er immer in der Bormida geangelt hatte. »Herr«, dachte er bei sich, »ich werde doch wohl jetzt nicht sterben? Heißt es doch, daß man sich nur im Moment des Todes so gut an die Dinge der Kindheit erinnert...«

Es war der Weihnachtsabend, aber das wußte Baudolino nicht, denn im Laufe seiner Reise hatte er aufgehört, die Tage zu zählen. Er zitterte vor Kälte auf seinem steifbeinig staksenden Muli, aber der Himmel war klar im Licht der untergehenden Sonne und sauber, wie wenn es bereits nach Schnee riecht. Er erkannte die Orte wieder, als ob er gerade erst gestern vorbeigekommen wäre, er erinnerte sich, wie er mit seinem Vater auf diese Hügel gestiegen war, um drei Mulis abzuliefern, mühsam steile Hänge hinauf, die schon von sich aus die Beine eines Jungen erlahmen lassen konnten, wie also erst, wenn er auch noch störrische Tiere hinauftreiben mußte. Aber den Rückweg hatten sie genossen, von oben auf die Ebene blickend und frei den Hang hinuntertänzelnd. Baudolino erinnerte sich, daß die Ebene sich unweit des Flusses ein Stückweit zu einem Buckel aufwarf, von dessen Höhe herab er damals aus einer milchigen Schicht die Kirchtürme einiger Dörfer auftauchen sah, längs des Flusses, wo Bergoglio und Roboreto lagen und weiter hinten Gamondio, Marengo und die Palea, das heißt jenes Sumpfgebiet aus Tümpeln, Schotter und Buschwald, an dessen Rand vielleicht noch immer die Hütte des guten Gagliaudo stand.

Doch als er nun auf dem Buckel ankam, sah er ein anderes Panorama, als wäre die Luft ringsum, auf den Hügeln und in den anderen Tälern glasklar und nur in der Ebene vor ihm getrübt von Nebelschwaden, von jenen grauweißen Wolkenballen, die dem Wanderer plötzlich entgegenkommen, ihn völlig einhüllen, so daß er nichts mehr sieht, und dann weiterziehen und verschwinden, wie sie gekommen sind – so daß Baudolino sich sagte, siehst du, ringsum kann auch August sein, aber in der Frascheta herrscht ewiger Nebel, so wie der ewige Schnee auf den Alpengipfeln –, aber das mißfiel ihm nicht, denn wer im Nebel geboren ist, findet sich immer darin zurecht wie bei sich zu Hause. Doch während er zum Fluß hinunterritt, wurde ihm zunehmend klar, daß jene Schwaden kein Nebel waren, sondern Rauch, durch den da und dort auch die Feuer durchschimmerten, die ihn nährten. Zwischen Rauch und Feuern erkannte Baudolino dann langsam, daß in der Ebene jenseits des Flusses, rings um das, was früher einmal Roboreto gewesen sein mußte, das Dorf ins Land hinausgewuchert war. Überall standen Grüppchen von neuen Häusern, einige aus Stein und andere aus Holz, viele erst halbfertig, und im Westen erkannte man sogar den Anfang einer Stadtmauer, was es in dieser Gegend noch nie gegeben hatte. Und über den Feuern hingen Kessel, vielleicht wurde darin Wasser abgekocht, damit es nicht sofort gefror, während weiter drüben andere damit beschäftigt waren, es in Gräben voller Kalk oder Mörtel zu gießen. Kurzum (Baudolino hatte die Baustelle der neuen Kathedrale in Paris gesehen, auf der Insel im Fluß, und er kannte die Gerätschaften und Gerüste, mit denen die Maurermeister arbeiteten), nach allem, was er von einer Stadt wußte, waren die dort unten dabei, eine zu bauen, und es war ein Schauspiel, wie man es bestenfalls einmal im Leben sieht, und das war's dann.

»Tzz, tzz«, sagte er sich, »du schaust bloß mal einen Augenblick weg, und schon haben sie wieder was angestellt!« Er gab seinem Muli die Sporen, um rasch ins Tal hinunterzugelangen, und nachdem er den Tanaro auf einem Floß überquert hatte, das Steine jeder Art und Größe hinüberbrachte, hielt er an einer Stelle an, wo einige Arbeiter auf einem wackligen Gerüst dabei waren, eine Mauer hochzuziehen, während andere am Boden mit einer Seilwinde Körbe voller Gestein und Schotter zu ihnen hinaufkurbelten. Die Seilwinde konnte man sich allerdings primitiver nicht vorstellen, sie bestand eher aus dünnen Stangen als aus robusten Pfählen, so daß sie immer wieder ins Wanken geriet, und die beiden Männer, die sie am Boden drehten, schienen mehr damit beschäftigt, dieses gefährliche Schwanken zu bekämpfen, als das Seil aufzuwickeln. Baudolinos erster Gedanke war: Da sieht man's wieder, wenn die Leute aus dieser Gegend was machen, dann machen sie's entweder schlecht oder noch schlechter, nun sieh dir bloß mal an, wie die arbeiten, wenn ich hier der Meister wäre, ich hätte sie längst allesamt am Hosenboden gepackt und in den Tanaro geworfen!

Aber dann sah er ein Stück weiter hinten einen anderen Trupp, der sich anschickte, eine kleine Loggia zu bauen, mit roh behauenen Steinen, roh zugeschnittenen Balken und Kapitellen, die von einem wilden Tier gestaltet schienen. Auch sie hatten eine Art Flaschenzug konstruiert, um das Material emporzuhieven, und bei seinem Anblick fand Baudolino, daß verglichen mit diesen die anderen vorhin große Meister waren. Schließlich hörte er auf, Vergleiche anzustellen, als er kurz darauf andere sah, die so bauten, wie Kinder es tun, wenn sie mit nasser Erde batzen, und sie legten gerade letzte Hand – es waren eher letzte Fußtritte – an ein Bauwerk, das drei anderen glich, die daneben standen, alle aus Lehm und unförmigen Steinen mit Dächern aus schlecht zusammengepreßtem Stroh, so daß eine Art Gasse mit rasch hingeschluderten Bauten entstand, als trügen die Arbeiter einen Wettstreit aus, wer zuerst fertig war, ohne sich im geringsten um die Regeln des Handwerks zu kümmern.

Als er jedoch tiefer in die unfertigen Windungen dieser noch unbestimmten Anlage eindrang, entdeckte er da und dort auch gutgebaute, geradwinklige Mauern, ordentlich ausgerichtete Fassaden und Bastionen, die, obwohl noch unvollendet, einen massiven und durchaus schutzgewährenden Eindruck machten. Aus alledem war zu entnehmen, daß offenbar Leute verschiedener Herkunft und Geschicklichkeit zum Bau dieser Stadt zusammengekommen waren, und wenn viele sicher noch Neulinge in diesem Handwerk waren, Bauern, die Häuser bauten, wie sie ihr Leben lang Hundehütten und Ziegenställe gebaut hatten, mußten andere doch schon eine gewisse Erfahrung haben.

Während er sich in dieser Vielfalt von Tätigkeiten zu orientieren versuchte, entdeckte Baudolino auch eine Vielfalt von Dialekten – an denen zu erkennen war, daß jenes Häuflein armseliger Hütten von Dörflern aus Solero gebaut wurde und jener krumme Turm von Leuten aus dem Montferrat, daß es Pavesaner waren, die jenen suppigen Mörtelbrei anrührten, und Holzfäller aus der Palea, die jene Bretter sägten. Wann immer er jedoch jemanden Befehle erteilen hörte oder einen Trupp sah, der ordentlich arbeitete, hörte er genuesischen Dialekt.

»Bin ich hier mitten in den Turmbau zu Babel hineingeraten«, fragte sich Baudolino, »oder in Abduls Hibernia, wo zweiundsiebzig Weise die Sprache Adams rekonstruierten, indem sie alle Idiome zusammenrührten, wie man Wasser und Lehm oder Pech und Teer zusammenrührt? Aber hier sprechen sie noch nicht die Sprache Adams, und obwohl sie alle zusammen bestimmt zweiundsiebzig Sprachen sprechen, Menschen so unterschiedlicher Herkunft, daß sie sich gewöhnlich gegenseitig an die Gurgel fahren, sind sie hier alle in Liebe und Eintracht am Werk.«

Er näherte sich einem Trupp, der gerade dabei war, einem Bau mit gekonnten Griffen ein Dachgebälk aufzusetzen, als handle es sich um eine Abteikirche, wobei die Arbeiter eine große Winde benutzten, die nicht von Menschenhand gedreht wurde, sondern von einem Zugpferd, das aber kein Joch mit einem Halsgurt trug, durch den ihm die Kehle eingeschnürt würde, wie es noch in manchen

Gegenden üblich war, sondern ein bequemes Kummet-joch, so daß es mit voller Kraft ziehen konnte. Die Arbeiter gaben eindeutig genuesische Laute von sich, und Baudolino sprach sie sofort in ihrer Sprache an, wenn auch nicht so perfekt, daß sie ihn für einen der ihren hielten.

»Was macht ihr hier Schönes?« fragte er, um ein Gespräch anzuknüpfen. Woraufhin einer von ihnen böse aufblickte und sagte, sie machten eine Maschine, um sich den Pimmel zu kratzen. Alle prusteten los, und da klar war, daß sie über ihn lachten, erwiderte Baudolino (der es schon leid war, den unbewaffneten Händler auf einem Maultier spielen zu müssen, während er im Gepäck, säuberlich eingerollt in eine Decke, sein Schwert als Hofmann hatte) im Dialekt der Frascheta, der ihm nach all den Jahren spontan auf die Lippen kam, er habe keinen Bedarf an *machinae*, da ihm gewöhnlich der Pimmel, den wohlerzogene Menschen Schwanz nennten, von jenen Huren gekratzt würde, die ihre Müttern seien. Die Genueser verstanden zwar nicht genau, was er sagte, errieten aber die Absicht. Sie ließen ihre Arbeit liegen, griffen sich einen Stein oder einen Knüppel und stellten sich im Halbkreis um das Maultier. Zum Glück näherten sich in diesem Moment andere Leute, darunter einer, der wie ein Ritter aussah, und der sagte zu den Ge-nuesern in einer Mischung aus Latein, Provenzalisch und wer weiß was, der Pilgersmann spreche wie einer aus dieser Gegend und daher sollten sie ihn nicht behandeln, als ob er kein Recht hätte, hier durchzureiten. Die Genueser recht-fertigten sich: er habe Fragen gestellt, als ob er ein Spitzel wäre, woraufhin der Ritter erwiderte, um so besser, wenn der Kaiser nun Spitzel ausschicke, dann erfahre er endlich, daß hier eine Stadt entstehe, extra um ihm Ärger zu machen. Und zu Baudolino sagte er: »Ich habe dich noch nie gese-hen, aber du siehst aus wie einer, der heimkehrt. Woher kommst du?«

»Herr«, antwortete Baudolino höflich, »ich bin in der Frascheta geboren, aber ich war viele Jahre fort und weiß nichts von alledem, was hier geschieht. Ich heiße Baudoli-no, Sohn des Gagliaudo Aulari...«

Er hatte noch nicht zu Ende gesprochen, da hob einer

aus der Gruppe der Neugekommenen, ein Alter mit weißem Haar und weißem Bart, einen Stock und fing an zu zetern: »Lügner, verdammter, der Blitz soll dich treffen, wie kannst du's wagen, den Namen meines armen Baudolino zu benutzen, meines Sohnes, jawohl, denn ich selbst bin der Gagliaudo Aulari, und vor so vielen Jahren ist er fortgezogen mit einem alemannischen Herrn, der ein großer Herr schien, aber wohl doch bloß ein Gaukler war, der Affen auf den Jahrmärkten tanzen läßt, denn ich hab nie wieder was von meinem Jungen gehört, nach so vielen Jahren kann er nur tot sein, weshalb meine liebe Frau und ich uns seit dreißig Jahren verzehren, denn das ist der größte Schmerz unseres Lebens gewesen, das eh schon schwer genug war, aber einen Sohn zu verlieren, was das bedeutet, weiß nur, wer's selber erfahren hat!«

Da konnte Baudolino nicht länger an sich halten und rief: »Vater, mein Vater, du bist es wirklich!« und die Stimme versagte ihm fast und Tränen sprangen ihm in die Augen, aber es waren Tränen, die eine große Freude verrieten. Dann fügte er hinzu: »Aber es sind keine dreißig Jahre gewesen, die ihr gelitten habt, ich bin erst vor dreizehn Jahren fortgegangen, und du solltest froh sein, daß aus mir was geworden ist.« Der Alte trat zu dem Maultier, sah Baudolino ins Gesicht und sagte: »Auch du bist es wirklich! Wären auch dreißig Jahre vergangen, diesen dußligen Blick hast du nicht verloren, aber weißt du, was ich dir sage? Du magst vielleicht jemand geworden sein, aber deinem Vater unrecht geben, das darfst du nicht. Wenn ich dreißig Jahre gesagt habe, dann weil es mir vorgekommen ist wie dreißig Jahre, und in dreißig Jahren hättest du auch mal was von dir hören lassen können, Unglücksmensch, nichtsnutziger, jawohl, das bist du, du bist das Unglück unserer Familie, komm runter da von deinem Maultier, das du wahrscheinlich gestohlen hast, daß ich dir diesen Knüppel über die Rübe haue!« Und schon hatte er Baudolino am Fuß gepackt, um ihn herunterzuzerren, aber da trat der Herr dazwischen, der wie ein Ritter aussah, und sagte: »Komm, Gagliaudo, begrüß deinen wiedergefundenen Sohn nach dreißig Jahren…«

»Dreizehn«, sagte Baudolino.

»Du sei still, wir beide reden gleich miteinander. Nach dreißig Jahren hast du ihn wiedergefunden, und in solchen Fällen umarmt man sich und dankt dem Himmel, Herrgott!« Baudolino war inzwischen abgestiegen und machte Anstalten, sich seinem Vater in die Arme zu werfen, der zu weinen begonnen hatte, aber da trat der Herr, der wie ein Ritter aussah, von neuem dazwischen und packte Baudolino am Kragen: »Wenn es hier jemanden gibt, der eine Rechnung mit dir zu begleichen hat, dann bin ich es.«

»Und wer bist du?« fragte Baudolino. »Ich bin Oberto del Foro, aber du weißt es nicht mehr und erinnerst dich womöglich an gar nichts. Ich war vielleicht zehn Jahre alt, und mein Vater hatte sich herabgelassen, einen Besuch bei deinem Vater zu machen, um ein paar Kälber zu besichtigen, die er kaufen wollte. Ich war so angezogen, wie es sich für den Sohn eines Ritters gehörte, und mein Vater wollte nicht, daß ich mit in den Stall ging, weil er fürchtete, daß ich mich schmutzig machen würde. So bin ich draußen ums Haus gegangen, und hinter dem Haus warst du, und du warst total verdreckt, daß man meinen konnte, du wärst direkt aus einem Misthaufen gestiegen. Du bist auf mich zugekommen, hast mich angesehen, hast mich gefragt, ob ich ein Spiel mit dir machen wolle, ich Dummkopf habe ja gesagt, und da hast du mir einen Stoß gegeben, der mich rücklings in den Schweinetrog fallen ließ. Als mein Vater mich in dem Zustand sah, verpaßte er mir eine Tracht Prügel, weil ich das neue Gewand ruiniert hatte.«

»Mag sein«, sagte Baudolino, »aber das ist dreißig Jahre her...«

»Bisher sind es erst dreizehn, und seit damals habe ich jeden Tag daran gedacht, denn nie im Leben bin ich so tief gedemütigt worden wie damals, und immer habe ich mir seitdem gesagt: Wenn ich eines Tages den Sohn dieses Gagliaudo treffe, bringe ich ihn um.«

»Und jetzt willst du mich umbringen?«

»Jetzt nicht, genauer, nicht mehr, weil wir hier alle zusammengekommen sind, um eine Stadt zu erbauen, damit wir dem Kaiser Widerstand leisten können, wenn er wieder in diese Gegend kommt, und da will ich meine Zeit nicht damit vertun, dich umzubringen. Dreißig Jahre lang...«

»Dreizehn.«

»Dreizehn Jahre lang habe ich diese Wut im Bauch gehabt, und stell dir vor, gerade jetzt ist sie mir vergangen.«

»Manchmal, wenn man's ausspricht...«

»Laß die klugen Sprüche, geh deinen Vater umarmen. Und danach, wenn du mich für damals um Entschuldigung bittest, gehen wir alle gemeinsam zu einem gerade fertig gewordenen Haus, wo Richtfest gefeiert wird, denn in solchen Fällen ist es üblich, einen Becher vom Guten zu leeren und, wie unsere Alten sagten, *alé, goga e migoga!*«

So fand sich Baudolino in einem geräumigen Keller wieder. Die Stadt war noch nicht fertig, und schon war die erste Taverne eröffnet mit einer schönen Laube im Hof, aber in dieser Jahreszeit saß man besser drinnen, in einer Höhle, die wie ein großes Faß gestaltet war, an langen hölzernen Tischen vor schönen Krügen und Tellern mit kleinen Salami aus Eselsfleisch, die dir (erklärte Baudolino dem entsetzten Niketas) wie aufgeblasene Schläuche vorkommen mögen, du schneidest sie auf und läßt sie in Öl und Knoblauch brutzeln, und sie sind eine Köstlichkeit. Kein Wunder also, daß die Versammelten allesamt fröhlich, übelriechend und leicht beschwipst waren. Oberto del Foro verkündete ihnen die Rückkehr des Sohnes von Gagliaudo Aulari, und sofort kamen einige herbeigestürzt, um Baudolino auf die Schultern zu schlagen, und er riß zuerst überrascht die Augen auf, und dann schlug er zurück in einer wahren Orgie des Wiedererkennens, die gar nicht aufhören wollte. »O Herr im Himmel, du bist doch der Scaccabarozzi! Und du der Cuttica aus Quargnento! Und du, wer bist du? Nein, warte, laß mich raten, ach ja, du bist der Squarciafichi! Und du bist der Ghini oder der Porcelli?«

»Nein, der Porcelli ist er, den ihr immer mit Steinen beworfen habt. Ich war der Ghino Ghini, und um die Wahrheit zu sagen, ich bin es noch. Wir beide sind immer im Winter zum Schlittern aufs Eis gegangen.«

»Herrgott ja, stimmt, du bist der Ghini. Aber warst du nicht der, der einem alles verkaufen konnte, sogar die Köttel von deiner Ziege wie damals, als du sie diesem Pilger als sterbliche Reste von San Baudolino angedreht hattest?«

»Ja freilich, und jetzt bin ich Kaufmann geworden, da kannst du mal sehen, daß es wirklich ein Schicksal gibt. Und der da, rate mal, wer das ist...«

»He, das ist ja der Merlo! Merlo, was hab ich immer zu dir gesagt?«

»Du hast immer zu mir gesagt: Du hast's gut, du bist blöd und nimmst nix krumm... Und statt dessen, sieh her, anstatt was zu nehmen, hab ich was verloren«, und er streckte den rechten Arm vor, an dem keine Hand mehr war. »Bei der Belagerung von Mailand, der vor zehn Jahren.«

»Ach je, du Ärmster! Aber hör mal, grad wollt' ich's schon sagen, soweit ich weiß, waren doch die Leute aus Gamondio, Bergoglio und Marengo immer auf der Seite des Kaisers gewesen. Wie kommt das, erst wart ihr mit ihm, und jetzt baut ihr eine Stadt gegen ihn?«

Alle redeten gleichzeitig los, um es ihm zu erklären, und das einzige, was Baudolino verstand, war, daß rings um die alte Burg und die Kirche der Santa Maria von Roboreto eine Stadt entstanden war, erbaut von Leuten aus den Nachbardörfern wie eben Gamondio, Bergoglio und Marengo, aber mit Scharen ganzer Familien, die von überallher zusammengeströmt waren, aus Rivalta Bormida, aus Bassignana oder aus Piovera, um sich Häuser zu bauen und sie dann zu bewohnen. Und schon im Mai waren drei von ihnen, Rodolfo Nebia, Aleramo aus Marengo und Oberto del Foro, nach Lodi gegangen, um den dort versammelten Kommunen den Beitritt der neuen Stadt zu verkünden, obwohl es diese vorerst noch mehr in den Köpfen als am Ufer des Tanaro gab. Doch alle hatten sie dann geschuftet wie die Tiere, den ganzen Sommer lang und auch den Herbst, und jetzt war die Stadt beinahe fertig, bereit, dem Kaiser den Weg zu versperren, wenn er das nächste Mal nach Italien ziehen würde, wie es seine schlechte Gewohnheit war.

Aber wie denn den Weg versperren, fragte Baudolino ein bißchen skeptisch, er braucht doch bloß außen herum zu gehen? Ha, nein, antworteten sie, du kennst den Kaiser nicht (dachten die!), eine Stadt, die ohne seine Einwilligung entsteht, ist für ihn ein Schandfleck, der nur mit Blut abgewaschen werden kann. Er wird gezwungen sein, sie zu belagern (und hier hatten sie recht, sie kannten Friedrichs Charakter gut), deswegen brauchen wir solide Mauern und Straßen, die extra für den Krieg gebaut sind, und zu diesem Zweck haben wir uns die Genueser geholt. Die sind zwar Seeleute, aber sie fahren in viele fremde Länder, um dort neue Städte zu erbauen, und sie kennen sich aus.

Aber die Genueser sind keine Leute, die etwas umsonst machen, sagte Baudolino. Wer hat sie bezahlt? Sie selber haben bezahlt, sie haben uns schon ein Darlehen von tausend Genueser Solidi gegeben, und weitere tausend haben sie uns für nächstes Jahr versprochen. Und was meint ihr mit Straßen, die extra für den Krieg gebaut sind? Das laß dir von Emmanuele Trotti erklären, der hat die Idee gehabt. Trotti, red du, du bist der Poliorket!

»Was ist ein Poliorket?«

»Sei still, Boidi, laß den Trotti reden.«

Daraufhin sagte der Trotti (der ebenfalls wie Oberto del Foro ein *miles* zu sein schien, das heißt ein Ritter, ein kleiner Lehnsherr mit einer gewissen Würde): »Eine Stadt muß dem Feind so standhalten, daß er nicht über die Mauern steigt, aber wenn er's doch einmal tut, muß die Stadt in der Lage sein, ihm weiter standzuhalten und das Kreuz zu brechen. Wenn der Feind innerhalb der Mauern sofort ein Gassengewirr vorfindet, in das er eindringen kann, dann ist er nicht mehr zu fassen, der eine läuft dahin, der andere dorthin, und nach kurzer Zeit sitzen die Verteidiger in der Falle. Deshalb muß der Feind nach der Mauer einen offenen Platz vorfinden, auf dem er so lange ungedeckt bleibt, daß er aus den Gassen und aus den Fenstern mit einem Hagel von Pfeilen und Steinen empfangen und dezimiert werden kann, bevor er die Gassen erreicht.«

(Das ist es, warf Niketas traurig ein, was wir in Konstantinopel gebraucht hätten, statt dessen haben wir zugelassen, daß direkt unter den Mauern solch ein Gassengewirr entstanden ist ... Ja, hätte Baudolino ihm gern geantwortet, aber dazu braucht man auch Leute vom Schlag meiner Dörfler und nicht solche Angsthasen wie diese Schlappschwänze von eurer kaiserlichen Wache – aber er unterdrückte es, um sein Gegenüber nicht zu verletzen, und sagte nur: Sei still, unterbrich den Trotti nicht und laß mich weitererzählen.)

Der Trotti weiter: »Hat der Feind dann den offenen Raum überwunden und dringt in die Straßen ein, dürfen diese nicht gerade und mit dem Senkblei gezogen sein, auch wenn man sich an den alten Römern orientieren will, die eine Stadt wie ein Gitternetz entwarfen. Denn bei einer geraden Straße weiß der Feind immer, was ihn erwartet, und darum müssen die Straßen verwinkelt und kurvenreich sein, voller Ecken oder Ellbogen, nenn's wie du willst. Der Verteidiger wartet hinter der Ecke, sowohl am Boden wie auf den Dächern, und er weiß immer, was der Feind tut, denn auf dem benachbarten Dach – das mit dem ersten einen Winkel bildet – hockt ein anderer Verteidiger, der die Eindringlinge sieht und denen signalisiert, die sie noch nicht sehen können. Der Feind dagegen weiß nie, was ihn erwartet, und darum kann er nur langsam vorgehen. Infolgedessen muß eine gute Stadt lauter schlechtgebaute Häuser haben, die schief und krumm dastehen wie die Zähne einer alten Frau, was zwar häßlich aussieht, aber gerade darin besteht ihre Güte. Und schließlich braucht man noch den falschen Tunnel.«

»Das hast du uns noch nicht gesagt«, warf der Boidi ein.

»Konnt' ich ja nicht, das hat mir gerade erst ein Genueser erzählt, und der hatte es von einem Griechen gehört, es war eine Idee von Belisar, dem General Kaiser Justinians. Was ist das Bestreben eines Belagerers? Tunnel zu graben, die ihn unterirdisch ins Herz der Stadt bringen. Und was ist sein Traum? Einen Tunnel schon fertig vorzufinden, den die Belagerten nicht kennen. Also präparieren wir ihm einen Tunnel, der von außen in die Stadt führt, und verstecken den Eingang unter großen Steinen und Ästen, aber nicht so gut, daß der Feind ihn nicht eines Tages entdeckt. Das andere Ende des Tunnels, innerhalb der Mauern, muß ein enger Schlauch sein, durch den nur ein oder höchstens zwei Männer gleichzeitig gehen können, und er muß mit einem Eisengitter verschlossen sein, damit der erste Kundschafter sagen kann, daß man durch das Gitter auf einen Platz sieht und, was weiß ich, auf die Ecke einer Kapelle, zum Zeichen, daß der Gang direkt in die Stadt führt. Bei dem Gitter steht jedoch eine Wache, und wenn der Feind eintrifft, ist er gezwungen, Mann für Mann einzeln herauszukommen, so daß man ihn Mann für Mann einzeln erledigen kann ...«

»Und der Feind ist so blöd, immer weiter Mann für Mann rauszugehen, ohne zu merken, daß die vordersten wie reife Pflaumen fallen«, gackerte der Boidi.

»Und wer sagt dir, daß der Feind nicht blöd ist? Wart's nur ab. Die Sache muß vielleicht noch besser ausgefeilt werden, aber die Idee ist nicht schlecht.«

Baudolino nahm den Ghini beiseite, der ja als Kaufmann ein vernünftiger Mensch sein und mit beiden Beinen auf dem Boden stehen mußte, nicht wie jene Ritter, Lehnsmänner von Lehnsmännern, die sich, bloß um militärischen Ruhm zu erwerben, auch auf von vornherein schon verlorene Sachen einließen. »Hör mal, Ghini, reich nochmal diesen Krug rüber und dann sag mir, was du davon hältst. Mir leuchtet ja ein, daß, wenn man hier eine Stadt erbaut, der Barbarossa gezwungen ist, sie zu belagern, um nicht sein Gesicht zu verlieren, womit er denen von der Liga Zeit gibt, ihn von hinten anzugreifen, wenn er vom Belagern erschöpft ist. Aber die uns in dieses Unternehmen reinziehen sind die Städter. Und du willst, daß ich glaube, unsere Leute verließen die Orte, an denen sie gut oder schlecht gelebt haben, und kämen her, um sich hier umbringen zu lassen, bloß um denen in Pavia einen Gefallen zu tun? Du willst, daß ich glaube, die Genueser, die keinen Heller rausrücken würden, um ihre eigene Mutter von den Sarazenen-Piraten loszukaufen, hätten hier Geld und Arbeit reingesteckt, um eine Stadt zu bauen, die höchstens den Mailändern Vorteile bringt?«

»Baudolino«, sagte der Ghini, »die Geschichte ist noch viel komplizierter, als du meinst. Sieh dir mal genau an, wo wir hier sind.« Er tunkte einen Finger in den Wein und begann Zeichen auf den Tisch zu malen. »Hier ist Genua, klar? Und hier sind Tortona und Pavia und Mailand. Das sind drei reiche Städte, und Genua ist eine Hafenstadt. Also muß Genua freie Bahn für seinen Handel mit den lombardischen Städten haben, klar? Und die Paßstraßen führen durchs Tal der Lemme, durchs Tal der Orba, durchs Tal der Bormida und durchs Tal der Scrivia. Das sind vier Flüsse – habe ich recht? –, und alle vier treffen sich mehr oder weniger hier mit dem Tanaro. Wenn du jetzt hier eine Brücke über den Tanaro hast, dann hast du von hier aus freie Bahn für den Handel mit dem Markgrafen von Montferrat und wer weiß wem noch dahinter. Klar? Nun, solange Genua und Pavia die Sache untereinander ausmachten, war's ihnen ganz recht, daß diese Täler herrenlos blieben, oder sie schlossen von Fall zu Fall Bündnisse, zum Beispiel mit Gavi oder mit Marengo, und die Dinge liefen glatt... Aber dann ist dieser Kaiser hier aufgekreuzt, Pavia einerseits und der Montferrat andererseits haben sich mit ihm verbündet, Genua sieht sich von rechts und von links blokkiert, und wenn es sich auf Friedrichs Seite stellt, kann es seine Geschäfte mit Mailand vergessen. Also müßte es sich mit Tortona und Novi gutstellen, die ihm erlauben, die Täler der Scrivia und der Bormida zu kontrollieren. Aber du weißt, was passiert ist, der Kaiser hat Tortona dem Erdboden gleichgemacht, Pavia hat die Kontrolle des Landes bis zu den Bergen des Apennin übernommen, unsere Dörfer haben sich auf die Seite des Kaisers geschlagen, und bitte, was blieb uns denn anderes übrig? Sollten wir, klein wie wir waren, die großen Helden spielen? Was mußten uns nun die Genueser dafür bieten, daß wir die Seite wechselten? Etwas, das zu besitzen wir uns nie hatten träumen lassen, nämlich: eine richtige Stadt mit Mauern ringsum, mit Konsuln, Soldaten und einem Bischof, eine Stadt, die Wegzölle für Menschen und Waren einnimmt. Du mußt dir klarmachen, Baudolino, allein die Kontrolle einer Brücke über den Tanaro bringt einen Haufen Geld ein, du sitzt da und verlangst mal eine Münze, mal zwei Hähnchen, mal einen ganzen Ochsen, und die Betreffenden zahlen, ohne zu feilschen! Eine Stadt ist ein Goldesel, denk nur mal, wie reich die Leute in Tortona waren, verglichen mit uns in der Palea. Und diese Stadt, die uns so gelegen kam, war auch gut für die Liga und gut für Genua, wie ich schon sagte, denn so schwach sie auch sein mag, durch die bloße Tatsache, daß sie da ist, stört sie die Pläne aller anderen und garantiert, daß in dieser Gegend weder Pavia noch der Kaiser, noch der Markgraf von Montferrat sich als Herren aufspielen können.«

»Ja, aber dann kommt der Barbarossa und zertritt euch wie eine Kröte.«

»Wart's ab. Wer sagt das? Hauptsache ist, daß die Stadt dasteht, wenn er kommt. Danach – na, du weißt doch selber, wie's geht: Eine Belagerung kostet Zeit und Geld, also machen wir ihm eine schöne Unterwerfungsgeste, er ist zufrieden, denn für diese Herren ist doch die Ehre das Höchste, und er zieht weiter anderswohin.«

»Aber die Liga und die Genueser haben ihr Geld doch lockergemacht, um hier eine Stadt als Bollwerk zu haben, und nun wollt ihr sie einfach so versetzen?«

»Das hängt ganz davon ab, wann der Barbarossa kommt. Du siehst doch selber, binnen drei Monaten wechseln diese Städte hier ihre Bündnisse, wie's ihnen gerade paßt. Warten wir's ab. Vielleicht ist bis dahin die Liga mit dem Kaiser verbündet.« (Und ob du's glaubst oder nicht, Kyrios Niketas, fügte Baudolino hinzu, sechs Jahre später, als die Stadt belagert wurde, waren auf Friedrichs Seite die Genuesischen Steinschleuderer, verstehst du, die Genueser, die so tatkräftig mitgeholfen hatten, sie zu erbauen!)

»Und wenn nicht«, fuhr der Ghini fort, »dann werden wir die Belagerung eben durchstehen, verdammt und zugenäht, auf dieser Welt gibt's nix umsonst. Aber ehe wir weiterreden, komm dir das erstmal ansehen...«

Er nahm Baudolino bei der Hand und zog ihn aus der Taverne hinaus. Es war inzwischen Abend geworden, und die Luft war kälter als vorher. Sie traten auf einen kleinen Platz, von dem später, wie man erriet, mindestens drei Straßen abgehen sollten, aber fertig waren erst zwei Ecken mit niedrigen, einstöckigen und strohgedeckten Häusern. Erhellt wurde er von Lichtern aus den Fenstern ringsum und einigen Kohlebecken, die von den letzten Verkäufern geschürt wurden, welche lauthals riefen: »Frauen, Frauen, die heilige Nacht bricht an, und ihr wollt doch sicher, daß eure Männer was Gutes auf dem Tisch vorfinden!« An dem, was die dritte Ecke werden sollte, stand ein Scherenschleifer, der seine Klingen kreischen ließ, während er mit der freien Hand den Schleifstein begoß. Weiter hinten an einem Tisch verkaufte eine Frau gebratenen Kichererbsenfladen, trockene Feigen und Johannisbrot, und ein in Fell gekleideter Hirte schwenkte ein Körbchen und rief: »He, Frauen, der gute Mascarpone!« Auf einem freien Platz zwischen zwei Häusern verhandelten zwei Männer über ein Schwein. Dahinter lehnten zwei Mädchen lasziv an einer Tür, klapperten mit den Zähnen unter Schals, die tiefe Ausschnitte durchblicken ließen, und eine von ihnen sagte zu Baudolino: »He, was für ein hübscher Junge du bist, willst du nicht die Weihnacht mit mir verbringen, daß ich dich lehre, das Tier mit acht Beinen zu machen?«

Sie bogen um eine Ecke, und da stand ein Wollkämmer, der laut rief, es sei der letzte Moment für Woll- und Strohsäcke, um im Warmen zu schlafen und nicht zu frieren wie das Jesuskind; daneben pries ein Wasserträger seine Ware an. Beim Weitergehen durch die noch unfertigen Straßen sahen sie schon Hauseingänge, in denen hier noch ein Zimmermann hobelte, da ein Schmied auf seinen Amboß drosch, daß die Funken stoben, und dort jemand Brote aus einem Backofen zog, der rot schimmerte wie das Tor zur Hölle. Es gab auch Händler, die von weither kamen, um an dieser neuen Grenze Geschäfte zu machen, oder Leute, die gewöhnlich im Walde lebten, Köhler, Honigsammler, Aschenbrenner mit der Asche zum Seifemachen, Rindensammler mit der Rinde für Seile oder zum Ledergerben, Verkäufer von Kaninchenfellen, auch allerlei Galgengesichter, denen die neue Umgebung zusagte, da sie in jedem Fall von ihr zu profitieren gedachten, dazu Krüppel und Blinde und Lahme und Grindige, für die das Betteln in den Straßen einer Stadt, zumal während der Festtage, einträglicher zu sein versprach als auf den leeren Straßen des Landes.

Die ersten Schneeflocken begannen zu fallen, dann wurden sie dichter, und schon färbten sie die neuen Dächer, von denen noch niemand wußte, ob sie das Gewicht aushalten würden, zum ersten Mal weiß. Auf einmal hatte Baudolino, wohl im Gedenken an den Fund, den er im eroberten Mailand gemacht hatte, etwas wie eine Vision: Drei Kaufleute, die auf drei Eseln durch einen Bogen in der Mauer geritten kamen, erschienen ihm als die drei Magierkönige, gefolgt von ihren Dienern, die kostbare Gefäße und Tücher trugen. Und hinter ihnen, auf der anderen Seite des Tanaro, schien ihm, als sähe er Herden die Hänge des schon silbern sich färbenden Hügels herunterkommen, begleitet von Hirten, die Schalmeien und Querpfeifen spielten, und orientalische Kamelkarawanen mit Mohren in buntgestreiften Gewändern und hohen Turbanen. Da und dort auf dem Hügel erloschen allmählich einzelne Feuer unter dem immer dichter werdenden Schneetreiben, aber eines von ihnen erschien ihm wie ein großer Schweifstern, der sich am Himmel auf die entstehende Stadt zubewegte.

»Siehst du nun, was eine Stadt ist?« sagte der Ghini. »Und wenn sie jetzt schon so ist, wo sie noch nicht mal fertig ist, wie wird sie dann erst nachher sein? Ich sage dir, das wird ein ganz anderes Leben. Jeden Tag siehst du neue Leute – für die Händler und Kaufleute, stell dir vor, muß das wie ein Himmlisches Jerusalem sein, und was die Ritter betrifft, der Kaiser hat ihnen verboten, Land zu verkaufen, damit der Besitz nicht geteilt wird, und so sind sie elend verhungert auf ihrem Land. Hier dagegen befehligen sie Kompanien von Bogenschützen, kommen hoch zu Roß daher und erteilen Befehle nach rechts und nach links. Aber nicht nur den Rittern und den Kaufleuten geht es hier gut, es ist auch ein Segen für Leute wie deinen Vater, der nicht viel Land hat, aber ein bißchen Vieh, denn in die Stadt kommen Leute, die danach fragen und mit richtigem Geld dafür bezahlen. Man bezahlt immer öfter mit klingender Münze und nicht mit anderen Waren im Tausch, ich weiß nicht, ob du begreifst, was das heißt: Wenn du zwei Hühner für drei Kaninchen nimmst, mußt du sie früher oder später essen, sonst werden sie schlecht, aber zwei Münzen, die kannst du unter deinem Bett verstecken, und die sind auch nach zehn Jahren noch gut, und wenn du Glück hast, bleiben sie sogar dort, wenn Feinde dein Haus überfallen. Und dann – so war es in Mailand und in Lodi und in Pavia, und so wird es auch hier kommen –, es ist nicht etwa so, daß hier die Ghinis oder Aularis den Mund halten müssen und nur die Guascos oder Trottis das Sagen haben, wir reden hier alle mit, wenn es was zu entscheiden gibt, hier kannst du was werden, auch wenn du kein Adliger bist, das ist das Schöne an einer Stadt, und es ist besonders schön für einen, der kein Adliger ist, dafür ist er sogar bereit, sich umbringen zu lassen, wenn's nötig ist (aber natürlich lieber nicht), damit seine Kinder rumlaufen und sagen können: Ich heiße Ghini, und auch wenn du Trotti heißt, bist du trotzdem ein Depp.«

Versteht sich, daß Niketas an diesem Punkt fragte, wie denn diese gesegnete Stadt hieß. Nun, wohlan (großes Erzähltalent, dieser Baudolino, dem es gelungen war, die Enthüllung bis zu diesem Moment in der Schwebe zu halten), die Stadt hatte noch keinen Namen, man nannte sie nur allgemein Civitas Nova, was bloß ein Gattungsname war, keiner des Individuums. Die Wahl des Namens hing davon ab, wie ein anderes Problem gelöst werden würde, das kein geringes war, nämlich das der Legitimation. Wodurch erwirbt eine neue Stadt Existenzrecht, wenn sie keine Geschichte und keinen Adel hat? Höchstens durch kaiserliche Ermächtigung, so wie der Kaiser jemanden zum Ritter schlagen kann, aber hier ging es um eine Stadt, die gegen den Willen des Kaisers entstanden war. Also was? Baudolino und Ghini kehrten in die Taverne zurück, als dort gerade alle genau über dieses Problem diskutierten.

»Wenn diese Stadt außerhalb des kaiserlichen Gesetzes entsteht, kann sie ihre Legitimität nur durch ein anderes Gesetz erhalten, das ebenso alt und mächtig ist.«

»Und wo finden wir das?«

»Nun, im *Constitutum Constantini*, in der Konstantinischen Schenkung, jener Donation, die Kaiser Konstantin der Kirche gemacht hat, um ihr das Recht auf territoriale Herrschaft zuzusprechen. Wir schenken die Stadt ganz einfach dem Papst, und da es im Augenblick zwei Päpste gibt, schenken wir sie demjenigen, der auf der Seite des Gesetzes steht, also Alexander III. Wie wir schon in Lodi sagten, vor Monaten: Die Stadt wird Alexandria heißen und päpstliches Lehen sein.«

»In Lodi hättest du besser das Maul gehalten, denn wir hatten damals noch nichts entschieden«, sagte der Boidi, »aber das ist nicht der Punkt, der Name ist schön genug, jedenfalls ist er nicht häßlicher als viele andere. Was mir auf den Magen drückt, ist, daß wir uns den Arsch aufreißen, um eine Stadt zu bauen, und dann schenken wir sie dem Papst, der schon so viele hat. Am Ende müssen wir ihm auch noch Tribut zahlen, und dreh's, wie du willst, es ist immer Geld, das man berappen muß, und dann könnten wir's genausogut auch dem Kaiser zahlen.«

»Boidi, red nicht immer so«, sagte der Cuttica. »Erstens will der Kaiser die Stadt gar nicht haben, nicht mal, wenn er sie geschenkt kriegen würde, und wenn er sie annähme, hätte sich's gar nicht gelohnt, sie zu bauen. Und zweitens ist es eine Sache, dem Kaiser keinen Tribut zu zahlen, der einen überfällt und in Klump haut, wie er's mit Mailand getan hat, und eine andere, dem Papst keinen Tribut zu zahlen, der tausend Meilen entfernt ist und bei all dem Ärger, den er hat, sicher kein Heer schicken wird, bloß um ein paar Kröten einzutreiben.«

»Und drittens«, mischte sich Baudolino ein, »wenn ihr mir auch was zu sagen erlaubt – ich bin hier nur reingeschneit, aber ich habe in Paris studiert, und wie man Briefe und Urkunden aufsetzt, darin habe ich eine gewisse Erfahrung –, man kann eine Schenkung so und so machen. Ihr verfertigt ein Dokument, in dem ihr erklärt, daß Alexandria zu Ehren von Papst Alexander gegründet und, sagen wir, dem Sankt Peter geweiht worden ist. Zum Beweis baut ihr eine Kathedrale für Sankt Peter auf lehnsfreiem Grund. Und ihr baut sie mit Geldern, die vom ganzen Stadtvolk gespendet werden. Dann macht ihr sie dem Papst zum Geschenk, mit allen Formeln, die euren Notaren als die passendsten und verpflichtendsten erscheinen. Würzt das Ganze mit Ausdrücken der Verehrung, der Kindesliebe gegenüber dem Heiligen Vater und solchen Sachen, schickt ihm das Pergament und nehmt seine Segnungen an. Wer immer dann darangeht, das Pergament genauer zu studieren, wird sehen, daß ihr ihm letztlich nur die Kathedrale geschenkt habt und nicht die ganze Stadt, aber ich will den Papst sehen, der herkommt, um sich die Kathedrale zu holen und mit nach Rom zu nehmen.«

»Vortrefflich«, sagte Oberto, und alle stimmten zu. »Wir machen es so, wie Baudolino sagt, er scheint mir sehr schlau zu sein, und ich hoffe wirklich, daß er hierbleibt, um uns noch weitere gute Ratschläge zu geben, wo er doch auch ein großer Pariser Doktor ist.«

Hier mußte Baudolino das heikelste Problem jenes schönen Tages lösen, nämlich enthüllen, ohne daß ihm jemand deswegen eine Moralpredigt halten konnte, waren sie doch bis vor kurzem selbst noch Kaiserliche gewesen, daß er ein Ministeriale Friedrichs war und sich ihm auch durch Sohnesliebe verbunden fühlte – und so erzählte er ihnen kurz entschlossen die ganze Geschichte dieser wunderbaren dreizehn Jahre, wozu Gagliaudo nur wiederholt brummeln konnte: »Wer hätte das gedacht!«, »Wenn mir das einer erzählt hätte, ich hätt's nicht geglaubt!« und: »Da schau her, ich hab dich für einen noch größeren Nichtsnutz als die anderen gehalten, und jetzt bist du wirklich jemand geworden!«

»Nicht alle Übel sind schädlich«, sagte daraufhin der Boidi. »Alexandria ist noch nicht fertig, und schon haben wir einen von uns am Hofe des Kaisers. Lieber Baudolino, du darfst deinen Kaiser nicht verraten, wo du ihn doch so gern hast und er dich auch. Bleib bei ihm, aber vertritt unsere Sache vor ihm, wann immer es nötig ist. Es handelt sich um deine Heimat, also wird dir niemand übelnehmen, wenn du sie verteidigst – in den Grenzen der Loyalität, versteht sich.«

»Aber heute abend gehst du besser deine liebe und fromme Frau Mutter besuchen und schläfst in der Frascheta«, sagte Oberto zartfühlend, »und morgen gehst du fort, ohne hier noch mal herzukommen und nachzusehen, wie die Straßen verlaufen und wie fest die Mauern sind. Wir sind sicher, wenn du eines Tages erfahren würdest, daß wir in einer großen Gefahr schweben, würdest du uns aus Liebe zu deinem leiblichen Vater eine Warnung zukommen lassen. Aber wenn du dazu den Mut hast, wer weiß, ob du nicht aus den gleichen Gründen auch deinen Adoptivvater vor irgendeiner Maßnahme unsererseits warnen würdest, die für ihn allzu schmerzlich sein könnte. Daher ist es besser, du weißt möglichst wenig.«

»Ja, mein Sohn«, sagte nun auch Gagliaudo, »tu wenigstens einmal was Gutes nach all dem Ärger, den du mir gemacht hast. Ich muß hierbleiben, denn wie du siehst, sprechen wir hier über wichtige Dinge, aber laß deine Mutter nicht ausgerechnet in dieser Nacht allein. Ich sage dir, wenn sie dich sieht, wird sie vor lauter Glück überhaupt nichts begreifen und gar nicht merken, daß ich nicht da bin. Geh, und gib acht, was ich dir sage: Ich erteile dir auch meinen Segen, denn wer weiß, wann wir uns wiedersehen werden.«

»Na großartig!« sagte Baudolino. »An einem einzigen Tag finde ich eine Stadt und verliere sie wieder. *O porca miseria*, macht euch das klar: Wenn ich meinen Vater wiedersehen will, werde ich zu seiner Belagerung kommen müssen!«

Was dann, erklärte Baudolino seinem Zuhörer, auch mehr oder weniger so geschah. Aber es gab keine Möglichkeit, auf andere Weise aus der Sache herauszukommen, ein Zeichen dafür, daß es wirklich schwierige Zeiten waren.

»Und dann?« fragte Niketas.

»Dann machte ich mich auf die Suche nach unserem Haus. Der Schnee am Boden lag schon kniehoch, die weiße Fracht von oben war ein dichtes Flockengewimmel, das einem vor den Augen tanzte und die Sicht nahm, die Feuer der Civitas Nova waren verschwunden, und zwischen all dem Weiß unten und dem Weiß oben wußte ich nicht mehr, in welche Richtung ich gehen sollte. Ich glaubte mich an die alten Pfade zu erinnern, aber was hieß hier noch Pfade, man konnte ja nicht einmal mehr erkennen, was fester Boden und was Sumpf war. Offensichtlich hatten sie zum Bau ihrer Häuser ganze Wäldchen abgeholzt, ich fand keine Spur mehr von jenen Bäumen, die ich als Kind im Schlaf wiedererkannt hätte. Ich hatte mich verirrt, wie damals Friedrich in jener Nacht, als ich ihm das erste Mal begegnet war, nur herrschte diesmal kein Nebel, sondern Schneetreiben, denn wäre es Nebel gewesen, hätte ich mich noch zurechtgefunden. Feine Sache, Baudolino, sagte ich mir, du verirrst dich in deiner eigenen Heimat! Meine Mamma hatte schon recht, die Leute, die lesen und schreiben können, sind dümmer als die anderen. Was mache ich jetzt, bleibe ich hier und verspeise mein Maultier, und morgen früh, wenn sie tief genug graben, finden sie mich steif wie ein Kaninchenfell, das eine Nacht lang draußen gelegen hat in den frostigsten Wintertagen?«

Daß Baudolino da war und sein Abenteuer erzählte, beweist, daß er es überstanden hatte, aber nur dank einer Begebenheit, die fast an ein Wunder grenzte. Denn während er ziellos weitergeritten war, hatte er ein weiteres Mal einen Stern am Himmel entdeckt, schwach leuchtend nur, aber erkennbar, und war ihm gefolgt, bis er merkte, daß er in einem kleinen Tal gelandet war und das Licht deswegen oben zu sein schien, weil er sich unten befand; doch nachdem er den Hang hinaufgeritten war, sah er das Licht immer größer werden, bis ihm klar wurde, daß es aus einer jener gemauerten loggiaförmigen Scheunen kam, in denen die Tiere gehalten werden, wenn im Haus nicht genügend Platz ist. Und in der Scheune befanden sich eine Kuh und ein Esel, der gottserbärmlich schrie, und eine Frau mit den Händen zwischen den Beinen eines Schafes, und das Schaf war gerade dabei, ein Lämmchen zu gebären, und blökte aus Leibeskräften.

Er war er auf der Schwelle stehengeblieben, um zu warten, bis das Lämmchen ganz draußen war, dann hatte er den Esel mit einem Fußtritt beiseite gestoßen und war hingestürzt, um seinen Kopf in den Schoß der Frau zu legen mit dem Ruf *Mutter, liebe gesegnete Mutter,* und sie hatte einen Moment lang überhaupt nichts begriffen, hatte seinen Kopf hochgezogen und ans Licht gehalten, und dann war sie in Tränen ausgebrochen und hatte schluchzend zu murmeln begonnen: »O Herr, o Herr, zwei Tiere in einer Nacht, eins neu geboren und eins zurückgekehrt aus dem Hause des Teufels, das ist ja wie Weihnachten und Ostern am selben Tag, das ist zuviel für mein armes Herz, haltet mich, ich falle in Ohnmacht, genug jetzt, hör auf, Baudolino, grad hab ich Wasser heiß gemacht, um dieses Kleine zu waschen, siehst du nicht, daß du dich ganz mit Blut besudelst, aber wo hast du denn dieses Gewand her, das sieht ja aus wie von einem Herrn, du wirst es doch nicht gestohlen haben, du Unglücksmensch, nichtsnutziger!«

Und Baudolino meinte die Engel singen zu hören.

14. Kapitel

Baudolino rettet Alexandria mit der Kuh seines Vaters

»Dann hast du also, um deinen Vater wiederzusehen, zu seiner Belagerung kommen müssen«, sagte Niketas gegen Abend, während er seinem Gast duftiges Schaumgebäck in Form von Blüten, Pflanzen oder Schmuckgegenständen anbot.

»Nicht gleich, die Belagerung war erst sechs Jahre später. Nachdem ich die Geburt der Stadt miterlebt hatte, ging ich zu Friedrich zurück und erzählte ihm, was ich gesehen hatte. Ich war noch nicht ganz fertig, da tobte er schon los. Eine Stadt dürfe nur mit Einwilligung des Kaisers gegründet werden, brüllte er, und wenn sie ohne diese Einwilligung gebaut werde, müsse sie dem Erdboden gleichgemacht werden, noch ehe sie fertig gebaut worden sei, sonst könne ja jeder nach Gutdünken handeln ohne das Plazet des Kaisers, und was würde dann aus dem *nomen imperii*... Später beruhigte er sich wieder, aber ich kannte ihn gut, er würde es nicht verzeihen. Zum Glück war er dann ungefähr sechs Jahre lang erstmal mit anderen Dingen beschäftigt. Er erteilte mir verschiedene Aufträge, unter anderem den, die Absichten der Alexandriner zu erkunden. So begab ich mich zweimal nach Alexandria, um zu sehen, ob meine Mitbürger irgendwelche Zugeständnisse machen würden. Tatsächlich waren sie bereit, sehr viele zu machen, aber Friedrich wollte in Wahrheit nur eines, nämlich daß die Stadt im Nichts verschwand, aus dem sie gekommen war. Du kannst dir vorstellen, wie die Alexandriner darauf reagierten, ich wage nicht, dir zu wiederholen, was sie mir auftrugen, ihm zu wiederholen... Im übrigen machte ich mir bewußt, daß meine Reisen nur ein Vorwand waren, um sowenig wie möglich am Hofe zu sein, denn es tat mir immer noch weh, der Kaiserin zu begegnen und mein Gelübde zu halten...«

»Du hast es gehalten«, fragte Niketas im Ton einer Feststellung.

»Ich habe es gehalten, und zwar für immer. Kyrios Niketas, ich mag zwar ein Pergamentfälscher sein, aber ich weiß, was Ehre ist. Beatrix hat mir geholfen, das Gelübde zu halten. Die Mutterschaft hatte sie verändert. Oder jedenfalls gab sie das vor, ich habe nie herausgefunden, was sie wirklich für mich empfand. Ich litt, doch ich war ihr dankbar für die Art, wie sie mir half, mich mit Anstand und Würde zu benehmen.«

Baudolino hatte inzwischen die Schwelle zum dreißigsten Lebensjahr überschritten und war versucht, den Brief des Priesters Johannes als einen Studentenjux zu betrachten, eine schöne Übung im Briefeschreiben, einen *jocus*, ein *ludibrium*. Doch eines Tages traf er seinen alten Studienfreund, den Poeten wieder, der nach Rainalds Tod keinen Beschützer mehr hatte, und man weiß ja, wie es in solchen Fällen bei Hofe geht: Du bist nichts mehr wert, und einige fangen schon an zu sagen, auch deine Gedichte taugten nicht eben viel. Von der Demütigung und vom Groll zerfressen, hatte der Poet einige überaus leichtlebige Jahre in Pavia verbracht, wo er das einzige tat, was er wirklich konnte, nämlich trinken und die Gedichte Baudolinos vortragen (besonders einen Vers, der prophetisch fragte: *Quis Papie demorans castus habeatur* – Wer kann, in Pavia wohnend, keusch bleiben?). Baudolino nahm ihn mit sich an den Hof, und in seiner Gesellschaft erschien der Poet wie einer von Friedrichs Mannen. Zudem war inzwischen sein Vater gestorben, er hatte sein Vermögen geerbt, und selbst die Feinde des verstorbenen Rainald sahen in ihm nicht mehr einen Parasiten, sondern einen *miles* unter vielen und nicht schlimmer als die anderen.

Gemeinsam riefen sie sich die Zeiten des Briefes in Erinnerung und beglückwünschten sich erneut zu dieser schönen Unternehmung. Ein Spiel als Spiel zu betrachten hieß ja nicht, es nicht mehr zu spielen. In Baudolino war die Sehnsucht nach jenem nie gesehenen Reich lebendig geblieben, und immer wieder hatte er, wenn er allein war, sich den Brief laut vorgelesen und seinen Stil weiter perfektioniert.

»Der Beweis, daß ich den Brief nicht vergessen konnte, war, daß ich Friedrich dazu überreden konnte, meine Pariser Freunde an seinen Hof kommen zu lassen, alle miteinander. Ich sagte ihm, daß es gut sei, wenn in der Kanzlei eines Kaisers Leute säßen, die eine gute Kenntnis der Sprachen und Gebräuche anderer Länder hätten. In Wahrheit wollte ich, da Friedrich mich immer häufiger als seinen vertraulichen Boten benutzte, mir einen eigenen kleinen Hofstaat schaffen, bestehend aus dem Poeten, Abdul, Boron, Kyot und Rabbi Solomon.«

»Du willst mir doch nicht erzählen, daß der Kaiser sich einen Juden an den Hof geholt hat!«

»Warum nicht? Er mußte ja nicht gerade bei den großen Feierlichkeiten in Erscheinung treten oder mit ihm und seinen Erzbischöfen in die Messe gehen. Wenn die Fürsten ganz Europas und sogar der Papst jüdische Ärzte haben, warum sollte man sich dann nicht einen Juden in Reichweite halten dürfen, der das Leben der Mauren in Spanien kannte und viele andere Dinge der Länder des Orients? Außerdem sind die germanischen Fürsten immer sehr barmherzig mit den Juden gewesen, mehr als alle anderen christlichen Könige. Wie mir Otto erzählt hat, als die Ungläubigen Edessa zurückerobert hatten und viele christliche Fürsten erneut der Predigt Bernhards von Clairvaux folgten und das Kreuz nahmen (und selbst Friedrich nahm es ja damals), da hetzte ein Mönch namens Radolf die Pilger auf, alle Juden in den Städten, durch die sie zogen, zu massakrieren. Und es wurde tatsächlich ein Massaker. Aber an diesem Punkt baten viele Juden den Kaiser um Schutz, und er erlaubte ihnen, sich in die Stadt Nürnberg zu retten und dort sicher zu leben.«

Kurzum, Baudolino war wieder mit seinen Studienfreunden vereinigt. Nicht daß diese am Hof viel zu tun gehabt hätten. Solomon setzte sich in jeder Stadt, durch die sie kamen, mit seinen örtlichen Glaubensbrüdern in Verbindung, und er fand überall welche (»Gemeine Quecke«, stichelte der Poet). Abdul hatte entdeckt, daß man in Italien das Provenzalische seiner Lieder besser verstand als in Paris, Boron und Kyot verbissen sich in dialektische Dispute, Boron versuchte Kyot davon zu überzeugen, daß die Nichtexistenz der Leere entscheidend sei, um die Einzigartigkeit des Gradals zu beweisen, Kyot hatte sich in den Kopf gesetzt, daß der Gradal ein vom Himmel gefallener Stein sei, *lapis es coelis*, und von ihm aus konnte er auch durch leerste Räume aus einem anderen Universum gekommen sein.

Wenn sie nicht gerade ihre privaten Steckenpferde ritten, diskutierten sie oft alle miteinander über den Brief des Priesters, und mehr als einmal wollten die Freunde von Baudolino wissen, wieso er Friedrich nicht zu jener Reise drängte, die sie so gut vorbereitet hatten. Eines Tages, als er gerade zu erklären versuchte, wie viele Probleme der Kaiser erst noch zu lösen habe, sowohl in Deutschland wie auch in Italien, sagte der Poet, es würde sich vielleicht lohnen, selbst auf die Suche nach dem Reich des Priesters zu gehen, ohne zu warten, bis der Kaiser soweit sei. »Der Kaiser könnte aus dieser Unternehmung einen zweifelhaften Gewinn ziehen. Stellt euch vor, er kommt zum Land des Priesters und gelangt zu keiner Einigung mit ihm. Er würde geschlagen zurückkehren, und wir hätten ihm nur Schaden zugefügt. Machen wir uns dagegen auf eigene Faust auf die Reise, dann werden wir, egal wie die Sache ausgeht, aus einem so reichen und wunderbaren Land auf jeden Fall etwas Außerordentliches mitbringen.«

»Jawohl«, sagte Abdul, »zögern wir nicht länger, brechen wir auf, reisen wir in die Ferne...«

»Ich gestehe dir, Kyrios Niketas, mich überkam eine tiefe Niedergeschlagenheit, als ich sah, wie begeistert alle auf den Vorschlag des Poeten eingingen, und ich begriff auch, warum. Boron und Kyot hofften beide, das Land des Priesters zu finden, um sich in den Besitz des Gradals zu bringen, der ihnen wer weiß welchen Ruhm und welche

Macht in jenen nordischen Ländern eingebracht hätte, wo alle immer noch nach ihm suchten. Rabbi Solomon wollte die zehn verstreuten Stämme Israels finden, da er dann der Größte und Angesehenste nicht nur unter den Rabbinern Spaniens, sondern unter allen Kindern Israels geworden wäre. Bei Abdul lag das Motiv auf der Hand: Er hatte das Reich des Priesters Johannes inzwischen mit dem seiner Prinzessin gleichgesetzt, doch je mehr er an Alter und Weisheit zunahm, desto weniger befriedigte ihn die Ferne, und er wollte die Prinzessin – möge der Gott der Liebenden ihm verzeihen – endlich mit Händen berühren. Was den Poeten anging, wer weiß, welche Gedanken oder Absichten er in Pavia ausgebrütet hatte. Seit er über ein eigenes kleines Vermögen verfügte, schien er das Reich des Johannes nicht für den Kaiser, sondern für sich haben zu wollen. Dies alles mag dir erklären, warum ich, enttäuscht, einige Jahre lang nicht mit Friedrich über das Reich des Priesters gesprochen habe. Wenn das Spiel so lief, schien es mir besser, das Reich zu belassen, wo es lag, um es der Gier all derer zu entziehen, die keinen Begriff von seiner mystischen Größe hatten. Der Brief war für mich so etwas wie ein privater Traum geworden, in den ich keinen anderen einlassen wollte. Er half mir über den Kummer meiner unglücklichen Liebe hinweg. Eines Tages, so sagte ich mir, werde ich all dies vergessen und mich ins Reich des Priesters Johannes begeben ... Aber zurück zu den lombardischen Angelegenheiten.«

Zu der Zeit, als Alexandria gebaut wurde, hatte Friedrich gesagt, es fehle nur noch, daß auch Pavia zu seinen Feinden überlaufe. Zwei Jahre später schloß sich Pavia der antikaiserlichen Liga an. Es war ein harter Schlag für Friedrich. Er reagierte nicht sofort, aber im Laufe der nächsten Jahre wurde die Lage in Italien so unerquicklich, daß Friedrich sich zu einem erneuten Zug über die Alpen entschloß, und es war klar, daß er genau auf Alexandria zielte.

»Entschuldige«, sagte Niketas, »das war also sein dritter Italienzug?«

»Nein, der vierte. Oder, warte mal ... Es muß der fünfte gewesen sein, glaube ich. Manchmal ist er jahrelang unten geblieben, bis zu vier Jahren, wie damals bei der Sache mit Crema und der Zerstörung Mailands. Oder war er zwischendurch zurückgekehrt? Ich weiß nicht, er hielt sich ja mehr in Italien auf als zu Hause, aber wo war sein Zuhause? Ans Reisen gewöhnt, fühlte er sich – das war mir aufgefallen – richtig wohl nur an einem Fluß: Er war ein guter Schwimmer, er fürchtete weder Eiseskälte noch Hochwasser, noch Strudel. Er sprang kopfüber hinein und schwamm wie ein Fisch und schien sich vollkommen in seinem Element zu fühlen ... Wie auch immer, jedenfalls auf diesem Zug nach Italien, da war er sehr wütend und bereit zu einem harten Krieg. Mit ihm waren der Markgraf von Montferrat, Alba, Acqui, Pavia und Como ...«

»Aber gerade eben hast du gesagt, Pavia sei zur Liga übergelaufen ...«

»Wirklich? Ach ja, vorher, aber inzwischen war es wieder zum Kaiser zurückgekehrt.«

»Herr im Himmel, bei uns stechen sich die Kaiser gegenseitig die Augen aus, aber solange einer sehen kann, wissen wir wenigstens, auf welcher Seite er steht ...«

»Ihr habt eben keine Phantasie. Kurzum, im September jenes Jahres zog Friedrich über den Mont Cenis nach Susa. Er hatte die Schmach noch gut in Erinnerung, die er dort sieben Jahre zuvor erlitten hatte, und rächte sich nun mit Feuer und Schwert. Asti ergab sich sofort und ließ ihn passieren, und so schlug er sein Lager in der Frascheta auf, am Ufer der Bormida, aber überall ringsum wurden Männer postiert, auch jenseits des Tanaro. Es war der Moment der Abrechnung mit Alexandria. Ich erfuhr es aus Briefen von dem Poeten, der die Expedition begleitete: Friedrich schien Feuer und Flammen zu sprühen, er fühlte sich als die Verkörperung der göttlichen Gerechtigkeit selbst.«

»Warum warst du nicht bei ihm?«

»Weil er wirklich gut zu mir war. Er hatte verstanden, daß es für mich sehr schmerzlich sein mußte, die strenge Bestrafung mit anzusehen, die er meinen Landsleuten zu verpassen gedachte, und so ermunterte er mich unter irgendeinem Vorwand, so lange fernzubleiben, bis Roboreto nur noch ein Haufen Asche sei. Verstehst du, er sagte weder Civitas Nova noch Alexandria, denn eine neue Stadt durfte ohne seine Erlaubnis nicht existieren. Er sprach noch von dem alten Dorf Roboreto, als ob es sich bloß ein bißchen vergrößert hätte.«

Das war Anfang November. Aber der November war in jener Ebene eine Sintflut. Es regnete und regnete, und sogar die frisch bestellten Felder wurden zu Sumpf. Der Markgraf von Montferrat hatte Friedrich versichert, die Mauern der neuen Stadt seien aus Erde und ihre Bewacher ein Häuflein wild zusammengewürfelter Versprengter, die schon davonlaufen würden, wenn sie bloß den Namen des Kaisers hörten – statt dessen erwiesen sich diese Versprengten als gute Verteidiger und die Mauern als so hart, daß die kaiserlichen Rammen oder Widder sich die Hörner daran abstießen. Pferde und Soldaten steckten im Schlamm fest, und eines Tages gelang es den Belagerten sogar, den Lauf der Bormida umzuleiten, so daß die Elite der alemannischen Reiterei bis zum Hals darin versank.

Schließlich brachten die Alexandriner eine Maschine zum Einsatz, die man so ähnlich schon in Crema gesehen hatte: ein hölzernes Gerüst, das auf der Mauerkrone befestigt wurde und aus dem sich ein langer schmaler Steg hervorschob, der schräg nach unten geneigt über den Köpfen der Feinde in der Luft hängenblieb. Über diesen Steg wurden Fässer gerollt, gefüllt mit trockenem Reisig und durchtränkt mit Öl, Speck, Schweinefett und flüssigem Pech, die man in Brand gesteckt hatte. Die Fässer kamen in rascher Folge und fielen auf die kaiserlichen Belagerungsmaschinen oder auf die Erde, wo sie als Feuerkugeln weiterrollten, bis sie an eine andere Maschine stießen und sie in Brand steckten.

Von diesem Moment an bestand die Hauptarbeit der Belagerer darin, Wasser herbeizuschleppen, um die Brände zu löschen. Nicht daß es an Wasser gemangelt hätte, es gab das im Fluß und das im Sumpf und das, welches vom

Himmel herunterkam, aber wenn alle Soldaten Wasser schleppen, wer soll dann die Feinde töten?

So beschloß der Kaiser, den Winter damit zu verbringen, sein Heer wieder aufzufrischen, auch weil es schwierig ist, Mauern zu berennen, wenn man auf Eis ausrutscht oder im Schnee versinkt. Unglücklicherweise war auch der Februar in jenem Jahr bitterkalt, das Heer war entmutigt und der Kaiser noch mehr. Jener selbe Friedrich, der alte und kriegs-erfahrene Städte wie Tortona und Crema und sogar Mailand unterworfen hatte, versagte vor einer Ansammlung elender Hütten, die gerade erst durch ein Wunder Stadt geworden war und von Leuten bewohnt wurde, von denen Gott allein wußte, woher sie kamen und warum sie sich so für diese Bastionen einsetzten – die noch dazu vor ihrem Eintritt ins Dasein nicht einmal die ihren gewesen waren.

Ferngeblieben, um nicht mit ansehen zu müssen, wie seine Landsleute niedergemetzelt wurden, beschloß Bau-dolino jetzt, sich hinzubegeben, aus Furcht, seine Lands-leute könnten dem Kaiser etwas antun.

Und so kam er nun erneut in die Ebene, in der sich jene Stadt erhob, die er noch im Bau gesehen hatte. Ringsum starrend von Bannern mit einem großen roten Kreuz auf weißem Grund, als wollten die Einwohner sich Mut ma-chen, indem sie, Neulinge, die sie waren, die Wappen alten Adels vorzeigten. Vor den Mauern sah man eine Versamm-lung von Rammen, Wurfmaschinen und Katapulten, und dazwischen bewegten sich, gezogen von Pferden und ge-schoben von Männern, drei Belagerungstürme voran, hohe Holzgerüste, wimmelnd von lärmenden Menschen, die drohend die Fäuste in Richtung der Mauern schüttelten, als wollten sie sagen: »Jetzt kommen wir!«

Zwischen diesen Türmen entdeckte Baudolino den Poe-ten, der geschäftig hin und her ritt mit der Miene dessen, der aufpaßt, daß alles richtig abläuft. »Wer sind diese Irren da auf den Türmen?« fragte er ihn. »Genuesische Arm-brustschützen«, antwortete der Poet, »die fürchterlichsten unter den Sturmtruppen in einer Belagerung, wie sie sein soll.«

»Genuesische?« wunderte sich Baudolino. »Aber die Genueser haben doch zur Gründung der Stadt beigetragen!« Der Poet lachte auf und sagte, allein in den vier oder fünf Monaten, seit er hier sei, habe er schon mehrere Städte die Fahne wechseln sehen. Tortona sei noch im Oktober auf seiten der Liga gewesen, dann habe man gesehen, daß Alexandria sich besser hielt, als erwartet, habe zu fürchten begonnen, daß es zu stark werden könnte, und nun dränge ein großer Teil der Tortonesen darauf, daß ihre Stadt zum Kaiser überwechsle. Cremona war zur Zeit der Kapitulation Mailands auf seiten Friedrichs gewesen, in den letzten Jahren war es zur Liga übergewechselt, aber jetzt verhandle es aus irgendwelchen geheimnisvollen Gründen mit den Kaiserlichen.

»Und wie geht diese Belagerung voran?«

»Schlecht geht sie voran. Entweder sind die dort drinnen gute Verteidiger, oder wir sind schlechte Angreifer. Wenn du mich fragst, diesmal hat Friedrich müde Söldner mitgebracht. Unzuverlässige Leute, die sich bei der ersten Schwierigkeit aus dem Staub machen, diesen Winter sind viele bloß wegen der Kälte abgehauen, und das waren Flamen, nicht etwa Mohren aus dem heißen Land, wo die Löwen sind. Und schließlich, im Lager sterben sie wie die Fliegen, an tausend Krankheiten, und drüben hinter den Mauern wird es nicht besser sein, denn allmählich müßten ihnen die Lebensmittel ausgehen.«

Endlich begrüßte Baudolino den Kaiser. »Mein Vater, ich bin gekommen«, sagte er, »weil ich die Orte kenne und dir nützlich sein könnte.«

»Ja«, sagte der Rotbart, »aber du kennst auch die Leute und wirst ihnen kein Leid antun wollen.«

»Und du kennst mich und weißt, wenn du dich nicht auf mein Herz verlassen willst, kannst du dich auf meine Worte verlassen. Ich werde meinen Leuten kein Leid antun, aber ich werde dich nicht belügen.«

»Im Gegenteil, du wirst mich belügen, aber du wirst auch mir kein Leid antun. Du wirst lügen, und ich werde vorgeben, dir zu glauben, weil du immer zu einem guten Zweck lügst.«

Er war ein rüder Mensch, erklärte Baudolino, aber er konnte sehr geschliffen formulieren. »Kannst du verstehen, Kyrios Niketas, was ich damals empfand? Ich wollte nicht, daß er diese Stadt zerstörte, aber ich liebte ihn und wollte seinen Ruhm.«

»Du hättest ihn nur zu überzeugen brauchen«, sagte Niketas, »daß sein Ruhm noch heller strahlen würde, wenn er die Stadt verschonte.«

»Gott segne dich, Kyrios Niketas, du sprichst, als läsest du in meiner damaligen Seele. Genau mit diesem Gedanken im Kopf bin ich im folgenden zwischen Lager und Mauer hin- und hergependelt. Ich hatte mit Friedrich abgesprochen, daß ich Kontakte mit den Einheimischen herstellen sollte, so als wäre ich eine Art Botschafter, aber es war natürlich nicht allen klar, daß ich mich frei bewegen konnte, ohne Verdacht zu erregen. Am Hof gab es Leute, die mich um meine Vertrautheit mit dem Kaiser beneideten, wie der Bischof von Speyer und ein gewisser Graf Ditpold, den alle »die Bischöfin« nannten, vielleicht nur weil er blond und rosig wie ein Mädchen war. Womöglich hatte er gar nichts mit dem Bischof, ja er sprach sogar dauernd von einer gewissen Thekla, die er zu Hause im Norden gelassen habe. Wer weiß ... Er war hübsch, aber zum Glück war er auch dumm. Nun, und genau diese Leute ließen mich, auch dort im Lager, von ihren Spitzeln verfolgen, und dann gingen sie zum Kaiser und erzählten ihm, ich sei in der Nacht zuvor gesehen worden, wie ich zur Stadtmauer geritten sei und mit den Leuten drinnen geredet hätte. Zum Glück schickte der Kaiser sie fort, weil er wußte, daß ich mich bei Tag und nicht in der Nacht zu jener Mauer begab.«

Kurzum, Baudolino begab sich zu jener Mauer, und auch hinein. Das erste Mal war es nicht leicht, denn als er sich dem Tor näherte, hörte er plötzlich Steine pfeifen – ein Zeichen dafür, daß sie in der Stadt anfingen, Pfeile zu sparen und statt dessen Steinschleudern zu benutzen, die sich seit der Zeit Davids als wirksam und billig erwiesen hatten. Er mußte in perfektem Frascheta-Dialekt zu ihnen hinaufbrüllen und die unbewaffneten Hände weit schwenken, und zum Glück wurde er endlich von dem Trotti erkannt.

»Oh, Baudolino«, rief der Trotti hinunter. »Kommst du, um dich uns anzuschließen?«

»Spiel nicht den Ahnungslosen, Trotti, du weißt, daß ich auf der anderen Seite bin. Aber ich komme gewiß nicht mit bösen Absichten. Laß mich rein, ich möchte meinen Vater begrüßen. Ich schwöre dir bei der Heiligen Jungfrau, daß ich kein Wort sagen werde über das, was ich sehe.«

»Ich vertraue dir. Macht ihm das Tor auf, he, ihr da, habt ihr verstanden oder seid ihr taub? Das ist ein Freund. Oder quasi. Ich meine, er ist einer der Ihren, der einer der Unseren ist, das heißt einer der Unseren, der auf ihrer Seite ist, also jedenfalls, macht ihm jetzt dieses verdammte Tor auf, oder ich komme runter und mache euch Beine.«

»Schon gut, schon gut«, sagten die Angesprochenen und verdrehten die Augen zum Himmel. »Hier kapiert man ja nie, wer auf dieser und wer auf der anderen Seite ist, erst gestern haben wir diesen Kerl rausgelassen, der wie einer aus Pavia gekleidet war...«

»Schnauze, du Blödmann!« schrie der Trotti. Und Baudolino feixte: »Haha«, während er hineinritt. »Ihr habt Spione in unser Lager geschickt... Aber keine Sorge, ich hab's dir versprochen, ich seh nix und hör nix...«

Und so reitet er in die Stadt hinein, und schon sehen wir ihn, wie er seinen alten Vater umarmt – der noch rüstig und zäh ist, beinahe verjüngt durch das erzwungene Fasten – am Brunnen auf dem kleinen Platz hinter der Mauer. Schon sehen wir Baudolino, wie er vor der Kirche den Ghini und den Scaccabarozzi wieder begrüßt... Und Baudolino, wie er in der Taverne nach dem Squarciafichi fragt, und die anderen weinen und sagen ihm, daß er einen genuesischen Armbrustbolzen in den Hals gekriegt hat, grad erst beim letzten Sturmangriff, und da weint auch Baudolino, dem Krieg noch nie gefallen hat und jetzt weniger denn je, auch weil er um seinen alten Vater fürchtet... Und Baudolino auf der schönen großen Piazza, die hell in der Märzsonne daliegt, wie er den Kindern zusieht, die Körbe mit Steinen herbeischleppen, um die Befestigungen zu verstärken, und Krüge mit Wasser für die Verteidiger, und er freut sich über den unbeugsamen Geist, der sich aller Bürger bemächtigt hat... Und Baudolino, wie er sich fragt, wer all diese Leute sind, die da in Alexandria zusammenkommen, als gäbe es eine Hochzeitsfeier, und die Freunde sagen ihm, gerade dies sei das Unglück, denn aus Furcht vor dem kaiserlichen Heer seien alle Flüchtlinge aus der ganzen Gegend zusammengeströmt, und so habe die Stadt zwar viele hilfreiche Hände, aber auch viele, zu viele hungrige Mäuler... Und Baudolino, wie er die neue Kathedrale bewundert, die nicht groß ist, aber gut gebaut, und er sagt: Donnerwetter, da ist ja sogar ein Tympanon mit einem Zwerg auf den Thron, und alle ringsum knurren »Eh, eh«, als wollten sie sagen, da siehst du mal, was wir können, aber bitte sehr, das ist kein Zwerg, das ist Unser Herr Jesus Christus, vielleicht ist er nicht gut gemacht, aber wenn Friedrich einen Monat später gekommen wäre, hätte er hier ein ganzes Jüngstes Gericht vorgefunden mit sämtlichen Greisen aus der Apokalypse... Und Baudolino, wie er um einen Becher vom Guten bittet, und alle gucken ihn an wie einen aus dem kaiserlichen Lager, denn es ist klar, daß man Wein, ob guten oder schlechten, bei ihnen längst nicht mehr kriegt, er ist das erste, was man den Verwundeten gibt, um sie zu stärken, und den Angehörigen der Gefallenen, damit sie nicht zuviel daran denken... Und Baudolino, wie er viele abgezehrte Gesichter um sich herum sieht und fragt, wie lange sie noch standhalten werden, und sie zucken die Achseln und heben die Augen zum Himmel, als wollten sie sagen, das liege ganz in der Hand des Herrn... Und schließlich Baudolino, wie er den Anselmo Medico trifft, der hundertfünfzig Fußsoldaten aus Piacenza befehligt, die der Civitas Nova zu Hilfe geeilt sind, und Baudolino freut sich über diesen schönen Solidaritätsbeweis, und seine Freunde, die Guascos, Trottis, Boidis und Oberto del Foro sagen ihm, ja, dieser Anselmo ist einer, der sich mit Kriegführen auskennt, aber außer den Piacentinern ist niemand gekommen, erst hat die Liga uns angestachelt, gegen den Kaiser aufzustehen, aber dann hat sie uns im Stich gelassen, die italienischen Städte kannst du vergessen, wenn wir diese Belagerung heil überstehen, schulden wir niemand was, sollen sie doch sehen, wie sie mit dem Kaiser zurechtkommen, Amen.

»Aber die Genueser, wie kommt es, daß die gegen euch sind, wo sie euch doch beim Bau geholfen haben, sogar mit klingender Münze?«

»Die Genueser wissen schon, wie sie ihre Geschäfte am besten machen, da kannst du beruhigt sein, heute stehen sie auf seiten des Kaisers, weil ihnen das in den Kram paßt, aber sie wissen, daß die Stadt, wenn sie einmal da ist, nicht wieder verschwindet, auch nicht, wenn sie ganz niedergerissen wird, siehe Lodi oder Mailand. Also warten sie's ab, und hinterher nützt ihnen auch das, was von der Stadt noch übriggeblieben ist, zur Kontrolle der Transitwege, und womöglich bezahlen sie noch dafür, um wieder hochzuziehen, was sie niederzureißen mitgeholfen haben, heutzutage geht alles um Geld, das zirkuliert, und sie sind immer mittendrin.«

»Baudolino«, sagte der Ghini, »du bist gerade erst angekommen und hast nicht die Sturmangriffe im Oktober und in den letzten Wochen gesehen. Diese Kerle schlagen hart zu, sage ich dir, nicht nur die genuesischen Armbrustschützen, auch diese Böhmen mit den fast weißen Schnurrbärten, wenn es denen gelingt, die Leiter anzulegen, dann ist es Schwerarbeit, sie runterzuwerfen... Freilich, ich nehme an, daß sie mehr Tote haben als wir, denn trotz ihrer Schildkröten und ihrer Widder haben sie viele dicke Brokken auf den Kopf gekriegt. Aber es ist schon hart, und es zieht sich in die Länge.«

»Wir haben gehört«, sagte der Trotti, »daß die Truppen der Liga sich in Bewegung gesetzt haben und den Kaiser von hinten angreifen wollen. Weißt du nichts davon?«

»Das ist uns auch zu Ohren gekommen, und deswegen will Friedrich euch vorher in die Knie zwingen. Ihr...«, er ließ die Hand mit gestrecktem Daumen und Zeigefinger rotieren, »ihr denkt wohl gar nicht daran, euch zu ergeben, oder?«

»Na hör mal! Unsere Köpfe sind noch härter als unsere Schwänze.«

So ging es ein paar Wochen lang: Nach jedem Scharmützel begab sich Baudolino in die Stadt, vor allem, um zu erfahren, wer diesmal gefallen war (auch der Panizza? Auch der Panizza, er war ein braver Junge), und kehrte dann zu Friedrich zurück, um ihm zu sagen, daß die Belagerten gar nicht daran dächten zu kapitulieren. Friedrich schimpfte nicht mehr, sondern begnügte sich mit Sätzen wie: »Und was kann *ich* da tun?« Es war klar, daß es ihn mittlerweile reute, sich auf diese verwickelte Angelegenheit eingelassen zu haben: Das Heer zerfiel ihm, die Bauern versteckten das Korn und das Vieh im Wald oder schlimmer noch in den Sümpfen, man konnte sich weder in nördlicher noch in östlicher Richtung bewegen, ohne auf irgendeine Vorhut der Liga zu stoßen – kurzum, nicht daß diese Dorflackel tapferer als die Bürger von Crema waren, aber wenn etwas schiefläuft, dann läuft es schief. Andererseits konnte er auch nicht einfach abziehen, dann hätte er das Gesicht für immer verloren.

Was die Rettung des Gesichts betraf, so verstand Baudolino aus einer Anspielung, die der Kaiser eines Tages auf seine als Kind geäußerte Prophezeiung über die Kapitulation von Tortona machte, daß er, wenn er nur ein Zeichen vom Himmel bekäme, irgend etwas, um aller Welt sagen zu können, der Himmel selbst habe ihm geraten, nach Hause zurückzukehren, dann würde er die Gelegenheit schon nutzen...

Eines Tages, während Baudolino mit den Belagerten sprach, sagte Gagliaudo zu ihm: »Hör mal, du bist doch so intelligent und hast über Büchern studiert, in denen alles geschrieben steht, hast du nicht irgendeine Idee, wie alle nach Hause gehen könnten? Wir haben schon unser ganzes Vieh bis auf eine Kuh schlachten müssen, und deine Mutter, wenn die hier noch länger in der Stadt eingeschlossen bleibt, dann erstickt sie.«

Da kam Baudolino tatsächlich eine schöne Idee, und sogleich fragte er, ob sie eigentlich jenen falschen Tunnel gebaut hätten, von dem Trotti vor ein paar Jahren gesprochen hatte, bei dem der Feind glauben sollte, daß er in die

Stadt führe, und statt dessen führte er den Angreifer in eine Falle. »Selbstverständlich«, sagte Trotti, »komm ihn dir ansehen. Schau, die Öffnung ist dort unten, in dem Dickicht dort etwa zweihundert Schritte vor der Mauer, direkt unter einer Art Grenzstein, der da scheinbar seit tausend Jahren liegt, dabei haben wir ihn extra von Villa del Foro hergeschleppt. Und wer dort draußen reingeht, kommt hier drinnen bei diesem Gitter raus, von dem aus man nur diese Taverne sieht und sonst gar nichts.«

»Und jedem, der rauskommt, gebt ihr eins auf die Rübe?«

»Also die Sache ist die, daß für gewöhnlich in einen so engen Tunnel, bei dem es Tage dauern würde, bis alle Belagerer durch sind, erstmal nur eine kleine Gruppe reingeht, um die Lage zu sondieren und den Ausgang zu öffnen. Und ganz abgesehen davon, daß wir nicht wissen, wie wir den Feinden mitteilen sollen, daß da ein Tunnel ist – was hast du davon, wenn du zwanzig oder dreißig armen Christenmenschen den Schädel eingeschlagen hast, hat sich dann die ganze Mühe gelohnt? Wär doch bloß eine Gemeinheit und basta.«

»Ja, wenn's nur darum ginge, ihnen eins auf die Rübe zu geben. Aber jetzt hör zu, was ich mir vorstelle, ja geradezu vor diesen meinen Augen sehe: Kaum sind diese Kerle in die Stadt eingedrungen, hören sie Posaunen erschallen, und umflackert von zehn Fackeln kommt aus jener Gasse dort ein Mann mit langem weißem Bart und weißem Mantel auf einem weißen Pferd gesprengt und mit einem großen weißen Kreuz in der Hand, und er ruft: Bürger, Bürger, aufgewacht, der Feind ist da! Und daraufhin, noch ehe die Eindringlinge sich zu irgendwas entschlossen haben, erscheinen die Unseren in den Fenstern und auf den Dächern, wie du gesagt hast. Und nachdem sie die Eindringlinge gefaßt haben, knien sie nieder und rufen alle miteinander: Das war Sankt Peter, der unsere Stadt beschützt! Und sie treiben die Kaiserlichen in den Tunnel zurück und sagen zu ihnen: Dankt Gott, daß wir euch das Leben schenken, geht und erzählt im Lager eures Barbarossa, daß die Neue Stadt des Papstes Alexander vom Heiligen Petrus höchstpersönlich beschützt wird...«

»Und Barbarossa wird so einen Unsinn glauben?«

»Nein, denn er ist nicht dumm, aber eben weil er nicht dumm ist, wird er so tun, als ob er den Unsinn glaubt, denn ihm liegt mehr als euch daran, mit dieser Belagerung endlich Schluß zu machen.«

»Nehmen wir an, es ist so. Wer wird dafür sorgen, daß sie den Tunnel entdecken?«

»Ich.«

»Und wo findest du den Blödmann, der darauf reinfällt?«

»Den habe ich schon gefunden, er ist so blöd, daß er bestimmt darauf reinfällt und sich mit soviel Ruhm bekleckert, wie er's verdient, zumal wir uns ja einig sind, daß niemand umgebracht werden soll.«

Baudolino dachte an den eitlen und aufgeblasenen Grafen Ditpold, und um den dazu zu bringen, etwas zu unternehmen, brauchte man ihm bloß anzudeuten, daß es Baudolino schaden würde. Es genügte also, ihn wissen zu lassen, daß es einen Tunnel gab und daß Baudolino nicht wollte, daß er entdeckt würde. Wie? Ganz einfach, schließlich hatte Ditpold ja Spitzel auf Baudolino angesetzt.

Nach Einbruch der Dunkelheit, als Baudolino zum Lager zurückkehrte, überquerte er erst eine kleine Lichtung und ging dann in den Wald hinein, aber kaum zwischen den Bäumen angelangt, blieb er stehen und schaute zurück, gerade rechtzeitig, um im Mondlicht eine Gestalt zu sehen, die geduckt über die Lichtung lief. Es war der Mann, den Ditpold auf seine Spur gesetzt hatte. Baudolino wartete im Schutz der Bäume, bis der Mann so nahe herangekommen war, daß er fast in ihn hineingerannt wäre, setzte ihm dann die Schwertspitze auf die Brust und sagte auf Flämisch, während der andere vor Schreck wimmerte: »Dich kenne ich, du bist einer der Brabanter. Was machst du hier außerhalb des Lagers? Sprich, ich bin ein Ministeriale des Kaisers!«

Der Mann stammelte etwas von einer Frauengeschichte, und es klang sogar halbwegs überzeugend. »Na gut«, sagte Baudolino, »jedenfalls ist es ein Glück, daß du gerade vorbeigekommen bist. Folge mir, ich brauche jemanden, der aufpaßt, während ich etwas mache.«

Für den Mann war es ein Geschenk des Himmels, er war nicht nur unerkannt geblieben, sondern konnte seine Spitzeltätigkeit Arm in Arm mit dem Bespitzelten fortsetzen. Baudolino ging zu dem Dickicht, das ihm Trotti gezeigt hatte. Er brauchte gar nichts zu fingieren, denn er mußte wirklich eine Zeitlang stöbern und wühlen, bis er den alten Grenzstein fand, wobei er etwas vor sich hin brummelte von einem Hinweis, den er gerade von einem seiner Informanten bekommen habe. Endlich fand er den Stein, der tatsächlich so aussah, als ob er da mit den Sträuchern gewachsen wäre, untersuchte ringsum den Boden, schob das Laub und die Zweige beiseite, bis ein Eisengitter zum Vorschein kam. Er bat den Brabanter, ihm zu helfen, und gemeinsam hoben sie es hoch: Darunter waren drei Stufen. »Hör zu«, sagte er zu dem Mann. »Du steigst runter und gehst durch den Tunnel, der hier sein muß, bis es nicht mehr weitergeht. Am Ende wirst du vielleicht schon Lichter sehen. Schau dir alles an und merk dir gut, was du siehst. Dann komm zurück und berichte mir. Ich warte hier und passe auf, daß keiner kommt.«

Der Mann fand es ganz natürlich, wenn auch leidvoll, daß ein feiner Herr ihn erst bat, für ihn den Aufpasser zu spielen, und dann, wenn es brenzlig wurde, ihn in die Gefahr schickte, um selber die Rolle des Aufpassers zu übernehmen. Doch Baudolino hatte das Schwert gezückt, sicher um ihm den Rücken zu decken, obwohl man das ja bei diesen Herren nie weiß, und so bekreuzigte sich der Spitzel und stieg hinunter. Als er nach etwa zwanzig Minuten zurückkam, erzählte er keuchend, was Baudolino schon wußte, nämlich daß sich am Ende des Ganges ein nicht sehr schwer zu entfernendes Eisengitter befinde, hinter dem ein leerer Platz zu sehen sei, daß also der Tunnel direkt in die Stadt hineinführe.

»Gab es Biegungen«, fragte Baudolino, »oder ist es immer geradeaus gegangen?« – »Immer geradeaus«, sagte der andere. Und Baudolino, als spreche er mit sich selbst: »Also befindet sich der Ausgang nur wenige Dutzend Schritte hinter dem Tor. Dieser Bestochene hatte also recht...« Dann sagte er zu dem Brabanter: »Du hast kapiert, was wir entdeckt haben. Beim nächsten Sturmangriff kann eine Handvoll mutiger Männer in die Stadt eindringen, sich bis zum Tor durchschlagen und es von innen öffnen. Es genügt, daß draußen andere bereitstehen, um hineinzustürmen. Mein Glück ist gemacht! Aber du darfst niemandem sagen, was du hier gesehen hast, ich will nicht, daß sich jemand meine Entdeckung zunutze macht.« Er drückte ihm zur Bekräftigung eine Münze in die Hand, und der Preis des Schweigens war so lächerlich, daß der Spitzel wenn nicht aus Treue zu Ditpold, so zumindest aus Rache sofort loslaufen und ihm alles erzählen würde.

Man kann sich leicht vorstellen, was dann geschah. In der Annahme, daß Baudolino die Entdeckung geheimhalten wolle, um seinen belagerten Freunden nicht zu schaden, eilte Ditpold zum Kaiser, um ihm zu sagen, daß sein geliebter Adoptivsohn einen Geheimgang in die Stadt entdeckt habe, aber sich hüte, es zu sagen. Der Kaiser hob die Augen zum Himmel, als wollte er sich für den gesegneten Warner bedanken, dann sagte er zu Ditpold: »Also gut, ich biete dir an, berühmt zu werden. Gegen Abend stelle ich dir ein gutes Kontingent Sturmtruppen direkt vors Tor, ich lasse ein paar Schildkröten bei dem Dickicht postieren, damit es fast dunkel ist und nicht auffällt, wenn du mit deinen Leuten in den Tunnel steigst, ihr dringt in die Stadt ein, öffnet das Tor von innen, und von einem Tag auf den anderen bist du ein Held geworden.«

Der Bischof von Speyer erhob sogleich Anspruch auf das Kommando über die Truppe vor dem Tor, denn Ditpold sei für ihn, sagte er, wie ein Sohn, und das können wir uns denken.

Als Trotti am Nachmittag des Karfreitags sah, daß die Kaiserlichen sich vor dem Tor versammelten, und das, während es schon dunkelte, begriff er, daß es sich um eine Finte handelte, mit der die Aufmerksamkeit der Belagerten abgelenkt werden sollte, und daß der Schlaukopf Baudolino dahinterstecken mußte. Daher beeilte er sich, nachdem er die Sache allein mit dem Guasco, dem Boidi und Oberto del Foro besprochen hatte, einen glaubwürdigen Sankt Peter herbeizuschaffen, und dazu bot sich einer der ältesten

Konsuln an, Rodolfo Nebia, der das richtige Aussehen hatte. Sie verloren lediglich eine halbe Stunde mit der Diskussion über die Frage, ob der Heilige das Kreuz oder die berühmten Schlüssel in der Hand halten sollte, aber dann entschieden sie sich für das Kreuz, weil es im Dämmerlicht besser zu sehen sein würde.

Baudolino wartete nicht weit vom Tor entfernt. Er war sicher, daß es keinen Kampf geben würde, denn vorher würde jemand aus dem Tunnel herauskommen, um die Neuigkeit von der himmlischen Hilfe zu überbringen. Und tatsächlich, nach der Zeit, in der man drei Paternoster samt Ave und Gloria sprechen konnte, vernahm man aus dem Innern der Stadt einen großen Lärm, und eine übernatürlich klingende Stimme rief: »Zu den Waffen, zu den Waffen, meine getreuen Alexandriner!«, und ein Gewirr von irdischen Stimmen schrie durcheinander: »Das ist Sankt Peter, oh, oh, ein Wunder, ein Wunder!«

Aber genau da ging etwas schief. Wie Baudolino später erfuhr, hatten sie Ditpold und die Seinen prompt ergriffen und dann alles getan, um sie zu überzeugen, daß ihnen Sankt Peter erschienen sei. Vermutlich wären auch alle darauf hereingefallen, nur nicht Ditpold, der ja wußte, auf welchem Wege die Nachricht von der Entdeckung des Tunnels zu ihm gelangt war und dem nun – dumm war er schon, aber so dumm nun auch wieder nicht – der Verdacht kam, er könnte von Baudolino genarrt worden sein. So hatte er sich mit einem Ruck aus dem Griff seiner Häscher befreit, war in eine enge Gasse geschlüpft und hatte so laut zu brüllen begonnen, daß keiner verstand, in welcher Sprache er brüllte, und alle ihn im Zwielicht für einen der Ihren hielten. Doch als er dann auf der Mauer stand, war es klar, daß er sich an die Belagerer wandte, um sie vor einer Falle zu warnen – wobei man nicht recht verstand, wovor er sie schützen wollte, da die draußen Wartenden ja, wenn das Tor nicht aufging, nicht hineinkommen würden und folglich auch nichts riskierten. Aber gleichviel, gerade weil er dumm war, hatte dieser Ditpold Courage, er stand auf der Mauerkrone, schwenkte sein Schwert und forderte alle Alexandriner heraus. Welchselbige – wie es die Regeln einer Belagerung verlangen – nicht zulassen konnten, daß ein Feind die Mauer erreichte, mochte er auch von innen kommen; zudem waren nur wenige über die List informiert, und die anderen sahen plötzlich einen Deutschen mitten unter sich, als ob nichts wäre. So daß einer von ihnen es für gut hielt, Ditpold eine Pike in den Rücken zu rammen und ihn über die Mauerkrone zu werfen.

Als der Bischof von Speyer seinen vielgeliebten Gefährten leblos zu Füßen des Torturms stürzen sah, geriet er außer sich und befahl den Angriff. In einer normalen Situation hätten sich die Alexandriner wie üblich verhalten und die Angreifer nur von oben beschossen, doch als die Feinde sich dem Tor näherten, hatte sich bereits das Gerücht verbreitet, daß Sankt Peter erschienen sei, um die Stadt vor einem Hinterhalt zu retten, und daß er einen siegreichen Ausfall anführen werde. Daher hatte Trotti das Mißverständnis zu nutzen gedacht und seinen falschen Sankt Peter vorgeschickt, so daß er als erster herauskam und alle anderen nach sich zog.

Kurzum, Baudolinos Lügenmärchen, das die Köpfe der Belagerer hätte vernebeln sollen, vernebelte die der Belagerten: Von mystischem Furor und kriegerischer Verzücktheit ergriffen, warfen sich die Alexandriner wie wilde Tiere den Kaiserlichen entgegen – und dermaßen ungeordnet, gegen alle Regeln der Kriegskunst, daß der Bischof von Speyer und seine Reiter verwirrt stehenblieben und zurückwichen, und es wichen auch jene zurück, welche die Türme mit den genuesischen Armbrustschützen schoben, so daß diese genau am Rand jenes schicksalhaften Dickichts stehenblieben. Für die Alexandriner war es eine Einladung zum Tanz: Sofort schlüpfte Anselmo Medico mit seinen Piacentinern in den Tunnel, der sich nun wirklich als ein Segen erwies, und tauchte im Rücken der Genueser mit einer Gruppe verwegener Kämpfer auf, die lange Stangen trugen, auf die sie brennende Pechballen gepflanzt hatten. Die genuesischen Türme loderten auf wie trockenes Holz im Kamin. Die Armbrustschützen versuchten sich durch Sprünge zu retten, aber sobald sie den Boden berührten, fielen die Alexandriner mit Knüppeln über sie her, einer der Türme neigte sich zur Seite und brach funkenstiebend zusammen inmitten der Reiterei des Bischofs, die Pferde brachen in Panik aus, so daß die Reihen der Kaiserlichen noch mehr durcheinandergerieten, und wer nicht zu Pferde saß, trug seinen Teil zur Verwirrung dadurch bei, daß er zwischen den Reitern umherlief und schrie, Sankt Peter komme, Sankt Peter höchstpersönlich, und vielleicht auch Sankt Paulus, und jemand hatte auch den heiligen Sebastian und sogar den heiligen Tarsicius gesehen – kurzum, der ganze christliche Olymp hatte sich eingestellt, um dieser zutiefst verabscheuenswerten Stadt zur Seite zu springen.

In der Nacht überbrachte jemand dem kaiserlichen Lager, das bereits in tiefer Trauer war, den Leichnam des Bischofs von Speyer, den auf der Flucht ein Pfeil in den Rücken getroffen hatte. Friedrich ließ Baudolino zu sich rufen und fragte ihn, was er mit dieser Geschichte zu tun habe und was er darüber wisse, und Baudolino hätte in den Boden versinken mögen, denn an jenem Abend waren viele tapfere *milites* gefallen, darunter auch der Anselmo Medico aus Piacenza, und wackere Sergenten und arme Fußsoldaten, und alles wegen seines schönen Planes – der doch alles hätte beenden sollen, ohne daß irgendwem auch nur ein Haar gekrümmt worden wäre. Er warf sich Friedrich zu Füßen und gestand ihm die ganze Wahrheit: daß er es für gut befunden hatte, ihm einen glaubhaften Vorwand zum Abbruch der Belagerung zu liefern, und statt dessen war nun alles ganz anders gelaufen.

»Ich bin ein elender Nichtsnutz, Vater«, sagte er, »ich kann kein Blut sehen und wollte mir die Hände nicht schmutzig machen, ich wollte weitere Tote vermeiden, und schau, was für ein Gemetzel ich angerichtet habe, all diese Toten habe ich auf dem Gewissen!«

»Wirklich ein Jammer, daß dein Plan durchkreuzt worden ist!« antwortete Friedrich, der eher betrübt als zornig schien. »Denn – aber sag das niemandem weiter – diesen Vorwand hätte ich gut gebrauchen können. Ich habe neue Nachrichten bekommen: Die Liga rührt sich, vielleicht werden wir schon morgen an zwei Fronten kämpfen müssen. Dein Sankt Peter hätte die Soldaten überzeugt, aber jetzt sind zu viele gestorben, und meine Barone wollen Rache. Sie sagen, es sei der richtige Zeitpunkt, denen in der Stadt eine Lektion zu erteilen, man habe sie ja nur anzusehen brauchen, als sie herauskamen: Sie waren magerer als wir und boten wirklich die letzten Kräfte auf.«

Es war inzwischen Karsamstag. Die Luft war lau, die Felder schmückten sich mit Blumen, die Bäume schlugen aus. Alle waren traurig wie bei einem Begräbnis, die Kaiserlichen, weil jeder sagte, es sei jetzt Zeit zum Angriff, aber keiner angreifen wollte, und die Alexandriner, weil sie besonders nach der Anstrengung des letzten Ausfalls den Kopf im siebenten Himmel trugen und den Bauch in Kniehöhe zwischen den Beinen. So geschah es, daß sich der produktive Geist Baudolinos wieder an die Arbeit machte.

Er ritt aufs neue zur Mauer und fand den Trotti, den Guasco und die anderen Anführer ziemlich niedergeschlagen. Auch sie wußten von der Ankunft der Liga, aber sie hatten aus sicherer Quelle gehört, daß die verschiedenen Kommunen sehr geteilter Meinung über das weitere Vorgehen waren und nicht wußten, ob sie Friedrich wirklich angreifen sollten.

»Denn es ist eine Sache – beachte das gut, Kyrios Niketas, dies ist eine sehr subtile Unterscheidung, die zu begreifen die Byzantiner vielleicht nicht subtil genug sind –, es ist eine Sache, sich zu verteidigen, wenn der Kaiser einen belagert, und eine andere, dem Kaiser aus eigenem Antrieb eine Schlacht zu liefern. Anders gesagt, wenn dein Vater dich mit dem Gürtel verprügelt, hast du das Recht zu versuchen, ihm den Gürtel aus der Hand zu reißen – und das ist Verteidigung –, aber wenn du die Hand gegen deinen Vater erhebst, dann ist das Vatermord. Und wenn du es einmal entschieden am Respekt gegenüber dem Kaiser des Heiligen Römischen Reiches hast fehlen lassen, was bleibt dir dann noch, um die italienischen Kommunen zusammenzuhalten? Verstehst du, sie hatten zwar gerade die Truppen Friedrichs in der Luft zerfetzt, aber sie akzeptierten ihn weiter als ihren einzigen Herrn, oder anders gesagt, sie wollten ihn nicht zwischen den Füßen haben, aber wehe, wenn es ihn nicht mehr gäbe: sie würden einander die Köpfe einschlagen, ohne überhaupt noch zu wissen, ob sie Gutes oder Böses taten, denn das Kriterium zur Unterscheidung von Gut und Böse war letzten Endes der Kaiser.«

»Daher wär's das beste«, meinte Guasco, »wenn Friedrich jetzt die Belagerung Alexandrias abbrechen würde, und ich versichere dir, die Kommunen würden ihn nach Pavia durchlassen.« Aber wie konnte man ihm ermöglichen, sein Gesicht zu wahren? Mit einem Zeichen vom Himmel hatte man's schon versucht, die Alexandriner hatten einen schönen Erfolg erzielt, aber nun waren sie wieder am gleichen Punkt wie zuvor. Vielleicht sei die Idee mit Sankt Peter ein bißchen zu ambitioniert gewesen, gab Baudolino zu bedenken, und außerdem sei eine Vision oder Erscheinung, wie immer man's nennen wolle, etwas Wirkliches und zugleich Unwirkliches, und am nächsten Tag sei es leicht, sie zu abzuleugnen. Und schließlich, wozu die Heiligen bemühen? Diese Söldner da seien Leute, die nicht mal an Gottvater glaubten, das einzige, woran sie glaubten, sei ein voller Bauch und ein steifer Schwanz...

»Mal angenommen«, sagte da der alte Gagliaudo mit jener Weisheit, die – wie jeder weiß – der Herrgott nur den Seinen verleiht, »mal angenommen, die Kaiserlichen fangen eine von unseren Kühen und finden sie so voller Getreide, daß der Bauch fast platzt. Dann werden der Barbarossa und seine Leute doch denken, wir hätten noch so viel zu essen, daß wir noch ewig und *in sculasculorum* standhalten könnten, und dann sind es die Herren selbst und die Soldaten, die sagen, laßt uns hier abziehen, sonst sind wir nächstes Ostern noch hier...«

»So eine dumme Idee hab ich noch nie gehört«, sagte der Guasco, und der Trotti gab ihm recht, indem er sich mit dem Finger an die Stirn tippte, um anzudeuten, daß der Alte wohl nicht mehr alle beisammenhatte. »Und außerdem, wenn wir noch eine lebendige Kuh hätten, würden wir sie sogar roh verspeisen«, fügte der Boidi hinzu.

»Nicht weil er mein Vater ist, aber die Idee kommt mir gar nicht so abwegig vor«, sagte Baudolino. »Vielleicht habt ihr's ja vergessen, aber *eine* Kuh haben wir noch, nämlich genau die alte Rosina von meinem Vater. Die Frage ist nur, ob wir, auch wenn wir alle Winkel der Stadt durchkämmen, noch genügend Getreide zusammenkriegen, um das Vieh bis zum Platzen zu mästen.«

»Die Frage ist, ob ich dir das Vieh dafür gebe, du Vieh!« empörte sich der alte Gagliaudo. »Denn eins ist doch klar: um zu kapieren, daß die Kuh voller Getreide ist, müssen die Kaiserlichen sie nicht nur finden, sondern sie schlachten, und meine liebe Rosina, die haben wir nie geschlachtet, weil sie für mich und für deine Mutter wie eine Tochter ist, die uns der Herr nie geschenkt hat, und darum wird niemand die Rosina berühren. Lieber schicke ich dich zum Schlachter, nachdem du dich dreißig Jahre lang nicht zu Hause hast blicken lassen, während sie immer brav da war, ohne Flausen zu machen.«

Guasco und die anderen, die eben noch gemeint hatten, die Idee sei einem kranken Hirn entsprungen, waren nun plötzlich, kaum daß Gagliaudo sich gegen sie aussprach, zutiefst überzeugt, daß sie das Beste war, was man sich vorstellen konnte, und redeten sich die Münder fusselig, um dem Alten klarzumachen, daß man angesichts des Schicksals der Stadt auch die eigene Kuh opfern müsse, und daß es unsinnig sei, wenn er sage, lieber würde er Baudolino hinschicken, denn das Bauchaufschlitzen bei Baudolino würde niemanden überzeugen, während das Bauchaufschlitzen bei der Kuh den Barbarossa tatsächlich dazu bringen könne, die Belagerung aufzugeben. Und was das Getreide angehe, davon sei zwar wirklich nicht mehr viel da, aber wenn man alles von überallher zusammenkratze und die Rosina damit vollstopfe, könne es gerade noch reichen, wobei man es ja nicht allzu genau nehmen müsse, denn wenn es einmal im Bauch sei, werde es schwierig sein, noch zu sagen, ob es Weizen oder Spreu war, und man brauche sich auch nicht die Mühe zu machen, vorher die Mehlwürmer oder Schaben rauszulesen, denn in Kriegszeiten fänden die sich auch im Brot.

»Also hör mal, Baudolino«, sagte Niketas, »du willst mir doch nicht erzählen, daß ihr eine solche Albernheit allesamt ernst genommen habt.«

»Nicht nur wir haben sie ernst genommen, wie du im folgenden sehen wirst, auch der Kaiser hat sie ernst genommen.«

Die Geschichte ging tatsächlich so. Um die dritte Stunde jenes Karsamstags versammelten sich alle Konsuln und Honoratioren der Stadt in einem offenen Scheunenbau, wo eine Kuh lag, die man sich magerer und moribunder nicht vorstellen konnte, die Haut halb kahl, die Vorderbeine zwei dürre Stecken, die Euter dünn wie Ohren, die Ohren wie Zitzen, der Blick stumpf, schlaff sogar die Hörner, der Rest mehr Gerippe als Rumpf, weniger ein Rind als ein Gespenst von Rind, eine Kuh für den Totentanz, liebevoll gepflegt von Baudolinos Mutter, die ihr den Kopf streichelte und zu ihr sagte, im Grund sei's besser so, ihr Leiden werde ein Ende haben, aber erst nach einem guten Mahl, und so habe sie's besser als ihre Besitzer.

Daneben trafen weiter Säcke mit Getreide und Saatgut ein, die man irgendwo zusammengesucht hatte und die Gagliaudo dem armen Tier mit aufmunternden Worten vors Maul hielt. Aber die Kuh sah inzwischen nur noch mit ächzendem Desinteresse auf die Welt und hatte schon ganz vergessen, was wiederkäuen bedeutete. So daß schließlich einige Freiwillige ihr die Beine festhielten, andere den Kopf, und wieder andere ihr gewaltsam das Maul öffneten, um, während sie ihren Protest schwach hinausmuhte, ihr die Körner in den Schlund zu stopfen, wie man es bei Gänsen macht. Dann, vielleicht aus Selbsterhaltungstrieb oder im Gedenken an bessere Zeiten, begann das Tier mit der Zunge in die gute Gottesgabe zu fahren und, halb aus eigenem Willen, halb mit Hilfe der Umstehenden, die Körner aufzuschlecken.

Es war kein fröhliches Mahl, und nicht nur einmal schien allen Anwesenden, als sei Rosina gerade dabei, ihre Tierseele Gott zu befehlen, denn sie fraß, als würde sie gebären, zwischen einem Klageruf und dem anderen. Allmählich gewann jedoch ihre Lebenskraft die Oberhand, sie erhob sich auf ihre vier Beine und fraß von allein weiter, das Maul direkt in die Säcke tauchend, die man ihr hinhielt. Am Ende war das, was alle sahen, eine sehr seltsame Kuh, extrem hager und melancholisch, die Wirbel- und Rückenknochen so spitz hervorstechend, daß man meinte, sie wollten aus der ledernen Haut heraustreten, aber der Bauch prall gerundet wie bei Wassersüchtigen und so dick, als ob sie mit zehn Kälbchen schwanger sei.

»Sie kann nicht gehen, sie kann nicht gehen«, sagte der Boidi kopfschüttelnd angesichts dieses traurigen Wunders. »Auch ein Dummkopf sieht doch, daß dies keine fette Kuh ist, sondern nur der Balg einer Kuh, den man vollgestopft hat...«

»Und selbst wenn sie jemand für fett hielte«, sagte Guasco, »wie soll man ernsthaft glauben, daß ihr Besitzer sie noch auf die Weide bringt, auf die Gefahr hin, dort seine Habe und sein Leben zu verlieren?«

»Freunde«, sagte Baudolino, »vergeßt nicht, daß die, die sie finden werden, gleich wer sie sein mögen, einen solchen Hunger haben, daß sie nicht lange nachsehen werden, ob sie hier mager und da fett ist.«

Baudolino hatte recht. Um die neunte Stunde machte Gagliaudo sich mit der Kuh auf den Weg zu einer Wiese, die etwa eine halbe Meile außerhalb der Mauern lag, und kaum war er durchs Tor hinausgegangen, kam aus dem Wald eine Horde von Böhmen, die sicher Vögel jagen wollten, wenn es dort noch lebendige Vögel gegeben hätte. Sie erblickten die Kuh, ohne ihren hungrigen Augen glauben zu wollen, stürzten sich auf Gagliaudo, der sofort beide Hände hob, und schleppten ihn mitsamt dem Tier zu ihrem Lager. Bald hatte sich eine Schar von Kriegern mit eingefallenen Wangen und Stielaugen um sie versammelt, und der armen Rosina wurde sofort die Kehle durchschnitten von einem, der sein Handwerk offensichtlich verstand, denn er tat es mit einem einzigen Schnitt, und in der Zeit, die man braucht, um Amen zu sagen, war Rosina vom Leben zum Tode gebracht. Gagliaudo vergoß echte Tränen, und so kam die Szene allen Anwesenden ganz echt vor.

Als dem Tier der Bauch aufgeschnitten worden war, geschah, was geschehen mußte: Das ganze Körnermahl war so eilig hinuntergeschlungen worden, daß es jetzt auf die Erde prasselte, als ob es noch unversehrt wäre, und allen schien es ganz ohne Zweifel Getreide zu sein. Die Verblüffung war so groß, daß sie den Appetit überwog, und jedenfalls hatte der Hunger den Belagerern ein elementares Urteilsvermögen nicht genommen: Daß in einer belagerten Stadt auch die Kühe so unmäßig prassen konnten, verstieß gegen jedes menschliche und göttliche Gesetz. Ein Sergent unter den hungrig Zuschauenden konnte seinen spontanen Trieb unterdrücken und befand, daß dieses Wunder den Kommandanten zur Kenntnis gebracht werden müsse. Kurz darauf wurde die Nachricht dem Kaiser überbracht, bei dem Baudolino scheinbar gelassen, aber innerlich zitternd vor Spannung auf das Ereignis gewartet hatte.

Rosinas Kadaver, ein Leintuch mit den herausgeprasselten Körnern und Gagliaudo in Fesseln wurden vor Friedrich gebracht. Tot und zerteilt erschien die Kuh jetzt weder fett noch mager, und das einzige, was man sah, war das ganze Zeug in und außerhalb ihres Bauches. Ein Zeichen, das Friedrich nicht unterschätzte, weshalb er den Bauern als erstes fragte: »Wer bist du, woher kommst du, wem gehört diese Kuh?« Und obwohl Gagliaudo kein Wort verstanden hatte, antwortete er im besten Idiom der Frascheta: Ich weiß nicht, ich war's nicht, ich hab nix damit zu tun, ich bin ganz zufällig da vorbeigekommen, die Kuh seh ich zum ersten Mal, ja, wenn du's mir nicht gesagt hättest, hätt ich gar nicht gewußt, daß es eine Kuh ist. Natürlich verstand auch Friedrich kein Wort, und so wandte er sich an Baudolino: »Du kennst doch diese tierische Sprache, sag mir, was er sagt.«

Szene zwischen Baudolino und Gagliaudo, Übersetzung: »Er sagt, er wisse nichts von der Kuh, ein reicher Bauer in der Stadt habe sie ihm gegeben, damit er sie auf die Weide bringe, und das sei alles.«

»Aber zum Teufel, die Kuh ist voller Getreide, frag ihn, wie das kommt?«

»Er sagt, daß alle Kühe, nachdem sie gefressen haben und bevor sie verdaut haben, voll von dem sind, was sie gefressen haben.«

»Sag ihm, er soll hier nicht den Dummen spielen, sonst lasse ich ihn hängen, gleich hier an diesem Baum! Will er uns weismachen, in diesem Kuhdorf, in diesem Gauner- und Bandennest geben sie den Kühen immer Getreide zu fressen?«

Gagliaudo: *»Per mancansa d'fen e per mancansa d'paja, a mantunuma er bestii con dra granaja... E d'iarbion.«*

Baudolino: »Er sagt, nein, nur jetzt, wo sie kein Heu haben wegen der Belagerung. Und es sei auch nicht alles Getreide, es seien auch trockene Arbioni dabei.«

»Arbioni?«

»Erbsen.«

»Teufel nochmal, ich werfe ihn meinen Falken vor, meinen Hunden! Was soll das heißen, daß sie kein Heu haben, aber Getreide und Erbsen?«

»Er sagt, sie hätten in der Stadt alle Kühe der Gegend versammelt, und so könnten sie jetzt Schnitzel essen bis zum Weltuntergang, aber die Kühe hätten das ganze Heu gefressen, und wenn die Leute Fleisch kriegen könnten, würden sie kein Brot mehr essen und Erbsen schon gar nicht, und darum verfütterten sie einen Teil des Getreides, das sie noch hätten, an die Kühe. Er sagt, bei ihnen sei es nicht so wie hier bei uns, wo wir alles hätten, sie müßten sich ihre Vorräte gut einteilen, weil sie arme Belagerte seien. Und er sagt, eben deswegen hätten sie ihm die Kuh zum Auf-die-Weide-Rausbringen gegeben, damit sie ein bißchen frisches Gras in den Magen kriegt, weil immer nur dieses Körnerzeug, davon werde sie krank und kriege die Drehsucht.«

»Baudolino, glaubst du, was dieser Gauner da sagt?«

»Ich übersetze getreu, was er sagt. Nach dem, was ich aus meiner Kindheit in Erinnerung habe, bin ich nicht sicher, ob Kühe gern Körner fressen, aber diese hier war zweifellos voll davon, und der Augenschein läßt sich nicht leugnen.«

Friedrich strich sich den Bart, kniff die Augen zusammen und sah Gagliaudo scharf an. »Baudolino«, sagte er dann, »mir ist, als hätte ich diesen Mann schon mal irgendwo gesehen, aber es muß schon ziemlich lange her sein. Kennst du ihn nicht?«

»Mein Vater, ich kenne hier mehr oder weniger jeden. Aber es geht jetzt nicht darum, wer dieser Mann ist, sondern ob es wirklich stimmt, daß sie in der Stadt all diese Kühe und all dieses Getreide haben. Denn, wenn du meine ehrliche Meinung hören willst, sie könnten ja auch versucht haben, dich zu täuschen, sie könnten die letzte Kuh mit dem letzten Getreide vollgestopft haben.«

»Schöner Gedanke, Baudolino. Darauf wäre ich wirklich nicht gekommen.«

»Heilige Majestät«, meldete sich da der Markgraf von Montferrat zu Wort, »halten wir diese Dörfler nicht für intelligenter, als sie sind. Mir scheint, wir haben hier den klaren Beweis vor Augen, daß die Stadt besser mit Vorräten ausgerüstet ist, als wir angenommen hatten.«

»O ja, o ja!« sagten alle versammelten Herren wie mit einer Stimme, woraus Baudolino schloß, daß er noch niemals so viele Leute gesehen hatte, die alle gemeinsam wider besseres Wissen sprachen, wobei jeder wußte, daß die anderen wider besseres Wissen sprachen. Aber das hieß eben auch, daß diese Belagerung mittlerweile für alle unerträglich geworden war.

»So scheint auch mir, daß mir scheinen muß«, sagte Friedrich diplomatisch. »Das feindliche Heer bedrängt uns im Rücken. Wenn wir dieses Roboreto einnehmen würden, kämen wir trotzdem nicht umhin, der anderen Armee entgegenzutreten. Wir können auch nicht daran denken, die Stadt zu erobern und uns in ihren Mauern zu verschanzen, die so schlecht gebaut sind, daß unsere Würde dabei zu Schaden käme. Deshalb, meine Herren, haben wir folgendes beschlossen: Wir überlassen diese elende Ortschaft ihren elenden Kuhhirten und bereiten uns auf weit Größeres vor. Man erteile die entsprechenden Befehle.« Sprach's und sagte dann zu Baudolino, während er das kaiserliche Zelt verließ: »Schick den Alten nach Hause. Er ist sicher ein Lügner, aber wenn ich alle Lügner hängen müßte, wärst du schon lange nicht mehr auf dieser Welt.«

»Geh nach Hause, Vater, es hat geklappt«, murmelte Baudolino zwischen den Zähnen, während er Gagliaudo die Fesseln abnahm. »Und sag dem Trotti, er soll mich heute abend an der gewohnten Stelle erwarten.«

Friedrich hatte jetzt Eile. Es gab keine Zelte mehr abzubauen in jenem Müll- und Gerümpelhaufen, der das Lager der Belagerer inzwischen war. Er ließ die Männer antreten und befahl, alles zu verbrennen. Um Mitternacht war die Vorhut bereits unterwegs zu den Feldern von Marengo. Dahinter im Osten, zu Füßen der Hügel von Tortona, blinkten Feuer: Dort wartete das Heer der Liga.

Nachdem er sich vom Kaiser die Erlaubnis geholt hatte, ritt Baudolino in Richtung Sale, und an einer Wegkreuzung stieß er auf Trotti und zwei Konsuln aus Cremona, die dort auf ihn warteten. Gemeinsam ritten sie knapp eine Meile, bis sie auf einen Vorposten der Liga trafen. Trotti stellte Baudolino zwei Befehlshabern der kommunalen Truppen vor, Ezzelino da Romano und Anselmo da Dovara. Es folgte eine kurze Besprechung, die mit einem Händedruck besiegelt wurde. Nach kurzer Umarmung mit Trotti (War 'ne schöne Geschichte, danke! Nein, ich habe dir zu danken!), ritt Baudolino rasch zu Friedrich zurück, der ihn am Rand einer Lichtung erwartete. »Alles geregelt, mein Vater. Sie werden nicht angreifen. Sie haben weder die Lust noch den Mut dazu. Wir werden durchziehen, und sie werden in dir ihren Herrn begrüßen.«

»Bis zum nächsten Zusammenstoß«, murmelte Friedrich. »Aber das Heer ist müde, je schneller wir in Pavia sind, desto besser. Also los, gehen wir.«

Es waren die ersten Stunden des Ostersonntags. In der Ferne hätte Friedrich, wenn er sich umgedreht hätte, die Mauern Alexandrias im Schein anderer Feuer sehen können. Baudolino drehte sich um und sah sie. Er wußte, daß viele Flammen aus den Belagerungsmaschinen und den kaiserlichen Unterständen schlugen, aber er stellte sich lieber vor, daß die Alexandriner tanzten und sangen, um ihren Sieg und den Frieden zu feiern.

Nach einer Meile trafen sie auf eine Vorhut der Liga. Die Reiterschar teilte sich und bildete ein Spalier, durch das die Kaiserlichen zogen. Es war nicht klar, ob die Reiter sie grüßten oder sicherheitshalber vor ihnen zur Seite wichen. Einer hob das Schwert, und das konnte als ein Gruß verstanden werden. Aber vielleicht war es auch eine Geste der Ohnmacht, oder eine Drohung. Der Kaiser blickte grimmig vor sich hin und tat, als ob er's nicht sähe.

»Ich weiß nicht«, sagte er, »ich komme mir vor wie einer, der geschlagen abzieht, und die hier entbieten mir die Ehre des Waffengrußes. Baudolino, handle ich richtig?«

»Du handelst richtig, mein Vater. Du bist nicht geschlagener als sie. Sie wollen dich nicht auf offenem Feld angreifen, weil sie dich respektieren. Und du mußt ihnen dankbar sein für diesen Respekt.«

»Er gebührt mir«, knurrte Barbarossa trotzig.

»Wenn du glaubst, daß er dir gebührt, dann sei doch froh, daß sie ihn dir zollen. Worüber beklagst du dich?«

»Über nichts, über nichts, du hast wie immer recht.«

Gegen Morgen sahen sie in der Ebene und auf den ersten Hügeln das Gros des feindlichen Heeres. Es verschmolz mit einem leichten Dunst, und wieder war nicht klar, ob es sich aus Vorsicht vor der kaiserlichen Armee zurückzog, ob es sie grüßend umringte oder ob es sich drohend um sie zusammenzog. Die kommunalen Milizen ritten in kleinen Trupps, manchmal begleiteten sie den kaiserlichen Zug ein Stückweit, manchmal stellten sie sich auf eine Anhöhe und sahen zu, wie er vorbeizog, manchmal schienen sie auch vor ihm zu fliehen. Über allem lag eine tiefe Stille, nur unterbrochen vom Huftritt der Pferde und den Schritten der Fußsoldaten. Von einer Höhe zur anderen sah man im blassen Morgenlicht dünne Rauchsäulen aufsteigen, als gäben Gruppen einander Signale, von einer Turmspitze irgendwo unten im Grünen hinauf zu den Hügeln.

Diesmal beschloß Friedrich, den gefahrvollen Durchzug zu seinen Gunsten zu interpretieren: Er ließ die Standarten und Oriflammen hissen und zog durch die Ebene, als wäre er Caesar Augustus, der die Barbaren unterworfen hatte.

Wie immer es auch gewesen sein mochte, er zog ungeschoren hindurch, als Vater all jener rebellischen Städte, die ihn in jener Nacht hätten vernichten können.

Auf der Straße nach Pavia rief er Baudolino zu sich. »Du warst wieder mal der übliche Schlingel«, sagte er zu ihm. »Aber es stimmt schon, ich brauchte einen Vorwand, um aus diesem Schlamassel herauszufinden. Ich verzeihe dir.«

»Was denn, mein Vater?«

»Du weißt schon, was. Aber glaub ja nicht, ich hätte dir diese Stadt ohne Namen verziehen.«

»Einen Namen hat sie schon.«

»Hat sie nicht, denn nicht *ich* habe sie getauft. Früher oder später werde ich sie zerstören müssen.«

»Nicht gleich.«

»Nein, nicht gleich. Und bevor ich es tue, wirst du bestimmt wieder eine von deinen Gaunereien aushecken. Ich hätte es merken müssen in jener Nacht, daß du mir einen Spitzbuben angeschleppt hattest. Übrigens ist mir eingefallen, wo ich den Mann mit der Kuh schon einmal gesehen habe!«

Aber Baudolinos Pferd hatte gerade vor irgend etwas gescheut, Baudolino hatte die Zügel angezogen und war ein Stückchen zurückgeblieben. So konnte Friedrich ihm nicht sagen, was ihm eingefallen war.

15. Kapitel

Baudolino in der Schlacht von Legnano

Nach dem Ende der Belagerung zog sich Friedrich, zunächst erleichtert, nach Pavia zurück, aber er war unzufrieden. Es folgte ein schlechtes Jahr. Sein Vetter Heinrich der Löwe machte ihm Ärger in Deutschland, die italienischen Städte blieben weiter aufsässig und taten, als verstünden sie nicht, wenn er wieder einmal die Zerstörung Alexandrias androhte. Er hatte nur noch wenige Männer, und die Verstärkungen ließen erst auf sich warten und erwiesen sich dann als zu gering.

Baudolino fühlte sich ein bißchen schuldig wegen der Idee mit der Kuh. Sicher, er hatte den Kaiser nicht getäuscht, der hatte einfach sein Spiel mitgespielt, aber jetzt empfanden beide eine gewisse Verlegenheit, wenn sie einander ins Gesicht blickten, wie zwei Kinder, die gemeinsam etwas angestellt hatten, für das sie sich schämten. Baudolino war gerührt von der fast kindlichen Verlegenheit Friedrichs, der inzwischen zu ergrauen begann, wobei ausgerechnet sein schöner kupferfarbener Bart als erstes den löwenartigen Glanz verlor.

Baudolino hing immer mehr an diesem Vater, der fortfuhr, seinen imperialen Traum zu verfolgen, wobei er immer mehr riskierte, seine Länder nördlich der Alpen zu verlieren, um ein Italien unter Kontrolle zu halten, das ihm auf allen Seiten entglitt. Eines Tages dachte sich Baudolino, daß in der prekären Lage, in der sich Friedrich befand, der Brief des Priesters Johannes ihm vielleicht helfen könnte, sich aus dem lombardischen Sumpf zu befreien, ohne daß es so aussah, als ob er auf etwas verzichtete. Also der Brief des Priesters ein bißchen wie die Kuh des Gagliaudo. Daher versuchte er mit ihm darüber zu sprechen, aber der Kaiser war schlechter Laune und sagte, er habe ernsthaftere Dinge zu tun, als sich mit den senilen Phantasien seines Onkels Otto selig zu beschäftigen. Sodann erteilte er ihm einige neue Aufträge, die Baudolino fast die ganzen nächsten zwölf Monate lang hin und her über die Alpen führten.

Im Mai Anno Domini 1176 erfuhr Baudolino, daß Friedrich sich in Como aufhielt, und wollte dort zu ihm stoßen. Während der Reise wurde ihm gesagt, das kaiserliche Heer sei inzwischen auf dem Weg nach Pavia, und so bog er nach Süden ab, um ihm auf halber Strecke zu begegnen.

Er begegnete ihm Ende Mai am Ufer der Olona, nicht weit von der Festung Legnano, wo wenige Stunden zuvor die Heere des Kaisers und der Liga versehentlich zusammengestoßen waren, ohne daß eines der beiden irgendwie Lust gehabt hätte, dem anderen eine Schlacht zu liefern, wozu sich nun aber beide gezwungen sahen, um ihre Ehre nicht zu verlieren.

Kaum war Baudolino am Rande des Schlachtfelds angelangt, sah er einen Fußsoldaten, der mit einer langen Pike auf ihn zugerannt kam. Er gab seinem Pferd die Sporen, als wollte er ihn niederreiten, in der Hoffnung, ihn zu erschrecken. Der Soldat erschrak in der Tat, fiel auf den Rükken und ließ die Pike fahren. Baudolino sprang vom Pferd und griff sich die Pike, da begann der andere zu schreien, er werde ihn umbringen, stand auf und zog einen Dolch aus dem Gürtel. Allerdings schrie er im Dialekt von Lodi. Baudolino hatte sich an den Gedanken gewöhnt, daß die Lodianer auf seiten des Kaisers standen, und so rief er, während er sich den offensichtlich Verrückten mit der Pike vom Leibe hielt: »Was machst du denn, du Idiot, ich bin doch auch mit dem Kaiser!« Darauf der andere: »Eben, deswegen töte ich dich!« Da fiel Baudolino ein, daß Lodi inzwischen zur Liga übergewechselt war, und er fragte sich: Was mache ich, töte ich ihn, weil die Pike länger ist als sein Dolch? Aber ich habe noch nie jemanden getötet!

Nach kurzem Zögern stieß er ihm die Pike so zwischen die Beine, daß der Mann rücklings zu Boden fiel, und setzte ihm die Waffe an die Kehle. »Nicht töten, *dominus*, ich habe sieben Kinder, und wenn ich weg bin, müssen sie gleich morgen verhungern«, rief der Lodianer. »Laß mich laufen, was kann ich den Deinen schon Böses tun, du hast doch gesehen, daß ich mich übertölpeln lasse wie ein Tropf!«

»Daß du ein Tropf bist, sieht man von weitem, aber wenn ich dich mit einer Waffe in der Hand rumlaufen lasse, kannst du durchaus etwas anrichten. Laß deine Hose runter!«

»Meine Hose?«

»Jawohl, ich schenke dir dein Leben, aber ich lasse dich mit den Eiern im Wind rumlaufen. Dann will ich sehen, ob du die Stirn hast, wieder in die Schlacht zurückzukehren, oder ob du nicht lieber gleich zu deinen verhungerten Kindern läufst.«

Der Mann streifte sich die Hose ab und rannte so schnell er konnte über die Felder davon, nicht so sehr aus Scham, sondern weil er fürchtete, ein feindlicher Reiter könnte ihn von hinten sehen, könnte denken, er zeige ihm aus Verachtung das blanke Gesäß, und könnte ihn nach Türkenart pfählen.

Baudolino war froh, daß er niemanden hatte töten müssen, aber nun kam ihm ein Reiter entgegengesprengt, der wie ein Franzose gekleidet und daher sichtlich kein Lombarde war. So entschloß er sich, seine Haut teuer zu verkaufen, und zog das Schwert. Der Reiter kam an seine Seite galoppiert und rief: »Was machst du denn, Blödmann, siehst du nicht, daß wir's euch Kaiserlichen heute mal richtig gezeigt haben? Geh nach Hause, da hast du's besser!« Rief's und galoppierte weiter, ohne Händel zu suchen.

Baudolino saß wieder auf und fragte sich, wohin er jetzt reiten sollte, denn von dieser Schlacht begriff er nun wirklich gar nichts, und bisher hatte er nur Belagerungen erlebt, bei denen man klar wußte, wer auf dieser und wer auf der anderen Seite stand.

Er ritt um eine Baumgruppe herum und erblickte mitten in der Ebene etwas, das er noch nie gesehen hatte: einen großen offenen Karren, rot und weiß angemalt, mit einer langen Fahnenstange, die mittendrauf gepflanzt war, und einem Altar, umringt von Bewaffneten mit langen Trompeten, die denen der Engel glichen und offenbar dazu dienten, die Truppen der Liga zum Kampf anzufeuern. »*Oh basta là!*« knurrte Baudolino mit einer in seiner Heimat geläufigen Formel, die soviel hieß wie »Oh, jetzt reicht's aber!« oder »O nein, nicht auch das noch!« Für einen Moment glaubte er, ins Land des Priesters Johannes geraten zu sein oder zumindest nach Sarandib, wo man mit einem von Elefanten gezogenen Karren in die Schlacht zog, aber der Karren, den er sah, wurde von Ochsen gezogen, obwohl die Insassen alle wie Herren gekleidet waren, und rings um den Karren war niemand zu sehen, der kämpfte. Die Trompeter ließen ab und zu eine Fanfare ertönen und verstummten dann abwartend. Einer von ihnen deutete mit dem Finger auf ein Knäuel von Leuten am Flußufer, die noch wild aufeinander eindroschen und dabei so laut brüllten, daß es die Toten aufwecken konnte, ein anderer versuchte die Ochsen anzutreiben, die jedoch, schon von Natur aus störrisch, nicht die geringste Neigung zeigten, sich in jenes Gebrüll einzumischen.

Was mache ich, fragte sich Baudolino, stürze ich mich zwischen diese Hitzköpfe, bei denen ich, wenn sie nicht sprechen, nicht einmal weiß, welche von ihnen die Feinde sind? Und während ich darauf warte, daß sie sprechen, krieg ich womöglich eins auf die Rübe?

Während er noch überlegte, kam ihm ein anderer Reiter entgegen, und diesmal war es ein Ministeriale, den er gut kannte. Der Mann erkannte ihn ebenfalls und rief: »Baudolino, wir haben den Kaiser verloren!«

»Jesus! Was soll das heißen, ihr habt ihn verloren?«

»Jemand hat ihn kämpfen sehen wie ein Löwe mitten in einer Schar von Fußsoldaten, die sein Pferd zu dem Wäldchen dort drängten, dann sind alle zwischen den Bäumen verschwunden. Wir sind sofort hingeritten, aber da war niemand mehr. Er muß versucht haben, irgendwohin zu fliehen, jedenfalls ist er nicht zum Gros unserer Reiter zurückgekehrt...«

»Und wo ist das Gros unserer Reiter?«

»Tja, das Schlimme ist nicht nur, daß er nicht zum Gros unserer Reiter zurückgekehrt ist, sondern daß auch das

Gros unserer Reiter nicht mehr da ist. Es war ein Gemetzel, sage ich dir, ein verfluchter Tag. Zu Anfang hatte sich Friedrich mit seinen Reitern auf die Feinde gestürzt, die alle zu Fuß zu sein schienen, alle dichtgedrängt um ihren komischen Katafalk. Aber diese Fußsoldaten haben sich gut gewehrt, und plötzlich ist dann die Reiterei der Lombarden aufgetaucht, so daß unsere Leute zwischen zwei Fronten gerieten.«

»Mit anderen Worten, ihr habt den Kaiser des Heiligen Römischen Reiches verloren! Und das sagst du mir einfach so, Himmelherrgottsakra?!«

»Du bist offenbar eben erst angekommen und weißt gar nicht, was wir alles durchgemacht haben! Jemand behauptet sogar, er habe den Kaiser fallen sehen, aber er sei mit einem Fuß im Steigbügel hängengeblieben und von seinem Pferd eine Weile mitgeschleift worden!«

»Und was machen die Unseren jetzt?«

»Sie fliehen, schau nur, dort, sie verlieren sich zwischen den Bäumen, sie springen in den Fluß. Inzwischen geht das Gerücht, daß der Kaiser tot sei, und jeder versucht, sich auf eigene Faust nach Pavia durchzuschlagen.«

»Oh, diese Feiglinge! Und niemand sucht mehr nach unserem Herrn und Gebieter?«

»Es wird schon dunkel, auch die noch Kämpfenden hören jetzt auf, wie willst du da jemanden finden, hier auf diesem Schlachtfeld, und Gott weiß, wo?«

»Oh, diese Feiglinge«, rief Baudolino erneut, denn er war zwar kein Mann des Krieges, aber er hatte ein großes Herz. Er gab seinem Pferd die Sporen und stürmte mit gezücktem Schwert in die Richtung, wo er die meisten Toten liegen sah, wobei er laut nach seinem geliebten Adoptivvater rief. Einen Toten zu finden unter so vielen anderen Toten auf diesem Schlachtfeld, indem man laut rief, er solle ein Lebenszeichen von sich geben, das war ein ziemlich verzweifeltes Unterfangen, so daß die letzten lombardischen Trupps, denen er begegnete, ihn passieren ließen, da sie ihn wohl für einen Heiligen des Paradieses hielten, der ihnen zu Hilfe gekommen war, und ihn mit freudigem Winken begrüßten.

An der Stelle, wo der Kampf besonders blutig gewesen sein mußte, machte sich Baudolino daran, die auf dem Bauch liegenden Toten umzudrehen, immer hoffend und zugleich fürchtend, im schwachen Licht der Dämmerung die teuren Züge seines Kaisers zu entdecken. Er hatte die Augen voller Tränen und tastete sich fast blind voran, so daß er, als er aus einem Wäldchen kam, beinahe mit jenem großen weißroten Ochsenkarren zusammengestoßen wäre, der langsam das Schlachtfeld verließ. »Habt ihr den Kaiser gesehen?« rief er ebenso sinnlos wie rückhaltlos schluchzend hinauf. Die auf dem Karren lachten und sagten: »Ja, er war da unten in dem Gebüsch, um's mit deiner Schwester zu treiben«, und einer blies trötend in seine Trompete, so daß ein obszöner Ton herauskam.

Sie hatten das nur so hingesagt, aber Baudolino ging trotzdem auch in jenem Gebüsch nachsehen. Da lag ein Häuflein Toter, drei bäuchlings über einem vierten, der auf dem Rücken lag. Er hob die drei hoch, die ihm den Rücken zukehrten, und darunter erblickte er, mit rotem Bart, aber rot von Blut, Friedrich. Er sah sofort, daß er noch lebte, denn ein kaum hörbares Röcheln kam aus seinen halbge- öffneten Lippen. An der Oberlippe hatte er eine Wunde, die noch blutete, und auf der Stirn eine dicke Beule, die bis zum linken Auge reichte; die Hände hielt er beide vorge- streckt und in jeder einen Dolch – es sah ganz so aus, als hätte er, kurz bevor ihm die Sinne schwanden, es noch geschafft, die drei Elenden zu durchbohren, die sich auf ihn gestürzt hatten.

Baudolino hob seinen Kopf an, wischte ihm das Blut vom Gesicht und rief seinen Namen, und Friedrich schlug die Augen auf und fragte, wo er sei. Baudolino tastete ihn ab, um herauszufinden, ob er noch an anderen Stellen ver- wundet war, und der Ärmste schrie auf, als er seinen Fuß berührte, vielleicht war er ja wirklich von seinem Pferd ein Stückweit mitgeschleift worden. Sanft auf ihn einredend, während der immer noch ganz Benommene abermals fragte, wo er sei, half Baudolino ihm auf die Beine. Da endlich erkannte ihn Friedrich und umarmte ihn.

»Mein Vater und Herr«, sagte Baudolino, »steig du jetzt

auf mein Pferd, du darfst dich nicht anstrengen. Aber wir müssen vorsichtig sein, obwohl es inzwischen dunkel ist, denn hier sind überall Truppen der Liga, und wir können nur hoffen, daß sie alle gerade in irgendeinem Dorf dabei sind, ihren überraschenden Sieg zu feiern, den sie, wie mir scheint, ohne Offensive errungen haben. Aber einige könnten noch hiergeblieben sein, um nach ihren Toten zu suchen. Wir müssen uns durch Wälder und Schluchten, abseits der Straßen, bis nach Pavia durchschlagen, wohin die Deinen sich jetzt zurückgezogen haben werden. Du kannst im Sattel schlafen, ich werde aufpassen, daß du nicht runterfällst.«

»Und wer paßt auf dich auf, daß du nicht im Gehen einschläfst?« fragte Friedrich mit einem gepreßten Lächeln. Dann fügte er hinzu: »Es tut weh, wenn ich lache.«

»Ich sehe, es geht dir schon besser«, sagte Baudolino.

Sie gingen die ganze Nacht lang, stolpernd im Dunkeln, auch das Pferd, zwischen Wurzeln und niedrigen Sträuchern hindurch, und nur einmal sahen sie in der Ferne einige Feuer und machten einen weiten Bogen, um sie zu vermeiden. Um sich wach zu halten, redete Baudolino im Gehen, und Friedrich hielt sich wach, um ihn wach zu halten.

»Es ist aus«, sagte der Kaiser, »die Schmach dieser Niederlage werde ich nicht ertragen können.«

»Es war bloß ein Scharmützel, mein Vater. Außerdem halten dich alle für tot, du kehrst zurück wie der auferstandene Lazarus, und was wie eine Niederlage aussah, wird allen als ein Wunder erscheinen, für das man ein *Te Deum* singt.«

In Wahrheit versuchte Baudolino bloß, einen Verletzten und Gedemütigten zu trösten. An jenem Tag war das Prestige des Reiches böse beschädigt worden, von wegen *Rex et Sacerdos!* Es sei denn, Friedrich würde mit neuer Glorie umgeben wieder auf die Bühne treten. Und so konnte Baudolino nicht anders, als erneut an die Weissagung Ottos und den Brief des Priesters Johannes zu denken.

»Die Sache ist die, mein Vater«, sagte er, »daß du aus dem, was passiert ist, endlich etwas lernen müßtest.«

»Und was würdest du mir gern beibringen, Herr Gelehrter?«

»Nicht von mir sollst du's lernen, Gott behüte, sondern vom Himmel. Du mußt dir zu Herzen nehmen, was Bischof Otto gesagt hat. In diesem Italien – je weiter du hier vorgehst, desto mehr verfängst du dich hier, man kann nicht Kaiser sein, wo es schon einen Papst gibt, bei diesen Städten wirst du immer verlieren, weil du sie zur Ordnung zwingen willst, die ein Kunstprodukt ist, während sie in der Unordnung leben wollen, die der Natur entspricht – oder wie die Pariser Philosophen sagen würden, die die Bedingung der *Hyle*, des ursprünglichen Chaos ist. Du mußt den Blick nach Osten richten, über Byzanz hinaus, du mußt die Insignien deines Reiches in jenen christlichen Ländern errichten, die sich hinter den Reichen der Ungläubigen erstrecken, und mußt dich mit dem einzigen wahren *Rex et Sacerdos* zusammentun, der dort seit den Zeiten der Magier herrscht. Erst wenn du dich mit ihm verbündet hast oder er dir Vasallentreue geschworen hat, erst dann kannst du nach Rom zurückkehren und den Papst wie einen Untergebenen behandeln – und die Könige von Frankreich und England wie deine Steigbügelhalter. Erst dann werden die, die heute gesiegt haben, dich wieder fürchten.«

Friedrich erinnerte sich kaum noch an die Weissagung Ottos, so daß Baudolino sie ihm ins Gedächtnis rufen mußte. »Schon wieder dieser Priester?« sagte er. »Existiert der denn wirklich? Und wo befindet er sich? Und wie kann ich ein Heer dazu bewegen, sich auf die Suche nach ihm zu machen? Man würde mich doch für verrückt erklären, ich würde als Friedrich der Irre in die Geschichte eingehen!«

»Nicht, wenn in den Kanzleien aller christlichen Reiche, Byzanz inbegriffen, ein Brief zirkulieren würde, den dieser Priester Johannes an dich geschickt hat und in dem er dir schreibt, daß er nur dich als seinesgleichen anerkennt und dich einlädt, eure Reiche zusammenzulegen.«

So kam es, während sie da durch die Nacht gingen, daß Baudolino dem Kaiser den Brief des Priesters Johannes vortrug, den er natürlich längst auswendig konnte, und ihm erklärte, was die kostbarste Reliquie der Welt war, die ihm der Priester in einem Schrein schicken würde.

»Aber wo ist dieser Brief? Hast du eine Kopie davon? Du wirst ihn doch wohl nicht selber geschrieben haben?«

»Ich habe ihn in gutes Latein gesetzt, ich habe die verstreuten Teile dessen zusammengesetzt, was die Weisen schon immer gewußt und gesagt haben, ohne daß jemand auf sie gehört hat. Aber alles, was in diesem Brief steht, ist so wahr wie das Evangelium. Sagen wir, wenn du so willst, ich habe von mir aus nur die Adresse hinzugefügt, so als wäre der Brief an dich geschrieben.«

»Und dieser Priester könnte mir diesen – wie nennst du ihn? –, diesen Gradal geben, in dem das Blut Unseres Herrn aufgefangen worden ist? Das wäre natürlich die letzte und vollkommenste Salbung...«, murmelte Friedrich.

Und so entschied sich in jener Nacht, zusammen mit Baudolinos Schicksal, auch das seines Kaisers, obgleich noch keiner der beiden ahnte, wohin sie ihr Weg schließlich führen sollte.

Gegen Morgen, während beide noch über ein fernes Reich phantasierten, entdeckten sie nahe einem Wasserlauf ein verirrtes Pferd, das aus der Schlacht geflohen war und den Weg zurück nicht mehr fand. Mit zwei Pferden kamen sie, wenngleich über tausend Seitenpfade, rascher voran. Unterwegs stießen sie auf Trupps von Kaiserlichen, die sich auf dem Rückzug befanden, die Soldaten erkannten ihren Herrn und stießen Freudenschreie aus. Da sie sich in den Dörfern, durch die sie gekommen waren, mit Lebensmitteln versorgt hatten, gab es genug, um die beiden zu stärken, einige liefen gleich los, um den weiter vorn Marschierenden die frohe Kunde zu bringen, und als Friedrich zwei Tage später die Tore von Pavia erreichte, fand er die Honoratioren der Stadt und seine Getreuen vor, die ihn in großer Zahl erwarteten, noch ohne es recht glauben zu können.

Auch Beatrix war da, schon in Trauer gekleidet, da man ihr gesagt hatte, daß ihr Gemahl tot sei. Sie hielt ihre beiden Kinder an der Hand, den bereits zwölfjährigen Friedrich, der jedoch wegen seiner angeborenen Krankheit nur höchstens halb so alt aussah, und Heinrich, der dafür die ganze Kraft seines Vaters geerbt hatte, an jenem Tag aber ganz verstört weinte und immer nur fragte, was passiert sei. Beatrix entdeckte Friedrich von weitem, lief ihm schluchzend entgegen und umarmte ihn leidenschaftlich. Als er ihr sagte, daß er sein Leben Baudolino verdanke, bemerkte sie dessen Anwesenheit, wurde erst über und über rot, dann leichenblaß, dann brach sie in Tränen aus, und schließlich streckte sie nur die Hand vor, bis sie seine Brust in Höhe des Herzens berührte, und rief den Himmel an, ihn gebührend für alles, was er getan hatte, zu belohnen, wobei sie ihn Sohn, Freund und Bruder nannte.

»Genau in diesem Augenblick, Kyrios Niketas«, sagte Baudolino, »habe ich begriffen, daß ich, indem ich meinem Herrn das Leben rettete, meine Schuld beglichen hatte. Aber gerade deshalb fühlte ich mich nicht mehr frei, Beatrix zu lieben. So wurde mir klar, daß ich sie nicht mehr liebte. Es war wie eine verheilte Wunde, ihr Anblick rief dankbare Erinnerungen in mir wach, aber er ließ mich nicht mehr erzittern, ich spürte, daß ich ihr nahe sein konnte, ohne zu leiden, daß ich mich von ihr entfernen konnte, ohne Schmerz zu empfinden. Vielleicht war ich endgültig erwachsen geworden, und alle Glut der Jugend war erloschen. Ich empfand kein Bedauern darüber, nur eine leichte Melancholie. Ich fühlte mich wie eine Taube, die schamlos geturtelt hatte, aber nun war die Zeit der Liebe vorbei. Es wurde Zeit, aufzubrechen und übers Meer zu reisen.«

»Du warst keine Taube mehr, du warst eine Schwalbe geworden.«

»Oder ein Kranich.«

16. Kapitel

Baudolino wird von Zosimos reingelegt

Am Samstag morgen kamen die Genueser Pevere und Grillo, um zu melden, daß in Konstantinopel allmählich wieder
eine Art von Ordnung einzukehren beginne. Nicht so sehr,
weil sich der Hunger auf Plünderung bei diesen Pilgern
gelegt habe, sondern weil ihren Anführern aufgefallen sei,
daß sie sich auch vieler wertvoller Reliquien bemächtigt
hatten. Bei einem Kelch oder einem Damastgewand konnte
man noch die Augen zudrücken, aber die Reliquien durften
nicht in alle Winde zerstreut werden. Deshalb hatte der
Doge Enrico Dandolo angeordnet, daß alle bisher gestoh-
lenen Wertgegenstände in die Hagia Sophia zu bringen
seien, damit dort eine gerechte Verteilung vorgenommen
werden könne. Was zunächst einmal hieß, eine Verteilung
zwischen Kreuzpilgern und Venezianern, welch letztere
noch auf die Bezahlung dafür warteten, daß sie die Pilger
mit ihren Schiffen hergebracht hatten. Nach Abzug dieser
Summe würde man den Wert jedes Stückes in Silbermark
berechnen, und dann würden die Ritter je vier Teile, die
berittenen Sergenten zwei und die unberittenen ein Teil
bekommen. Die Reaktion der einfachen Fußsoldaten, die
nichts abbekommen sollten, kann man sich vorstellen.

Es wurde gemunkelt, die Abgesandten Dandolos hätten
bereits die vier bronzenen Pferde vom Hippodrom abmon-
tiert, um sie nach Venedig zu schicken, und alle maulten
sehr unzufrieden. Als einzige Antwort hatte Dandolo angeordnet, Bewaffnete jeden Ranges zu kontrollieren und
auch ihre Wohnungen in Pera zu durchsuchen. Bei einem
Ritter des Grafen von Saint-Pol hatte man eine Phiole
gefunden. Er sagte, es handle sich um eine Medizin, die
jetzt getrocknet sei, aber als man sie in der warmen Hand

bewegte, sah man, daß sie eine rote Flüssigkeit enthielt, die offensichtlich das Blut aus der Seite des Gekreuzigten war. Der Ritter beteuerte, er habe diese Reliquie vor der Plünderung ehrlich von einem Mönch erworben, doch um ein Exempel zu statuieren, hatte man ihn auf der Stelle gehängt, mit seinem Schwert und seinem Wappen um den Hals.

»Mann, wie der zappelte!« sagte Grillo.

Niketas hörte sich diese Nachrichten traurig an, aber Baudolino, der plötzlich verlegen war, als ob es seine Schuld wäre, wechselte rasch das Thema und fragte, ob es jetzt an der Zeit sei, die Stadt zu verlassen.

»Es herrscht noch ein großes Durcheinander«, sagte Pevere, »und man muß sehr vorsichtig sein. Wohin wolltet Ihr denn gehen, Herr Niketas?«

»Nach Selymbria, dort haben wir treue Freunde, die uns aufnehmen können.«

»Selymbria ist schwierig«, sagte Pevere. »Es liegt im Westen, kurz vor der Langen Mauer. Auch mit Maultieren braucht man bis dahin mindestens drei Tage und vielleicht mehr, wenn man eine schwangere Frau dabei hat. Und dann, stellt Euch vor, wer die Stadt mit einer schönen Maultierkarawane durchzieht, sieht aus wie einer, der sich's leisten kann, und die Pilger fallen über ihn her wie die Fliegen.« Also müßten die Maultiere außerhalb der Mauer bereitgestellt und die Stadt zu Fuß durchquert werden. Man müßte die Konstantinsmauer passieren und dann die Küste vermeiden, wo sicher mehr Leute unterwegs sein würden, also einen Umweg über die Mokioskirche machen und die Theodosiosmauer durch das Pegetor verlassen.

»Kaum zu erwarten, daß das gutgeht und Ihr nicht vorher angehalten werdet«, sagte Pevere.

»Und dann viel Spaß!« kommentierte Grillo. »Bei so vielen Frauen läuft diesen Pilgern doch gleich das Wasser im Mund zusammen!«

Sie brauchten noch einen guten Tag, erklärten die Genueser, die jungen Frauen müßten erst hergerichtet werden. Das mit den Leprakranken ginge nicht noch einmal, inzwischen hätten auch diese Pilger begriffen, daß in der Stadt keine Leprakranken herumliefen. Diesmal müßten sie ihnen Flecken und Schorf ins Gesicht malen, damit sie aussähen, als ob sie die Krätze hätten, häßlich genug, daß einem die Lust auf sie verging. Außerdem mußte man für so viele Leute, die drei Tage unterwegs sein würden, genug zu essen mitnehmen, sonst machten die schlapp. Sie würden Körbe mit ganzen Pfannenladungen *scripilita* herrichten, einem bei ihnen heimischen Fladen aus Kichererbsenmehl, knusprig und zart, der in Scheiben geschnitten und in große Blätter gehüllt werde, man brauche nur noch ein bißchen Pfeffer drüberzustreuen, dann sei es ein Leckerbissen, mit dem man Löwen ernähren könne, besser als ein Stück Rinderbraten; dazu dicke Scheiben Fladenbrot mit Öl, Salbei, Käse und Zwiebeln.

Niketas hatte für derlei barbarische Speisen nicht viel übrig, und da sie noch einen Tag warten mußten, beschloß er, ihn damit zu verbringen, die letzten Köstlichkeiten zu genießen, die Theophilos noch zubereiten konnte, und die letzten Kapitel von Baudolinos Geschichte zu hören, denn er wollte ungern mittendrin aufbrechen, ohne zu wissen, wie sie endete.

»Meine Geschichte ist noch zu lang«, sagte Baudolino. »Ich komme in jedem Fall mit euch. Hier in Konstantinopel habe ich nichts mehr zu tun, und jede Ecke ruft böse Erinnerungen in mir wach. Du bist mein Pergament geworden, Kyrios Niketas, auf das ich vieles schreibe, was ich schon vergessen hatte, als bewegte sich meine Hand von allein. Ich glaube, wer Geschichten erzählt, muß immer jemanden haben, dem er sie erzählt, nur dann kann er sie auch sich selbst erzählen. Erinnerst du dich, wie ich dir erzählte, daß ich Briefe an die Kaiserin schrieb, die ich jedoch nicht abschicken konnte? Daß ich die Geschmacklosigkeit beging, sie meinen Freunden zu zeigen, war nur, weil diese Briefe sonst keinen Sinn gehabt hätten. Als ich dann aber mit der Kaiserin diesen Kuß getauscht hatte, habe ich das nie jemand erzählen können und habe die Erinnerung daran viele Jahre lang in mir herumgetragen, manchmal davon kostend wie von deinem Honigwein und manchmal mit einem bitteren Geschmack im Munde.

Erst als ich es dir erzählen konnte, habe ich mich frei gefühlt.«

»Und warum hast du es mir erzählen können?«

»Weil jetzt, wo ich dir hier erzähle, keiner von denen mehr da ist, die mit meiner Geschichte zu tun gehabt haben. Ich bin als einziger übriggeblieben. Ich brauche dich jetzt so nötig wie die Luft zum Atmen. Ich komme mit nach Selymbria.«

Sobald sich Friedrich von seinen Verletzungen in der Schlacht bei Legnano erholt hatte, rief er Baudolino und den Reichskanzler Christian von Buch zu sich. Wenn man den Brief des Priesters Johannes ernst nehmen wollte, war es gut, sofort anzufangen. Christian las das Pergament, das Baudolino ihm zeigte, und erhob als umsichtiger Kanzler einige Einwände. Vor allem erschien ihm die Schrift nicht angemessen für eine Kanzlei. Dieser Brief sollte am päpstlichen Hof zirkulieren sowie an den Höfen der Könige von Frankreich und England, und er sollte sogar bis zum Basileus von Byzanz gelangen, also mußte er so beschaffen sein, wie wichtige Dokumente in der ganzen christlichen Welt nun einmal beschaffen waren. Des weiteren brauchte man Zeit, um Siegel herzustellen, die wirklich wie Siegel aussahen. Wenn man eine seriöse Arbeit machen wollte, durfte man nichts überstürzen.

Wie sollte man die anderen Kanzleien über den Brief in Kenntnis setzen? Wenn die Reichskanzlei ihn verschickte, würde die Sache unglaubwürdig erscheinen. Man stelle sich vor, der Priester Johannes schreibt einen privaten Brief, um jemandem zu erlauben, ihn in einem allen unbekannten Land zu besuchen, und der Empfänger macht diesen Brief Krethi und Plethi bekannt, so daß ihm ein anderer zuvorkommen kann! Gerüchte über den Brief sollten zweifellos umgehen, nicht nur, um eine künftige Expedition zu rechtfertigen, sondern vor allem, um die ganze Christenheit sprachlos zu machen – aber die Sache durfte nur tröpfchenweise durchsickern, so als verriete jemand ein allerhöchstes Staatsgeheimnis.

Baudolino schlug vor, seine Freunde einzuschalten. Sie

würden unverdächtige Helfer sein, Absolventen des *Studiums* in Paris und nicht Männer Friedrichs. Abdul könnte den Brief in die Reiche des Heiligen Landes schmuggeln, Boron nach England, Kyot nach Frankreich, und Rabbi Solomon könnte ihn den Juden im Byzantinischen Reich zuspielen.

So vergingen die nächsten Monate mit allerlei Geschäftigkeit, und Baudolino sah sich zum Leiter eines *Scriptoriums* ernannt, in dem alle seine alten Gefährten arbeiteten. Friedrich ließ sich ab und zu über den Stand der Dinge unterrichten. Er hatte angeregt, das im Brief gemachte Angebot des Gradals ein bißchen genauer zu formulieren. Baudolino hatte ihm dargelegt, wieso es besser war, es im vagen zu belassen, aber er hatte bemerkt, daß der Kaiser von diesem Symbol priesterköniglicher Macht fasziniert war.

Doch während sie über dies alles diskutierten, bekam Friedrich neue Sorgen. Er mußte sich nunmehr damit abfinden, eine Verständigung mit Papst Alexander III. zu suchen. Da ohnehin der Rest der Welt die kaiserhörigen Gegenpäpste nicht ernst nahm, könnte er sich bereit erklären, Alexander zu huldigen und ihn als den einzigen wahren römischen Pontifex anzuerkennen – und das wäre viel –, aber im Gegenzug müßte der Papst sich entscheiden, den lombardischen Kommunen jegliche Unterstützung zu entziehen – und das wäre *sehr* viel. Lohnte es sich da, fragten sich an diesem Punkt sowohl Friedrich wie Christian, während sehr behutsam neue Fäden gesponnen wurden, den Papst mit einem erneuten Aufruf zur Einheit von *Sacerdotium* und *Imperium* zu provozieren? Baudolino ballte heimlich die Fäuste wegen dieser Verzögerungen, doch er konnte nicht protestieren.

Mehr noch, im April 1177 zog ihn Friedrich von seinen Projekten ab, indem er ihn mit äußerst delikaten Aufträgen nach Venedig schickte. Es ging darum, mit Umsicht und Fingerspitzengefühl die Einzelheiten der Begegnung zu organisieren, die im Juli zwischen Papst und Kaiser stattfinden sollte. Die Versöhnungszeremonie mußte in allen Details bedacht werden, und kein Zwischenfall durfte sie stören.

»Besonders Christian war sehr in Sorge, daß euer Basileus irgendeinen Tumult provozieren könnte, um die Begegnung platzen zu lassen. Du wirst wissen, daß Manuel Komnenos seit geraumer Zeit um ein gutes Verhältnis zum Papst bemüht war, und da würde eine Versöhnung zwischen Alexander und Friedrich seine Pläne sicherlich stören.«

»Er gab sie für immer auf. Zehn Jahre lang hatte Manuel dem Papst die Wiedervereinigung der beiden Kirchen vorgeschlagen: Er würde die religiöse Vorrangstellung des Papstes anerkennen, und der Papst würde den Basileus von Byzanz als den einzigen wahren römischen Kaiser sowohl des Ost- wie des Westreiches anerkennen. Doch mit einem solchen Abkommen gewann Alexander nicht viel Macht in Konstantinopel, und in Italien schaffte er sich nicht den Kaiser vom Hals, und vielleicht würde er sogar die anderen Herrscher Europas alarmieren. Daher entschied er sich dann für das Bündnis, das ihm mehr Vorteile brachte.«

»Aber dein Basileus hatte Spitzel nach Venedig geschickt. Sie gaben sich für Mönche aus...«

»Wahrscheinlich waren sie welche. In unserem Reich arbeiten die Männer der Kirche für ihren Kaiser und nicht gegen ihn. Aber soviel ich weiß – und bedenke, daß ich zu jener Zeit noch nicht am Hofe war –, hatten sie nicht den Auftrag, irgendeinen Tumult anzuzetteln. Manuel hatte sich ins Unvermeidliche geschickt. Er wollte wahrscheinlich bloß informiert sein über das, was geschehen würde.«

»Kyrios Niketas, du weißt sicher, wenn du Logothet der Sekreta warst, daß es für Spione zweier gegnerischer Parteien, die sich auf demselben Intrigenfeld treffen, die natürlichste Sache der Welt ist, herzliche Freundschaftsbeziehungen zu unterhalten und einander ihre Geheimnisse anzuvertrauen. So brauchen sie keine Risiken einzugehen, um sie sich gegenseitig zu entreißen, und erscheinen höchst effizient in den Augen ihrer Auftraggeber. Genauso lief die Sache damals zwischen uns und jenen Mönchen ab: Wir sagten einander sofort, weshalb wir da waren, wir, um sie auszuspionieren, und sie, um uns auszuspionieren, und verbrachten danach gemeinsam sehr schöne Tage.«

»Ein erfahrener Regierungsmann sieht so etwas voraus,

aber was soll er denn machen? Wenn er die fremden Spione direkt befragen würde, die er ja übrigens nicht kennt, würden sie ihm nichts sagen. Also schickt er seine Spione mit irgendwelchen entbehrlichen Geheimnissen hin, und so erfährt er, was er wissen will, und was gewöhnlich alle außer ihm bereits wissen«, sagte Niketas.

»Unter diesen Mönchen war ein gewisser Zosimos aus Chalkedon. Er hatte ein unglaublich hageres Gesicht mit stechenden, wie Karfunkel glühenden Augen, die er immerfort rollte, einen langen schwarzen Bart und sehr langes Haar. Wenn er sprach, schien es immer, als redete er mit einem Gekreuzigten, der zwei Handbreit vor ihm verblutete.«

»Ich kenne den Typus, unsere Klöster sind voll davon. Sie sterben sehr jung, an Auszehrung…«

»Der nicht. Ich habe im ganzen Leben noch nie einen solchen Schlemmer gesehen. Eines Abends nahm ich ihn auch mit ins Haus zweier venezianischer Kurtisanen, die, wie du vielleicht weißt, sehr berühmte Spezialistinnen des ältesten Gewerbes der Welt sind. Um drei Uhr nachts bin ich sternhagelvoll gegangen, aber er ist noch geblieben, und einige Zeit später sagte mir eines der Mädchen, sie hätten noch nie einen solchen Teufelskerl im Zaum halten müssen.«

»Ich kenne den Typus, unsere Klöster sind voll davon. Sie sterben sehr jung, an Auszehrung…«

Baudolino und Zosimos waren wenn nicht Freunde, so doch Zechgenossen geworden. Angefangen hatte es damit, daß Zosimos nach einem ersten ausgiebigen Gelage einen gräßlichen Fluch ausgestoßen und gesagt hatte, in jener Nacht würde er alle Opfer des Kindermordes von Bethlehem für ein Mädchen von loser Moral hingeben. Auf Baudolinos Frage, ob es das sei, was man in byzantinischen Klöstern lerne, hatte Zosimos geantwortet: »Wie Sankt Basilius gelehrt hat, gibt es zwei Dämonen, die den Verstand verwirren können: den der Unzucht und den des Fluchens. Aber der zweite wirkt nur kurzzeitig, und der erste, solange er die Gedanken nicht mit Leidenschaft aufwühlt, verhindert nicht die Kontemplation Gottes.« Sie waren sofort darangegangen, sich ohne Leidenschaft dem Dämon der Unzucht zu überlassen, und Baudolino war klargeworden, daß Zosimos für jede Lebenslage eine Sentenz irgendeines Theologen oder Eremiten hatte, die ihm erlaubte, sich in Frieden mit sich selbst zu fühlen.

Ein andermal waren sie noch beim Zechen, und Zosimos pries ausgiebig die Wunder Konstantinopels. Baudolino schämte sich, weil er nur von den engen Gassen in Paris erzählen konnte, die voller Unrat waren, den die Leute aus den Fenstern kippten, oder von den trägen Wassern des Tanaro, die nicht mit den goldenen der Propontis konkurrieren konnten. Auch konnte er nicht von den *mirabilia urbis Mediolani* sprechen, weil Friedrich sie alle hatte zerstören lassen. In seiner Not, um den Zechgenossen zu beeindrucken und zum Schweigen zu bringen, zeigte er ihm den Brief des Priesters Johannes, als wollte er ihm sagen, daß es wenigstens irgendwo auf der Erde ein Reich gab, vor dem das seine zu einem kargen Heideland verblaßte.

Zosimos hatte kaum die erste Zeile des Briefes gelesen, da fragte er schon voller Mißtrauen: »Presbyter Johannes? Wer soll das sein?«

»Das weißt du nicht?«

»Glücklich, wer zu jener Unwissenheit gelangt ist, über die hinaus man nicht gehen kann.«

»Du kannst darüber hinausgehen. Lies, lies.«

Er las, las mit seinen glühenden Augen, die immer glühender wurden, dann legte er das Pergament auf den Tisch und sagte scheinbar desinteressiert: »Ach, der Priester Johannes. Sicher, ich habe in meinem Kloster viele Berichte von Leuten gelesen, die sein Reich besucht hatten.«

»Aber grad eben noch hast du doch nicht mal gewußt, wer er war!«

»Die Kraniche formen bei ihrem Flug Buchstaben, ohne daß sie die Schrift kennen. Dieser Brief spricht von einem Priester Johannes, und da lügt er, aber er spricht auch von einem wahren Reich, das in den Berichten, die ich gelesen habe, als das des Herrn der drei Indien bezeichnet wird.«

Baudolino war bereit zu wetten, daß dieser Spitzbube

nur einen Schuß ins Blaue abgegeben hatte, aber Zosimos ließ ihm keine Zeit für Zweifel.

»Dreierlei verlangt der Herr von Menschen, die getauft worden sind: von der Seele den rechten Glauben, von der Zunge die Aufrichtigkeit und vom Leib die Beherrschtheit. Diesen Brief kann nicht der Herr der drei Indien geschrieben haben, denn er enthält zu viele Ungenauigkeiten. Zum Beispiel nennt er viele außergewöhnliche Wesen, die dort leben, aber er schweigt... warte, laß mich überlegen... ja, er schweigt zum Beispiel über die Methagallinarii, die Thinsiretae und die Cametheterni.«

»Und was sind die?«

»Was die sind? Na, also das erste, was einem passiert, wenn man in die Gegend des Priesters Johannes kommt, ist, daß man einem Thinsireta begegnet, und wenn man nicht darauf vorbereitet ist, sich zu wehren, schwupp, hat einen das Biest schon mit Haut und Haaren verschlungen! Tja, das sind Orte, da kannst du nicht einfach so hingehen wie nach Jerusalem, wo du höchstens mal ein Kamel, ein Krokodil oder ein paar Elefanten triffst, und das war's dann... Außerdem kommt es mir an diesem Brief auch sehr seltsam vor, daß er sich an deinen Kaiser richtet und nicht an unseren Basileus, wo doch das Reich dieses Johannes näher am Reich der Romäer liegt als an dem der Lateiner.«

»Du redest, als ob du wüßtest, wo es liegt.«

»Genau weiß ich's nicht, aber ich wüßte schon, wie ich dort hinkäme, denn wer das Ziel kennt, kennt auch den Weg.«

»Und warum ist dann keiner von euch Romäern jemals dorthin gegangen?«

»Wer sagt dir, daß es nie einer versucht hat? Ich könnte dir sagen: Wenn unser Basileus Manuel sich in das Land des Sultans von Ikonion gewagt hat, dann eben gerade, um sich den Weg ins Reich des Herrn der drei Indien zu öffnen.«

»Das könntest du sagen, aber du sagst es nicht.«

»Weil unser ruhmreiches Heer genau dort vernichtet worden ist, in Myriokephalon, vor zwei Jahren. Also ehe unser Basileus eine neue Expedition versucht, braucht er Zeit. Aber wenn ich viel Geld hätte und eine Gruppe von gutbewaffneten Männern, die es mit tausend Schwierigkeiten aufnehmen, dann wüßte ich schon ungefähr, in welche Richtung ich gehen müßte, und bräuchte bloß aufzubrechen. Unterwegs fragst du dich eben durch, folgst den Wegangaben der Einheimischen... Es muß viele Zeichen geben, wenn du auf dem richtigen Weg bist, müßtest du immer mehr Bäume sehen, die nur in jenen Gegenden blühen, oder Tieren begegnen, die nur dort leben, wie eben genau die Methagallinarii.«

»Hoch die Methagallinarii!« rief Baudolino und hob seinen Becher. Zosimos schlug vor, ein Hoch auf das Reich des Priesters Johannes auszubringen. Dann forderte er ihn heraus, auf das Wohl Kaiser Manuels anzustoßen, und Baudolino antwortete, da mache er mit, wenn sie dann auch beide auf das Wohl Kaiser Friedrichs anstießen. Dann tranken sie auf den Papst, auf Venedig, auf die beiden Kurtisanen, die sie wenige Tage vorher kennengelernt hatten, und schließlich war Baudolino als erster mit dem Kopf auf den Tisch gesunken und eingeschlafen, wobei er Zosimos gerade noch mühsam lallen hörte: »Dies ist das Leben des Mönches: keine Neugierde zeigen, nicht mit dem Ungerechten gehen, nicht mit den Händen raffen...«

Am nächsten Morgen sagte Baudolino mit noch belegter Zunge: »Zosimos, du bist ein Spitzbube. Du hast nicht die geringste Ahnung, wo dein Herr der drei Indien lebt. Du willst einfach der Nase nach gehen, und wenn einer dir sagt, er habe dort hinten einen Methagallinarius gesehen, dann rennst du los, und in Nullkommanichts kommst du zu einem Palast, der ganz aus Edelsteinen ist, und siehst irgendeinen Knilch und sagst, Hallo Priester Johannes, wie geht's? Sowas kannst du deinem Basileus erzählen, nicht mir.«

»Aber ich habe eine gute Karte«, sagte Zosimos, während er langsam die Augen aufschlug.

Worauf Baudolino erwiderte, auch mit einer guten Karte bleibe noch alles im vagen und schwer zu entscheiden, weil man ja wisse, wie ungenau Karten seien, besonders für jene Orte, an denen allenfalls mal Alexander der Große gewesen war und seitdem niemand mehr. Und er zeichnete ihm, so gut er konnte, die von Abdul gefertigte Karte.

Zosimos fing an zu lachen. Klar, wenn Baudolino der ketzerischen und perversen Idee anhing, daß die Erde eine Kugel sei, brauche er seine Reise gar nicht erst anzutreten.

»Entweder du vertraust der Heiligen Schrift, oder du bist ein Heide, der noch so denkt, wie man vor Alexander dachte – der übrigens unfähig war, uns irgendeine Karte zu hinterlassen. Nach der Heiligen Schrift hat nicht nur die Erde, sondern das ganze Universum die Form eines Tabernakels, beziehungsweise Moses hat seinen Tabernakel-Tempel als getreues Abbild des Universums gestaltet, von der Erde bis zum Firmament.«

»Aber die antiken Philosophen...«

»Die antiken Philosophen, die noch nicht vom Wort Gottes erleuchtet waren, haben sich die Antipoden ausgedacht, während in der Apostelgeschichte steht, daß Gott aus einem einzigen Menschen die ganze Menschheit geschaffen hat, auf daß sie das Antlitz der Erde bewohne – das Antlitz, nicht irgendeinen anderen Teil, der nicht existiert. Und im Evangelium des Lukas steht, daß der Herr den Aposteln die Macht gegeben hat, über Schlangen und Skorpione zu gehen – und gehen heißt *auf* etwas gehen, nicht *unter* etwas. Im übrigen, wenn die Erde eine Kugel wäre und im Leeren schwebte, hätte sie weder ein Oben noch ein Unten, und folglich gäbe es auf ihr keine Richtung des Gehens und nicht mal ein Gehen in irgendeiner Richtung. Wer hat gesagt, daß der Himmel aus Sphären bestehe, also eine Kugel sei? Die chaldäischen Sünder auf der Spitze des Turms zu Babel – soweit sie ihn haben errichten können –, verblendet durch den Schrecken, den ihnen der nahe Himmel eingejagt hatte! Welcher Pythagoras und welcher Aristoteles hat es vermocht, die Auferstehung der Toten vorauszusehen? Und solchen Ignoranten soll es gelungen sein, die wahre Form der Erde zu begreifen? Diese kugelförmige Erde soll dazu helfen, sagen sie, den genauen Zeitpunkt des Sonnenauf- und -untergangs vorauszubestimmen, oder auf welchen Tag Ostern fällt? So ein Unsinn, wo doch ganz einfache Leute, die weder Philosophie noch Astronomie studiert haben, sehr gut wissen, wann die Sonne auf- und untergeht, je nach den Jahreszeiten, und Ostern in den verschiedenen

Ländern nach derselben Methode berechnet wird, ohne daß man sich irrt? Wozu braucht man eine andere Geographie als jene, die ein guter Zimmermann kennt, und eine andere Astronomie als jene, nach welcher der Bauer weiß, wann er säen und wann er ernten muß? Und übrigens, von welchen antiken Philosophen redest du überhaupt? Kennt ihr Lateiner den Xenophanes von Kolophon, der die Erde zwar als unendlich, aber nicht kugelförmig ansah? Die Ignoranten werden sagen, wenn man das Universum als Tabernakel ansehe, könne man die Eklipsen und Äquinoktien nicht erklären. Nun, in unserem Romäerreich hat vor Jahrhunderten ein großer Weiser gelebt, Kosmas Indikopleustes, der bis an die Grenzen der Welt gereist ist, und der hat in seiner *Christlichen Topographie* unwiderleglich bewiesen, daß die Erde tatsächlich die Form eines Tabernakels hat und daß gerade die unklarsten Phänomene nur so zu erklären sind. Willst du, daß der christlichste aller Könige, ich meine Johannes, sich nicht an die christlichste aller Topographien hält, die nicht nur die des Kosmas ist, sondern auch die der Heiligen Schrift?«

»Ich sage dir, mein Priester Johannes weiß nichts von der Topographie deines Kosmas.«

»Du selber hast mir gesagt, daß Johannes ein Nestorianer ist. Nun hatten die Nestorianer eine dramatische Diskussion mit anderen Häretikern, den Monophysiten. Für die Monophysiten war die Erde wie eine Kugel, für die Nestorianer wie ein Tabernakel geformt. Man weiß, daß Kosmas ebenfalls Nestorianer war und jedenfalls Anhänger des Lehrers von Nestorios, Theodoros von Mopsuestia, und daß er sein Leben lang gegen die monophysitische Häresie des Johannes Philoponos aus Alexandria kämpfte, der heidnischen Philosophen wie Aristoteles folgte. Kosmas ein Nestorianer, der Priester Johannes ein Nestorianer – beide können gar nicht anders, als fest an die tabernakelförmige Erde zu glauben.«

»Moment mal. Sowohl dein Kosmas wie auch mein Priester sind Nestorianer, keine Frage. Aber wenn man bedenkt, daß die Nestorianer, soweit ich weiß, sich über Jesus und seine Mutter getäuscht haben, dann könnten sie sich doch auch über die Form der Erde getäuscht haben. Oder nicht?«

»Ha, paß auf, jetzt kommt mein subtilstes Argument! Ich werde dir beweisen, daß du – wenn du den Priester Johannes finden willst – in jedem Fall gut daran tust, dich an Kosmas zu halten und nicht an die heidnischen Topographen. Nehmen wir für einen Augenblick an, Kosmas habe sich getäuscht und falsche Dinge geschrieben. Auch wenn dem so wäre, werden diese Dinge gleichwohl von allen Völkern des Orients, die Kosmas besucht hat, geglaubt und für wahr gehalten, sonst hätte er sie nicht in den Ländern gehört, hinter denen das Reich des Priesters Johannes liegt, und zweifellos denken die Bewohner jenes Reiches, daß die Welt tabernakelförmig ist, und bestimmen die Entfernungen, die Grenzen, den Lauf der Flüsse, die Ausdehnung der Meere, die Küsten und Buchten, um nicht von den Gebirgen zu reden, gemäß der wunderbaren Zeichnung des Tabernakels.«

»Das Argument überzeugt mich noch nicht«, sagte Baudolino. »Daß sie glauben, in einem Tabernakel zu leben, muß ja nicht heißen, daß sie wirklich in einem leben.«

»Laß mich meinen Gedanken zu Ende führen. Wenn du mich fragen würdest, wie man in meine Geburtsstadt Chalkedon gelangt, könnte ich es dir sehr gut erklären. Dabei kann es sein, daß ich die Länge der Reise anders bestimme als du oder daß ich rechts nenne, was du links nennst – übrigens habe ich gehört, daß die Sarazenen Karten zeichnen, auf denen Süden oben und Norden unten ist, so daß die Sonne links von den dargestellten Ländern aufgeht. Aber wenn du die Art, wie ich den Lauf der Sonne und die Form der Erde darstelle, akzeptierst und meinen Angaben folgst, wirst du mit Sicherheit dort ankommen, wo ich dich hinschicken will, während du sie nicht verstehen würdest, wenn du dich an deine Karten hieltest. Folglich«, schloß Zosimos triumphierend, »wenn du das Land des Priesters Johannes erreichen willst, mußt du die Weltkarte benutzen, die der Priester Johannes benutzen würde, und nicht deine – und das wohlgemerkt auch dann, wenn deine richtiger wäre als seine!«

Baudolino war beeindruckt vom Scharfsinn der Beweis-führung und bat Zosimos, ihm zu erklären, wie denn Kos-mas und mithin der Priester Johannes die Welt sahen. »Ach nein«, antwortete Zosimos, »wo die Karte zu finden ist, weiß ich wohl, aber warum soll ich sie dir und deinem Kaiser geben?«

»Es sei denn, er gibt dir soviel Geld, daß du mit einer Truppe gutbewaffneter Männer aufbrechen kannst.«

»Genau.«

Von diesem Moment an ließ sich Zosimos kein Wort mehr über Kosmas' Karte entlocken, er machte nur hin und wieder, wenn er betrunken war, vage Andeutungen, wozu er mit dem Finger mysteriöse Kurven in die Luft zeichnete, aber dann brach er ab, als hätte er schon zuviel gesagt. Baudolino schenkte ihm Wein nach und stellte ihm scheinbar ausgefallene Fragen: »Aber wenn wir nahe bei Indien sind und unsere Pferde nicht mehr weiterkönnen, müssen wir dann auf Elefanten reiten?«

»Vielleicht«, sagte Zosimos, »denn in Indien leben alle Tiere, die in deinem Brief genannt werden, und noch ein paar mehr, nur keine Pferde. Aber sie haben trotzdem welche, denn sie lassen sie aus Tzinistan kommen.«

»Und was ist das für ein Land?«

»Ein Land, in das die Reisenden gehen, um Seidenwür-mer zu jagen.«

»Seidenwürmer? Was soll denn das sein?«

»Nun, in Tzinistan gibt es kleine Eier, die werden den Frauen an den Busen gelegt, und wenn sie in der Wärme dort ausgebrütet sind, kriechen kleine Würmer heraus. Diese werden auf Maulbeerblätter gelegt, von denen sie sich ernähren. Wenn sie erwachsen sind, ziehen sie aus ihrem Körper Seidenfäden und spinnen sich darin ein, als lägen sie in einem Grab. Dann verwandeln sie sich in wun-derschöne bunte Schmetterlinge und schlüpfen aus dem Kokon. Bevor sie wegfliegen, dringen die Männchen von hinten in die Weibchen ein, und beide leben ohne Nahrung allein von der Wärme ihrer Liebe, bis sie sterben, und sterbend legt das Weibchen seine Eier.«

»Einem Mann, der dir weismachen will, daß Seide aus Würmern gewonnen wird, war wirklich nicht zu trauen«, sagte Baudolino zu Niketas. »Er machte den Spitzel für seinen Basileus, aber auf die Suche nach dem Herrn der drei Indien wäre er auch im Solde Friedrichs gegangen. Dann allerdings, wenn er dort angelangt wäre, hätten wir ihn nie wiedergesehen. Und doch, seine Andeutungen über die Karte des Kosmas hatten mich in Erregung versetzt. Diese Karte erschien mir wie der Stern Bethlehems, nur daß sie in die entgegengesetzte Richtung wies. Sie würde mir zeigen, wie ich den Weg der Magier zurückgehen könnte. Und so bemühte ich mich im Glauben, ich sei gerissener als er, ihn zu noch größerer Zügellosigkeit anzutreiben, um ihn noch betrunkener und redseliger zu machen.«

»Aber?«

»Aber er war gerissener als ich. Am nächsten Tag fand ich ihn nicht mehr vor, und seine Mitbrüder sagten, er sei nach Konstantinopel abgereist. Er hatte mir eine Grußbotschaft hinterlassen. Sie lautete: ›Wie Fische sterben, wenn sie auf dem Trockenen liegenbleiben, so verlieren Mönche, die sich zu lange außerhalb ihrer Zelle aufhalten, die Lebenskraft der Vereinigung mit Gott. In den letzten Tagen bin ich in der Sünde ausgetrocknet, laß mich die Frische der Quelle wiederfinden.‹«

»Vielleicht stimmte das.«

»Nicht im mindesten. Er hatte einen Weg gefunden, seinem Basileus Geld zu entlocken. Und zwar auf meine Kosten.«

17. Kapitel

Baudolino entdeckt, daß der Priester Johannes an zu viele Leute schreibt

Im Juli desselben Jahres begab sich Friedrich nach Venedig. Übers Meer von Ravenna bis Chioggia wurde er vom Sohn des Dogen begleitet, dann erreichte er die Kirche San Niccolò am Lido, und am Sonntag, dem 24., warf er sich auf dem Markusplatz vor Papst Alexander zu Boden. Dieser hob ihn auf und umarmte ihn mit ostentativer Herzlichkeit, und alle ringsum sangen das *Te Deum*. Es war wirklich ein Triumph, wenn auch nicht ganz klar war, für wen der beiden. In jedem Fall beendete es einen Krieg, der achtzehn Jahre gedauert hatte, und nur wenige Tage später unterzeichnete der Kaiser einen Waffenstillstand auf sechs Jahre mit den Städten der Lombardischen Liga. Friedrich war so zufrieden, daß er beschloß, noch einen Monat in Venedig zu bleiben.

Es war im August, als Reichskanzler Christian von Buch eines Morgens Baudolino und die Seinen zu sich rief und sie bat, ihm zum Kaiser zu folgen. Bei Friedrich angelangt, überreichte er diesem mit dramatischer Geste ein von Siegeln strotzendes Pergament. »Dies ist der Brief des Priesters Johannes«, sagte er, »der mich auf vertraulichen Wegen aus Konstantinopel erreicht hat.«

»Der Brief?« rief Friedrich verblüfft aus. »Aber den haben wir doch noch gar nicht abgeschickt!«

»Tatsächlich ist es auch nicht unserer, sondern ein anderer. Er ist nicht an dich gerichtet, sondern an den Basileus Manuel. Ansonsten ist er mit unserem identisch.«

»Also bietet dieser Priester Johannes erst mir ein Bündnis an und dann den Romäern?« empörte sich Friedrich.

Baudolino war sprachlos, denn von Briefen des Priesters verstand er etwas: Es gab nur einen, und den hatte *er* geschrieben. Falls der Priester tatsächlich existierte, konnte er auch noch einen anderen geschrieben haben, aber bestimmt nicht *diesen*. Baudolino ließ sich den Brief zeigen, und nach rascher Durchsicht sagte er: »Er ist nicht ganz identisch mit unserem, es gibt kleine Abweichungen. Mein Vater, wenn du erlaubst, würde ich ihn gern genauer prüfen.«

Er zog sich mit seinen Freunden zurück, und gemeinsam lasen sie mehrere Male den Brief. Als erstes fiel ihnen auf, daß er immer noch auf Lateinisch geschrieben war. Merkwürdig, fand Rabbi Solomon, wo ihn doch der Priester an den griechischen Basileus geschickt hat. Tatsächlich lautete der Anfang:

Der Presbyter Johannes, kraft der Macht und Herrlichkeit Gottes und Unseres Herrn Jesus Christus Herr der Herrschenden, an Manuel, den Regenten der Romäer, dem er Gesundheit und fortdauernden Genuß der göttlichen Gnade wünscht.

»Zweite Merkwürdigkeit«, sagte Baudolino, »er nennt Manuel nicht Basileus, sondern Regent der Romäer. Also ist der Brief bestimmt nicht von einem Griechen in der kaiserlichen Umgebung geschrieben worden. Den hat jemand geschrieben, der Manuels Rechte nicht anerkennt.«

»Also«, schloß der Poet, »der echte Priester Johannes, der sich als *Herr der Herrschenden* betrachtet.«

»Lesen wir weiter«, sagte Baudolino, »und ich weise euch auf die Wörter und Sätze hin, die nicht in unserem Brief gestanden haben.«

Unserer Majestät war schon berichtet worden, daß Du Unsere Exzellenz in hoher Achtung hältst und daß Kunde von Unserer Magnifizenz zu Dir gelangt ist. Aber nun haben Wir von einem Unserer Apokrisiare erfahren, daß Du Uns etwas Erfreuliches und Vergnügliches schicken willst, auf daß sich Unsere Mildtätigkeit daran ergötze. Insofern ich Mensch bin, nehme ich die Gabe gern an und schicke Dir durch einen Unserer Apokrisiare ein Zeichen von Uns, begleitet vom Wunsche zu wissen, ob Du mit Uns dem rechten Glauben folgst und ob Du in allem an Unseren

Herrn Jesus Christus glaubst. Während ich nämlich sehr
wohl weiß, daß ich Mensch bin, halten Deine Graeculi
Dich für einen Gott, Wir aber wissen sehr wohl, daß Du
sterblich bist und der menschlichen Hinfälligkeit unter-
liegst. *In Anbetracht der Größe Unserer Freigebigkeit: Wenn Dir
etwas dienlich ist, was Dir Vergnügen bereiten könnte, laß es Uns
wissen, sei es durch einen Wink gegenüber Unserem* Apokrisiar
oder durch ein Zeugnis Deiner Liebe.

»Hier sind der Merkwürdigkeiten ein bißchen viele«,
fand Rabbi Solomon. »Einerseits behandelt er den Basileus
und seine ›Graeculi‹ mit einer Herablassung und Verachtung, die an Beleidigung grenzt, andererseits benutzt er ein
Wort wie *Apokrisiar,* das mir griechisch vorkommt.«

»Es heißt genau Botschafter, Emissär, wie wir geschrieben haben«, sagte Baudolino. »Aber hört weiter zu. Wo es
bei uns hieß, an der Tafel des Priesters säßen der Metropolit von Samarkand und der Erzpriester von Susa, ist hier
die Rede vom *Protopapaten Sarmagantinum* und vom *Archipro-
topapaten de Susis.* Und hier, unter den Wundern des Reiches
wird ein Kraut namens *Assidios* genannt, das die bösen
Geister austreibt. Drei weitere griechische Wörter.«

»Also«, sagte der Poet, »ist der Brief von einem Griechen
geschrieben worden, der jedoch die Griechen sehr schlecht
behandelt. Das verstehe ich nicht.«

Unterdessen hatte Abdul das Pergament in die Hand
genommen. »Da ist noch mehr«, sagte er. »Wo wir die Pfef-
ferernte erwähnt haben, werden noch weitere Einzelheiten
genannt. Hier ist hinzugefügt worden, daß es im Reich des
Johannes nur wenige Pferde gibt. Und hier, wo wir nur die
Salamander genannt haben, heißt es, daß sie eine Art von
Würmern sind, die sich mit einem Häutchen umgeben wie
die Würmer, welche die Seide hervorbringen, und daß diese
Häutchen von den Frauen des Palastes bearbeitet werden,
um daraus königliche Kleider und Tücher zu machen, die
sich nur in lodernden Flammen waschen lassen.«

»Was, was?« fragte Baudolino alarmiert.

»Und schließlich«, fuhr Abdul fort, »stehen hier in der
Liste der Wesen, die das Reich bewohnen, zwischen den

Menschen mit Hörnern, Faunen, Satyrn, Pygmäen und Kynozephalen auch Methagallinarii, Cametheterni und Thinsiretae, lauter Kreaturen, die wir nicht genannt haben.«

»Bei der gottgebärenden Jungfrau!« rief Baudolino aus. »Die Geschichte mit den Würmern hat mir Zosimos erzählt! Und es war Zosimos, der mir gesagt hat, daß es laut Kosmas Indikopleustes in Indien keine Pferde gibt! Und es war auch Zosimos, der mir die Methagallinarii und diese anderen Viecher hier genannt hat! O dieser Hurensohn, dieser verfluchte Dreckskerl, dieser Dieb, Betrüger, Fälscher, Verräter, Heuchler, Lügner, Lüstling, Wüstling, Halunke, Strolch, Straßenräuber, Verbrecher, Ketzer, Gotteslästerer, Wucherer, Sodomit, Simonist, Zwietrachtstifter und Tückebold!«

»Was hat er dir denn getan?«

»Versteht ihr noch immer nicht? An dem Abend, als ich ihm den Brief gezeigt hatte, da hat er mich betrunken gemacht und sich eine Abschrift angefertigt! Dann ist er zu seinem verdammten Basileus zurück, hat ihm eingeblasen, daß Friedrich dabei sei, sich als Freund und Erbe des Priesters Johannes zu offenbaren, und da haben sie gemeinsam einen anderen Brief aufgesetzt, der an Manuel gerichtet ist, und sind uns zuvorgekommen, bevor wir unseren in Umlauf gebracht haben. Deswegen gibt er sich hier so hochnäsig gegenüber dem Basileus, damit einem nicht der Verdacht kommt, daß er von seiner eigenen Kanzlei produziert worden ist! Deswegen enthält er so viele griechische Wörter, damit der Eindruck entsteht, dies sei die lateinische Übersetzung eines griechischen Originals von Johannes. Aber er ist auf Lateinisch abgefaßt worden, denn er soll ja nicht den byzantinischen Basileus überzeugen, sondern die Kanzleien der lateinischen Herrscher und den Papst!«

»Hier ist noch etwas, das wir übersehen haben«, sagte Kyot. »Erinnert euch an die Sache mit dem Gradal, den der Priester dem Kaiser schicken wollte: Wir hatten uns sehr zurückhaltend ausgedrückt und nur eine echte Lade, *veram arcam*, erwähnt… Hast du darüber mit Zosimos gesprochen?«

»Nein«, sagte Baudolino, »darüber habe ich geschwiegen.«

»Siehst du, und dein Zosimos hat hier *yerarcam* geschrieben. Der Priester schickt dem Basileus ein *yerarcam*.«

»Und was soll das sein?« fragte der Poet.

»Das weiß Zosimos selber nicht«, sagte Baudolino. »Seht euch mal unser Original an: An dieser Stelle ist Abduls Schrift nicht gut leserlich. Zosimos hat nicht verstanden, worum es geht, er dachte wohl, es handle sich um ein seltenes, geheimnisvolles Geschenk, von dem nur wir Kenntnis hätten, und so erklärt sich dieses seltsame Wort. O Mist, verdammter! Alles meine Schuld, weil ich ihm vertraut habe! Was für eine Schande, wie soll ich das bloß dem Kaiser erklären?«

Es war nicht das erste Mal, daß sie Lügen erzählten. Sie erklärten dem Kanzler und Friedrich, daß der Brief offensichtlich von jemandem aus der Kanzlei Manuels verfaßt worden sei, um Friedrich daran zu hindern, den seinen herumzureichen, aber sie fügten hinzu, es gebe womöglich einen Verräter in der Kanzlei des Heiligen Römischen Reiches, der eine Abschrift *ihres* Briefes nach Konstantinopel habe gelangen lassen. Friedrich schwor, daß er dem Kerl, wenn er ihn erwische, sämtliche Glieder und Gliedmaßen einzeln ausreißen werde.

Dann fragte er, ob sie sich nicht vielleicht Sorgen machen müßten wegen einer möglichen Initiative von Manuel. Was, wenn der Brief geschrieben worden wäre, um einen Feldzug nach Indien zu rechtfertigen? Christian gab ihm dezent zu bedenken, daß Manuel gerade erst vor zwei Jahren nach Phrygien gegen den seldschukischen Sultan von Ikonion gezogen war und eine dramatische Niederlage in Myriokephalon hatte einstecken müssen. Genug, um ihn für den Rest seines Lebens von Indien fernzuhalten. Ja, wenn man es genau bedachte, sei dieser Brief gerade ein Versuch Manuels, ein recht kindischer freilich, sich wieder ein bißchen Prestige zu verschaffen, nachdem er soviel davon verloren hatte.

Wie auch immer, war es an diesem Punkt überhaupt noch sinnvoll, den Brief an Friedrich publik zu machen?

Mußte man ihn nicht wenigstens ändern, damit nicht alle Welt glaubte, er sei von dem an Manuel abgeschrieben worden?

»Warst du über diese Geschichte auf dem laufenden, Niketas?« fragte Baudolino.

Niketas lächelte. »Damals hatte ich das dreißigste Lebensjahr noch nicht erreicht und war Steuerbeamter in Paphlagonien. Wäre ich Berater des Basileus gewesen, hätte ich ihm von solch infantilen Winkelzügen abgeraten. Aber Manuel hörte auf zu viele Höflinge, auf Kammerdiener und Eunuchen in seinen privaten Gemächern, sogar auf Sklaven, und oft war er auch dem Einfluß visionärer Mönche ausgesetzt.«

»Ich zerfraß mich innerlich, wenn ich an diesen Wurm von Zosimos dachte. Aber daß auch Papst Alexander ein Wurm war, schlimmer als Zosimos und schlimmer als die Salamander, das entdeckten wir erst im September, als in der Reichskanzlei ein Dokument eintraf, das vermutlich auch an die anderen christlichen Könige und an die griechischen Kaiser geschickt worden war. Es war die Kopie eines Briefes, den Alexander III. an den Priester Johannes geschrieben hatte!«

Sicher hatte Alexander eine Kopie des Briefes an Manuel erhalten, vielleicht kannte er auch die alte, von Otto zitierte Botschaft des Bischofs Hugo von Gabala, vielleicht fürchtete er, daß Friedrich aus der Nachricht von der Existenz des Priesterkönigs irgendwelche Vorteile ziehen könnte, jedenfalls war er nun der erste, der nicht einen Appell empfing, sondern selber einen aussandte, denn in seinem Brief stand, daß er sogleich einen Legaten losgeschickt habe, um mit dem Priester zu verhandeln.

Der Brief begann mit den Worten:

Alexander Episcopus, Diener der Diener Gottes, entbietet dem teuersten Sohne in Christo Johannes, dem berühmten und herrlichen König der drei Indien, seinen Gruß und apostolischen Segen.

Sodann rief der Papst in Erinnerung, daß nur ein einziger Apostolischer Stuhl (nämlich Rom) von Petrus das Mandat erhalten habe, Haupt und Lehrmeister aller Gläubigen zu sein. Des weiteren schrieb er, ihm sei schon viel Gutes über den Glauben und die Frömmigkeit des Priesterkönigs zu Ohren gekommen, und sein Leibarzt, Magister Philippus, ein besonnener, umsichtiger und zuverlässiger Mann, habe von vertrauenswürdigen Leuten gehört, daß Johannes sich mit der Absicht trage, zum wahren römisch-katholischen Glauben überzutreten. Das erfülle ihn selbstredend mit großer Freude, fuhr der Papst fort, doch leider könne er im Moment keine hochrangigen Würdenträger zu ihm entsenden, auch weil diese keine *linguas barbaras et ignotas* verstünden, aber er schicke ihm den obengenannten Philippus, einen sehr diskreten und klugen Mann, auf daß er ihn im wahren Glauben unterweise. Sobald Philippus bei ihm eingetroffen sei, möge er ihm, dem Papst, bitte einen Bestätigungsbrief schicken, und – so schloß Alexander warnend – je weniger er sich darin in Prahlereien über seine Macht und seinen Reichtum ergehe, desto besser werde es für ihn sein, wenn er wolle, daß man ihn als einen demütigen Sohn der heiligen römischen Kirche empfange.

Baudolino war entsetzt und empört bei dem Gedanken, daß es dermaßen schamlose Fälscher auf der Welt geben konnte. Friedrich tobte: »Dieser Satansbraten! Keiner hat ihm je geschrieben, und zum Trotz antwortet er einfach als erster! Und hütet sich dabei, seinen Johannes *Presbyter* zu nennen, womit er ihm jedwede priesterkönigliche Würde abspricht...«

»Er weiß, daß Johannes Nestorianer ist«, sagte Baudolino, »und so schlägt er ihm väterlich-päpstlich vor, auf seine Ketzerei zu verzichten und sich ihm zu unterwerfen...«

»Zweifellos ist dies ein sehr arroganter Brief«, bemerkte der Kanzler Christian. »Er nennt Johannes seinen lieben Sohn, aber er schickt nicht einmal einen Bischof zu ihm, sondern bloß seinen Leibarzt. Er behandelt ihn wie ein Kind, das man zur Ordnung ruft.«

»Dieser Philippus muß liquidiert werden«, entschied Friedrich. »Christian, schick Boten los, gedungene Mörder oder wen immer du willst, daß sie ihn unterwegs abfangen, ihn erdrosseln, ihm die Zunge herausreißen, ihn in einem Wildbach ertränken! Er darf auf keinen Fall dort ankommen! Der Priester Johannes gehört mir!«

»Sei unbesorgt, mein Vater«, sagte Baudolino, »nach meiner Meinung ist dieser Philippus gar nicht aufgebrochen, ja es ist nicht mal gesagt, daß er überhaupt existiert. Erstens weiß Alexander genau, denke ich, daß der Brief an Manuel eine Fälschung ist. Zweitens weiß er gar nicht, wo sein Johannes zu finden sein soll. Drittens hat er den Brief geschrieben, um dir zuvorzukommen und zu sagen, daß der Priester Johannes ihm gehört, und im übrigen lädt er dich und Manuel dazu ein, die ganze Geschichte mit dem Priesterkönig zu vergessen. Viertens, selbst wenn Philippus existieren würde, selbst wenn er zu diesem Priester ginge und tatsächlich dort ankäme, überleg nur mal einen Moment, was passieren würde, wenn er unverrichteter Dinge zurückkäme, weil der Priester Johannes nicht zur Katholischen Kirche übergetreten ist. Für Alexander wäre das doch ein Schlag ins Gesicht. Das kann er nicht riskieren.«

In jedem Fall war es nun zu spät, den Brief an Friedrich publik zu machen, und Baudolino fühlte sich wie enteignet. Beim Tod Bischof Ottos hatte er angefangen, mit dem Reich des Priesters Johannes zu liebäugeln, und seitdem waren fast zwanzig Jahre vergangen... Zwanzig Jahre vergeudet für nichts...

Dann aber raffte er sich auf: Nein, mag sich der Brief des Priesters in nichts auflösen oder sich in einer Fülle anderer Briefe verlieren, heutzutage kann jeder, der will, sich einen Liebesbriefwechsel mit dem Priester Johannes erfinden, wir leben in einer Welt von abgefeimten, durchtriebenen Lügnern, aber das heißt nicht, daß man darauf verzichten soll, nach seinem Reich zu suchen. Schließlich gibt es immer noch Kosmas' Karte, also genügt es, Zosimos wiederzufinden, sie ihm zu entreißen, und dann auf zur Reise ins Unbekannte...

Aber wo mochte Zosimos stecken? Und selbst wenn man wüßte, daß er sich überhäuft mit Pfründen im Kaiserpalast seines Basileus befand, wie sollte man ihn dort aufstöbern, inmitten der ganzen byzantinischen Armee? Baudolino fing an, Reisende, Boten und Kaufleute zu befragen, um etwas über den ruchlosen Mönch zu hören, und zugleich fuhr er fort, Friedrich an den Plan zu erinnern: »Mein Vater«, sagte er, »jetzt hat die Sache mehr Sinn als vorher, denn vorher konntest du fürchten, daß jenes Reich bloß eine von meinen Phantastereien sei, aber jetzt weißt du, daß auch der griechische Basileus und der Papst in Rom daran glauben, und in Paris wurde mir gesagt, wenn unser Geist imstande ist, etwas zu konzipieren, von dem es kein Größeres gibt, dann existiert dieses Etwas gewiß. Ich bin jemandem auf der Spur, der mir Informationen über den Weg dorthin geben kann – ermächtige mich, etwas Geld auszugeben.« Es gelang Baudolino, sich mit genügend Gold ausstatten zu lassen, um alle *Graeculi*, die nach Venedig kamen, zu bestechen, er wurde in Kontakt mit vertrauenswürdigen Leuten in Konstantinopel gebracht und wartete auf Nachrichten. Sobald er sie bekommen haben würde, brauchte er Friedrich nur noch dazu zu bringen, eine Entscheidung zu treffen.

»Weitere Jahre des Wartens vergingen, und inzwischen war auch euer Manuel gestorben. Obwohl ich euer Land noch nicht besucht hatte, Kyrios Niketas, wußte ich genug darüber, um mir denken zu können, daß beim Wechsel eines Basileus alle seine alten Vertrauten liquidiert werden würden. Ich betete zur Madonna und zu allen Heiligen, daß Zosimos noch lebte, auch geblendet würde er mir noch genügen, er mußte mir die Karte nur geben, ich würde sie dann schon lesen können. Und derweil hatte ich das Gefühl, daß mir die Jahre wie Sand zwischen den Fingern zerrannen, ja daß ich die Jahre verlor, wie jemand Blut verliert.«

Niketas ermunterte Baudolino, sich jetzt nicht von seiner damaligen Enttäuschung niederdrücken zu lassen. Er hatte seinen Koch und Diener gebeten, sich selbst zu übertreffen, die letzte Mahlzeit, die er unter der Sonne Konstantinopels genieße, solle ihm noch einmal alle Wonnen seines Meeres und seines Landes in Erinnerung rufen. Auf den

Tisch kommen sollten Langusten und Einsiedlerkrebse, gekochter Hummer, gebratene Krabben, Linsen mit Austern und Muscheln, Meeresdatteln, dazu ein Püree aus Ackerbohnen und Reis mit Honig, umgeben von einem Kranz aus Fischeiern, das Ganze serviert mit kretischem Wein. Aber das war nur der erste Gang. Danach kam ein Schmorbraten, der einen köstlichen Duft verbreitete, und im Topf dampften vier schöne harte und schneeweiße Kohlherzen, ein Karpfen und zwanzig kleine Makrelen, Sardellenfilets, vierzehn Eier, ein wenig Schafskäse aus der Walachei, das Ganze begossen mit einem guten Pfund Öl, bestreut mit Pfeffer und gewürzt mit zwölf Knoblauchzehen. Aber zu diesem zweiten Gang verlangte er Wein aus Ganos am Hellespont.

18. Kapitel

Baudolino und Colandrina

Aus dem Hof hörte man das Geschrei von Niketas' Töchtern, die sich ihre gepflegten, nur an das Zinnoberrot ihrer Schminke gewöhnten Gesichter nicht beschmieren lassen wollten. »Seid still«, sagte Grillo, »Schönheit allein macht noch keine Dame.« Und er erklärte, er sei noch nicht einmal sicher, ob das bißchen Schorf und Blattern, das ihnen ins Gesicht gemalt wurde, ausreichen werde, um einen lüsternen Pilger abzuschrecken, das seien Kerle, die sich auf alles stürzten, was sie nur finden konnten, Junge und Alte, Gesunde und Kranke, Griechinnen, Sarazeninnen oder Jüdinnen, denn in diesen Dingen spiele die Religion kaum eine Rolle. Um wirklich Ekel zu erregen, fügte er hinzu, müßten sie mit Pusteln übersät wie ein Reibeisen sein. Niketas' Gemahlin half liebevoll mit, ihre Töchter häßlich zu machen, indem sie hier eine klaffende Wunde auf die Stirn, dort eine Hühnerhaut auf die Nase malte, um sie von Blattern zerfressen aussehen zu lassen.

Baudolino blickte trübsinnig auf die schöne Familie hinunter, und auf einmal sagte er: »So kam es, während ich so dahinlebte, ohne zu wissen, was ich tun sollte, daß auch ich mir eine Ehefrau nahm.«

Er erzählte die Geschichte seiner Ehe mit einer nicht sehr fröhlichen Miene, als handle es sich um eine schmerzliche Erinnerung.

»Zu jener Zeit pendelte ich zwischen dem Hof und Alexandria hin und her. Friedrich konnte sich mit der Existenz dieser Stadt noch immer nicht abfinden, und ich versuchte die Beziehung zwischen meinen Mitbürgern und dem Kaiser wieder in Ordnung zu bringen. Die Situation war günstiger als in den Jahren zuvor. Alexander III. war tot, und

Alexandria hatte seinen Beschützer verloren. Der Kaiser kam den italienischen Städten immer weiter entgegen, und Alexandria konnte sich nicht mehr als das Bollwerk der Liga aufspielen. Genua war auf die Seite des Reiches übergewechselt, und Alexandria hatte alles zu gewinnen, wenn es mit den Genuesern ging, nichts jedoch, wenn es die einzige Friedrich verhaßte Stadt blieb. Es galt also, eine für beide Seiten ehrenvolle Lösung zu finden. So kam es, während ich meine Tage damit verbrachte, mit meinen Landsleuten zu reden und danach an den Hof zurückzukehren, um die Stimmung des Kaisers auszuloten, daß mir Colandrina auffiel. Sie war die Tochter des Guasco, sie war mir nach und nach unter die Augen gewachsen, und ich hatte gar nicht bemerkt, daß sie eine Frau geworden war. Sie war sehr sanft und bewegte sich mit einer etwas linkischen Anmut. Seit der Geschichte mit der Belagerung galten mein Vater und ich als Retter der Stadt, und sie sah zu mir auf, als wäre ich Sankt Georg. Wenn ich mit Guasco sprach, blieb sie zusammengekauert vor mir hocken, die Augen glänzend, und trank meine Worte. Ich hätte ihr Vater sein können, denn sie war kaum fünfzehn und ich achtunddreißig. Ich kann nicht sagen, ob ich mich in sie verliebt hatte, aber es war mir angenehm, sie um mich zu haben, so sehr, daß ich anfing, den anderen unglaubliche Abenteuer zu erzählen, nur damit sie mir zuhörte. Das bemerkte auch Guasco, der zwar ein *miles* war, das heißt etwas mehr als ein Ministeriale wie ich (der ich noch dazu ein Bauernsohn war), aber wie ich schon sagte, ich war ein bißchen der Liebling der Stadt, ich trug ein Schwert an der Seite, ich lebte am Hof... Es würde keine schlechte Verbindung sein, und Guasco selbst war es, der eines Tages zu mir sagte: »Warum heiratest du Colandrina nicht, sie ist mir ein kleiner Tolpatsch geworden, sie läßt Geschirr fallen, und wenn du nicht da bist, steht sie dauernd am Fenster, um zu sehen, ob du nicht kommst.« Es war eine schöne Hochzeit, die Trauung wurde in San Pietro vollzogen, der Kathedrale, die wir dem verstorbenen Papst geschenkt hatten – der neue wußte nicht mal, daß es sie überhaupt gab. Und es war eine seltsame Ehe, denn schon nach der ersten

Nacht mußte ich fort, um bei Friedrich zu sein, und so ging es das ganze erste Jahr, ich sah meine Frau nur alle paar Monate, und es zog mir das Herz zusammen, wenn ich sah, wie sie sich jedesmal freute.«

»Hast du sie geliebt?«

»Ich glaube schon, aber es war das erste Mal, daß ich eine Ehefrau hatte, und ich wußte nicht recht, was ich mit ihr machen sollte, abgesehen von den Sachen, die ein Ehemann in der Nacht macht, aber tagsüber wußte ich nicht, ob ich sie streicheln sollte wie ein kleines Kind oder sie wie eine Dame behandeln, ob ich sie ausschimpfen sollte wegen ihrer Ungeschicklichkeiten, denn sie brauchte immer noch einen Vater, oder ob ich ihr alles verzeihen sollte, auch wenn sie alles kaputtmachte. Bis sie mir dann am Ende des ersten Jahres sagte, daß sie ein Kind erwartete, und von da an habe ich sie behandelt, als wär sie die Heilige Jungfrau: Wenn ich heimkam, bat ich sie um Verzeihung dafür, daß ich fortgewesen war, sonntags brachte ich sie zur Messe, damit alle sahen, daß Baudolinos gute Frau dabei war, ihm ein Kind zu schenken, und an den wenigen Abenden, die wir zusammen verbrachten, dachten wir uns aus, was wir mit dem kleinen Baudolinchen-Colandrinchen machen würden, das sie unter dem Herzen trug – eines Abends meinte sie, daß Friedrich ihm ein Herzogtum geben würde, und ich war drauf und dran, es auch zu glauben. Ich erzählte ihr vom Reich des Priesters Johannes, und sie sagte, dahin würde sie mich nicht für alles Gold der Welt allein reisen lassen, denn wer weiß, was für schöne Damen es da gebe, und sie wolle jenen Ort ebenfalls sehen, der schöner und größer sein müsse als Alexandria und Solero zusammen (Solero war ein Dorf in der Nachbarschaft). Ich erzählte ihr auch vom Gradal, und sie riß die Augen auf und sagte: Denk nur, mein Baudolino, du gehst dorthin, kommst zurück mit dem Kelch, aus dem unser Herr Jesus getrunken hat, und wirst der berühmteste Ritter der Christenheit, du baust ein Heiligtum für diesen Gradal in Montecastello, und alle kommen, um ihn zu sehen, bis aus Quargnento…! Wir phantasierten wie die Kinder, und ich sagte mir: Armer Abdul, du glaubst, die Liebste sei eine ferne Prinzessin, und dabei ist meine so nah, daß ich sie hinterm Ohr kraulen kann, und sie lacht und sagt, hu, das kitzelt... Aber es hat nicht lange gedauert.«

»Warum nicht?«

»Weil gerade als sie schwanger war, da hatten die Alexandriner ein Bündnis mit Genua gegen die Leute aus Silvano d'Orba geschlossen. Es waren nur eine Handvoll Leute, aber sie machten die Gegend unsicher, überfielen die Bauern und raubten sie aus. Colandrina war an jenem Tag aus der Stadt hinaus auf die Felder gegangen, um ein paar Blumen zu pflücken, weil sie gehört hatte, daß ich kommen würde. Sie war bei einer Schafherde stehengeblieben, um mit dem Schäfer zu plaudern, der ein Mann ihres Vaters war, und da kam plötzlich eine Bande von diesen Halunken herbeigestürmt, um sich auf die Schafe zu stürzen. Vielleicht wollten sie ihr gar nichts tun, aber sie stießen sie um und warfen sie zu Boden, die Schafe stoben auseinander und überrannten sie... Der Schäfer war Hals über Kopf davongelaufen, und so fand man sie erst am späten Abend, als man sie suchen gegangen war, und da hatte sie hohes Fieber. Guasco schickte jemanden, mich zu benachrichtigen, ich kam, so schnell ich konnte, aber inzwischen waren zwei Tage vergangen. Sie lag im Sterben, und als sie mich sah, wollte sie sich bei mir entschuldigen, denn das Kind, sagte sie, sei zu früh herausgekommen, und da sei es schon tot gewesen, und sie machte sich Vorwürfe, weil sie nicht mal imstande gewesen sei, mir einen Sohn zu schenken. Sie wirkte wie eine kleine Wachsmadonna, und ich mußte das Ohr ganz nahe an ihren Mund halten, um zu verstehen, was sie sagte. Schau mich nicht an, Baudolino, sagte sie, mein Gesicht ist ganz zerknautscht vom vielen Weinen, und so findest du außer einer schlechten Mutter auch noch eine häßliche Ehefrau vor... Noch im Sterben bat sie mich um Vergebung, während ich sie bat, mir zu verzeihen, daß ich im Moment der Gefahr nicht bei ihr gewesen war. Dann wollte ich das tote Kind sehen, aber sie wollten es mir nicht zeigen. Es war, es war...«

Baudolino hielt inne. Er hob den Kopf und blickte nach oben, da er nicht wollte, daß Niketas seine Augen sah. »Es war ein kleines Monster«, sagte er nach einer Weile, »wie jene, die wir uns im Land des Priesters Johannes vorstellten. Das Gesicht mit kleinen Augen, die wie schräge Schlitze waren, eine spindeldürre Brust mit zwei Ärmchen, die aussahen wie Polypenarme. Und vom Bauch bis zu den Füßen bedeckt mit einem weißen Flaum wie ein Lämmchen. Ich konnte es nur kurz betrachten, dann wies ich meine Leute an, es zu begraben, aber ich wußte nicht einmal, ob man dazu einen Priester herbeirufen konnte. Ich ging aus der Stadt und lief die ganze Nacht in der Frascheta herum und sagte mir: Da hatte ich nun mein ganzes bisheriges Leben damit verbracht, mir Wesen aus anderen Welten vorzustellen, und in meiner Phantasie waren sie wie märchenhafte Wunderwesen erschienen, die mit ihrem Anderssein die unendliche Macht des Herrn bezeugten, und als der Herr mich einlud, zu tun, was alle anderen Männer tun, da hatte ich nicht ein Wunderwesen, sondern etwas Grauenhaftes gezeugt. Mein Kind war eine Lüge der Natur, Herr Otto hatte recht gehabt, aber mehr, als er selber dachte: Ich war ein Lügner und hatte so sehr als Lügner gelebt, daß sogar mein Samen eine Lüge hervorgebracht hatte. Eine tote Lüge. Und da habe ich begriffen...«

»Heißt das«, fragte Niketas zögernd, »du hast beschlossen, dein Leben zu ändern?«

»Nein, Kyrios Niketas, ich sagte mir, wenn dies mein Schicksal war, dann war es nutzlos, daß ich versuchte, wie die anderen zu sein. Ich war nun ganz und gar der Lüge verschrieben. Es ist schwer zu erklären, was mir durch den Kopf ging. Ich sagte mir: Solange ich erfand, habe ich Dinge erfunden, die nicht wahr waren, aber wahr wurden. Ich habe San Baudolino erscheinen lassen, ich habe eine Bibliothek in Sankt Viktor erschaffen, ich habe die Magierkönige durch die Welt ziehen lassen, ich habe meine Stadt gerettet, indem ich eine magere Kuh mästen ließ, wenn es in Bologna Doktoren gibt, ist das auch mein Verdienst, ich habe in Rom *mirabilia* erscheinen lassen, von denen sich die Römer nichts träumen ließen, ich habe ausgehend von einer Kabbala jenes Hugo von Gabala ein Reich erschaffen, das an Schönheit nicht seinesgleichen hat, bis ich dann eine

Traumgestalt liebte und sie Briefe schreiben ließ, die sie nie geschrieben hatte, die aber jeden, der sie las, in schmachtende Verzückung trieben, sogar die Verfasserin selbst, die sie nie geschrieben hatte, und dabei war sie immerhin eine Kaiserin. Und das einzige Mal, daß ich etwas Wahres machen wollte, mit einer Frau, die aufrichtiger und wahrhaftiger nicht sein konnte, da habe ich versagt: Ich habe etwas produziert, von dem niemand glauben und wünschen kann, daß es existiert. Darum ist es besser, ich ziehe mich in die Welt meiner Wunderwesen zurück, denn in der kann ich wenigstens selbst entscheiden, in welchem Maße sie eben wunderbar sind.«

19. Kapitel

Baudolino ändert den Namen seiner Stadt

»Ach, armer Baudolino«, sagte Niketas, während sie mit den Vorbereitungen für den Aufbruch fortfuhren, »Weib und Kind verloren in der Blüte deiner Jahre. Und auch ich, auch ich kann morgen das Fleisch von meinem Fleische verlieren und meine geliebte Frau durch die Hand eines dieser Barbaren! O Konstantinopel, Königin der Städte, Zelt des Allerhöchsten, Lob- und Preislied Seiner Diener, Entzücken der Fremden, Kaiserin der Kaiserstädte, Lied der Lieder, Zierde der Zierden, einzigartiges Schauspiel der allerseltensten Dinge, was wird aus uns werden, wenn wir dich verlassen, nackt, wie wir aus dem Mutterleib kamen? Wann werden wir dich wiedersehen, nicht wie jetzt eine Stätte der Verwüstung, ein Tal des Jammers, ein Tummelplatz feindlicher Heere...?«

»Laß gut sein, Kyrios Niketas«, sagte Baudolino, »und vergiß nicht, daß du vielleicht zum letzten Mal Gelegenheit hast, von diesen Delikatessen zu kosten, die eines Lukullus würdig sind. Wie heißen diese Fleischbällchen, die den Duft eures Gewürzmarktes haben?«

»Kephtedes, und der Duft kommt von Zinnamom und etwas Minze«, antwortete Niketas, schon wieder getröstet. »Und für den letzten Tag ist es mir gelungen, uns ein wenig Anislikör bringen zu lassen. Du mußt ihn trinken, während er sich im Wasser auflöst wie eine Wolke.«

»Er ist gut, er benebelt nicht, man fühlt sich, als ob man träumt«, sagte Baudolino. »Den hätte ich nach Colandrinas Tod trinken sollen, vielleicht hätte ich sie dann vergessen können, so wie du bereits das Unglück deiner Stadt vergißt und alle Furcht vor dem verlierst, was morgen geschehen wird. Statt dessen betäubte ich mich mit dem Wein unserer

270

Gegend, der einen sofort einschlafen läßt, aber wenn man danach wieder aufwacht, geht es einem noch schlechter als vorher.«

Baudolino brauchte ein ganzes Jahr, um die tiefe Schwermut zu überwinden, in die er gefallen war, ein Jahr, von dem er nur in Erinnerung hatte, daß er ausgedehnte Ritte durch Wälder und Ebenen machte, dann irgendwo anhielt und sich vollaufen ließ, bis er in einen langen unruhigen Schlaf sank. In seinen Träumen sah er sich, wie er endlich Zosimos wiederfand und ihm (mitsamt dem Bart) die Karte entriß, um ein Reich zu finden, in dem alle Neugeborenen Thinsiretae und Methagallinarii sein würden. Alexandria mied er, da er fürchtete, daß seine Eltern oder Guasco und dessen Leute von Colandrina und dem nie geborenen Kind reden würden. Oft flüchtete er sich zu Friedrich, der ihn väterlich und verständnisvoll ermunterte und abzulenken versuchte, indem er von schönen großen Unternehmungen sprach, die er zum Wohle des Reiches vollbringen könnte. Bis er ihm eines Tages eröffnete, daß er sich entschlossen habe, eine Lösung für Alexandria zu finden; sein Zorn sei mittlerweile verraucht, und um Baudolino einen Gefallen zu tun, wolle er die alte Wunde heilen und den Stein des Anstoßes aus dem Weg räumen, ohne die Stadt unbedingt zerstören zu müssen.

Dieser Auftrag gab Baudolino neuen Lebensmut. Der Kaiser war inzwischen bereit, mit den lombardischen Städten einen dauerhaften Frieden zu schließen, und Baudolino sagte sich, daß es im Grunde nur noch eine Frage des Starrsinns war. Friedrich ertrug es nicht, daß da eine Stadt existierte, die ohne seine Erlaubnis erbaut worden war und obendrein noch den Namen seines Feindes trug. Wohlan, wenn Friedrich nun diese Stadt neu gründen würde, am gleichen Ort, aber mit anderem Namen, so wie er Lodi an einem anderen Ort, aber mit gleichem Namen neu gegründet hatte, dann würde er ohne Gesichtsverlust aus der Sache herauskommen. Und was die Alexandriner anging, was wollten sie denn? Sie wollten eine Stadt haben, um dort ihren Handel betreiben zu können. Es war reiner Zufall, daß sie sie nach Alexander III. benannt hatten, der inzwischen tot war und sich also nicht mehr beleidigt fühlen konnte, wenn sie sie jetzt anders nennen würden. So kam Baudolino die Idee. Eines schönen Morgens würde Friedrich mit seinen Rittern vor den Mauern von Alexandria erscheinen, alle Einwohner würden herauskommen, eine Schar von Bischöfen würde hineinziehen, würde die Stadt neu weihen, so man denn sagen konnte, daß sie je geweiht worden war, beziehungsweise würde sie umtaufen und ihr den Namen Caesarea geben, also Caesars Stadt, Kaiserstadt, die Ex-Alexandriner würden vor den Kaiser treten und ihm huldigen, dann würden sie wieder hineingehen und die neue Stadt in Besitz nehmen, als wäre es eine andere, vom Kaiser gegründete, und würden glücklich und zufrieden in ihr leben.

Wie man sieht, war Baudolino dabei, seine Verzweiflung mit einem weiteren Meisterstück seiner blühenden Phantasie zu überwinden.

Friedrich fand die Idee nicht schlecht, nur konnte er zu jener Zeit nicht schon wieder nach Italien ziehen, da er andere wichtige Angelegenheiten mit seinen deutschen Lehnsfürsten zu regeln hatte. So übernahm Baudolino die Verhandlungen. Vor der Stadt angelangt, zögerte er hineinzugehen, aber am Tor kamen ihm seine Eltern entgegen, und alle drei zerflossen in befreiende Tränen. Die alten Gefährten taten, als ob er nie geheiratet hätte, und zogen ihn, noch ehe er anfangen konnte, von seinem Auftrag zu sprechen, in die Taverne von einst, wo sie ihn drängten, erstmal einen kräftigen Schluck zu nehmen, aber von einem herben Weißen aus Gavi, der nicht schläfrig machte, sondern erfrischte und den Geist anregte. Dann erzählte Baudolino, was er sich ausgedacht hatte.

Als erster reagierte der alte Gagliaudo: »Wenn man dem länger zuhört, wird man genauso ein Kindskopf wie er. Stellt euch bloß vor, wir sollen dieses Ringelspiel machen, dieses Raus und Rein, du her, ich hin, heißa hopsa tralla-la... nein danke, fehlt nur noch, daß jemand dazu aufspielt, und wir tanzen Reigen zum Fest von San Baudolino...«

»Nein, die Idee ist nicht schlecht«, sagte der Boidi, »aber

nachher müssen wir uns statt Alexandriner womöglich Caesariner nennen – *Cesarini*, bitte, wie klingt denn das, wie stehen wir dann da vor denen in Asti!«

»Hört auf, solchen Unsinn zu reden, man wird uns immer erkennen«, entgegnete Oberto del Foro. »Von mir aus kann der Kaiser die Stadt auch umtaufen, aber vor ihn hintreten und ihm huldigen, das will mir nicht runtergehen. Schließlich sind wir es, die ihm in den Hintern getreten haben, nicht er uns, also soll er sich nicht so aufspielen.«

Der Cuttica aus Quargnento sagte, er hätte nichts gegen das Umtaufen, ihm sei's egal, ob die Stadt Cesaretta oder Cesarone oder wer weiß wie heiße, von ihm aus könne sie auch Cesira, Olivia, Sophronia oder Eutropia heißen, aber das Problem sei, ob Friedrich dann seinen Stadtvogt herschicken wolle, oder ob er sich damit begnügen werde, die von ihnen gewählten Konsuln zu legitimieren.

»Geh zurück und frag ihn, wie er's machen will«, sagte Guasco. Und Baudolino: »Ah ja, das denkt ihr euch so, ich überquere die Alpen hin und her, bis ihr euch geeinigt habt. Nein, mein Lieber, ihr bevollmächtigt zwei von euch, mit mir zum Kaiser zu gehen, und wir überlegen uns etwas, das allen paßt. Ich sage euch, wenn Friedrich noch einmal zwei Alexandriner vor sich sieht, kriegt er Bauchgrimmen und wird, bloß um sie rasch wieder loszuwerden, ein Abkommen akzeptieren.«

So begleiteten Baudolino zwei Abgesandte der Stadt, Anselmo Conanzi und Teobaldo, einer der Söhne des Guasco. Sie trafen den Kaiser in Nürnberg und erreichten ein Abkommen. Auch die Frage der Konsuln wurde sofort geklärt, es ging nur um die Wahrung der Form: Sollten die Alexandriner sie ruhig wählen, es genügte, daß der Kaiser sie dann nominell einsetzte. Was die Huldigung anging, hatte Baudolino seinen Adoptivvater beiseite genommen und gesagt: »Mein Vater, du kannst nicht selber kommen, du wirst einen Gesandten hinschicken müssen. Also schick mich. Schließlich bin ich Ministeriale, und als solcher bin ich dank deiner unendlichen Güte in den Adelsstand erhoben worden, ich bin ein *Ritter*, wie man hier sagt.«

»Ja, aber du gehörst bloß zum Dienstadel, du kannst

zwar ein Lehen bekommen, aber es nicht übertragen, du kannst keine Vasallen haben, du...«

»Und was, meinst du, interessiert das meine Landsleute? Für die genügt es, daß ich auf einem Pferd dahergeritten komme und Befehle erteile. Sie huldigen einem deiner Repräsentanten, also dir, aber dein Repräsentant bin *ich*, also einer von ihnen, und so merken sie's nicht so genau, daß sie *dir* huldigen. Danach kannst du sie, wenn du willst, den Treueid und all die anderen Schwüre vor einem deiner Kammerherrn ablegen lassen, der neben mir steht, und sie werden nicht mal merken, wer von uns beiden der Wichtigere ist. Du mußt auch verstehen, wie diese Leute gestrickt sind. Wenn wir diese Sache für immer so regeln, wird es dann nicht für alle das beste sein?«

So wurde die Zeremonie Mitte März Anno Domini 1183 vollzogen. Baudolino hatte sich groß in Schale geworfen, so daß er wichtiger als der Markgraf von Montferrat aussah, und seine Eltern verschlangen ihn mit den Augen, wie er da hoch zu Roß einherkam, die Hand am Schwertknauf, auf einem Schimmel, der keinen Augenblick ruhig stand. »Er ist aufgezäumt wie der Hund eines Herrn«, sagte die Mutter tränenblind. Dem Umstand, daß er zwei Bannerträger mit den kaiserlichen Insignien rechts und links neben sich hatte, dazu den kaiserlichen Kammerherrn Rudolf und viele andere Edelleute des Reiches und so viele Bischöfe, daß man sie gar nicht zählen konnte, maß niemand mehr viel Bedeutung bei. Wohl aber dem, daß auch die Repräsentanten der anderen lombardischen Städte gekommen waren, namentlich die Herren Lanfranco aus Como, Siro Salimbene aus Pavia, Filippo aus Casale, Gerardo aus Novara, Pattinerio aus Ossona und Malavista aus Brescia.

Als sich Baudolino direkt vor dem Tor der Stadt aufgebaut hatte, kamen die Alexandriner in langer Reihe heraus, mit den Kleinkindern auf dem Arm und die Alten untergehakt, und auch die Kranken wurden auf Karren mitgezogen, und sogar die Schwachsinnigen und die Lahmen waren dabei, und die Helden der Belagerung, die einen Arm eingebüßt hatten oder ein Bein oder gar beide, so daß sie mit bloßem Rumpf auf einem Brett mit Rädern saßen, das sie mit den Händen voranbewegten. Da sie nicht wußten, wie lange sie draußen bleiben mußten, hatten sich viele etwas zu essen mitgebracht, die einen Brot und Salami, die anderen gebratene Hühnchen und wieder andere Körbe mit Obst, so daß es am Ende fast aussah, als machten sie einen schönen Ausflug ins Grüne.

In Wirklichkeit war es noch kalt und auf den Feldern lag Rauhreif, so daß an ein Hinsetzen nicht zu denken war. Die soeben Ausgebürgerten standen frierend da, stampften mit den Füßen und bliesen sich in die Hände, und jemand sagte: »Bringen wir diesen Zirkus rasch hinter uns, zu Hause steht noch der Topf auf dem Feuer.«

Die Männer des Kaisers begaben sich in die Stadt, und niemand sah, was sie dort taten, auch nicht Baudolino, der draußen wartete. Nach einer Weile kam ein Bischof heraus und verkündete, dies sei die Stadt Caesarea, gegründet vom Kaiser des Heiligen Römischen Reiches. Die hinter Baudolino stehenden Kaiserlichen hoben die Schwerter und Schilde und priesen lauthals den großen Friedrich. Baudolino ließ sein Pferd antraben, näherte sich den ersten Reihen der Herausgekommenen und verkündete in seiner Eigenschaft als kaiserlicher Gesandter, soeben habe Friedrich, ausgehend von den sieben Ortschaften Gamondio, Marengo, Bergoglio, Roboreto, Solero, Foro und Oviglio, diese noble Stadt gegründet, habe ihr den Namen Caesarea verliehen und übergebe sie nun den versammelten Bewohnern vorgenannter Ortschaften mit der Einladung, dieses turmbewehrte Geschenk in Besitz zu nehmen.

Der Kammerherr verlas einige Artikel des Abkommens, aber alle froren, und so begnügten sie sich mit einer schnellen Aufzählung der Einzelheiten über die Regalien, die Steuern, die Wegzölle und all das, was einen Vertrag in Kraft setzt. »Laß gut sein, Rudolf«, sagte Baudolino. »Ist doch sowieso alles bloß eine Farce, und je eher wir fertig sind, desto besser.«

Die vorübergehend Ausgebürgerten kehrten in ihre Stadt zurück, und alle waren wieder da – bis auf Oberto del Foro, der die Schmach dieser Huldigung nicht hatte hinnehmen wollen, denn schließlich war er es gewesen, der Friedrich in die Knie gezwungen hatte, weshalb er an seiner Statt die Bürger Anselmo Conanzi und Teobaldo Guasco als *nuncii civitatis* geschickt hatte.

An Baudolino vorbeidefilierend, legten die *nuncii* des neuen Caesarea den förmlichen Treueid ab, wenngleich in einem so grauenhaft schlecht ausgesprochenen Latein, daß man, hätten sie hinterher behauptet, das Gegenteil geschworen zu haben, sie nicht hätte widerlegen können. Was die anderen betraf, so trotteten sie hinterher, winkten müde, um einen Gruß anzudeuten, und brummelten etwas wie: »Grüß dich, Baudolino, wie geht's, Baudolino, hallo, Baudolino, altes Haus, alles noch gut beinander, hä?« Der alte Gagliaudo knurrte im Vorbeigehen, dies sei keine seriöse Veranstaltung, aber er hatte das Feingefühl, seinen Hut zu ziehen, und wenn man bedachte, daß er ihn vor seinem Nichtsnutz von Sohn zog, war das eine größere Huldigung, als wenn er dem Kaiser Friedrich die Füße geküßt hätte.

Kaum war die Zeremonie vorüber, entfernten sich sowohl die Lombarden als auch die Teutonen so rasch wie möglich, als ob sie sich schämten. Baudolino folgte seinen Landsleuten in die Stadt, und dabei hörte er, wie einige sagten:

»Aber nun schau bloß mal, was für eine schöne Stadt!«

»Aber findest du nicht, sie sieht genauso aus wie diese andere, die hier früher war, wie hieß sie noch gleich?«

»Schau doch bloß mal, welche Technik diese Alemannen haben: Im Handumdrehen haben sie dir eine Stadt hochgezogen, die eine wahre Pracht ist!«

»Seht mal dort hinten, das sieht ganz so aus wie mein Haus, sie haben es in allem ganz gleich gebaut!«

»Freunde«, rief Baudolino, »seid froh, daß ihr so gut davongekommen seid, ohne den Preis dafür bezahlen zu müssen!«

»Tjaja, und du spiel nicht zuviel den großen Herrn, sonst glaubst du am Ende noch selber, daß du einer bist.«

Es war ein schöner Tag. Baudolino legte alle Insignien seiner Macht ab und feierte mit ihnen. Auf dem Platz vor der Kathedrale tanzten die Mädchen Ringelreihen, der Boidi führte Baudolino in die Taverne, und in dem langen schmalen, nach Knoblauch riechenden Kellerraum gingen alle daran, sich den Wein direkt aus den Fässern zu zapfen, denn an diesem Tag durfte es weder Herren noch Knechte geben, schon gar keine Kellnerinnen, die sich irgendwer schon nach oben geholt hatte, aber man weiß ja, der Mensch ist ein Jäger.

»Blut Jesu Christi«, sagte Gagliaudo und goß sich ein wenig Rotwein auf den Ärmel, um zu zeigen, daß der Stoff ihn nicht absorbierte, sondern als einen kompakten, rubinroten Tropfen stehenließ, woran man sah, daß es einer vom Guten war. »Jetzt nennen wir die Stadt ein paar Jahre lang Caesarea, jedenfalls auf den Pergamenten mit Siegel«, sagte der Boidi leise zu Baudolino, »aber dann fangen wir wieder an, sie wie früher zu nennen, und ich möchte sehen, wer sich daran stößt.«

»Ja«, sagte Baudolino, »nenn sie dann wieder wie früher, denn so hat sie mein Engel von Colandrina genannt, und wo sie jetzt im Paradies ist, könnte es sonst passieren, daß sie sich irrt und ihre Segnungen an den falschen Ort schickt.«

»Kyrios Niketas, ich fühlte mich fast versöhnt mit meinem Unglück, denn nun hatte ich dem Sohn, den ich nie gehabt, und der Frau, die ich viel zu kurz gehabt hatte, wenigstens eine Stadt geschenkt, die niemand mehr erniedrigen würde. Vielleicht«, fügte Baudolino beflügelt vom Anislikör hinzu, »vielleicht wird Alexandria eines Tages das neue Konstantinopel werden, das dritte Rom, ganz Türme und Kirchen, ein wahres Weltwunder.«

»Das wolle Gott«, wünschte Niketas und hob seinen Kelch.

20. Kapitel

Baudolino findet Zosimos wieder

Ende April unterzeichneten Friedrich und die Lombardische Liga einen endgültigen Friedensvertrag, der dann Ende Juni in Konstanz besiegelt wurde. Zugleich trafen wirre Nachrichten aus Byzanz ein.

Seit drei Jahren war Kaiser Manuel tot, und auf den Thron gefolgt war ihm sein Sohn Alexios, der noch kaum mehr als ein Kind war. Ein schlechterzogenes Kind, kommentierte Niketas, ein verwöhntes, unreifes Herrchen, das seine Tage damit verbrachte, sich von leichten Atemzügen zu nähren, ohne schon wahre Freude und wahren Schmerz kennengelernt zu haben, nur interessiert an der Jagd und an Pferderennen, immer umgeben von Spielgefährten, während am Hof allerlei Prätendenten danach trachteten, seine Mutter, die Kaiserin zu erobern, wozu sie sich geckenhaft parfümierten und Halsketten umhängten, wie es die Weiber tun, oder sich darauf verlegten, öffentliche Gelder zu verprassen, jeder stets nur die eigenen Ziele verfolgend und alle einander bekämpfend – als hätte man eine tragende Säule weggezogen und alles hinge kreuz und quer durcheinander.

»Es bewahrheitete sich ein unheilverkündendes Zeichen, das beim Tode Manuels aufgetreten war«, sagte Niketas. »Eine Frau hatte ein Kind geboren, einen Knaben mit kurzen, verdrehten Gliedmaßen und einem zu großen Kopf – das deutete man als ein Vorzeichen der Polyarchie oder Vielherrschaft, welche die Mutter der Anarchie ist.«

»Von unseren Spionen erfuhr ich sofort, daß ein Vetter Manuels, Andronikos, im Hintergrund Ränke spann.«

»Er war der Sohn eines Bruders von Manuels Vater, also so etwas wie ein Onkel des kleinen Alexios. Bis zu Manuels

Tod war er im Exil gewesen, da Manuel ihn als einen Verräter betrachtet hatte. Dann aber hatte er sich unterwürfig dem jungen Alexios genähert, als ob er seine Taten bereute und ihm seinen Schutz anbieten wollte, und so hatte er nach und nach immer mehr Macht gewonnen. Zwischen Komplotten und Vergiftungen setzte er seinen Aufstieg zum Kaiserthron fort, bis er, schon gealtert und von Neid und Haß ganz zerfressen, die Bürger Konstantinopels zum Aufstand trieb und sich zum Mitkaiser ausrufen ließ. Als er die geweihte Hostie nahm, schwor er, die Macht nur zu übernehmen, um seinen Neffen zu schützen, aber gleich darauf ließ er den Knaben Alexios durch seinen treuesten Schergen und Handlanger Stephanos Hagiochristophorites mit einer Bogensehne erdrosseln. Als ihm der Leichnam gebracht wurde, befahl er, ihn auf den Grund des Meeres zu werfen, aber ihm vorher den Kopf abzuschneiden, der dann an einem Ort namens Katabate versteckt wurde. Ich habe nie verstanden, warum, denn es handelt sich um ein altes, schon lange zerfallenes Kloster unmittelbar vor den Mauern Konstantinopels.«

»Ich kann dir sagen, warum. Meine Spione hatten mir berichtet, daß sich bei dem Hagiochristophorites ein ständig hocherregter Mönch befand, den Andronikos nach Manuels Tod als Experten für Schwarze Kunst zu sich genommen hatte. Wie es der Zufall wollte, hieß er Zosimos und stand im Ruf, in den Ruinen jenes Klosters, wo er sich eine unterirdische Residenz eingerichtet hatte, Totenbeschwörungen vorzunehmen... So hatte ich Zosimos wiedergefunden oder wußte zumindest, wo er steckte. Das war im November 1184, als Beatrix von Burgund überraschend starb.«

Erneutes Schweigen. Baudolino nahm einen langen Schluck.

»Ich verstand ihren Tod als Strafe. Es war nur gerecht, daß nach der zweiten auch die erste Frau meines Lebens starb. Ich war knapp über vierzig Jahre alt. In Tortona soll es eine Kirche geben oder gegeben haben, von der es hieß, daß jeder, der in ihr getauft wurde, vierzig Jahre alt wurde. Ich hatte also die Grenze, die den vom Wunder Beschenkten gesetzt war, bereits überschritten, ich hätte in Ruhe sterben können. Den Anblick Friedrichs konnte ich nicht ertragen: Der Tod seiner Beatrix hatte ihn niedergeschmettert, er wollte sich um seinen ersten Sohn kümmern, der inzwischen zwanzig geworden war, aber immer schwächer wurde, und er bereitete langsam seinen zweiten Sohn, Heinrich, auf die Thronfolge vor, indem er ihn zum König von Italien krönen ließ. Er wurde alt, mein armer Vater, nun Barbabianca... Ich kehrte noch einige Male nach Alexandria zurück und entdeckte, daß meine leiblichen Eltern noch weit mehr gealtert waren. Weißhaarig, runzlig und spindeldürr wie jene weißen Ballen, die ich im Frühjahr über die Felder rollen sah, gebeugt wie Sträucher an windigen Tagen, verbrachten sie ihre Tage am Feuer und zankten sich, weil eine Schüssel am falschen Platz stand oder weil einer der beiden ein Ei hatte fallen lassen. Und jedesmal, wenn ich sie besuchen kam, zeterten sie, daß ich nie käme. Da beschloß ich, mein Leben zu riskieren und nach Byzanz zu reisen, um mich auf die Suche nach Zosimos zu machen, auch wenn ich dann vielleicht meine restlichen Jahre geblendet in einem Geheimverlies würde verbringen müssen.

Nach Konstantinopel zu reisen konnte gefährlich sein, vor ein paar Jahren hatten sich die Bewohner der Stadt, aufgehetzt von Andronikos, noch ehe er an die Macht gekommen war, gegen die dort ansässigen lateinischen Kaufleute erhoben und nicht wenige von ihnen getötet, alle ihre Häuser geplündert und viele von ihnen gezwungen, sich auf die Prinzeninseln in Sicherheit zu bringen. Zwar schien es jetzt, daß Venezianer, Genueser oder Pisaner sich wieder unbehelligt in der Stadt bewegen konnten, da sie unverzichtbar für das Wohlergehen des Reiches waren, aber König Guglielmo II. von Sizilien war mit seiner Kriegsflotte unterwegs nach Byzanz, und für die byzantinischen Griechen waren Sizilianer, Provenzalen, Lombarden, Alemannen oder Römer allesamt unterschiedslos Lateiner. Daher beschlossen Baudolino und seine Freunde, in Venedig ein Schiff zu nehmen, übers Meer nach Konstantinopel zu fahren und sich dort als Handelskarawane aus Taprobane (das war eine Idee von Abdul) auszugeben. Wo Taprobane lag, wußten nur wenige, vielleicht niemand, und erst recht konnte in Byzanz kein Mensch eine Ahnung haben, welche Sprache dort gesprochen wurde.

So war Baudolino als persischer Würdenträger gekleidet, Rabbi Solomon, den man selbst in Jerusalem sofort als Juden erkannt hätte, spielte den Arzt der Truppe, in eine lange schwarze, mit Tierkreiszeichen übersäte Simarre gehüllt, der Poet kam als türkischer Kaufmann im himmelblauen Kaftan daher, Kyot als Levantiner von der Sorte, die schlecht angezogen sind, aber die Taschen voller Goldmünzen haben, Abdul, der sich den Kopf geschoren hatte, um sein rotes Haar nicht zu zeigen, sah am Ende wie ein hochrangiger Eunuche aus, und Boron konnte als dessen Diener passieren.

Was die Sprache anging, so hatten sie beschlossen, untereinander jenes Gauneridiom zu sprechen, das sie in Paris gelernt hatten und allesamt perfekt beherrschten – was einiges über den Eifer besagt, mit welchem sie in jenen glücklichen Tagen ihre Studien betrieben hatten. Unverständlich selbst für die Pariser, konnte dieses Idiom für die Byzantiner sehr wohl die Sprache von Taprobane sein.

Nachdem sie zu Anfang des Sommers in Venedig aufgebrochen waren, erfuhren sie bei einem Zwischenaufenthalt im August, daß die Sizilianer Thessalonike eingenommen hatten und womöglich schon die Nordküste der Propontis unsicher machten. Daher zog ihr Kapitän es vor, als sie bei Nacht durch den Hellespont in jenen Meeresarm einbogen, einen langen Umweg an die entgegengesetzte Küste zu machen, um dann von Süden her in Konstantinopel einzutreffen, als ob sie aus Chalkedon kämen. Zum Trost für diesen Umweg versprach er ihnen eine königliche Ankunft, denn so und nicht anders, sagte er, müsse man Konstantinopel entdecken, von Süden kommend und mit den ersten Strahlen der Sonne vor ihm eintreffend.

Als Baudolino und seine Freunde im Morgengrauen an Deck kamen, waren sie zunächst etwas enttäuscht, denn die Küste lag unter einem dichten Dunstschleier, aber der Kapitän versicherte ihnen: *so* müsse man sich der Stadt nähern, langsam, und diese Trübung, die im übrigen schon den ersten Schimmer der Morgenröte durchscheinen ließ, werde sich Schritt für Schritt auflösen.

Nach einer knappen Stunde deutete der Kapitän auf einen weißen Punkt, und das war die Spitze einer Kuppel, die durch den Dunst zu stoßen schien... Binnen kurzem traten aus jenem Grauweiß längs der Küste die Säulen einiger Paläste hervor, dann die Umrisse und Farben einiger Häuser, Glockentürme, die sich rosig färbten, und weiter unten die Stadtmauern mit ihren Türmen. Dann erhob sich auf einmal ein großer Schatten, noch verdeckt von Nebelschwaden, die vom Gipfel einer Anhöhe aufstiegen und davonflogen, bis man in vollendeter Harmonie und glänzend unter den Strahlen der ersten Morgensonne die Kuppel der Hagia Sophia daliegen sah, als wäre sie durch ein Wunder aus dem Nichts aufgestiegen.

Von diesem Moment an war es eine ununterbrochene Offenbarung, mit weiteren Türmen und weiteren Kuppeln, die vor einem immer klarer werdenden Himmel auftauchten, inmitten eines Triumphes von Grün, vergoldeten Säulen, weißen Peristylen, rosa Marmorwänden und der ganzen Pracht des Kaiserpalastes von Bukoleon mit seinen Zypressen in einem vielfarbigen Labyrinth von hängenden Gärten. Und dann die Mündung des Goldenen Horns mit der großen Kette, die den Eingang versperrte, und rechts der weiße Turm von Galata.

Baudolino erzählte bewegt, und Niketas wiederholte mehrmals mit Wehmut, wie schön Konstantinopel gewesen war, als es schön war.

»Ah, es war eine Stadt voll brodelnder Emotionen«, sagte Baudolino. »Kaum angelangt, bekamen wir sofort eine Ahnung von dem, was geschehen sein mußte. Als wir zum Hippodrom kamen, begann dort gerade die Hinrichtung eines Feindes des Basileus...«

»Andronikus wütete wie ein Rasender. Eure Lateiner aus Sizilien hatten Thessalonike mit Feuer und Schwert heimgesucht, Andronikos hatte ein paar Befestigungsarbeiten machen lassen, dann aber hatte er sich nicht mehr für die Gefahr interessiert. Er gab sich seinem ausschweifenden Leben hin, behauptete, daß man die Feinde nicht fürchten müsse, ließ jene einkerkern, die ihm hätten helfen können, verließ die Stadt mit einem Schwarm von Hetären und Dirnen, verkroch sich wie das Wild in Bergesschluchten oder grünen Hainen, zog seinen Geliebten voran wie der Hahn seinen Hennen, wie Dionysos seinen Bacchantinnen, es fehlte nur noch, daß er sich ein Hirschkalbfell umhängte und ein safrangelbes Gewand trug. In seinem Palast umgab er sich mit Flötenspielerinnen und Hetären, dem Genuß frönend wie Sardanapal, geil wie ein Polyp, und wenn ihm für seine Ausschweifungen die Kräfte fehlten, verzehrte er ein ekliges, krokodilähnliches Reptil, das im Nil lebt und angeblich die Zeugungskraft anregt... Ich möchte aber nicht, daß du ihn für einen schlechten Herrscher hältst. Er hat auch viele gute Dinge getan, er hat die Steuern und Abgaben begrenzt, er ist mit Nachdruck gegen den üblen Brauch vorgegangen, in Seenot geratene Schiffe an den Küsten und in den Häfen auszuplündern, anstatt ihnen Hilfe zu bringen, er hat die alte unterirdische Wasserleitung erneuert, er hat die Kirche der Vierzig Heiligen Märtyrer restaurieren lassen...«

»Also alles in allem ein braver Mann...«

»Leg mir nicht Dinge in den Mund, die ich nicht gesagt habe. Ich meine, ein Herrscher kann seine Macht nutzen, um Gutes zu tun, aber um seine Macht zu behalten, muß er Böses tun. Auch du hast bei einem Machthaber gelebt, auch du hast eingeräumt, daß er edel und jähzornig sein konnte, grausam und auf das Gemeinwohl bedacht. Die einzige Möglichkeit, nicht zu sündigen, ist, sich von allem abzusondern, am besten hoch oben auf einer Säule, wie es die heiligen Väter einst taten, aber heute sind diese Säulen zerbrochen.«

»Ich will nicht mit dir diskutieren, wie man dieses Reich regieren müßte. Es ist euer Reich, oder jedenfalls war es das. Ich fahre in meiner Erzählung fort. Wir quartierten uns hier ein, hier bei diesen Genuesern, denn du wirst dir schon gedacht haben, daß sie meine treuesten Spione waren. Und kein anderer als Boiamondo entdeckte eines Tages, daß der Basileus sich am selben Abend in die alte Krypta von Katabate begeben würde, um an Praktiken der Wahrsagung und Magie teilzunehmen. Wenn wir Zosimos finden wollten, war das eine gute Gelegenheit.«

Nach Einbruch der Dunkelheit begaben sie sich zur Konstantinsmauer, wo es nicht weit von der Kirche der Heiligen Apostel so etwas wie einen kleinen Pavillon gab. Von da aus, sagte Boiamondo, gelange man direkt in die Krypta, ohne durch die Kirche des Klosters gehen zu müssen. Er öffnete eine Tür, ließ sie ein paar glitschige Stufen hinuntersteigen, und sie fanden sich in einem feucht-muffig riechenden Gang.

»Da«, sagte Boiamondo, »geht ein Stück vor, und ihr seid in der Krypta.«

»Kommst du nicht mit?«

»Ich komme nicht mit an Orte, wo man Sachen mit Toten macht. Um Sachen zu machen, ziehe ich Lebende vor, und zwar weibliche.«

Sie gingen allein weiter und kamen durch einen Saal mit niedrigem Gewölbe, in dem sich Triklinien, ungemachte Betten, ein paar umgestürzte Kelche und Teller mit Resten eines Gelages befanden. Offensichtlich oblag der Schlemmer Zosimos dort nicht nur seinen Riten mit den Dahingeschiedenen, sondern auch Dingen, die Boiamondo nicht mißfallen hätten. Aber diese ganze Orgienausrüstung war offenbar eilig in dunklere Ecken weggeräumt worden, weil Zosimos an jenem Abend eine Zusammenkunft mit dem Basileus hatte, um ihn mit den Toten sprechen zu lassen und nicht mit Dirnen, denn man weiß ja, sagte Baudolino, die Leute glauben an alles, sofern man zu ihnen nur von den Toten spricht.

Hinter dem Saal waren schon Lichter zu sehen, und tatsächlich traten sie in eine runde Krypta, die von zwei schon entzündeten Glutbecken auf drei Füßen beleuchtet wurde. Umgeben war die Krypta von einer Säulenreihe, und hinter den Säulen sah man die Öffnungen einiger Korridore oder Gänge, die wer weiß wohin führten.

In der Mitte der Krypta stand ein Becken voll Wasser mit einem kanalartigen Rand, der rings um die Wasserfläche lief und mit einer öligen Flüssigkeit gefüllt war. Neben dem Becken stand eine kleine Säule, auf der etwas Unbestimmtes unter einem roten Tuch lag. Aus dem Gerede der Leute, das ihm zu Ohren gekommen war, hatte Baudolino begriffen, daß Andronikos, nachdem er sich an Bauchredner und Astrologen gehalten und vergebens in Byzanz nach Leuten gesucht hatte, die noch wie die alten Griechen verstanden, die Zukunft aus dem Vogelflug abzulesen (und auch kein Vertrauen zu jenen zwielichtigen Gestalten hatte, die damit prahlten, sie könnten Träume deuten), sich neuerdings an die Hydromanten hielt, das heißt an Wahrsager, die wie Zosimos behaupteten, sie könnten die Zukunft aus dem Wasser lesen, indem sie etwas hineintauchten, was einem Verstorbenen gehört hatte.

Beim Eintreten waren unsere Freunde an der Rückseite des Altars vorbeigegangen, und als sie ihn nun vor sich hatten, erblickten sie eine Ikonostase, beherrscht von einem Christus Pantokrator, der sie mit strengen, weit aufgerissenen Augen ansah.

Baudolino drängte darauf, sich zu verstecken, wenn Boiamondos Informationen stimmten, würde sicher bald jemand kommen. Sie wählten einen Abschnitt hinter den Säulen, der ganz im Dunkel lag, und konnten sich gerade noch rechtzeitig dort postieren, denn schon hörte man Schritte nahen.

Links neben der Ikonostase sahen sie Zosimos hereintreten, in eine Simarre gehüllt, die ganz so aussah wie Rabbi Solomons Tierkreiszeichen-Mantel. Baudolino mußte einen unwillkürlichen Wutanfall niederkämpfen, um nicht aus dem Schatten zu treten und den Verräter zu packen. Der Mönch ging unterwürfig vor einem prächtig gekleideten Manne her, dem zwei andere folgten. Nach der Haltung der beiden zu schließen, konnte der erste kein anderer als Andronikos sein.

Der Basileus blieb unversehens stehen, beeindruckt von der Szenerie. Fromm bekreuzigte er sich vor der Ikonostase, dann fragte er Zosimos: »Warum hast du mich hierhergeführt?«

»Herr«, antwortete Zosimos, »ich habe dich hierhergeführt, weil man wahre Hydromantie nur an geweihten Orten vollziehen kann, wo man den richtigen Kontakt mit
dem Reich der Toten herstellt.«

»Ich bin kein Feigling«, sagte Andronikos, während er
sich erneut bekreuzigte, »aber du, hast du keine Angst, die
Toten heraufzubeschwören?«

Zosimos lachte verächtlich. »Herr, ich könnte diese
meine Hände erheben, und die in den zehntausend Grabnischen von Konstantinopel Schlafenden würden sich mir
gehorsam zu Füßen werfen. Aber ich habe es nicht nötig,
jene Leiber ins Leben zu rufen. Ich verfüge über einen wundertätigen Gegenstand, den ich benutzen werde, um einen
schnelleren Kontakt mit der Welt der Finsternis herzustellen.«

Er zündete einen Holzspan im Feuer eines der Glutbek-
ken an und näherte ihn dem kanalartigen Rand des Wasser-
beckens. Das Öl begann zu brennen, und ein Kranz von
Flämmchen lief rings um die Wasserfläche, um sich mit
flackernden Reflexen in ihr zu spiegeln.

»Ich sehe noch nichts«, sagte der Basileus, während er
sich über das Becken beugte. »Frage dein Wasser, wer es ist,
der sich darauf vorbereitet, meinen Platz einzunehmen. Ich
bemerke eine Unruhe in der Stadt und möchte wissen, wen
ich vernichten muß, um ihn nicht fürchten zu müssen.«

Zosimos näherte sich dem unter einem roten Tuch verborgenen Gegenstand auf der kleinen Säule, zog das Tuch
mit einer theatralischen Geste weg und reichte dem Basileus etwas irgendwie Rundes, das er ihm mit beiden Händen hinhielt. Unsere Freunde konnten nicht erkennen, um
was es sich handelte, aber sie sahen den Basileus erschrok-
ken zurückweichen, als versuche er einen unerträglichen
Anblick von sich fernzuhalten. »Nein, nein«, sagte er,
»das nicht! Du hast es dir für deine Riten von mir erbeten,
aber ich wußte nicht, daß du es mir erneut präsentieren
würdest!«

Zosimos hob seine Trophäe hoch und zeigte sie einem
gedachten Publikum wie eine Monstranz, indem er sie nach
allen Seiten der Krypta drehte. Es war das Köpfchen eines

toten Kindes, die Züge noch unversehrt, als wäre es gerade eben erst vom Rumpf getrennt worden, die Augen geschlossen, die Flügel der schmalen Nase geweitet, die Lippen halb geöffnet, so daß sie eine unversehrte Zahnreihe entblößten. Die Reglosigkeit, die bestürzende Illusion von Lebendigkeit dieses Gesichts wurde noch feierlicher durch die Tatsache, daß es in einer gleichmäßig goldgelben Farbe erschien und im Licht der Flämmchen, denen Zosimos es nun näherte, beinahe strahlte.

»Es war nötig, daß ich den Kopf deines Neffen Alexios benutzte«, sagte Zosimos zum Basileus, »damit der Ritus vollzogen werden kann. Alexios war dir durch Blutsbande verbunden, durch seine Vermittlung kannst du dich mit dem Reich der Toten in Verbindung setzen.« Nach diesen Worten tauchte er das gräßliche kleine Ding langsam ins Wasser und ließ es auf den Grund des Beckens sinken, über dessen Rand sich Andronikos beugte, soweit es der Flammenkranz erlaubte. »Das Wasser trübt sich«, rief er erregt. »Es hat in Alexios das erwartete irdische Element gefunden und befragt es nun«, flüsterte Zosimos. »Warten wir, bis sich diese Wolken verziehen.«

Unsere Freunde konnten nicht sehen, was im Wasser geschah, aber sie verstanden, daß es nach einer Weile wieder klar geworden war, so daß man am Grund des Beckens das Gesicht des kleinen Basileus sah. »Hölle und Teufel, es gewinnt seine natürliche Farbe wieder«, stammelte Andronikos, »und ich lese Schriftzeichen auf seiner Stirn... O Wunder... Jota, Sigma...«

Man brauchte kein Hydromant zu sein, um zu begreifen, was geschehen war. Zosimos hatte den Kopf des kindlichen Kaisers genommen, hatte ihm zwei Buchstaben in die Stirn geritzt und ihn dann mit einer wasserlöslichen goldgelben Farbe bestrichen. Jetzt, als sich diese künstliche Patina aufgelöst hatte, übergab das unglückliche Mordopfer dem Auftraggeber seiner Ermordung die Botschaft, die ihm Zosimos, oder wer immer ihn inspiriert haben mochte, offenbar zukommen lassen wollte.

Tatsächlich fuhr Andronikos fort zu buchstabieren: »Jota, Sigma, IS... IS...« Er richtete sich auf, fuhr sich mehrmals mit den Händen durch den Bart, schien Feuer aus den Augen zu sprühen, beugte den Kopf, wie um nachzudenken, hob ihn dann plötzlich wie ein feuriges Pferd, das sich kaum zu halten vermag, und brüllte: »Isaakios! Der Feind ist Isaakios Komnenos! Was spinnt er für Ränke dort unten in Zypern? Ich werde eine Flotte hinschicken und ihn vernichten, ehe er sich auf den Weg machen kann, der Elende!«

Einer der beiden Begleiter trat aus dem Dunkel, und Baudolino dachte bei seinem Anblick, daß er aussah wie jemand, der nicht zögern würde, die eigene Mutter zu rösten, wenn er kein Fleisch auf dem Tisch vorfände. »Herr«, sagte der Betreffende, »Zypern ist zu weit entfernt, und deine Flotte müßte durch die Propontis fahren, in der sich zur Zeit die Schiffe des Königs von Sizilien tummeln. Aber wie du nicht zu Isaakios kannst, so kann auch er nicht zu dir. Ich würde nicht an den Komnenen denken, sondern an Isaakios Angelos, der hier in der Stadt ist und von dem du weißt, wie wenig er dich liebt.«

»Ha, Stephanos«, lachte Andronikos verächtlich, »du meinst, ich soll mich vor Isaakios Angelos fürchten? Wie kannst du glauben, daß dieser schlaffe Sack, dieser Impotente, dieser Versager und Taugenichts auch nur daran denken könnte, mich zu bedrohen? Zosimos, Zosimos«, fauchte er den Hydromanten an, »dieses Wasser und dieser Kopf verweisen mich entweder auf einen, der zu weit weg ist, oder auf einen, der zu dumm ist! Wozu hast du Augen im Kopf, wenn du in diesem Topf voller Pisse nicht lesen kannst?« Zosimos begriff, daß er auf bestem Wege war, sein Augenlicht zu verlieren, aber zu seinem Glück schaltete sich jener Stephanos ein, der zuvor gesprochen hatte. Aus der offenkundigen Lust, mit der er neue Verbrechen vorschlug, schloß Baudolino, daß es sich um Stephanos Hagiochristophorites handelte, den übelsten Schergen des Andronikos, denselben, der den Knaben Alexios erdrosselt und dann geköpft hatte.

»Herr, mißachte die Wunder nicht. Du hast doch gesehen, daß auf dem Gesicht des Knaben Zeichen erschienen sind, die dort sicher nicht waren, als er noch lebte. Isaakios

Angelos mag ein feiger kleiner Lump sein, aber er haßt dich. Andere noch kleinere und noch feigere Lumpen haben erfolgreiche Anschläge auf große und mutige Männer wie dich gemacht, auch wenn sie dann... Erteile mir deine Einwilligung, und noch heute nacht schnappe ich mir den Angelos, reiße ihm eigenhändig die Augen aus und hänge ihn an einer Säule in seinem Palast auf. Dem Volk wird man sagen, du habest ein Zeichen vom Himmel erhalten. Besser sofort einen aus dem Weg räumen, der dich noch nicht bedroht, als einen am Leben lassen, der dich eines Tages bedrohen könnte. Schlagen wir als erste zu.«

»Du versuchst mich zu benutzen, um einen persönlichen alten Groll zu befriedigen«, sagte der Basileus, »aber es kann sein, daß du, während du Böses tust, auch Gutes bewirkst. Schaff mir den Isaakios aus dem Weg. Ich bedaure nur...«, und dabei sah er Zosimos mit einem Blick an, der diesen wie Espenlaub zittern ließ, »daß wir, wenn Isaakios tot ist, nie erfahren werden, ob er mir wirklich schaden wollte und dieser Mönch also die Wahrheit gesagt hat. Aber letzten Endes hat er mir einen berechtigten Verdacht eingegeben, und wenn man von jemandem Schlechtes denkt, hat man fast immer recht. Stephanos, wir sind gezwungen, ihm unsere Dankbarkeit zu bezeigen. Sorge dafür, daß er bekommt, was er haben will.« Sprach's, winkte seinen beiden Begleitern und ging hinaus, während Zosimos sich langsam von dem Schrecken erholte, der ihn neben seinem Becken hatte erstarren lassen.

»In der Tat haßte der Hagiochristophorites den Isaakios Angelos und hatte sich offensichtlich mit Zosimos abgesprochen, um ihn in Ungnade fallen zu lassen«, sagte Niketas. »Doch indem er seiner Abneigung folgte, hat er seinem Herrn nichts Gutes getan, denn sicher weißt du, daß er seinen Ruin noch beschleunigte.«

»Ja, ich weiß«, sagte Baudolino, »aber im Grunde lag mir an jenen Abend nicht soviel daran zu begreifen, was genau passiert war. Es genügte mir zu wissen, daß ich Zosimos nun in der Hand hatte.«

Sobald die Schritte der königlichen Besucher verklungen waren, stieß Zosimos einen großen Seufzer aus. Im Grunde war sein Experiment gut ausgegangen. Er rieb sich die Hände, deutete ein erleichtertes Lächeln an, holte den Kopf des toten Knaben aus dem Wasser und plazierte ihn wieder auf der kleinen Säule. Dann drehte er sich um, ließ seinen Blick triumphierend durch die ganze Krypta gleiten und brach in ein hysterisches Gelächter aus, wobei er die Arme hob und laut rief: »Ich habe den Basileus in der Hand! Jetzt würde ich nicht mal mehr Angst vor den Toten haben!«

Er hatte noch kaum zu Ende gesprochen, als unsere Freunde langsam ins Licht traten. Wer mit magischen Praktiken umgeht, gelangt nicht selten zu der Überzeugung, daß, auch wenn er selbst nicht an den Teufel glaubt, der Teufel bestimmt an *ihn* glaubt. Beim Anblick einer Schar von Lemuren, die vor ihm erschien, als sei es der Tag des Jüngsten Gerichts, so plump das Ganze auch sein mochte, reagierte Zosimos mit exemplarischer Spontaneität: Ohne auch nur zu versuchen, seine Gefühle zu verbergen, verlor er die Besinnung und fiel in Ohnmacht.

Er kam wieder zu sich, als der Poet ihn mit zukunfts-kündendem Wasser besprengte. Er schlug die Augen auf und fand sich eine Handbreit entfernt von der Nase eines Baudolino, der schrecklicher aussah, als wenn er ein Rück-kehrer aus der anderen Welt gewesen wäre. In diesem Augenblick wurde Zosimos klar, daß ihn nicht die Flammen einer unbestimmten Hölle erwarteten, sondern unweiger-lich die sehr bestimmte Rache seines alten Opfers.

»Es war nur, um meinem Herrn zu dienen«, beeilte er sich zu sagen, »und es war auch, um dir einen Dienst zu erweisen. Ich habe deinen Brief besser in Umlauf gesetzt, als du es hättest tun können...« Darauf sagte Baudolino: »Zosimos, nicht aus Bosheit, aber wenn ich tun müßte, was mir der Herr eingibt, dann müßte ich dir sämtliche Kno-chen im Leibe brechen. Da das jedoch sehr mühsam wäre, halte ich mich, wie du siehst, zurück.« Sprach's und gab ihm einen Hieb mit dem Handrücken, der ihm den Kopf zweimal um sich selbst kreisen ließ.

»Ich bin ein Mann des Basileus, wenn ihr mir auch nur

ein Barthaar krümmt, schwöre ich euch...« Der Poet packte ihn an den Haaren, näherte sein Gesicht den Flämmchen, die immer noch rings um das Becken brannten, und Zosimos Bart begann zu qualmen.

»Ihr seid verrückt«, rief Zosimos, während er sich der Umklammerung durch Abdul und Kyot zu entwinden versuchte, die ihm jedoch die Arme auf den Rücken drehten. Um den Brand des Bartes zu löschen, drückte ihm Baudolino von hinten den Kopf ins Becken und hielt ihn dort so lange fest, bis der Elende, nicht mehr wegen des Feuers besorgt, sich wegen des Wassers zu sorgen begann und, je mehr er sich sorgte, desto mehr davon schluckte.

»Den Bläschen, die du hast aufsteigen lassen«, sagte Baudolino feierlich, während er ihn an den Haaren hochzog, »entnehme ich die Wahrsagung, daß du heute nacht nicht mit brennendem Bart, sondern mit gerösteten Füßen sterben wirst.«

»Baudolino«, japste Zosimos, Wasser spuckend, »Baudolino, wir können uns immer noch einigen... Laß mich husten, ich bitte dich, ich kann euch nicht entkommen, was wollt ihr machen, so viele gegen einen, habt ihr kein Erbarmen? Hör zu, Baudolino, ich weiß, du willst dich nicht rächen, weil ich diesen kleinen Moment der Schwäche gehabt habe, du willst das Land jenes Priesters Johannes finden, und ich habe dir gesagt, daß ich die richtige Karte habe, um dort hinzugelangen. Wenn man Erde ins Kaminfeuer wirft, löscht man das Feuer.«

»Was soll das heißen, Halunke? Laß deine Sentenzen.«

»Es soll heißen, wenn du mich umbringst, kriegst du die Karte nie. Oft springen die Fische, wenn sie im Wasser spielen, aus dem Wasser hinaus in die Luft und verlassen die Grenzen ihrer natürlichen Heimstatt. Schließen wir einen Pakt als ehrliche Menschen. Du läßt mich laufen, und ich führe dich dahin, wo sich die Karte des Kosmas Indikopleustes befindet. Mein Leben für das Reich des Priesters Johannes. Ist das nicht ein guter Handel?«

»Ich würde dich lieber umbringen«, sagte Baudolino, »aber ich brauche dich lebend, um die Karte zu kriegen.«

»Und dann?«

»Dann wickeln wir dich gut zusammengebunden in einen Teppich und lassen dich da, bis wir ein sicheres Schiff gefunden haben, das uns von hier fortbringt, und erst wenn wir weit genug fort sind, entrollen wir den Teppich, denn wenn wir dich sofort rausließen, würdest du uns alle Meuchelmörder der Stadt auf den Hals schicken.«

»Und ihr entrollt ihn ins Wasser...«

»Hör auf mit dem Quatsch, wir sind keine Mörder. Wenn ich dich umbringen wollte, würde ich dich jetzt nicht ohrfeigen. Aber sieh her, genau das tue ich jetzt, um mir eine Genugtuung zu verschaffen, denn mehr gedenke ich nicht zu tun.« Mit diesen Worten begann er in aller Ruhe, ihm zuerst eine und dann eine zweite Ohrfeige zu geben, abwechselnd mit der rechten und mit der linken Hand, so daß der Kopf einmal nach links und einmal nach rechts flog, und dann so weiterzuschlagen, zweimal mit der flachen Hand, zweimal mit gestreckten Fingern, zweimal mit dem Handrücken, zweimal mit der Handkante, zweimal mit geballter Faust, bis Zosimos veilchenblau anlief und Baudolinos Handgelenke sich fast verrenkten. Da sagte er: »Jetzt tut es mir weh, also höre ich auf. Gehen wir uns die Karte ansehen.«

Kyot und Abdul schleppten Zosimos unter den Armen, denn allein konnte er nicht mehr gehen, und er wies mit zitterndem Finger den Weg, wobei er murmelte: »Der Mönch, der verachtet wird und es aushält, ist wie eine Pflanze, die jeden Tag gegossen wird.«

Baudolino sagte zu dem Poeten: »Es war Zosimos, der mich eines Tages lehrte, daß der Zorn mehr als jede andere Leidenschaft die Seele aufwühlt, aber bisweilen auch hilft. In der Tat, wenn wir ihn in aller Ruhe gegen die Gottlosen und die Sünder einsetzen, um sie zu retten oder sie zu beschämen, dann verschaffen wir unserer Seele ein Wohlgefühl, denn wir befinden uns auf geradem Weg zur Gerechtigkeit.« Und Rabbi Solomon kommentierte: »Wie der Talmud sagt: Es gibt Züchtigungen, die alle Frevel eines Menschen abwaschen.«

21. Kapitel

Baudolino entdeckt die Wonnen von Byzanz

Das Kloster von Katabate war verfallen, und alle hielten es für eine unbewohnte Ruinenstätte, aber auf der Höhe des Bodens gab es noch einige Zellen, und die einstige Bibliothek, wenngleich ohne Bücher, war zu einer Art Refektorium geworden. Hier lebte Zosimos mit zwei oder drei Eleven, und Gott allein wußte, worin ihre mönchischen Übungen bestanden. Als Baudolino und die Seinen mit ihrem Gefangenen an der Oberfläche auftauchten, schliefen die Eleven bereits, aber sie waren, wie sich am nächsten Morgen herausstellen sollte, ohnehin benebelt genug von ihren Zechgelagen, um keine Gefahr darzustellen. So beschlossen unsere Freunde, in der Bibliothek zu schlafen. Zosimos hatte böse Träume, während er auf dem Boden zwischen Kyot und Abdul schlief, die mittlerweile seine Schutzengel geworden waren.

Am nächsten Morgen setzten sich alle um einen Tisch und forderten Zosimos auf, unverzüglich zur Sache zu kommen.

»Also gut, zur Sache denn«, sagte Zosimos. »Kosmas' Karte befindet sich im Bukoleon-Palast, an einem Ort, der mir bekannt ist und zu dem ich den Weg weiß. Wir werden heute am späten Abend hingehen.«

»Zosimos«, sagte Baudolino, »du zögerst die Sache ständig hinaus. Sag uns jetzt erstmal genau, was auf dieser Karte zu sehen ist.«

»Nun, ganz einfach«, antwortete Zosimos und nahm ein Pergament und einen Stift. »Ich sagte ja schon, daß jeder rechtgläubige Christ die Tatsache anerkennen muß, daß die Welt im ganzen, also das Universum, so geformt ist wie jenes *Tabernaculum*, um es für euch Lateiner zu sagen, von dem die Heiligen Schriften sprechen. Jetzt aufgepaßt: Im unteren Teil dieses Heiligtums befand sich ein Tisch mit zwölf Schaubroten, je eines für jeden Monat des Jahres. Rings um den Tisch erhob sich ein Sockel, der den Okeanos darstellte, und rings um diesen Sockel war ein handbreiter Rahmen, der die Erde des Jenseits darstellte, wo sich im Osten das Irdische Paradies befindet. Der Himmel wurde durch die Wölbung dargestellt, die sich ganz auf die vier äußersten Enden der Erde stützt, aber zwischen Wölbung und Basis war der Schleier des Firmaments gespannt, hinter dem die himmlische Welt liegt, die wir erst am Jüngsten Tag von Angesicht zu Angesicht sehen werden. Denn, wie der Prophet Jesajas gesagt hat, Gott ist Der, welcher über der Erde thront, deren Bewohner wie Heuschrecken sind, Der, welcher den Himmel wie einen Schleier gespannt und wie ein Zelt ausgebreitet hat. Auch der Psalmist lobt Den, der den Himmel aufgespannt hat wie ein Zelt – und Zelt heißt ja in der Sprache von euch Lateinern *tabernaculum*. Alsdann hat Moses unter dem Schleier im Süden den Leuchter aufgestellt, der den ganzen Erdkreis erhellte, und darunter sieben Lampen zur Bezeichnung der sieben Wochentage und aller Sterne am Himmel.«

»Aber du erklärst mir nur, wie jenes Tabernakel beschaffen war«, sagte Baudolino, »und nicht, wie das Universum geformt ist.«

»Aber das Universum ist wie das Tabernakel geformt, und wenn ich dir erkläre, wie das Tabernakel beschaffen war, erkläre ich dir damit logischerweise, wie das Universum beschaffen ist. Wie kann es sein, daß du so etwas Einfaches nicht begreifst? Sieh her…« Er machte eine Zeichnung.

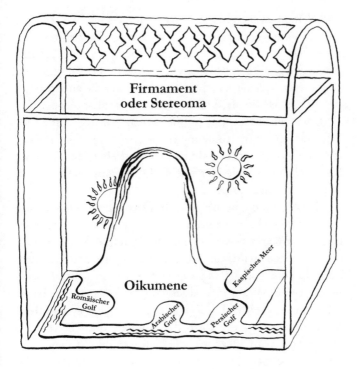

Firmament
oder Stereoma

Oikumene

Romäischer
Golf

Arabischer
Golf

Persischer
Golf

Kaspisches Meer

»Hier habt ihr die Form des Universums als Tabernakel. Es ist genau wie ein Tempel«, erläuterte Zosimos, »mit seinem halbrunden Deckengewölbe, dessen oberer Teil unseren Augen durch den Schleier des Firmaments verborgen bleibt. Darunter erstreckt sich die Oikumene, das heißt die bewohnte Welt, also die ganze Erde, auf der wir leben, aber die ist nicht flach, sondern ruht auf dem Okeanos, der sie umgibt, und sie steigt über einen unmerklich und kontinuierlich ansteigenden Hang zum äußersten Norden und zum Westen auf, wo sich ein Gebirge erhebt, so hoch, daß sein Vorhandensein unseren Augen entgeht und sein Gipfel mit den Wolken verschmilzt. Die Sonne und der Mond, die von den Engeln bewegt werden – denen wir auch den Regen, die Erdbeben und alle anderen atmosphärischen Phänomene verdanken –, ziehen morgens von Osten nach Süden, vorn vor dem Berg vorbei, so daß sie die Erde erhellen, und dann bewegen sie sich von Süden nach Westen, um abends hinter dem Berg zu verschwinden, so daß wir den Eindruck haben, sie gingen unter. Wenn es also bei uns Nacht wird, wird es auf der anderen Seite des Berges Tag, aber diesen Tag kann niemand sehen, denn die andere Seite des Berges ist Wüste, und niemand ist je dort gewesen.«

»Und mit dieser Zeichnung sollen wir das Land des Priesters Johannes finden?« fragte Baudolino. »Zosimos, ich warne dich. Unser Pakt heißt, dein Leben für eine gute Karte, aber wenn die Karte schlecht ist, dann steht es auch schlecht für dein Leben.«

»Beruhige dich, beruhige dich. Da bei einer Darstellung des Tabernakels, so wie es ist, unsere Kunst nicht alles zu zeigen vermag, was von seinen Wänden und von dem Gebirge verdeckt wird, hat Kosmas noch eine andere Karte gezeichnet, die die Erde so zeigt, wie wir sie von oben sähen, wenn wir am Firmament flögen, oder wie vielleicht die Engel sie sehen. Diese Karte, die im Bukoleon aufbewahrt wird, zeigt die Lage der Länder, die wir kennen, eingerahmt vom Okeanos, und jenseits des Okeanos die Länder, in denen die Menschen vor der Sintflut lebten, die aber seit Noah niemand mehr gesehen hat.«

»Noch einmal, Zosimos«, sagte Baudolino und machte ein strenges Gesicht, »wenn du meinst, du kannst uns mit Dingen kommen, die du uns nicht sehen läßt...«

»Aber diese Dinge, die sehe *ich*, als ob sie hier vor meinen Augen wären, und bald werdet auch ihr sie sehen.«

Mit seinem hageren, abgezehrten Gesicht, das durch die erbarmungswürdigen blauen Flecken und Blutergüsse noch leidender aussah, und seinen glühenden Augen, erleuchtet von Dingen, die nur er sah, wirkte Zosimos auch für diejenigen überzeugend, die ihm mißtrauten. Dies war seine Stärke, erläuterte Baudolino Niketas, so habe er ihn schon einmal an der Nase herumgeführt, so habe er es auch diesmal getan, und so sei es ihm auch noch einige Jahre lang weiter gelungen. Er war so eifrig im Überzeugen und so in Fahrt, daß er sogar noch vorführen wollte, wie sich mit Hilfe von Kosmas' Tabernakel auch die Sonnenfinsternisse erklären ließen, aber die Sonnenfinsternisse interessierten Baudolino nicht. Was Baudolino überzeugte, war, daß man mit der richtigen Karte vielleicht tatsächlich auf die Suche nach dem Priester gehen konnte. »Also gut«, sagte er, »warten wir auf den Abend.«

Zosimos ließ einen seiner Eleven Gemüse und Obst auftischen, und als der Poet fragte, ob es nichts anderes gebe, antwortete er: »Ein karges Mahl, gleichförmig geregelt, führt den Mönch auf schnellstem Wege in den Hafen seiner Unverletzbarkeit.« Der Poet wünschte ihn zum Teufel, aber als er dann sah, daß Zosimos mit großem Appetit aß, schaute er unter dessen Gemüse nach und entdeckte, daß seine Spießgesellen dort nur für ihn ein paar schöne Stücke fettes Lammfleisch versteckt hatten. Ohne ein Wort zu sagen, wechselte er die Teller aus.

Sie richteten sich gerade darauf ein, den Tag mit Warten zu verbringen, als einer der Eleven ganz aufgeregt hereingestürzt kam und berichtete, was geschehen war. In der Nacht, sofort nach dem Ritus, sei Stephanos Hagiochristophorites mit einer Handvoll Bewaffneter zum Hause von Isaakios Angelos geeilt, das nahe beim Peribleptoskloster lag, habe laut nach seinem Feind gerufen und ihn aufgefordert herunterzukommen, und als das nichts half, habe er seine Leute angeschrien, sie sollten die Türe einschlagen, Isaakios am Bart packen und kopfüber die Treppe herunterzerren. Daraufhin beschloß Isaakios, so unentschlossen und ängstlich er allgemein galt, alles auf eine Karte zu setzen: Er sprang im Hof auf ein Pferd und preschte, das Schwert gezückt, fast unbekleidet, nur mit einem lächerlichen zweifarbigen Mäntelchen, das ihm kaum bis zu den Lenden reichte, überraschend hinaus. Der erschrockene Hagiochristophorites konnte sein Schwert nicht schnell genug ziehen, riß sein Maultier herum und versuchte zu fliehen, Isaakios setzte ihm nach und spaltete ihm mit einem einzigen Hieb den Schädel entzwei. Dann drehte er sich zu den Gefolgsleuten des nun zweiköpfigen Feindes um, schlug einem von ihnen ein Ohr ab und jagte die anderen in die Flucht.

Den Vertrauensmann des Kaisers zu töten war ein extremes Übel, das extreme Heilmittel erforderte. Isaakios bewies ein feines Gespür für die rechte Behandlung des Volkes: Er flüchtete sich in die Hagia Sophia, um das Mördern dort traditionell gewährte Asyl zu erbitten, stieg auf den für solche Zwecke errichteten Sockel und bat lauthals um Vergebung für seine Missetat. Er riß sich das wenige, was er trug, vom Leibe, raufte sich den Bart, hielt das noch blutige Schwert in die Höhe und erklärte, daß er in Notwehr gehandelt habe; zugleich rief er die Untaten des Getöteten in Erinnerung.

»Diese Geschichte gefällt mir nicht«, sagte Zosimos, bestürzt über den plötzlichen Tod seines sinistren Beschützers. Aber noch weniger konnten ihm die Nachrichten gefallen, die in den folgenden Stunden eintrafen. Isaakios war in der Hagia Sophia von einflußreichen Persönlichkeiten wie seinem Onkel Johannes Dukas besucht worden, Isaakios hielt weiter Reden vor der immer größer werdenden Menge, gegen Abend hatte sich in der Kirche eine große Anzahl von Bürgern schützend um ihn versammelt, und manche begannen zu raunen, es sei an der Zeit, mit dem Tyrannen Schluß zu machen.

Ob nun Isaakios schon länger einen Staatsstreich plante, wie es Zosimos' Hokuspokus behauptet hatte, oder ob er sich bloß einen Fehler seiner Feinde zunutze machte – es war klar, daß der Thron des Andronikos nunmehr wankte. Und es war ebenso klar, daß es in dieser Situation verrückt gewesen wäre, sich in den kaiserlichen Palast zu begeben, der jeden Moment zu einem öffentlichen Schlachthaus werden konnte. So beschlossen unsere Freunde, in den Ruinen von Katabate abzuwarten, wie sich die Dinge entwickeln würden.

Am nächsten Morgen wimmelte es in der Stadt von Bürgern, die lauthals forderten, daß Andronikos eingesperrt und Isaakios zum Kaiser gekrönt werden solle. Das Volk stürmte die Gefängnisse und befreite viele unschuldige Opfer des Tyrannen, darunter viele aus angesehenen Familien, die sich sofort dem Aufstand anschlossen. Aber mehr als ein Aufstand war es inzwischen eine Rebellion, ja eine Revolution, eine Machtergreifung. Die Bürger liefen bewaffnet durch die Straßen, die einen mit Schwert und Rüstung, die anderen mit Keulen und Knüppeln. Einige von ihnen, darunter nicht wenige Würdenträger des Reiches, die entschieden hatten, daß der Moment gekommen sei, sich einen anderen Selbstherrscher zu wählen, ließen die Krone Konstantins des Großen herab, die in der Hagia Sophia über dem Hauptaltar hing, und krönten Isaakios zum Kaiser.

Danach strömte die Menge kampflustig aus der Kirche und umzingelte den Palast. Andronikos machte einen verzweifelten Versuch, sich zu wehren, indem er Pfeile aus den Scharten des höchsten Turmes schoß, den man den Kentenarion nannte, aber dann mußte er vor dem wütenden Andrang seiner Untertanen weichen. Es hieß, er habe sich das Kreuz vom Halse gerissen, die purpurnen Schuhe ausgezogen, sich eine barbarische Filzmütze auf den Kopf gestülpt und sei durch die labyrinthischen Gänge des Bukoleon auf sein Schiff geeilt, zusammen mit seiner Frau Anna und der Dirne Marapikte, in die er leidenschaftlich verliebt war. Isaakios hielt triumphalen Einzug in den Palast, die Menge strömte mit ihm hinein, ergoß sich in alle Räume und plünderte nicht nur die Münzstätte, die man die Chrysioplysia oder Goldwäsche nannte, sondern auch die Waffenkammern und sogar die Kirchen des Palastes, wo sie die Ornamente von den heiligen Bildern rissen.

Alle diese Nachrichten ließen Zosimos immer heftiger zittern, denn schon wurde berichtet, daß jeder, den man als Komplizen des Andronikos erkannte, auf der Stelle hingerichtet wurde. Im übrigen hielten es auch Baudolino und die Seinen nicht für geraten, sich gerade jetzt in die Gänge des Bukoleon zu wagen. So verbrachten unsere Freunde, ohne etwas anderes tun zu können als zu essen und zu trinken, noch einige Tage in den Ruinen von Katabate.

Bis sie dann erfuhren, daß Isaakios aus dem Bukoleon in den Blachernenpalast im äußersten Norden der Stadt umgezogen war. Somit war nun der Bukoleon vielleicht nicht mehr so gut bewacht (weil es dort nichts mehr zu plündern gab) und leer genug. Gerade an jenem Tag war der flüchtende Andronikos an der Küste des Schwarzen Meeres gefangen und vor Isaakios gebracht worden. Der hatte ihn der allgemeinen Mißhandlung preisgegeben, die Höflinge waren mit Schlägen und Tritten über ihn hergefallen, hatten ihm den Bart gerauft, die Zähne eingeschlagen, die Haare ausgerissen, dann wurde ihm mit einem Beil die rechte Hand abgehackt, und so war er in den Kerker geworfen worden.

Als die Nachricht kam, daß in der Stadt Freudentänze und Festlichkeiten auf allen Plätzen begonnen hatten, fand Baudolino, daß sie es nun wagen konnten, sich in der allgemeinen Verwirrung zum Bukoleon durchzuschlagen. Zosimos gab zu bedenken, daß ihn jemand erkennen könnte, doch unsere Freunde sagten, er solle sich keine Sorgen machen. Sie bewaffneten sich mit allen verfügbaren Instrumenten und schoren ihm gründlich den Kopf, sowohl Haupthaar wie Bart, während er lauthals klagte und zeterte, daß er sich ohne diese Insignien mönchischer Würde entehrt fühle. Tatsächlich erinnerte Zosimos, als er dann kahl wie ein Ei vor ihnen stand, ganz ohne Kinn, mit einer zu wulstigen Oberlippe, die Ohren spitz wie bei einem Hund, nach Baudolinos Ansicht eher – so sagte er – an Cichinisio, einen Dorftrottel, der durch die Straßen von Alexandria lief und den Mädchen unanständige Dinge nachrief, als an den verruchten Asketen, für den er sich bislang ausgegeben hatte. Um diesen beklagenswerten Eindruck zu korrigieren, bemalten sie ihn mit Schminke, und am Ende sah er aus wie ein *Kinaidos*, ein ostentativer Päderast, dem in der Lombardei die Jungen nachgelaufen wären, um ihn zu hänseln und mit faulem Obst zu bewerfen, aber in Konstantinopel sah man dergleichen jeden Tag, und so herumzulaufen sei dort ebenso normal, sagte Baudolino, wie wenn man in seiner Heimatstadt als Ricotta- oder Quarkkäsehändler herumlaufe.

Sie waren bereits ein gutes Stück durch die Stadt gegangen, als sie sahen, wie Andronikos vorbeigeführt wurde, angekettet auf dem Rücken eines räudigen Kamels, noch kahler als sein Reittier, fast unbekleidet, mit einem schmutzigen Bündel blutiger Lappen um den Stumpf des rechten Arms und geronnenem Blut auf den hageren Wangen, denn man hatte ihm gerade ein Auge ausgestochen. Rings um ihn die verzweifeltsten Bewohner der Stadt, deren Herr und Gebieter er so lange gewesen war, Wurstmacher, Gerber, Krämer, Saufbolde aus allen Tavernen, die sich um ihn scharten wie Fliegenschwärme im Frühjahr um einen Pferdeapfel, ihn mit Knüppeln auf den Kopf schlugen, ihm Kuhmist in die Nasenlöcher stopften, ihm mit Urin und Jauche vollgesogene Schwämme über dem Gesicht ausdrückten, ihm mit Bratspießen in die Beine stachen, die mildesten bewarfen ihn mit Steinen und beschimpften ihn als tollwütigen Hund und Sohn einer läufigen Hündin. Aus dem Fenster eines Bordells goß eine Hure einen Topf kochendes Wasser über ihm aus, aber die Wut dieser rasenden Menge nahm noch zu: Als sie ins Hippodrom kamen, zerrten sie ihn vom Kamel herunter und hängten ihn mit den Füßen an den Balken zwischen den beiden Säulen, die dort neben dem Bildnis der Wölfin mit Romulus und Remus stehen.

Andronikos benahm sich besser als seine Peiniger. Ohne einen Klagelaut von sich zu geben, murmelte er nur: »*Kyrie eleison, Kyrie eleison*«, und fragte dann: »Warum zerbrecht ihr ein schon geknicktes Rohr?« Kopfunten hängend, wie er war, wurde er von dem wenigen entblößt, was er noch anhatte, einer trennte ihm mit einem einzigen Schwerthieb die Genitalien ab, ein anderer stieß ihm eine Lanze in den Schlund bis hinab in die Eingeweide, ein dritter trieb ihm am anderen Ende ein Schwert in den After. Es waren auch einige Lateiner da, die Krummsäbel hatten und sich wie Tänzer um ihn bewegten, während sie ihn mit Hieben traktierten, die ihm das Fleisch in Streifen absäbelten, und vielleicht waren sie die einzigen, die ein Recht auf Rache hatten, bedenkt man, was Andronikos ein paar Jahre zuvor ihren Landsleuten angetan hatte. Schließlich brachte der so Geschundene noch die Kraft auf, sich den rechten Arm an den Mund zu führen, als wolle er das Blut aus dem Stumpf trinken, zum Ersatz für jenes, das er in Strömen verlor. Dann starb er.

Vor dem gräßlichen Schauspiel geflohen, versuchten unsere Freunde, den Bukoleonpalast zu erreichen, aber schon als sie nur in seine Nähe kamen, mußten sie feststellen, daß es unmöglich war. Angewidert von den vielen Plünderungen, hatte Isaakios den Palast von seinen Wachen umstellen lassen, und jeder, der die Absperrung zu durchbrechen versuchte, wurde auf der Stelle hingerichtet.

»Zosimos, du gehst trotzdem«, sagte Baudolino. »Es ist ganz einfach: Du gehst rein, holst die Karte und bringst sie uns.«

»Und wenn sie mir die Kehle durchschneiden?«

»Wenn du nicht gehst, schneiden wir sie dir durch.«

»Mein Opfer hätte einen Sinn, wenn die Karte noch im Palast wäre. Aber, um die Wahrheit zu sagen, da ist sie nicht mehr.«

Baudolino starrte ihn an, als könne er soviel Dreistigkeit gar nicht fassen. »Aha!« brüllte er auf. »Und jetzt sagst du uns endlich die Wahrheit? Und warum hast du uns bisher die ganze Zeit belogen?«

»Um Zeit zu gewinnen. Zeit zu gewinnen ist keine Sünde. Für den vollkommenen Mönch ist es Sünde, sie zu verlieren.«

»Am besten, wir bringen ihn gleich hier an Ort und Stelle um«, meldete sich der Poet zu Wort. »Es ist der richtige Augenblick, in dieser allgemeinen Schlächterei wird niemand darauf achten. Entscheiden wir, wer ihn erdrosseln soll, und dann nix wie weg.«

»Einen Moment«, sagte Zosimos. »Der Herr lehrt uns, wie wir uns der Werke enthalten, die uns nicht frommen. Ich habe gelogen, das ist wahr, aber um ein Wohl zu erreichen.«

»Was denn für ein Wohl?« schrie Baudolino außer sich vor Wut.

»Meines«, antwortete Zosimos. »Ich hatte das Recht, mein Leben zu verteidigen, da ihr es mir nehmen wolltet. Der Mönch muß wie die Cherubim und die Seraphim überall Augen haben, oder – so verstehe ich diesen Spruch der heiligen Väter der Wüste – er muß dem Feind mit Umsicht und Schläue begegnen.«

»Aber der Feind, von dem deine Väter sprachen, das war der Teufel, nicht wir!« tobte Baudolino noch immer.

»Vielgestaltig sind die Listen der Dämonen: Sie erscheinen im Traum, sie erzeugen Halluzinationen, sie übertölpeln und täuschen uns, sie verwandeln sich in Engel des Lichts und verschonen uns, um uns eine trügerische Sicherheit vorzugaukeln. Was hättet ihr denn an meiner Stelle getan?«

»Und was wirst du jetzt tun, widerwärtiges Griechlein, um dein Leben noch einmal zu retten?«

»Ich werde euch die Wahrheit sagen, wie es bei mir üblich ist. Die Karte des Kosmas Indikopleustes existiert ohne Zweifel, ich habe sie mit diesen meinen Augen gesehen. Wo sie sich jetzt befindet, weiß ich nicht, aber ich schwöre euch, ich habe sie mit allen Einzelheiten hier in meinem Kopf...« Er tippte sich an die von der Mähne befreite Stirn. »Ich könnte dir Tagereise für Tagereise die Entfernungen nennen, die uns vom Lande des Priesters Johannes trennen. Nun liegt es auf der Hand, daß ich in dieser Stadt nicht länger bleiben kann und daß auch ihr hier nicht länger verweilen müßt, denn ihr seid ja gekommen, um mich zu fassen, und mich habt ihr nun, und um diese Karte zu finden, und die habt ihr nicht. Wenn ihr mich umbringt, kriegt ihr sie nie. Wenn ihr mich mitnehmt, dann werde ich, das schwöre ich euch bei allen zwölf heiligen Aposteln, dann werde ich euer Sklave sein und meine Tage damit verbringen, euch einen Weg zu weisen, der euch direkt zum Lande des Priesters führt. Verschont ihr mein Leben, habt ihr nichts zu verlieren, nur einen Mund mehr zu füttern. Tötet ihr mich, verliert ihr alles. Entscheidet euch.«

»Dies ist doch der unverschämteste Kerl, der mir je im Leben begegnet ist«, sagte Boron, und die anderen stimmten ihm zu. Zosimos wartete schweigend, die Miene zerknirscht. Rabbi Solomon setzte an, etwas zu sagen: »Der Heilige immerdar sei gesegnet...«, doch Baudolino ließ ihn nicht ausreden: »Schluß mit den Sprüchen, dieser Schlaufuchs hat schon genug davon zum besten gegeben. Er ist ein Schlaufuchs, aber er hat recht. Wir müssen ihn mitnehmen. Sonst kehren wir mit leeren Händen zu Friedrich zurück, und er denkt, wir hätten mit seinem Geld in den Wonnen des Orients geschwelgt. Kehren wir wenigstens mit einem Gefangenen zurück. Du aber, Zosimos, schwöre uns, daß du nie mehr versuchen wirst, uns noch einmal solch einen Streich zu spielen...«

»Ich schwöre es bei allen zwölf heiligen Aposteln«, sagte Zosimos.

»Elf, elf, Unseliger!« rief Baudolino und packte ihn am Rock. »Wenn du zwölf sagst, rechnest du auch Judas dazu!«

»Also gut, elf.«

»Somit«, sagte Niketas, »war das deine erste Reise nach Byzanz. Nach allem, was du da gesehen hast, würde es mich nicht überraschen, wenn du jetzt das, was zur Zeit hier geschieht, als eine reinigende Ausräucherung betrachtest.«

»Ach, weißt du, Kyrios Niketas«, sagte Baudolino, »mir haben die reinigenden Ausräucherungen, wie du sie nennst, nie recht gefallen. Alexandria mag ja ein elendes Kaff sein, aber bei uns, wenn da jemand das Sagen hat, der uns nicht gefällt, dann schicken wir ihn nach Hause und wählen uns einen anderen Konsul. Und auch Friedrich, er mochte ja manchmal jähzornig sein, aber wenn seine Vettern ihn ärgerten, dann ließ er sie nicht entmannen, sondern gab ihnen noch ein Herzogtum drauf. Aber das ist eine andere Geschichte. In meiner war ich nun schon an den äußersten Grenzen der Christenheit, ich hätte nur weiter nach Osten gehen müssen oder nach Süden und hätte die Länder Indiens gefunden. Aber inzwischen hatten wir unser Geld aufgebraucht, und um weiter nach Osten gehen zu können, mußte ich erst einmal in den Westen zurück. Ich war mittlerweile dreiundvierzig Jahre alt, ich war dem Priester Johannes seit spätestens meinem sechzehnten Lebensjahr auf der Spur, und nun sah ich mich ein weiteres Mal gezwungen, meine Reise aufzuschieben.«

22. Kapitel

Baudolino verliert den Vater und findet den Gradal

Die Genueser hatten Boiamondo und Theophilos ausge-
schickt, einen Rundgang durch die Stadt zu machen, um
die Lage zu erkunden. Die Lage sei ziemlich günstig, berichteten sie bei der Rückkehr, denn ein großer Teil der
Pilger sitze in den Tavernen, und der Rest scheine sich in
der Hagia Sophia versammelt zu haben, um mit begehrli-
chen Blicken den dort angehäuften Reliquienschatz zu betrachten.

»Da gehen einem die Augen über«, sagte Boiamondo.
Aber die Ablieferung der Beute habe sich in einen üblen
Schwindel verwandelt, fügte er hinzu. Einige täten nur so,
als gäben sie ihre Beute ab, legten ein bißchen Klimbim auf
den Haufen, aber schöben sich dann heimlich den Knochen eines Heiligen unters Hemd. Da jedoch niemand mit
einer Reliquie im Gewand erwischt werden wolle, habe sich
gleich draußen vor der Kirche so etwas wie ein kleiner
Markt gebildet, mit noch betuchten Bürgern und armenischen Händlern.

»So kommt es«, schloß Boiamondo höhnisch, »daß die
Griechen, die sich noch ein paar byzantinische Goldmünzen retten konnten, weil sie sie gut versteckt hatten, sie nun
für einen Fingerknochen des Heiligen Baciccia hervorho-
len, der vielleicht immer schon in der Kirche an der nächsten Ecke gewesen war! Aber vielleicht verkaufen sie ihn
dann wieder an die Kirche, diese Griechen sind ja gerissene
Kerle. Das Ganze ist ein einziger großer Beschiß – und
dann sagen sie, wir Genueser wären es, die immer nur ans
Geschäft denken!«

»Aber was bringen sie denn in die Kirche?« fragte Niketas. Theophilos gab einen präziseren Bericht. Er hatte die

Truhe gesehen, die den Purpurmantel Christi enthielt, ein Stück vom Rohr der Geißelung, den Schwamm, der dem sterbenden Herrn am Kreuz hingehalten worden war, die Dornenkrone sowie ein Behältnis, das ein Stück des beim Letzten Abendmahl gewandelten Brotes enthielt, und zwar dasjenige, welches der Herr dem Judas angeboten hatte. Dann war ein Schrein mit den Barthaaren des Gekreuzigten eingetroffen, die ihm die Juden nach der Kreuzabnahme ausgerissen hatten, und eingehüllt war dieser Schrein in die Kleidungsstücke des Herrn, um die die Soldaten unter dem Kreuz gewürfelt hatten. Und dann die völlig unversehrte Geißelungssäule.

»Ich habe auch gesehen, wie sie ein Stück vom Kleid der Madonna gebracht haben«, sagte Boiamondo.

»Oje!« rief Niketas. »Wenn sie nur ein Stück gebracht haben, kann das nur heißen, daß sie es unter sich aufgeteilt haben. Es existierte unversehrt, im Blachernenpalast. Vor langer Zeit waren ein gewisser Galbius und ein gewisser Candidus nach Palästina gepilgert und hatten in Kapharnaum erfahren, daß dort im Hause eines Juden das *Pallion* der Jungfrau aufbewahrt wurde. Sie freundeten sich mit ihm an, verbrachten die Nacht bei ihm, nahmen heimlich die Maße der Truhe, in der das Kleid lag, ließen sich in Jerusalem eine ganz ähnliche Truhe machen, kehrten zurück nach Kapharnaum, vertauschten nachts die Truhen und brachten das Kleid nach Konstantinopel, wo dann extra dafür die Kirche der Apostel Petrus und Markus gebaut wurde.«

Boiamondo fügte hinzu, zwei christliche Ritter sollten angeblich zwei Häupter Johannes' des Täufers entwendet haben, ohne sie bisher zurückzugeben, jeder von ihnen eines, und alle Welt frage sich nun, welches von beiden das echte sei. Niketas lächelte verständnisvoll. »Ich wußte, daß hier in der Stadt zwei Johanneshäupter verehrt wurden. Das erste war von Theodosios dem Großen hergebracht und in die Kirche des Vorläufers Jesu gegeben worden. Aber dann hatte Justinian ein zweites in der syrischen Stadt Emesa gefunden. Ich glaube, er hatte es einem Kloster geschenkt, es soll dann später wieder in die Stadt gekommen sein, aber niemand wußte mehr, wo es war.«

»Wie kann man denn eine Reliquie einfach vergessen, noch dazu eine so kostbare?« fragte Baudolino.

»Die Frömmigkeit des Volkes ist eine flatterhafte Angelegenheit. Jahrelang verehrt man voller Inbrunst einen heiligen Überrest, und plötzlich begeistern sich alle für etwas Neues, das noch wunderbarer erscheint, und das Alte wird schlicht vergessen.«

»Aber welches der beiden Häupter ist denn nun das echte?« fragte Boiamondo.

»Wenn man von heiligen Dingen spricht, darf man keine menschlichen Maßstäbe anlegen. Gleich welche der beiden Reliquien du mir hinhieltest, ich versichere dir, ich würde, wenn ich mich vorbeugte, um sie zu küssen, den mystischen Geruch wahrnehmen, den sie ausströmt, und würde wissen, daß es sich um das echte Haupt handelt.«

In diesem Augenblick kam auch Pevere aus der Stadt zurück. Außergewöhnliches sei dort im Gange, berichtete er. Um zu verhindern, daß die leer ausgegangene Soldateska sich etwas vom Haufen in der Hagia Sophia nahm, hatte der Doge eine erste rasche Bestandsaufnahme der aufgehäuften Dinge angeordnet, und man hatte auch einige griechische Mönche hinzugezogen, um die verschiedenen Reliquien zu erkennen. Dabei war herausgekommen, daß, nachdem man den größten Teil der Pilger gezwungen hatte, ihre Beute herauszurücken, sich nicht nur zwei Johanneshäupter in der Kirche befanden, was man ja schon wußte, sondern auch zwei Schwämme für den Essig, zwei Dornenkronen und manches mehr. Ein Wunder, feixte Pevere und schielte zu Baudolino, die kostbarsten Reliquien von Byzanz hatten sich vervielfacht wie die Brote und Fische. Einige der Pilger sahen darin ein Zeichen des Himmels zu ihren Gunsten und riefen, wenn nun an diesen seltenen Gütern solch ein Überfluß herrsche, hätte der Doge erlauben müssen, daß jeder nach Hause trage, was er sich genommen habe.

»Aber es ist ein Wunder zu unseren Gunsten«, sagte Theophilos, »denn so werden die Lateiner nicht mehr wissen, welche Reliquien echt sind, und werden gezwungen sein, alles hierzulassen.«

»Da bin ich nicht so sicher«, sagte Baudolino. »Jeder Fürst oder Markgraf oder Vasall wird froh sein, sich eine Reliquie mit nach Hause zu nehmen, die Scharen von frommen Verehrern anlockt und Schenkungen nach sich zieht. Wenn dann gemunkelt wird, es gebe eine ganz ähnliche in tausend Meilen Entfernung, wird man sagen, die sei falsch.«

Niketas war nachdenklich geworden. »Ich glaube nicht an dieses Wunder«, sagte er. »Der Herr verwirrt unsere Sinne nicht mit den Überresten seiner Heiligen... Baudolino, könnte es sein, daß du hier in letzter Zeit, seit du in die Stadt gekommen bist, irgendeinen Schwindel mit Reliquien angestellt hast?«

»Kyrios Niketas!« versuchte Baudolino in beleidigtem Ton zu sagen. Dann streckte er die Hände vor, wie um seinen Gesprächspartner zu beruhigen. »Nun, wenn ich dir denn die volle Wahrheit sagen soll... tja, der Moment wird kommen, da ich dir auch eine Geschichte von Reliquien werde erzählen müssen. Aber das werde ich erst später tun. Und außerdem, hast du nicht selber vorhin gesagt, wenn man von heiligen Dingen spreche, dürfe man keine menschlichen Maßstäbe anlegen? Doch jetzt ist es spät geworden, ich denke, in einer Stunde, wenn es dunkel ist, können wir uns auf den Weg machen. Halten wir uns bereit.«

Niketas, der gut gestärkt aufbrechen wollte, hatte Theophilos schon vor einiger Zeit gebeten, ein *Monòkythron* zuzubereiten, was einige Zeit in Anspruch nahm. Es war ein bronzener Topf voller Rind- und Schweinefleisch, zum Teil noch mit den Knochen, und phrygischem Kohl, triefend von Fett. Da nicht mehr viel Zeit für ein ausgedehntes Mahl blieb, legte der Logothet seine guten Manieren ab und faßte nicht nur mit drei Fingern, sondern mit vollen Händen in den Topf. Es war, als genösse er seine letzte Liebesnacht mit der Stadt, die er gleichermaßen als Jungfrau, als Hure und als Märtyrerin liebte. Baudolino hatte keinen Hunger mehr und begnügte sich damit, in kleinen Schlucken geharzten Wein zu trinken, denn wer konnte wissen, ob es den auch in Selymbria geben würde.

Niketas fragte, ob in der angekündigten Reliquiengeschichte auch Zosimos vorkommen werde, aber Baudolino sagte, er ziehe es vor, der Reihe nach zu erzählen.

»Nach den gräßlichen Dingen, die wir in der Stadt hier gesehen hatten, kehrten wir auf dem Landweg zurück, weil wir nicht mehr genug Geld hatten, um die Schiffsreise zu bezahlen. Das Durcheinander jener Tage hatte Zosimos erlaubt, mit Hilfe eines seiner Eleven – die er freilich zurückließ – irgendwo Maultiere aufzutreiben. Während der Reise gab es dann mal eine Jagdpartie in einem Wald, mal nahmen uns die Klöster am Wege gastlich auf, und so gelangten wir schließlich zurück nach Venedig und von da wieder in die lombardische Ebene...«

»Und Zosimos hat nie zu fliehen versucht?«

»Er konnte nicht. Die ganze Zeit, seit wir ihn gefaßt hatten, auch nach unserer Rückkehr, auch am Hofe Friedrichs und sogar auf der Reise nach Jerusalem, die wir dann machten, insgesamt vier Jahre lang, war er in Fesseln geblieben. Beziehungsweise wenn wir ihn in unserer Mitte hatten, war er auf freiem Fuß, aber wenn wir ihn allein ließen, wurde er ans Bett gefesselt, an einen Pfahl, einen Baum, je nachdem, wo wir uns gerade befanden, und wenn wir ritten, war er so mit den Zügeln verbunden, daß, falls er abzusteigen versuchte, sein Pferd scheuen und mit ihm durchgehen würde. Da ich befürchtete, daß auch dies nicht genügte, um ihn an seine Pflichten zu erinnern, gab ich ihm jeden Abend vor dem Einschlafen eine Ohrfeige. Er wußte es immer schon und wartete darauf, bevor er einschlief, wie auf den mütterlichen Gutenachtkuß.«

Während der Reise hatten unsere Freunde nicht aufgehört, Zosimos zu einer Rekonstruktion der Karte zu drängen, und er hatte guten Willen gezeigt, indem er sich jeden Tag an eine weitere Einzelheit erinnerte. Einmal ging er sogar daran, die wahren Entfernungen zu berechnen.

»So über den Daumen gepeilt«, sagte er, wobei er die Wegstrecken mit dem Finger in den Straßenstaub zeichnete, »sind es von Tzinistan, dem Land der Seide, bis nach Persien hundertfünfzig Tagesmärsche, ganz Persien macht achtzig, von der persischen Grenze nach Seleukia dreizehn, von Seleukia nach Rom und dann ins Land der Iberer hundertfünfzig. Also von einem Ende der Welt zum anderen aufgerundet vierhundert Tagesmärsche, wenn du dreißig Meilen am Tag gehst. Sodann ist die Erde länger als breit – du wirst dich erinnern, daß es im Exodus heißt, der Tisch im Tabernaculum soll zwei Ellen lang und eine breit sein. Also kannst du von Norden nach Süden erstmal fünfzig Tagesmärsche in den nördlichen Regionen bis Konstantinopel rechnen, dann von Konstantinopel bis nach Alexandria in Ägypten weitere fünfzig und von Alexandria bis nach Äthiopien am Arabischen Golf siebzig Tage. Macht zusammen aufgerundet zweihundert Tage. Also wenn du von Konstantinopel zum äußersten Indien aufbrichst und dabei rechnest, daß du nicht immer geradeaus gehst und oft anhalten mußt, um den Weg zu suchen, und wer weiß, wie oft du dabei zurückgehen mußt – also ich würde sagen, da brauchst du bis zum Priester Johannes rund ein Jahr.«

Was Reliquien anbelangte, wollte Kyot von Zosimos wissen, ob er schon mal vom Gradal gehört habe. Sicher, das habe er, sagte Zosimos, und zwar von den Galatern, die rings um Konstantinopel lebten, also von Leuten, die seit jeher die Erzählungen der ältesten Priester des äußersten Nordens kannten. Kyot fragte ihn weiter, ob er auch von jenem Feirefiz gehört habe, der den Gradal zum Priester Johannes gebracht haben soll, und Zosimos sagte, gewiß, auch von dem habe er schon gehört, aber Baudolino blieb skeptisch. »Und was ist dann dieser Gradal?« fragte er ihn. »Na, der Kelch, der Kelch, in dem Christus das Brot und den Wein verwandelt hat, das habt ihr doch auch gesagt.« Brot in einem Kelch? Nein, nur den Wein, das Brot lag auf einem Teller, einem Hostienteller, einem kleinen Tablett. Aber was war dann der Gradal, der Teller oder der Kelch? Beides, versuchte sich Zosimos rauszuwinden. Wenn man es recht bedenke, legte ihm der Poet mit einem drohenden Blick nahe, war der Gradal die Lanze, die Longinus dem Gekreuzigten in die Seite gestochen habe. Ja genau, das scheine ihm auch so, pflichtete Zosimos bei. An diesem

Punkt gab ihm Baudolino eine Ohrfeige, obschon es noch nicht Zeit zum Schlafengehen war, aber Zosimos rechtfertigte sich: Die Gerüchte seien ungewiß, zugegeben, aber daß sie auch bei den Galatern von Byzanz umgingen, beweise, daß es diesen Gradal wirklich gebe. Im übrigen wisse man vom Gradal am Ende immer dasselbe, nämlich daß man ziemlich wenig von ihm wisse.

»Sicher«, sagte Baudolino, »wenn ich Friedrich den Gradal bringen könnte, statt so einen Galgenstrick wie dich...«

»Du kannst ihn ihm immer noch bringen«, regte Zosimos an. »Finde den passenden Topf...«

»Aha, jetzt ist er also auch ein Topf! Paß auf, daß ich dich nicht in diesem Topf koche! Ich bin doch kein Fälscher wie du!« Zosimos zuckte die Achseln und strich sich übers Kinn, wo er den nachwachsenden Bart fühlte, der aber nun struppig wie ein Katzenfisch war und nicht mehr so schön anzusehen wie einst, als er seidig und sauber glänzte wie eine Palla.

»Und außerdem«, knurrte Baudolino, »auch wenn man weiß, daß er ein Topf oder Kelch ist, woran erkennt man ihn, wenn man ihn findet?«

»Ah, da sei nur ganz ruhig«, warf Kyot ein, den Blick verträumt in die Welt seiner Sagen gerichtet, »du wirst das Licht sehen, du wirst den Wohlgeruch bemerken...«

»Hoffen wir's«, sagte Baudolino. Rabbi Solomon schüttelte den Kopf: »Es muß etwas sein, was ihr Gojim aus dem Tempel zu Jerusalem geraubt habt, als ihr ihn damals geplündert und uns in die Welt zerstreut habt.«

Sie kamen gerade rechtzeitig zur Hochzeit von Heinrich, dem zweiten Sohn Friedrichs, der inzwischen zum König der Römer gekrönt worden war, mit Konstanze von Sizilien. Der Kaiser setzte jetzt alle Hoffnungen auf seinen jüngeren Sohn. Nicht daß er den Erstgeborenen nicht geliebt hätte, im Gegenteil, er hatte ihn sogar zum Herzog von Schwaben ernannt, aber seine Liebe zu ihm war unverkennbar von Trauer beherrscht, wie es bei schlechtgeratenen Kindern vorkommt. Baudolino sah den jungen Friedrich bleich, hustend und ständig mit dem linken Augenlid zuckend, wie um eine Fliege zu vertreiben. Auch während jener prächtigen Festlichkeiten entfernte er sich häufig, und Baudolino sah ihn übers Feld gehen, nervös die Sträucher mit einer Reitgerte peitschend, wie um etwas zu beruhigen, was ihn von innen zerfraß.

»Das Leben fällt ihm schwer«, sagte Friedrich eines Abends zu Baudolino. Der Kaiser alterte immer mehr, der gute Barbabianca, und er bewegte sich, als hätte er einen steifen Hals. Er ging noch immer auf die Jagd, und wenn er einen Fluß sah, stürzte er sich hinein und schwamm wie in seinen besten Zeiten. Aber Baudolino fürchtete, daß er eines Tages durch die plötzliche Kälte des Wassers einen Schlaganfall kriegen könnte, und sagte ihm ständig, er solle sich vorsehen.

Um ihn aufzuheitern, erzählte er ihm von den Erfolgen ihrer Expedition – daß sie den treulosen Mönch gefangen hatten, daß sie bald die Karte haben würden, die sie ins Reich des Priesters Johannes führen würde, daß der Gradal kein Märchen sei und daß er ihn eines Tages in seine Hände legen würde. Friedrich nickte. »Der Gradal, ach ja, der Gradal«, murmelte er mit abwesendem Blick, »mit dem könnte ich gewiß...« Dann wurde er durch eine wichtige Nachricht abgelenkt, seufzte noch einmal auf und ging ächzend daran, seine Pflicht zu tun.

Hin und wieder nahm er Baudolino beiseite und schilderte ihm, wie sehr ihm Beatrix fehle. Um ihn zu trösten, schilderte ihm dann Baudolino, wie sehr ihm Colandrina fehle. »Oh, ich weiß«, sagte dann Friedrich, »du, der du Colandrina geliebt hast, du kannst verstehen, wie sehr ich Beatrix geliebt habe. Aber vielleicht ist dir nicht richtig bewußt, wie liebenswert sie tatsächlich war.« Und Baudolino verspürte wieder die alten Gewissensbisse.

Im Sommer kehrte der Kaiser nach Deutschland zurück, aber Baudolino konnte nicht mitgehen. Er hatte die Nachricht erhalten, daß seine Mutter gestorben war. Er war sofort nach Alexandria aufgebrochen, und auf dem Weg dorthin dachte er an die Frau, die ihn zur Welt gebracht hatte und der gegenüber er nie eine echte Zärtlichkeit an den Tag gelegt hatte, außer in jener Weihnachtsnacht vor vielen Jahren, als das Lämmchen zur Welt kam (Donnerwetter, sagte er sich, mehr als fünfzehn Winter ist das schon her, mein Gott, vielleicht sogar achtzehn). Er traf ein, als seine Mutter schon begraben war, und fand Gagliaudo, der die Stadt verlassen und sich in sein altes Haus in der Frascheta zurückgezogen hatte.

Er lag auf dem Bett, eine hölzerne Trinkschale voller Wein neben sich, entkräftet, nur ab und zu müde die Hand bewegend, um die Fliegen von seinem Gesicht zu verjagen. »Baudolino«, sagte er sofort, »zehnmal am Tag hab ich mich über diese arme Frau geärgert und zum Himmel gebetet, daß er sie mit einem Blitz niederstrecke. Und jetzt, wo der Himmel sie mir niedergestreckt hat, weiß ich nicht mehr aus noch ein. Hier im Haus finde ich nichts mehr, weil sie es war, die immer alles aufgeräumt hat. Ich finde nicht mal mehr die Mistgabel, um den Stall auszumisten, inzwischen haben die Viecher mehr Dünger als Heu. Drum hab ich beschlossen, jetzt auch zu sterben, weil das bestimmt besser ist.«

Die Proteste des Sohnes halfen nichts. »Baudolino, du weißt, daß wir hier Dickschädel sind, wenn wir uns was in den Kopf gesetzt haben, dann kann uns nichts davon abbringen. Ich bin kein Rumtreiber wie du, der einen Tag hier und einen Tag da ist, ein feines Leben führt ihr Herren! Lauter Leute, die immer nur daran denken, wie sie die anderen umbringen können, aber wenn ihnen eines Tages gesagt wird, daß sie sterben müssen, dann machen sie sich ins Hemd. Ich dagegen hab gut gelebt, ohne einer Fliege was zuleide zu tun, an der Seite einer Frau, die eine Heilige war, und jetzt, wo ich beschlossen habe zu sterben, da sterbe ich. Laß mich gehen, wie ich will, und ich bin's zufrieden, denn wenn ich noch länger bleibe, wird's bloß noch schlimmer.«

Ab und zu trank er einen Schluck Wein, dann legte er sich zurück und schlief eine Weile, dann wachte er wieder auf und fragte: »Bin ich tot?« – »Nein, Vater«, antwortete Baudolino, »zum Glück lebst du noch.« – »Oh, ich armer Mann«, seufzte der Alte, »noch einen Tag! Aber morgen

sterbe ich, sei ganz ruhig.« Er wollte keinen Happen anrühren.

Baudolino strich ihm über die Stirn und verjagte die
Fliegen, und da er nicht wußte, wie er seinen sterbenden
Vater trösten sollte, und ihm auch zeigen wollte, daß er
nicht der Esel war, für den er ihn immer gehalten hatte,
erzählte er ihm von der heiligen Unternehmung, auf die er
sich seit wer weiß wie langer Zeit vorbereitete, und wie er
zum Reich des Priesters Johannes gelangen wollte. »Denk
nur«, sagte er, »ich werde wunderbare Orte entdecken. Es
gibt einen Platz, wo ein nie gesehener Vogel gedeiht, der
Vogel Phönix, der immer fünfhundert Jahre lang lebt und
fliegt. Immer wenn fünfhundert Jahre vergangen sind, richten die Priester einen Altar her, auf den sie Spezereien und
Schwefel streuen, und dann kommt der Vogel und verbrennt sich und wird zu Asche. Am nächsten Morgen liegt
eine Raupe in der Asche, am übernächsten ist es schon
ein kleiner Vogel, und am dritten Tag fliegt dieser Vogel
weg. Er ist nicht größer als ein Adler, auf dem Kopf hat er
einen Federbusch wie ein Pfau, der Hals ist goldfarben,
der Schnabel indigoblau, die Flügel purpurrot und der
Schwanz gelb, grün und rot gestreift. Und so stirbt der
Phönix nie.«

»Alles Unsinn«, sagte Gagliaudo. »Mir würd's schon reichen, wenn du mir meine Rosina wiederauferstehen ließest,
das arme Vieh, das ihr mir mit all dem verdorbenen Getreide erstickt habt. Das wär was anderes als dein Phönix!«

»Wenn ich wiederkomme, bringe ich dir das Manna mit,
das auf den Bergen des Landes von Hiob zu finden ist. Es
ist weiß und sehr süß, es kommt aus dem Tau, der vom
Himmel auf die Gräser fällt und dort gerinnt. Es reinigt das
Blut und vertreibt die Trübsal.«

»Alles Quatsch. Dummes Zeug, gut für diese Weichlinge
am Hof, die Schnepfen und Mürbeteigkuchen essen.«

»Willst du nicht wenigstens ein Stück Brot?«

»Hab keine Zeit, muß morgen früh sterben.«

Am folgenden Morgen erzählte ihm Baudolino, daß er
dem Kaiser den Gradal schenken werde, den Kelch, aus
dem der Herr Jesus getrunken habe.

»Ach ja? Und woraus ist er?«

»Ganz aus Gold, besetzt mit Lapislazuli.«

»Da siehst du mal wieder, wie dumm du bist! Unser Herr Jesus war der Sohn eines Zimmermanns und lebte zusammen mit Hungerleidern, die noch ärmer waren als er. Sein ganzes Leben lang hat er dasselbe Gewand getragen, der Priester in der Kirche hat uns gesagt, daß es keine Nähte hatte, damit es nicht kaputtging, bevor er das dreiunddreißigste Jahr vollendet hatte, und jetzt kommst du daher und willst mir erzählen, daß er sich's gutgehen ließ mit einem Kelch aus Gold und Lapizzupappzuli! Was erzählst du mir da? Es wär schon viel gewesen, wenn er so eine Schale wie diese da gehabt hätte, die ihm sein Vater aus einer Wurzel geschnitzt haben könnte, wie ich's mir gemacht hab. So was hält ein Leben lang und zerbricht nicht mal, wenn du mit dem Hammer draufhaust, nein wirklich! Aber wo ich grad davon rede, gib mir nochmal ein bißchen was von diesem Blut Christi rüber, das ist das einzige, was einem hilft, auf gute Weise zu sterben.«

Bei allen Teufeln der Hölle! sagte sich Baudolino. Dieser arme Alte hat recht! Der Gradal muß eine Schale wie diese da gewesen sein! Schlicht, schmucklos, arm wie Unser Herr Jesus Christus. Darum ist er womöglich hier, in jedermanns Reichweite, und keiner hat ihn jemals erkannt, weil sie immer nach etwas Funkelndem und Glänzendem suchten!

Man soll nun jedoch nicht meinen, daß Baudolino in diesen Augenblicken immer nur an den Gradal gedacht hätte. Er wollte seinen Vater nicht sterben sehen, aber er hatte begriffen, daß er, wenn er ihn sterben ließ, seinem Willen entsprach. Nach einigen Tagen war der alte Gagliaudo zusammengeschrumpft wie eine trockene Kastanie, atmete nur noch mühsam und wollte nicht mal mehr einen Schluck Wein.

»Vater«, sagte Baudolino, »wenn du wirklich sterben willst, versöhne dich mit dem Herrn, und du wirst ins Paradies kommen, das ist wie der Palast des Priesters Johannes. Der Herrgott wird auf einem großen Thron sitzen, hoch oben auf einem Turm, und über der Rückenlehne des

Thrones werden zwei goldene Äpfel sein, und in jedem von ihnen werden die ganze Nacht lang zwei große Karfunkel leuchten. Die Armlehnen des Thrones werden aus Smaragd sein. Die sieben Stufen, die zu ihm hinaufführen, werden sein aus Onyx, Kristall, Jaspis, Amethyst, Sardonyx, Karneol und Chrysolith. Und überall ringsum werden goldene Säulen stehen. Und über dem Thron werden Engel fliegen und werden süßeste Lieder singen...«

»Und Teufel werden dasein und werden mich mit Fußtritten in den Hintern verjagen, weil an einem solchen Ort einer wie ich, der nach Dung und Jauche stinkt, nicht erwünscht ist. Aber sei jetzt still...«

Dann plötzlich riß er die Augen auf und versuchte sich aufzurichten, während Baudolino ihn stützte. »O Herr im Himmel, jetzt sterbe ich wirklich, denn ich sehe das Paradies. Oh, wie schön es ist...«

»Was siehst du, Vater?« Baudolino schluckte.

»Es ist genau wie unser Stall, aber ganz sauber, und da steht auch Rosina... Und da ist diese Heilige, deine Mutter. He, Alte, sag mir jetzt, wo du die Mistgabel hingeräumt hast...«

Gagliaudo gab einen Rülpser von sich, ließ die Schale fallen und blieb reglos liegen, die Augen noch immer weit aufgerissen auf seinen himmlischen Stall gerichtet.

Baudolino fuhr ihm sanft mit einer Hand über das Gesicht, denn was er jetzt noch sehen mußte, sah er auch mit geschlossenen Augen. Dann machte er sich auf, um den Alexandrinern zu sagen, was geschehen war. Die Bürger der Stadt wollten, daß der große Alte ein feierliches Begräbnis mit allen Ehren bekam, denn schließlich war er es gewesen, der die Stadt gerettet hatte, und sie beschlossen, seine Statue über das Portal der Kathedrale zu setzen.

Baudolino ging noch einmal ins Haus seiner Eltern, um sich ein Andenken zu holen, denn er hatte beschlossen, nie wiederzukommen. Auf dem Boden sah er die hölzerne Trinkschale seines Vaters liegen und hob sie wie eine kostbare Reliquie auf. Er spülte sie sorgfältig ab, damit sie nicht mehr nach Wein roch, denn, so sagte er sich, wenn man eines Tages sagen würde, dies sei der Gradal, dann

würde sie nach all der Zeit, die seit dem Letzten Abendmahl vergangen war, nach nichts mehr riechen dürfen –
außer vielleicht nach jenen Aromen, die im Glauben, dies
sei der Wahre Kelch, sicherlich alle riechen würden. Er
wickelte sie in seinen Mantel und nahm sie mit.

23. Kapitel

Baudolino auf dem dritten Kreuzzug

Als es in Konstantinopel dunkel wurde, machten sie sich auf den Weg. Es war eine vielköpfige Schar, aber in jenen Tagen irrten allerlei Gruppen von Bürgern, die kein Dach mehr über dem Kopf hatten, wie verlorene Seelen durch die Stadt auf der Suche nach einem Platz für die Nacht. Baudolino hatte sein Kreuzpilgergewand abgelegt, denn wenn ihn jemand angehalten und nach seinem Herrn gefragt hätte, wäre er in Schwierigkeiten geraten. Vor ihnen gingen die Genueser Pevere, Boiamondo, Grillo und Taraburlo mit der Miene von Leuten, die ganz zufällig denselben Weg haben. Aber sie schauten sich an jeder Ecke vorsichtig um und hielten frisch gewetzte Messer unterm Gewand bereit.

Kurz bevor sie zur Hagia Sophia gelangten, kam ein Individuum mit hellblauen Augen und blondem Schnurrbart auf sie zugerannt, packte eines der Mädchen, so häßlich und pockennarbig es aussehen mochte, und versuchte es mit sich fortzuzerren. Baudolino dachte schon, der Moment sei gekommen, sich in den Kampf zu stürzen, und die Genueser dachten es auch, aber Niketas hatte eine bessere Idee. Er sah einen Trupp Berittener kommen, warf sich vor ihnen auf die Knie und bat sie, an ihre Ehre appellierend, um Hilfe und Gerechtigkeit. Es waren vermutlich Männer des Dogen, sie versetzten dem Barbaren einige Hiebe mit der flachen Klinge, verjagten ihn und gaben das Mädchen der Familie zurück.

Nachdem sie das Hippodrom hinter sich hatten, wählten die Genueser sicherere Straßen: enge Gassen, in denen alle Häuser ausgebrannt waren oder die Zeichen einer gründlichen Plünderung trugen. Zu holen war da nichts mehr, beutegierige Pilger mußten anderswo sein. Gegen Mitternacht passierten sie die Theodosiosmauer. Draußen warteten schon die übrigen Genueser mit den Maultieren. Die Flüchtlinge verabschiedeten sich von ihren Beschützern mit vielen Umarmungen und guten Wünschen und machten sich auf den Weg übers Land, unter einem Frühlingshimmel mit einem fast runden Vollmond am Horizont. Eine leichte Brise wehte vom fernen Meer her. Alle hatte sich tagsüber ausgeruht und kamen gut voran, nicht einmal Niketas' schwangere Gattin schien der Ritt zu ermüden. Ihm jedoch fiel das Reiten sichtlich schwer, er ächzte bei jedem ein wenig holprigen Schritt seines Maultiers und bat alle halbe Stunde um eine kurze Rast.

»Du hast zuviel gegessen, Kyrios Niketas«, sagte Baudolino.

»Hättest du einem armen Exilanten die letzten Köstlichkeiten seines sterbenden Vaterlandes verweigert?« antwortete Niketas. Dann suchte er sich einen Stein oder einen umgefallenen Baumstamm, um sich darauf niederzulassen. »Aber es ist nur aus Neugier auf den Fortgang deines Abenteuers. Setz dich her, Baudolino, horch nur, wie friedlich es hier ist, riech nur die gute Landluft. Ruhen wir uns ein bißchen aus, und du erzählst mir weiter.«

Da sie während der drei folgenden Tage immer tagsüber ritten und nachts im Freien rasteten, um Orte zu meiden, die von wer weiß wem bewohnt wurden, setzte Baudolino unter den Sternen, in einer Stille, die nur vom Rascheln der Blätter und von plötzlichen Lauten nächtlicher Tiere unterbrochen wurde, seine Erzählung fort.

Zu jener Zeit – es war das Jahr 1187 – hatte Saladin den letzten Angriff auf das christliche Jerusalem unternommen und hatte gesiegt. Er hatte sich großmütig gezeigt, hatte alle, die ein bescheidenes Lösegeld zahlen konnten, unversehrt abziehen lassen und sich damit begnügt, vor den Mauern alle Templer zu enthaupten – denn er mochte zwar großmütig sein, darin waren sich alle einig, doch die Elitetruppe der feindlichen Invasoren zu verschonen, das konnte sich kein Kriegsherr leisten, der dieses Namens würdig war, und das wußten auch die Templer, gehörte doch zu diesem Metier nun einmal die Regel, daß keine Gefangenen gemacht wurden. Aber so großmütig Saladin sich auch gezeigt haben mochte, die ganze christliche Welt war erschüttert über das Ende jenes überseeischen Frankenreiches, das beinahe ein Jahrhundert lang widerstanden hatte. Der Papst rief alle Herrscher Europas zu einem dritten Pilgerzug auf, um das von den Ungläubigen zurückeroberte Jerusalem erneut zu befreien.

Für Baudolino war der Umstand, daß sein Kaiser sich der Unternehmung anschloß, die langersehnte Gelegenheit. Einen Pilgerzug nach Palästina zu unternehmen bedeutete, sich darauf einzustellen, mit einer unbesiegbaren Armee nach Osten zu ziehen. Jerusalem würde im Handumdrehen genommen sein, und dann blieb nur, weiter in Richtung Indien zu ziehen. Doch gerade bei dieser Gelegenheit mußte Baudolino entdecken, wie unsicher und müde sich Friedrich in Wirklichkeit fühlte. Er hatte Italien befriedet, aber er fürchtete offenbar, wenn er fortginge, würde er das Erreichte wieder verlieren. Oder vielleicht quälte ihn auch die Vorstellung einer erneuten Expedition nach Palästina, weil sie ihn an seine Verfehlung während der letzten Expedition erinnerte, als er, getrieben von seinem Jähzorn, jenes bulgarische Kloster vernichtet hatte. Wer weiß. Er zögerte jedenfalls. Er fragte sich, was seine Pflicht war, und wenn man sich diese Frage zu stellen beginnt – sagte sich Baudolino –, ist das schon ein Zeichen dafür, daß man sich nicht wirklich verpflichtet fühlt.

»Nun, Kyrios Niketas, ich war fünfundvierzig Jahre alt und riskierte, den Traum meines Lebens zu verspielen beziehungsweise mein Leben selbst, da ich mein Leben um diesen Traum herum aufgebaut hatte. So beschloß ich kaltblütig, im Vertrauen auf meinen guten Stern, meinem Adoptivvater eine Hoffnung zu geben, ein himmlisches Zeichen für seine Mission. Nach dem Fall von Jerusalem trafen in unseren christlichen Ländern viele Flüchtlinge ein, und so waren an den kaiserlichen Hof sieben Tempelritter gekommen, die sich, Gott weiß wie, der Rache Saladins hatten entziehen können. Sie waren halb verhungert, aber du weißt vielleicht nicht, was für Leute diese Templer sind: Säufer und Hurenböcke, sie verkaufen dir ihre Schwester, wenn du ihnen deine zum Vernaschen gibst – und lieber noch, heißt es, deinen Bruder. Kurzum, sagen wir, ich gab ihnen Labung, und alle sahen mich mit ihnen durch die Kneipen ziehen. Daher war es für mich nicht schwer, eines Tages dem Kaiser zu erzählen, diese schamlosen Simonisten hätten in Jerusalem nichts Geringeres als den Gradal entwendet. Und da diese Templer inzwischen so gut wie am Ende gewesen seien, hätte ich unter Aufbietung meiner gesamten Ersparnisse ihnen den Gradal abgekauft. Natürlich war Friedrich zuerst völlig verblüfft. Ja, befand sich denn der Gradal nicht in den Händen dieses Priesters Johannes, der ihn doch gerade ihm, dem Kaiser, hatte schenken wollen? Und hatte man nicht beschlossen, diesen Johannes aufzusuchen, eben um von ihm diese hochheilige Reliquie als Geschenk entgegenzunehmen? Jawohl, so war es, mein Vater, sagte ich, aber offenbar hat sie irgendein treuloser Diener dem Johannes gestohlen und an einige Templer verkauft, die zum Beutemachen gekommen waren, ohne zu wissen, wo sie sich befanden. Aber es ging nicht darum, das Wie und Wo zu wissen, sagte ich weiter. Es bot sich dem Kaiser des Heiligen Römischen Reiches eine neue, vielleicht einmalige Gelegenheit: den Priester Johannes aufzusuchen, um ihm den Gradal *zurückzubringen.* Also nicht jene unvergleichliche Reliquie zu benutzen, um Macht zu gewinnen, sondern um eine Pflicht zu erfüllen – so würde er sich die Dankbarkeit des Priesters und ewigen Ruhm in der ganzen Christenheit erwerben. Wenn man die Wahl hatte, sich den Gradal anzueignen oder ihn zurückzuerstatten, ihn eifersüchtig für sich zu behalten oder ihn dorthin zurückzubringen, von wo er gestohlen worden war, ihn zu haben oder ihn zu verschenken, ihn zu besitzen (wovon alle träumen) oder das erhabene Opfer zu vollbringen, auf ihn zu verzichten – es war klar, auf welcher Seite die wahre Salbung winkte, der Ruhm und die Ehre, der einzige wahre *Rex et Sacerdos* zu sein. Friedrich wurde der neue Joseph von Arimathia.«

»Du hast deinen Vater belogen.«

»Ich tat es zu seinem Wohl und zu dem des Reiches.«

»Hast du dich nicht gefragt, was geschehen würde, wenn dein Kaiser tatsächlich zu jenem Priester gelangt wäre und ihm den Gradal überreicht hätte, und wenn der also Beschenkte dann nur verständnislos geguckt und gefragt hätte, was denn diese Holzschüssel solle, die er noch nie gesehen habe? Dein Kaiser wäre nicht zum Ruhm der Christenheit, sondern zu ihrem Narren geworden.«

»Kyrios Niketas, du kennst die Menschen besser als ich. Stell dir vor, du wärst der Priester Johannes, vor dir kniet ein großer Kaiser des Abendlandes, überreicht dir eine Reliquie dieses Kalibers und sagt, sie sei dein, du wärst ihr rechtmäßiger Besitzer – fängst du dann an zu grinsen und sagst, diesen Trinknapf hättest du noch nie gesehen? Also hör mal! Ich sage ja nicht, daß der Priester Johannes bloß so getan hätte, als ob er ihn wiedererkannte. Ich denke, geblendet vom Glorienschein seiner Anerkennung als rechtmäßiger Hüter des Gradals hätte er ihn auf der Stelle wiedererkannt und geglaubt, er habe ihn schon immer besessen ... Nun, und so überreichte ich Friedrich die Trinkschale meines Vaters Gagliaudo als eine große Kostbarkeit, und ich schwöre dir, daß ich mich in diesem Augenblick selbst als der Zelebrant eines heiligen Ritus fühlte. Ich übergab das Geschenk und Andenken meines leiblichen Vaters meinem geistigen Vater, und mein leiblicher Vater hatte recht: Dieses überaus bescheidene Ding, mit dem er sein ganzes Sünderleben lang kommuniziert hatte, war wirklich und geistig der Kelch, aus dem der arme Christus getrunken hatte, bevor er hinging, um für unser aller Sünden zu sterben. Nimmt nicht auch der Priester, wenn er die Messe liest, billigstes Brot und billigsten Wein und läßt sie Fleisch und Blut Unseres Herrn werden?«

»Aber du warst kein Priester.«

»Ich habe ja auch nicht gesagt, dies sei das Blut Christi, ich habe nur gesagt, hierin sei es enthalten gewesen. Ich habe mir keine sakramentale Macht angemaßt. Ich habe ein Zeugnis abgelegt.«

»Ein falsches.«

»Nein. Du hast doch gesagt, wenn man eine Reliquie für echt hält, riecht man ihren mystischen Geruch. Wir denken immer nur, wir bräuchten Gott, aber oft ist es auch so, daß Er uns braucht. In diesem Augenblick fühlte ich deutlich, daß ich Ihm helfen mußte. Jener Abendmahlskelch oder -becher mußte ja schließlich existiert haben, wenn Unser Herr ihn benutzt hatte. Wenn er danach verlorengegangen war, dann durch die Schuld irgendeines Ignoranten. Ich gab ihn der Christenheit zurück. Gott würde mich nicht Lügen strafen. Beweis dafür war, daß auch meine Gefährten mir sofort alles glaubten. Das heilige Gefäß war da, vor ihren Augen, nun in den Händen Friedrichs, der es zum Himmel emporhob, als wäre er in Ekstase, und Boron kniete nieder, als er zum ersten Mal den Gegenstand sah, über den er so oft phantasiert hatte, Kyot sagte sofort, ihm scheine, er sehe ein großes Licht aufgehen, Rabbi Solomon räumte ein, daß – obwohl Christus nicht der wahre Messias sei, den sein Volk erwarte – von diesem Gefäß ohne Zweifel ein Weihrauchduft ausgehe, Zosimos riß seine visionären Augen auf und bekreuzigte sich mehrmals verkehrt herum, wie ihr Schismatiker es macht, Abdul zitterte wie Espenlaub und murmelte, wenn man diese heilige Reliquie besitze, sei man so reich, wie wenn man alle überseeischen Reiche zurückerobert habe – und es war klar, daß er die Schale gern als Liebespfand an seine ferne Prinzessin geschickt hätte. Selbst ich hatte feuchte Augen und fragte mich, wieso der Himmel gerade mich als Vermittler dieses wunderbaren Ereignisses ausgesucht hatte. Was den Poeten betraf, so kaute er mißmutig an den Nägeln. Ich wußte, was er dachte: daß ich ein Dummkopf sei, daß Friedrich ein alter Mann sei, der nicht wisse, wie man sich diesen Schatz zunutze machen könne, daß wir ihn besser selbst hätten nehmen und in die Länder des Nordens bringen sollen, wo man uns ein Reich dafür gegeben hätte. Angesichts der offenbaren Schwäche des Kaisers kam er auf seine Machtphantasien zurück. Aber ich war darüber nicht unglücklich, denn ich begriff, daß auch er den Gradal als echt ansah, wenn er so reagierte.«

Danach hatte Friedrich die Schale andächtig in einen Schrein eingeschlossen und sich den Schlüssel um den Hals gehängt, und Baudolino fand das sehr gut getan, denn in jenem Augenblick hatte er den Eindruck gehabt, daß nicht nur der Poet, sondern auch alle seine anderen Freunde bereit gewesen wären, sich den begehrten Gegenstand zu holen, um ihr persönliches Glück mit ihm zu versuchen.

Von nun an war der Kaiser entschlossen zum Aufbruch und zögerte nicht mehr. Eine Eroberungsexpedition muß sorgfältig geplant werden. Im folgenden Jahr schickte er Botschafter zu Saladin und drängte auf Treffen mit Abgesandten des Serbenfürsten Stefan Nemanja, des byzantinischen Basileus und des seldschukischen Sultans von Ikonion, um den Durchzug durch ihre Länder vorzubereiten.

Während die Könige von England und Frankreich beschlossen hatten, übers Meer nach Palästina zu fahren, brach Friedrich im Mai 1189 mit fünfzehntausend Reitern und fünfzehntausend Schildträgern von Regensburg aus auf dem Landweg auf; einige sagten, in der ungarischen Tiefebene habe er eine Parade mit sechzigtausend Reitern und hunderttausend Fußsoldaten abgenommen. Andere sollen später sogar von sechshunderttausend Pilgern gesprochen haben, womöglich haben alle übertrieben, auch Baudolino konnte nicht sagen, wie viele es wirklich waren, vielleicht alles in allem zwanzigtausend Mann, aber in jedem Fall war es eine große Armee. Wenn man nicht gerade hinging, um sie Mann für Mann zu zählen, war es von weitem gesehen eine gewaltige Menge, bei der man zwar wußte, wo sie anfing, aber nicht, wo sie endete.

Um die Gemetzel und Plünderungen der früheren Expeditionen zu vermeiden, hatte der Kaiser nicht gewollt, daß jene Horden von enterbten Kleinadligen mitkamen, die hundert Jahre zuvor soviel Blut in Jerusalem vergossen hatten. Diesmal sollte es eine saubere Sache sein, ordentlich gemacht von Leuten, die wußten, wie man einen Krieg führt, nicht von Unseligen, die loszogen mit der Entschuldigung, sich das Paradies zu erwerben, und heimkamen mit der erbeuteten Habe von Juden, denen sie unterwegs die Kehle durchgeschnitten hatten. Friedrich hatte nur Teil-

nehmer zugelassen, die zwei Jahre lang selbst für sich aufkommen konnten, und die armen Soldaten hatten jeder
drei Silbermark für die Ernährung unterwegs erhalten.
Wenn man Jerusalem befreien will, muß man ausgeben,
was dafür nötig ist.

Auch viele Italiener hatten sich der Expedition ange-
schlossen: die Cremoneser mit Bischof Sicardo, die Bre-
scianer, die Veroneser mit Kardinal Adelardo, sogar einige
Alexandriner, darunter alte Freunde von Baudolino wie der
Boidi, der Cuttica aus Quargnento, der Porcelli, Aleramo
Scaccabarozzi, genannt il Ciula, Colandrino, ein Bruder
von Colandrina und somit Baudolinos Schwager, einer
der Trottis, und weiter Pozzi, Ghilini, Lanzavecchia, Peri,
Inviziati, Gambarini und Cermelli, alle auf eigene Rechnung oder auf Kosten der Stadt.

Es war ein prächtiger Zug, an der Donau entlang bis
Wien; und dann auch in Preßburg, wo Friedrich im Juni
den König von Ungarn traf. Später ging es von der Donau
weg in die Schluchten des Balkans, und im Juli trafen sie
den Fürsten der Serben, der ihnen ein Bündnis gegen Byzanz vorschlug.

»Ich glaube, dieses Treffen hat eurem Basileus Isaakios
Sorgen gemacht«, sagte Baudolino. »Er fürchtete, die Armee wolle Konstantinopel erobern.«

»Er täuschte sich nicht.«

»Er täuschte sich um fünfzehn Jahre. Friedrich wollte
damals wirklich nach Jerusalem.«

»Aber wir waren beunruhigt.«

»Das kann ich verstehen, ein gewaltiges fremdes Heer
war im Begriff, durch euer Gebiet zu ziehen, da wird man
leicht nervös. Aber ihr habt uns das Leben auch ganz
schön schwer gemacht. Als wir nach Sardike kamen, fanden wir die versprochenen Lebensmittel nicht vor. Bei Philippopel sind wir von euren Truppen angegriffen worden,
die dann allerdings Reißaus nahmen, wie bei jedem Zusammenstoß in jenen Monaten.«

»Du weißt, daß ich damals Statthalter von Philippopel
war. Wir bekamen widersprüchliche Anweisungen vom

Hof. Einmal befahl uns der Basileus, die Stadtmauer auszubessern und einen Graben zu ziehen, um uns gegen euch zu verschanzen, und kurz darauf kam der Befehl, die Befestigungen zu schleifen, damit sie euch nicht als Unterschlupf dienen konnten.«

»Ihr habt die Engpässe mit gefällten Bäumen versperrt. Ihr habt unsere Leute überfallen, wenn sie isoliert auf der Suche nach Futter und Nahrung waren.«

»Ihr habt unsere Dörfer geplündert.«

»Weil ihr uns die versprochene Verpflegung nicht geliefert habt. Eure Leute ließen die Lebensmittel in Körben von den Mauern der Städte herab, aber sie mischten Kalk und andere giftige Substanzen ins Brot. Gerade als wir durch euer Gebiet zogen, bekam Friedrich einen Brief der ehemaligen Königin Sibylle von Jerusalem, die ihn warnte, daß Saladin, um den Vormarsch der Christen aufzuhalten, dem Kaiser von Byzanz vergiftetes Getreide geschickt habe sowie einen derart verdorbenen Wein, daß ein Sklave von Isaakios, der ihn vorkosten mußte, auf der Stelle tot umfiel.«

»Märchen.«

»Aber als Friedrich Gesandte nach Konstantinopel schickte, hat euer Basileus sie erst stehenlassen und dann eingesperrt.«

»Aber danach hat er sie zu Friedrich zurückgeschickt.«

»Als wir in Philippopel einzogen, fanden wir es verlassen, fast alle hatten sich aus dem Staub gemacht. Auch du warst nicht da.«

»Es war meine Pflicht, mich einer Gefangennahme zu entziehen.«

»Mag sein. Aber erst nachdem wir in Philippopel eingezogen waren, hat euer Basileus den Ton geändert. Denn dort sind wir den Armeniern begegnet.«

»Die Armenier betrachteten euch als Brüder. Sie sind Schismatiker wie ihr, sie verehren die heiligen Bilder nicht, sie verwenden im Gottesdienst ungesäuertes Brot.«

»Sie sind gute Christen. Einige von ihnen sprachen sofort im Namen ihres Fürsten Leo und sicherten uns Beistand und freien Durchzug durch ihr Land zu. Daß die

Dinge jedoch nicht so einfach waren, haben wir dann in Adrianopel begriffen, als auch eine Gesandtschaft von Kilidsch Arslan eintraf, dem seldschukischen Sultan von Ikonion, der sich Herr der Türken und der Syrer, aber auch der Armenier nannte. Wer hatte bei denen das Sagen, und wo?«

»Kilidsch wollte die Vormachtstellung Saladins brechen und hätte gern das christliche Reich der Armenier erobert, daher hoffte er, daß Friedrichs Armee ihm dabei helfen könnte. Die Armenier vertrauten darauf, daß Friedrich die Ansprüche Kilidschs zurückdrängen würde. Unser Basileus Isaakios, dem noch die gegen die Seldschuken erlittene Niederlage von Myriokephalon in den Knochen saß, hoffte seinerseits, daß Friedrich mit Kilidsch zusammenstieß, aber es hätte ihm auch nicht mißfallen, wenn er mit den Armeniern zusammengestoßen wäre, die unserem Reich nicht wenig Verdruß bereiteten. Als er dann erfuhr, daß sowohl die Seldschuken wie die Armenier eurem Kaiser den Durchzug durch ihre Länder erlaubt hatten, da ist ihm klargeworden, daß er seinen Marsch nicht anhalten, sondern beschleunigen mußte, indem er ihm erlaubte, den Hellespont zu überqueren. Er ließ ihn auf seine Feinde los und entfernte ihn damit zugleich von uns.«

»Mein armer Vater. Ich weiß nicht, ob er ahnte, daß er eine Waffe in den Händen einer Bande von über Kreuz miteinander Verfeindeten war. Oder vielleicht hatte er es begriffen, aber gehofft, sie alle besiegen zu können. Was ich weiß, ist jedoch, daß ihn die Aussicht auf ein Bündnis mit einem christlichen Reich jenseits von Byzanz, dem armenischen, innerlich bebend an sein letztes Ziel denken ließ. Er träumte davon – und ich mit ihm –, daß die Armenier ihm den Weg zum Reich des Priesters Johannes öffnen könnten... In jedem Fall war es, wie du sagst: Nach den Botschaften der Seldschuken und der Armenier hat euer Isaakios uns die Schiffe zum Übersetzen gegeben. Und es war genau da am Hellespont, in Kalliupolis, wo ich dich zum ersten Mal sah, als du uns im Namen deines Basileus die Schiffe anbotest.«

»Das war für uns keine leichte Entscheidung gewesen«, sagte Niketas. »Der Basileus lief dadurch Gefahr, sich in einen Konflikt mit Saladin zu bringen. Er mußte Boten zu ihm schicken, um ihm die Gründe seines Nachgebens zu erklären. Saladin, der ein großer Herr war, begriff sofort und trug uns die Sache nicht weiter nach. Ich sagte neulich schon: Von den Türken haben wir nichts zu befürchten, unser Problem seid immer nur ihr Schismatiker.«

Niketas und Baudolino sahen ein, daß es nicht gut war, sich gegenseitig die Kränkungen und die Gründe jener längst vergangenen Angelegenheit vorzuhalten. Vielleicht hatte Isaakios recht, jeder christliche Pilger, der durch Byzanz kam, war stets versucht, dort zu bleiben, wo es so viele schöne Dinge zu erobern gab, anstatt weiterzuziehen und seine Haut unter den Mauern von Jerusalem zu riskieren. Aber Friedrich wollte tatsächlich weiter.

Sie erreichten also Kalliupolis, und obwohl es nicht Konstantinopel war, sahen die Kreuzpilger sich doch verführt von der prächtigen Stadt mit dem Hafen voller Galeeren und Dromonen, die bereitlagen, um Pferde, Reiter und Proviant an Bord zu nehmen. Das ließ sich nicht an einem Tag bewerkstelligen, und in der Zwischenzeit hatten unsere Freunde nichts zu tun. Schon zu Anfang der Reise hatte Baudolino beschlossen, Zosimos für etwas Nützliches zu gebrauchen, und so nötigte er ihn jetzt, seinen Reisegefährten ein wenig Griechisch beizubringen. »Wo wir hingehen«, sagte er, »versteht niemand Latein, ganz zu schweigen von Tiutsch und Provenzalisch und meiner Sprache. Beim Griechischen dagegen besteht immer ein bißchen Hoffnung, daß man sich verständigen kann.« So wurde ihnen, zwischen einem Besuch im Bordell und einer Lesung in Texten der Ostkirchenväter, die Wartezeit nicht allzu lang.

Am Hafen gab es einen weitläufigen Markt, und sie beschlossen, sich dort einmal umzusehen, verlockt von fernem Gefunkel und Gerüchen von Spezereien. Zosimos, dem sie die Fesseln abgenommen hatten, damit er ihnen als Führer dienen konnte (aber streng bewacht von Boron, der ihn keinen Moment aus den Augen ließ), warnte sie: »Ihr lateinischen und alamanischen Barbaren kennt die Regeln unser römischen Zivilisation nicht. Ihr müßt wissen, daß ihr auf unseren Märkten nie etwas gleich auf Anhieb kaufen dürft, weil man euch zuviel dafür abverlangt, und wenn ihr gleich zahlt, was man verlangt, geltet ihr deswegen zwar nicht als Einfaltspinsel, weil man schon vorher wußte, daß ihr welche seid, aber ihr macht den Händlern keine Freude, denn das Schöne auf dem Markt ist das Handeln. Also bietet zwei Münzen an, wenn sie zehn verlangen, dann gehen sie runter auf sieben, dann bietet ihr drei, und sie gehen runter auf fünf, ihr bleibt stur bei drei, bis sie jammernd nachgeben und schwören, sie würden mit der ganzen Familie elendiglich verhungern. Jetzt könnt ihr kaufen, aber seid euch darüber im klaren, daß die Ware bloß eine Münze wert war.«

»Und warum sollen wir sie dann kaufen?« fragte der Poet.

»Weil auch die Händler ein Recht auf Leben haben, und drei Münzen für etwas, dessen Wert nur eine beträgt, das ist ein ehrlicher Handel. Aber ich muß euch noch eine Warnung mitgeben: Nicht nur die Händler haben ein Recht auf Leben, auch die Diebe, und da sie einander nicht gut gegenseitig bestehlen können, versuchen sie es bei euch. Wenn ihr sie daran hindert, ist das euer gutes Recht, aber wenn sie es schaffen, dürft ihr euch nicht beklagen. Daher rate ich euch, keine größeren Summen mit euch herumzutragen, sondern nur gerade soviel, wie ihr ausgeben wollt, und basta.«

Instruiert von einem so gut mit den örtlichen Bräuchen vertrauten Führer, stürzten sich unsere Freunde in ein Gewimmel von Menschen, die nach Knoblauch rochen wie alle Romäer. Baudolino kaufte sich zwei fein ziselierte arabische Dolche, die man rechts und links am Gürtel trug und mit gekreuzten Armen rasch ziehen konnte. Abdul fand einen kleinen kristallenen Schrein, der eine Haarlocke enthielt (wer weiß von wem, aber es war klar, an wen er dabei dachte). Solomon rief laut nach den anderen, als er das Zelt eines Persers entdeckt hatte, der wundertätige Elixiere verkaufte. Der Mann zeigte ihnen eine Phiole, die nach seinen Worten ein höchst wirksames Pharmakon

enthielt, das in kleinen Dosen eingenommen die Lebens-
geister anregte, aber zu raschem Tod führte, wenn man
alles auf einmal trank. Danach zeigte er ihnen eine genau
gleich aussehende Phiole, die jedoch das stärkste aller Gegengifte enthielt, das die Wirkung jedes beliebigen Giftes
zu annullieren vermochte. Solomon, der sich wie alle Juden
gern mit Medizin beschäftigte, kaufte das Gegengift. Als
Angehöriger eines Volkes, das noch mehr vom Handel
verstand als die Romäer, gelang es ihm, nur eine Münze
statt der verlangten zehn zu bezahlen, und dabei grämte er
sich, weil er fürchtete, mindestens das Doppelte des wahren Wertes bezahlt zu haben.

Als sie das Zelt des Apothekers verließen, fand Kyot
eine prächtige Schärpe, während Boron, nachdem er alle
Waren ausgiebig gemustert hatte, nur den Kopf schüttelte
und murmelte, für jemanden im Gefolge eines Kaisers, der
den Gradal besitze, seien alle Schätze der Welt nichts als
Schrott, also wie dann erst diese!

Schließlich fanden sie auch den Boidi aus Alexandria
wieder, der inzwischen zu ihrer Gruppe gehörte. Er hatte
sich in einen Ring verguckt, der vielleicht aus Gold war (der
Verkäufer weinte, als er ihn hergab, weil er angeblich von
seiner Mutter stammte) und der jedenfalls in einer Kapsel
ein wundertätiges Herzmittel enthielt, von dem ein winzi-
ger Schluck genügte, um einen Schwerverletzten wiederzubeleben und in bestimmten Fällen sogar einen Toten
wiederauferstehen zu lassen. Der Boidi hatte ihn gekauft,
weil er fand, wenn man wirklich seine Haut unter den
Mauern von Jerusalem riskieren müsse, dann sei es besser,
ein wenig Vorsorge zu treffen.

Zosimos begeisterte sich für ein Siegel mit einem Zeta,
also seiner Initiale, das zusammen mit einer Stange Siegellack verkauft wurde. Das Zeta war so abgegriffen, daß es
vielleicht gar keine Spur mehr im Lack hinterlassen würde,
aber ebendies war ein Beweis für das ehrwürdige Alter des
Gegenstandes. Natürlich hatte Zosimos als Gefangener
kein Geld, aber Solomon erbarmte sich seiner und kaufte
ihm das Siegel.

Während sie sich so durch das Gedränge schoben, merkten sie auf einmal, daß sie den Poeten verloren hatten, aber schließlich fanden sie ihn wieder, wie er gerade über den Preis eines Schwertes verhandelte, das nach den Worten des Verkäufers aus der Zeit der Eroberung Jerusalems stammte. Als er jedoch seine Börse ziehen wollte, mußte er feststellen, daß Zosimos recht gehabt hatte und daß er mit seinen blauen Augen eines gedankenverlorenen Alemannen die Diebe wie Fliegen auf sich zog. Baudolino erbarmte sich seiner und schenkte ihm das Schwert.

Tags darauf präsentierte sich im Lager ein reichgekleideter Mann mit übertrieben ehrfurchtsvollem Gebaren, begleitet von zwei Dienern, und wollte Zosimos sprechen. Der Mönch tuschelte etwas mit ihm, dann kam er zu Baudolino und sagte, es handle sich um Machitar Ardzrouni, einen hohen armenischen Würdenträger, der dem Kaiser eine geheime Botschaft seines Fürsten Leo zu überbringen habe.

»Ardzrouni?« sagte Niketas. »Den kenne ich. Er war mehrmals nach Konstantinopel gekommen, schon seit der Zeit des Andronikos. Ich verstehe, daß er sich mit deinem Zosimos getroffen hat, denn er stand im Ruf eines Kenners der magischen Wissenschaften. Einer meiner Freunde in Selymbria – aber Gott weiß, ob wir ihn dort noch antreffen werden – war auch zu Gast in seiner Burg von Dadschig...«

»Auch wir waren das – zu unserem Unglück, wie du noch hören wirst. Daß er ein Freund von Zosimos war, war für mich ein ungutes Zeichen, aber ich sagte es Friedrich, und der wollte ihn sehen. Mit Angaben über seinen Auftraggeber war dieser Ardzrouni sehr zurückhaltend. Er sei von Leo geschickt worden und sei es auch wieder nicht, beziehungsweise wenn er es sei, dürfe er es nicht sagen. Er sei gekommen, um dem kaiserlichen Heer als Führer durch das Gebiet der Türken bis nach Armenien zu dienen. Ardzrouni sprach ein passables Latein mit Friedrich, aber wenn er etwas im vagen lassen wollte, tat er so, als ob er das richtige Wort nicht finden könne. Friedrich fand ihn unzuverlässig und heimtückisch wie alle Armenier, aber einen

331

Ortskundigen konnte er gut gebrauchen, und so beschloß er, ihn der Armee beizugeben, wobei er mich lediglich bat, ein Auge auf ihn zu haben. Ich muß sagen, er hat sich während der ganzen Reise untadelig verhalten und uns immer Informationen gegeben, die sich dann als richtig erwiesen.«

24. Kapitel

Baudolino in der Burg von Ardzrouni

Im März des Jahres 1190 betrat das Pilgerheer asiatischen Boden, durchquerte Mysien und Lydien, erreichte das phrygische Laodikeia und zog weiter zum Gebiet der seldschukischen Türken. Der alte Sultan von Ikonion hatte sich zum Verbündeten Friedrichs erklärt, aber seine Söhne entmachteten ihn und griffen das Christenheer an. Oder nein, auch Kilidsch änderte seine Meinung, aber das hat man nie recht erfahren. Zusammenstöße, Scharmützel, regelrechte Schlachten – Friedrich zog als Sieger voran, aber sein Heer wurde dezimiert durch die Kälte, den Hunger und die Angriffe der Turkmenen, die plötzlich auftauchten, an den Rändern des Heeres zuschlugen und ebenso schnell, als gute Kenner der Wege und der Verstecke, wieder verschwanden.

Schwerfüßig durch sonnenheiße und öde Gebiete ziehend, mußten die Kreuzpilger ihren Urin oder das Blut ihrer Pferde trinken. Als sie vor Ikonion eintrafen, war ihre Zahl zusammengeschmolzen auf nicht mehr als tausend Reiter.

Dennoch wurde es eine schöne Belagerung, und obwohl er krank war, schlug der junge Friedrich von Schwaben sich gut, als er höchstpersönlich die Stadt erstürmte.

»Du sprichst kühl über den jungen Friedrich.«

»Er mochte mich nicht. Er mißtraute allen, er war eifersüchtig auf seinen jüngeren Bruder, der im Begriff stand, ihm die Kaiserkrone zu nehmen, und sicher war er auch eifersüchtig auf mich, den nicht Blutsverwandten, auf die Zuneigung, die sein Vater für mich hegte. Vielleicht war er schon als Kind verwirrt gewesen über die Art und Weise, wie ich seine Mutter angesehen hatte, oder sie mich. Er war eifersüchtig auf die Autorität, die ich mir dadurch erworben hatte, daß ich seinem Vater den Gradal geschenkt hatte, und was diese Geschichte betraf, hat er sich immer sehr skeptisch gezeigt. Als er von einer Expedition nach Indien reden hörte, knurrte er bloß, darüber werde man zu gegebener Zeit sprechen. Er fühlte sich von allen beiseite geschoben. Deswegen hat er sich dann in Ikonion so tapfer geschlagen, obwohl er an jenem Tag Fieber hatte. Nur als ihn sein Vater dann für die gelungene Unternehmung lobte, und das vor allen seinen Baronen, habe ich ein glückliches Leuchten in seinen Augen gesehen. Das einzige Mal in seinem ganzen Leben, glaube ich. Ich bin vor ihn hingetreten, um ihm zu huldigen, und ich war wirklich froh für ihn, aber er hat mir nur zerstreut gedankt.«

»Ich finde, du ähnelst mir, Baudolino. Auch ich beschäftige mich beim Schreiben der Chroniken meines Reiches besonders mit den kleinen Neidereien, den Haß- und Eifersuchtsgefühlen, die sowohl die Familien der Mächtigen als auch die großen öffentlichen Unternehmungen erschüttern. Auch Kaiser sind Menschen, und die Geschichte ist auch Geschichte ihrer Schwächen. Aber sprich weiter.«

»Nachdem Ikonion erobert war, schickte Friedrich sofort Botschafter zu Fürst Leo von Armenien mit der Bitte, ihn beim Durchzug durch sein Gebiet zu unterstützen. Es gab ein Bündnis, die Armenier selbst hatten es versprochen. Trotzdem hatte Leo noch niemanden geschickt, uns zu empfangen. Vielleicht fürchtete er so zu enden wie der Sultan von Ikonion. So zogen wir weiter, ohne zu wissen, ob wir Hilfe bekommen würden, geführt von Ardzrouni, der uns versicherte, daß die Abgesandten seines Fürsten bald kämen. Eines Tages im Juni, als wir uns nach Süden gewandt und Laranda passiert hatten, stießen wir ins Taurusgebirge vor, und da endlich sahen wir Friedhöfe mit Kreuzen. Wir waren in Kilikien, auf christlichem Boden. Sogleich empfing uns der armenische Herr von Sibilia, und ein Stück weiter, an einem verfluchten Fluß, von dem ich auch den Namen am liebsten vergessen will, begegneten wir einer Gesandtschaft von Leo. Kaum hatten wir sie in der Ferne gesichtet, gab Ardzrouni zu verstehen, daß es besser sei, wenn er sich nicht sehen lasse, und verschwand. Wir wurden von zwei Würdenträgern begrüßt, die sich als Constant und Baldouin de Camardeis vorstellten, und nie habe ich Botschafter gesehen, die sich unbestimmter ausdrückten. Der eine kündigte uns die baldige Ankunft des Fürsten Leo und des Katholikos Gregor mit großem Gefolge an; der andere gab uns weitschweifig mit vielem Hin und Her zu verstehen, daß der armenische Fürst, wiewohl begierig darauf, dem Kaiser zu helfen, nicht gut dem Sultan Saladin zeigen könne, wie er seinen Feinden den Weg öffne, weshalb er sich sehr vorsehen müsse.«

Als die Gesandten fort waren, kam Ardzrouni wieder zum Vorschein und tuschelte mit Zosimos, der sich danach zu Baudolino begab und mit diesem zu Friedrich.

»Ardzrouni sagt, es liege ihm fern, seinen Herrn zu verraten, doch er habe den Verdacht, daß es für Leo ein Glück wäre, wenn du hier haltmachen würdest.«

»Was soll das heißen?« erboste sich Friedrich. »Will er mir Wein und Mädchen anbieten, damit ich vergesse, daß ich nach Jerusalem muß?«

»Wein vielleicht schon, aber vergifteten. Er sagt, du solltest dich an den Brief der Königin Sibylla erinnern«, sagte Zosimos.

»Woher weiß er von dem Brief?«

»Man hört so dies und das. Wenn Leo deinen Marsch zum Stehen bringen würde, täte er Saladin einen großen Gefallen, und Saladin könnte ihm helfen, seinen Traum zu erfüllen und Sultan von Ikonion zu werden, nachdem Kilidsch und seine Söhne nun so schmachvoll besiegt worden sind.«

»Und warum sorgt sich Ardzrouni so sehr um mein Leben, daß er sogar seinen Herrn verrät?«

»Nur Unser Herr Jesus Christus gab sein Leben aus Liebe zur Menschheit. Das Menschengeschlecht, das in Sünde geboren ist, gleicht dem der Tiere: Auch die Kuh gibt dir nur Milch, wenn du ihr Heu gibst. Was lehrt uns diese heilige Maxime? Daß Ardzrouni es nicht verschmähen würde, eines Tages den Platz von Leo einzunehmen. Ardzrouni wird von vielen Armeniern geschätzt, Leo nicht. Wenn er sich also die Dankbarkeit des Kaisers des Heiligen Römischen Reiches erwürbe, könnte er eines Tages auf den mächtigsten aller Freunde vertrauen. Deshalb schlägt er dir vor, bis zu seiner Burg Dadschig weiterzuziehen, immer am Ufer dieses Flusses entlang, und deine Leute dort lagern zu lassen. Bis sich herausstellt, was Leo wirklich zusichert, könntest du bei ihm wohnen, sicher vor jedem Anschlag. Auch empfiehlt er dir, von jetzt an vorsichtig mit den Speisen und Getränken zu sein, die dir einer seiner Landsleute anbieten könnte.«

»Zum Teufel«, polterte Friedrich los, »seit einem Jahr stolpere ich hier von einem Vipernnest ins andere! Meine braven deutschen Fürsten waren Engel im Vergleich dazu und sogar – jawohl, stell dir vor –, sogar diese überaus treulosen Mailänder, die mir soviel Ärger gemacht haben, aber die haben mich wenigstens auf offenem Feld angegriffen und nicht versucht, mich im Schlaf zu erdolchen! Was sollen wir tun?«

Der junge Friedrich riet, die Einladung anzunehmen. Es sei leichter, sich vor einem einzigen möglichen und bekannten Feind zu hüten, als vor vielen unbekannten. »Er hat recht, mein Vater«, sagte Baudolino. »Du bleibst in dieser Burg, und wir, meine Freunde und ich, bilden einen Schutzwall um dich, so daß niemand zu dir kann außer über unsere Leichen, bei Tag und bei Nacht. Wir werden alles vorkosten, was für dich bestimmt ist. Sei unbesorgt, ich bin kein Märtyrer. Alle werden wissen, daß wir vor dir trinken und essen werden, und niemand wird es für klug halten, einen von uns zu vergiften, weil dann dein Zorn über alle Bewohner dieser Festung käme. Deine Leute brauchen Erholung, Kilikien ist ein christliches Land, der Sultan von Ikonion ist zu geschwächt, um durchs Gebirge zu ziehen und dich erneut anzugreifen, Saladin ist noch zu weit entfernt, diese Gegend ist voller Felsen und Schluchten, die lauter erstklassige natürliche Schranken sind, mir scheint sie das geeignete Land, uns alle wieder zu Kräften kommen zu lassen.«

Nach einem Tagesmarsch in Richtung Seleukia gelangten sie in eine Schlucht, die so schmal war, daß sie kaum Platz genug hatten, neben dem Fluß zu reiten. Mit einem Mal aber öffnete sich die Schlucht und entließ den Fluß in ein breites Tal, durch das er ein wenig ruhiger fließen konnte, um danach seinen Lauf wieder zu beschleunigen und sich in eine weitere Schlucht zu stürzen. Nicht weit vom Ufer erhob sich, wie ein Pilz aus der Ebene aufragend, ein gewaltiger Turm mit unregelmäßigen Konturen, der sich bläulich vor den Augen der von Osten Kommenden abzeichnete, während die Sonne hinter ihm unterging, so daß man auf den ersten Blick nicht hätte sagen können, ob er ein Werk der Natur oder eines von Menschenhand war. Erst beim Näherkommen erkannte man, daß er ein steiler Felsen war, auf dessen Gipfel sich eine Burg erhob, von der aus man offensichtlich das Tal und den Kranz der Berge ringsum beherrschen konnte.

»Hier, gnädiger Herr«, sagte Ardzrouni, »hier kann dein Heer sein Lager aufschlagen. Ich rate dir, weiter unten am Fluß haltmachen zu lassen, da gibt es Platz für die Zelte und genügend Wasser für Mensch und Tier. Meine Burg ist nicht groß, ich rate dir, nur mit wenigen Männern deines Vertrauens hinaufzusteigen.«

Friedrich wies seinen Sohn an, sich um das Lager zu kümmern und beim Heer zu bleiben. Er wählte zehn seiner Leute als Begleitung aus, dazu die Gruppe von Baudolino und seinen Freunden. Der Sohn versuchte zu protestieren, er wolle bei seinem Vater bleiben, nicht über eine Meile von ihm entfernt. Ein weiteres Mal schaute er mißtrauisch zu Baudolino und seinen Freunden, aber der Kaiser blieb unerschütterlich. »Ich werde in dieser Burg schlafen«, sagte er. »Morgen früh werde ich im Fluß schwimmen, und dazu brauche ich euch nicht. Ich werde zu euch geschwommen kommen und euch einen guten Morgen wünschen.« Der Sohn sagte, des Vaters Wille sei ihm Befehl, aber er sagte es schweren Herzens.

So trennte sich Friedrich vom Gros des Heeres, begleitet von seinen zehn Leibwächtern sowie von Baudolino, dem Poeten, Kyot, Boron, Abdul, Solomon und dem Boidi, der

Zosimos an der Kette hinter sich herzog. Alle fragten sich neugierig, wie man den steilen Felsen erklimmen mochte, aber als sie ihn halb umrundet hatten, entdeckten sie, daß er auf der Westseite etwas weniger steil war, gerade genug, um Platz für einen gepflasterten Weg zu lassen, der über Stufen hinaufführte und höchstens zwei Pferden nebeneinander Platz bot. Jeder, der in feindlicher Absicht hinaufsteigen wollte, mußte die Stufen so langsam nehmen, daß zwei Bogenschützen auf den Zinnen der Burg genügten, um die Invasoren je zwei und zwei niederzustrecken.

Am Ende des Weges öffnete sich ein Tor, das in einen Hof führte. Außen vor diesem Tor ging der Weg dicht unter der Mauer und noch schmaler am Abgrund weiter bis zu einem zweiten, kleineren Tor auf der Nordseite, danach endete er im Nichts.

Sie ritten in den Hof, der in die eigentliche Burg führte, deren Mauern voller Schießscharten waren, jedoch ihrerseits geschützt durch die Mauern, die den Hof vom Abgrund trennten. Friedrich verteilte seine Wachen an die Zinnen der Außenmauer, damit sie den Weg von oben kontrollierten. Ardzrouni schien keine eigenen Männer zu haben, abgesehen von ein paar Knechten, die die verschiedenen Türen und Korridore bewachten. »Ich brauche hier keine Schutztruppe«, sagte er mit stolzem Lächeln. »Ich bin unangreifbar. Und außerdem ist dies, wie du sehen wirst, gnädiger Herr, kein Ort des Krieges, sondern das Refugium, in dem ich meinen Studien über die vier Elemente obliege. Komm, ich zeige dir, wo du auf würdige Art die Nacht verbringen kannst.«

Sie stiegen eine Freitreppe hinauf, und nach der zweiten Biegung traten sie in einen Waffensaal, der mit einigen Bänken und mehreren Rüstungen an den Wänden möbliert war. Am Ende des Saales öffnete Ardzrouni eine schwere metallbeschlagene Tür und führte den Kaiser in einen luxuriös eingerichteten Raum. Er enthielt ein Himmelbett, eine Truhe mit goldenen Kelchen und Kandelabern, überragt von einem Schrein oder Tabernakel aus dunklem Holz, sowie einen breiten Kamin, fertig bestückt mit runden Holzscheiten und Brocken einer kohleähnlichen Substanz mit einem öligen Überzug, die vermutlich zum Entfachen der Flammen dienen sollten, das Ganze säuberlich aufgeschichtet auf einem Bett aus Reisig und bedeckt mit Zweigen voll wohlriechender Beeren.

»Dies ist der beste Raum, den ich habe«, sagte Ardzrouni, »und es ist mir eine Ehre, ihn dir anzubieten. Ich rate dir, dieses Fenster nicht zu öffnen. Es geht nach Osten, morgen früh könnte dich die Sonne stören. Diese farbigen Glasfenster, ein Wunderwerk der venezianischen Kunst, lassen ihr Licht sanft gefiltert herein.«

»Kann niemand durch dieses Fenster hereinkommen?« fragte der Poet.

Ardzrouni öffnete mühsam das Fenster, das mit mehreren Bolzen fest verschlossen war. »Sieh her«, sagte er, »es liegt sehr hoch oben. Und drüben auf der anderen Seite des Hofes ist die Außenmauer, auf der bereits die Männer des Kaisers Wache stehen.« Man sah in der Tat die Zinnen der äußeren Mauer mit dem Wehrgang, auf dem in Abständen Wachen postiert waren, und genau gegenüber dem Fenster, nur einen Pfeilschuß entfernt, zwei große Scheiben oder Schüsseln aus schimmerndem Metall, tief nach innen gewölbt, die auf einem Gerüst zwischen den Zinnen verankert waren. Friedrich wollte wissen, was das sei.

»Das sind Archimedes-Spiegel«, erklärte Ardzrouni, »solche wie die, mit welchen dieser antike Gelehrte die römischen Schiffe zerstört hat, die Syrakus belagerten. Jeder Spiegel fängt die parallel einfallenden Lichtstrahlen ein und schickt sie zurück, deshalb reflektiert er die Dinge. Wenn aber der Spiegel nicht flach, sondern in der richtigen Weise gewölbt ist, wie es die Geometrie als höchste der Wissenschaften lehrt, dann werden die Strahlen nicht parallel reflektiert, sondern alle auf einen bestimmten Punkt vor dem Spiegel konzentriert, je nachdem, wie dieser gewölbt ist. Wenn du nun den Spiegel so ausrichtest, daß er die Strahlen der Sonne im Moment ihrer größten Helligkeit einfängt und sie gebündelt auf einen einzigen fernen Punkt zurückwirft, dann erzeugt eine solche Konzentration von Sonnenstrahlen an jenem Punkt einen Brand, und so kannst du einen Baum, die Planken eines Schiffes, eine

Kriegsmaschine oder auch das Gestrüpp rings um deine Feinde in Brand stecken. Ich habe zwei verschieden gewölbte Spiegel, deren einer mehr in die Ferne zielt und der andere mehr in die Nähe. Mit diesen beiden einfachen Geräten kann ich meine Burg besser verteidigen, als wenn ich tausend Bogenschützen hätte.«

Friedrich sagte im Scherz, Ardzrouni solle ihm dieses Geheimnis beibringen, dann würden die Mauern Jerusalems besser einstürzen als einst die Mauern Jerichos, und nicht durch Trompetenschall, sondern durch Sonnenstrahlen. Ardzrouni erwiderte, er stehe dem Kaiser stets zu Diensten. Dann schloß er das Fenster wieder und erklärte: »Hier kommt keine Luft herein, aber durch andere Schlitze schon. Es kann sein, daß es dir heute nacht trotz der Jahreszeit kühl wird, denn die Mauern sind dick. Aber statt den Kamin anzuzünden, der lästigen Rauch macht, rate ich dir, dich lieber mit diesen Fellen zu bedecken, die du auf dem Bett siehst. Und entschuldige, daß ich von solchen Dinge rede, aber der Herr hat uns mit einem Körper geschaffen: Hinter dieser kleinen Tür findest du eine schmale Kammer mit einem nicht sehr königlichen Sitz, aber alles, was dein Körper ausscheiden will, fällt von da in eine Grube im Untergeschoß, ohne hier die Luft zu verpesten. Man betritt diesen Raum nur durch die Tür, die wir durchschritten haben, und wenn du sie von innen verriegelt hast, werden draußen deine Höflinge sein, die zum Schlafen mit den Bänken dort vorliebnehmen müssen, aber deine Ruhe gewährleisten werden.«

Über dem Kaminsims entdeckten sie ein rundes Relief. Es war ein Medusenhaupt mit schlangenförmig geringelten Haaren, die Augen geschlossen und der fleischige Mund weit geöffnet, so daß sich eine dunkle Höhlung ergab, deren Grund nicht zu sehen war (»Wie jenes Medusenhaupt, das wir in der Zisterne gesehen haben, du erinnerst dich, Kyrios Niketas«). Friedrich trat neugierig näher und fragte, was das sei.

»Das ist ein Dionysios-Ohr«, sagte Ardzrouni, »eine meiner Magien. In Konstantinopel gibt es noch alte Steine dieser Art, ich brauchte nur den Mund etwas tiefer auszuhöhlen. Unter uns ist ein Raum, in dem sich gewöhnlich meine kleine Wachmannschaft aufhält, aber solange du hier bist, gnädiger Herr, wird er leer sein. Alles, was dort unten gesagt wird, kann man durch diesen Mund hier hören, als ob es direkt hinter dem Relief gesprochen würde. Du könntest hier, wenn du wolltest, meine Leute miteinander tuscheln hören.«

»Ach, könnte ich doch hören, was meine Vettern tuscheln!« sagte Friedrich. »Ardzrouni, du bist ein wertvoller Mann. Wir werden auch darüber noch reden. Jetzt machen wir erst einmal unsere Pläne für morgen. Als erstes möchte ich morgen früh im Fluß schwimmen.«

»Da kommst du leicht hin, zu Pferd oder zu Fuß«, sagte Ardzrouni, »du brauchst nicht einmal durch den Hof zu gehen, durch den du hereingekommen bist. Hinter der Tür zum Waffensaal gibt es eine schmale Treppe, die in den zweiten Hof führt. Von dort erreichst du den Weg ins Tal.«

»Baudolino«, sagte Friedrich, »sorg dafür, daß in jenem Hof morgen früh ein paar Pferde stehen.«

»Mein Vater«, sagte Baudolino, »ich weiß, wie sehr du es liebst, dich im schäumenden Wasser zu tummeln. Aber jetzt bist du müde von der Reise und von all den Prüfungen, denen du dich unterzogen hast. Du kennst diesen Fluß nicht, er scheint mir voller Strudel zu sein. Warum willst du dich in Gefahr bringen?«

»Weil ich noch nicht so alt bin, wie du denkst, mein Sohn. Wenn es nicht schon so spät wäre, würde ich gleich jetzt hingehen, weil ich mich so verschwitzt und staubig fühle. Ein Kaiser darf nicht stinken, außer nach dem Öl der heiligen Salbung. Sorg dafür, daß Pferde dort sind.«

»Wie es im Kohelet heißt«, warf Rabbi Solomon schüchtern ein, »du sollst nicht gegen den Strom schwimmen.«

»Und wer hat gesagt, daß ich *gegen* ihn schwimmen werde?« rief Friedrich lachend. »Ich werde der Strömung folgen.«

»Man sollte sich nie zu oft waschen«, sagte Ardzrouni, »es sei denn unter Anleitung eines guten Arztes, doch du bist hier der Herr. Jetzt aber, solange es noch hell ist, jetzt wäre es mir eine unverdiente Ehre, dir meine Burg zeigen zu dürfen.«

Er führte sie die Freitreppe hinunter und im unteren Stockwerk durch einen großen Saal, der für das abendliche Bankett hergerichtet und bereits von zahlreichen Kandelabern beleuchtet wurde. Danach kamen sie in einen Saal voller Schemel, der an einer Seite eine große in Stein gemeißelte umgekehrte Schnecke aufwies, eine spiralförmige Öffnung, die sich trichterartig nach innen verjüngte. »Dies ist der Saal der Wachen, von dem ich gesprochen habe«, sagte der Burgherr. »Wer hier spricht und dabei den Mund nahe an diese Öffnung hält, kann oben in deinem Zimmer verstanden werden.«

»Ich würde gern einmal hören, wie das funktioniert«, sagte Friedrich. Baudolino spaßte, er könne ja in der Nacht einmal herkommen und dem schlafenden Kaiser einen Gruß hinaufschicken. Friedrich lachte und sagte nein, diese Nacht wolle er ungestört schlafen. »Es sei denn«, fügte er hinzu, »du mußt mich warnen, daß der Sultan von Ikonion durch den Kamin herunterkommt.«

Ardzrouni führte sie durch einen weiteren Korridor in einen Saal mit hohen Gewölben, der von flackernden Lichtern erhellt und von Dämpfen erfüllt war. Er enthielt Kessel, in denen eine Flüssigkeit brodelte, allerlei gewundene Flaschen, Glasröhren und andere sonderbare Gefäße. Friedrich fragte den Burgherrn, ob er Gold erzeuge. Ardzrouni lachte und sagte, das seien Alchimistenmärchen. Aber er verstehe sich auf die Kunst, Metalle zu vergolden und Elixiere zu brauen, die zwar kein ewiges Leben verhießen, aber das allzu kurze, das uns beschieden sei, ein wenig verlängern könnten. Friedrich lehnte es jedoch ab, davon zu kosten. »Gott hat die Länge unseres Lebens festgesetzt, und man soll sich Seinem Willen fügen. Vielleicht sterbe ich morgen, vielleicht werde ich hundert Jahre alt. Das liegt ganz in der Hand des Herrn.« Rabbi Solomon fand, das seien sehr weise Worte, und die beiden unterhielten sich eine Weile über die Frage der göttlichen Ratschlüsse. Es war das erste Mal, daß Baudolino seinen Adoptivvater über diese Dinge reden hörte.

Während die beiden miteinander sprachen, sah Baudolino aus den Augenwinkeln, wie Zosimos durch eine kleine

Tür in einen angrenzenden Raum schlüpfte und Ardzrouni ihm sogleich besorgt folgte. In der Furcht, daß Zosimos irgendeinen Geheimgang kannte, durch den er entfliehen könnte, folgte Baudolino den beiden, und so kamen sie in eine Kammer, in der nur eine Anrichte stand, auf der sich sieben vergoldete Köpfe befanden. Alle sieben stellten dasselbe bärtige Gesicht dar und standen auf einem Sockel. Es handelte sich offensichtlich um Reliquiare, man sah, daß die Köpfe sich aufklappen ließen wie Schreine, aber die Ränder des wie eine Tür aufklappbaren Vorderteils, der das Gesicht zeigte, waren mit dunklem Siegellack am hinteren Teil festgeklebt.

»Was suchst du?« fragte Ardzrouni den vor ihm eingetretenen Zosimos, ohne bemerkt zu haben, daß auch Baudolino hereingekommen war.

»Ich habe schon davon reden gehört«, antwortete Zosimos, »daß du Reliquien fabrizierst und dazu deine Hexereien mit dem Vergolden von Metallen benutzt. Das sind Täuferköpfe, nicht wahr? Johanneshäupter. Ich habe schon andere gesehen, und jetzt weiß ich auch, woher sie stammen.«

Baudolino räusperte sich leise. Ardzrouni fuhr herum, schlug sich die Hand vor den Mund und rollte erschrocken die Augen. »Ich bitte dich, Baudolino, sag dem Kaiser nichts, sonst läßt er mich hängen«, sagte er leise. »Es stimmt, das sind Reliquiare mit dem echten Haupt Johannes' des Täufers. In jedem von ihnen steckt ein Schädel, den ich mit Hilfe von Räucherungen so behandelt habe, daß er geschrumpft ist und sehr alt aussieht. Ich lebe in diesem Lande ohne natürliche Hilfsquellen, ohne Felder, die ich bestellen könnte, und ohne Vieh, meine Reichtümer sind begrenzt. Es ist wahr, ich stelle Reliquien her, sie sind sehr gefragt, in Asien wie in Europa. Man braucht nur zwei von diesen Köpfen an zwei weit voneinander entfernten Orten unterzubringen, sagen wir, einen in Antiochia und den anderen in Italien, und niemand merkt, daß es zwei sind.« Er lächelte mit öliger Demut, als bäte er um Verständnis für eine alles in allem läßliche Sünde.

»Ich hatte dich nie im Verdacht, ein tugendhafter

Mensch zu sein, Ardzrouni«, sagte Baudolino lachend. »Behalt deine Köpfe, aber laß uns schnell hier rausgehen, sonst wecken wir den Verdacht der anderen und des Kaisers.« Sie traten hinaus, als Friedrich gerade seinen religiösen Meinungsaustausch mit Solomon beendete.

Der Kaiser fragte den Burgherrn, welche anderen Wunderdinge er ihnen noch zu zeigen habe, und Ardzrouni führte sie, froh, diesen Saal verlassen zu können, wieder in den Korridor. Von dort gelangten sie zu einer verschlossenen Flügeltür, neben der ein Altar von der Art stand, wie sie die Heiden für ihre Opfer benutzten und von denen Baudolino noch viele in Konstantinopel gesehen hatte. Auf dem Altar lagen Reiser und Zweige. Ardzrouni goß ein wenig von einer öligen dunklen Flüssigkeit darüber, nahm eine der Fackeln, die den Korridor erhellten, und hielt sie an den Stoß. Sofort flammte er auf, und nach einer Weile vernahm man ein leichtes unterirdisches Brodeln und ein langsames Knirschen, während Ardzrouni mit erhobenen Händen Formeln in einer barbarischen Sprache rezitierte, wobei er jedoch immer wieder zu seinen Gästen blickte, wie um ihnen zu bedeuten, daß er einen heidnischen Opferpriester oder Magier spielte. Schließlich öffneten sich zum allgemeinen Erstaunen die beiden Türflügel, ohne daß sie jemand berührt hätte.

»Wunderwerke der hydraulischen Kunst«, sagte Ardzrouni mit einem stolzen Lächeln, »der ich obliege, indem ich mich an die antiken Mechaniktraktate aus Alexandria halte. Die Sache ist ganz einfach: Unter dem Altar befindet sich eine Metallkugel, die Wasser enthält, das durch das Feuer auf dem Altar erhitzt wird. Dabei verwandelt es sich in Dampf, und durch einen Syphon, der nichts anderes ist als eine gebogene Röhre, durch die man Wasser von einem Gefäß in ein anderes umfüllt, fließt dieser Dampf in einen Eimer, in dem er sich abkühlt und wieder in Wasser verwandelt. Das Gewicht des Wassers läßt den Eimer nach unten sinken, dadurch dreht er über einen kleinen Flaschenzug, an dem er hängt, zwei hölzerne Zylinder, die unmittelbar auf die Türpfosten einwirken, und die Tür öffnet sich. Einfach, nicht wahr?«

»Einfach?« sagte Friedrich. »Verblüffend! Und solche Wunderdinge kannten die alten Griechen?«

»Solche und andere, auch die ägyptischen Priester kannten sie schon. Dieses hier haben sie benutzt, um zu erreichen, daß sich die Tore eines Tempels auf einen gesprochenen Befehl hin öffneten, so daß die Gläubigen staunten und *O Wunder! O Wunder!* riefen«, sagte Ardzrouni. Dann forderte er den Kaiser auf, über die Schwelle zu treten. Sie kamen in einen Saal, in dem sich eine weitere außergewöhnliche Apparatur erhob. Eine lederne Kugel war mit zwei Halterungen, die wie rechtwinklig gebogene Griffe aussahen, auf einer Scheibe befestigt, und diese Scheibe war der Deckel eines metallenen Beckens, unter dem sich ein weiterer Holzstoß befand. Aus der Kugel ragten zwei dünne Röhren, eine nach oben und eine nach unten, die in zwei Schnäbeln endeten, von denen einer nach rechts und einer nach links zeigte. Bei genauerem Hinsehen bemerkte man, daß auch die beiden Halterungen, die die Kugel über der Scheibe hielten, Röhren waren, die sich unten ins Becken senkten und oben ins Innere der Kugel eindrangen.

»Das Becken ist voll Wasser. Jetzt erhitzen wir dieses Wasser«, sagte Ardzrouni und entzündete erneut ein großes Feuer. Es dauerte eine Weile, bis das Wasser kochte, dann hörte man ein leises Zischen, das immer lauter wurde, und die Kugel begann sich an ihren Halterungen um ihre waagerechte Achse zu drehen, während aus den Schnäbeln Dampfwolken pufften. Die Kugel drehte sich eine Weile, dann ließ ihre Geschwindigkeit nach und Ardzrouni beeilte sich, die Röhren mit einer Art weichem Ton zu verschließen. »Auch hier ist das Prinzip sehr einfach«, sagte er. »Das Wasser kocht im Becken und verwandelt sich in Dampf. Der Dampf steigt in die Kugel, und indem er aus ihr mit starkem Druck nach zwei entgegengesetzten Seiten entweicht, versetzt er sie in eine Drehbewegung.«

»Und welches Wunder soll das vortäuschen?« fragte Baudolino.

»Es täuscht nichts vor, es demonstriert eine große Wahrheit: Es führt uns handgreiflich vor Augen, daß es Leere gibt.«

Man kann sich vorstellen, wie Boron reagierte. Kaum hörte er das Wort Leere, horchte er mißtrauisch auf und fragte, wieso denn um alles in der Welt dieses hydraulische Spielzeug beweisen solle, daß es Leere gebe. Ganz einfach, antwortete Ardzrouni, das Wasser im Becken werde zu Dampf und fülle die Kugel, der Dampf entweiche aus der Kugel und bringe sie zum Rotieren; wenn dann die Kugel langsamer werde, was ja bedeute, daß kein Dampf mehr in ihr sei, würden die Tüllen verschlossen. Und was bleibe dann folglich im Becken und in der Kugel? Nichts, also die Leere.

»Die möchte ich gern mal sehen«, sagte Boron.

»Um sie zu sehen, müßtest du die Kugel öffnen, und dann würde sofort Luft eindringen. Es gibt jedoch einen Ort, an dem du die Präsenz der Leere bemerken könntest. Allerdingst bliebe dir nur sehr wenig Zeit dafür, denn ohne Luft würdest du rasch ersticken.«

»Und wo ist dieser Ort?«

»Er ist ein Raum über uns. Und jetzt zeige ich dir, wie du in jenem Raum dort Leere erzeugen kannst.« Er hob die Fackel und zeigte ihnen eine weitere Maschine, die bisher im Schatten geblieben war. Sie sah komplizierter als die beiden anderen aus, da bei ihr gewissermaßen die Eingeweide bloßlagen. Man sah einen großen Zylinder aus Alabaster, in welchem der Umriß eines weiteren zylindrischen Körpers zu sehen war, der ihn zur Hälfte füllte, zur Hälfte aus ihm herausragte und oben an einem großen waagerechten Hebel befestigt war, den ein Mann mit beiden Händen betätigen konnte. Ardzrouni bewegte diesen Hebel auf und ab, und im gleichen Rhythmus sah man den inneren Zylinder sich zuerst heben, dann senken, bis er den äußeren Zylinder vollständig füllte. Am oberen Teil des Alabasterzylinders war ein langer Schlauch befestigt, der aus sorgfältig miteinander vernähten Tierblasen bestand. Dieser Schlauch führte zur Decke des Saals und verschwand dort. Am unteren Teil des Zylinders, an der Basis, öffnete sich ein Loch.

»Also«, erklärte Ardzrouni, »hier haben wir kein Wasser, sondern nur Luft. Wird der innere Zylinder mit dem Hebel hinuntergedrückt, komprimiert er die Luft im äußeren Zylinder und preßt sie durch das Loch unten hinaus. Läßt der Hebel ihn wieder aufsteigen, setzt der Zylinder einen Mechanismus in Gang, der das Loch unten verschließt, so daß die ausgestoßene Luft nicht wieder hineinkann. Ist der innere Zylinder ganz oben, setzt er einen anderen Mechanismus in Gang, der Luft durch diesen Schlauch, den ihr dort seht, aus dem oberen Zimmer hereinläßt. Senkt der innere Zylinder sich erneut, stößt er auch diese Luft wieder nach unten aus. Nach und nach saugt also diese Maschine die ganze Luft aus dem oberen Zimmer heraus und läßt sie hier ausströmen, so daß sich in dem Zimmer oben eine Leere bildet.«

»Und es dringt keine Luft von irgendwo anders in jenes Zimmer ein?« fragte Baudolino.

»Nein. Sobald diese Maschine in Gang gesetzt wird, verschließt sie mit Hilfe dieser Seile, die am Hebel befestigt sind, alle Löcher und Ritzen, durch welche Luft in das Zimmer eindringen könnte.«

»Dann könnte man mit dieser Maschine einen Menschen töten, der sich in dem Zimmer oben befindet?« sagte Friedrich.

»Man könnte, aber ich habe es nie getan. Nur einmal habe ich ein Huhn hineingesetzt. Nach dem Experiment bin ich hinaufgegangen, und da war das Huhn tot.«

Boron schüttelte den Kopf und murmelte Baudolino ins Ohr: »Trau ihm nicht, er lügt. Wenn das Huhn gestorben wäre, würde das heißen, daß die Leere existiert. Da sie aber nicht existieren kann, ist das Huhn noch am Leben und guter Dinge. Oder es ist gestorben, aber vor Aufregung.« Dann sagte er laut zu Ardzrouni: »Hast du je davon reden gehört, daß die Tiere auch am Grund leerer Brunnen sterben, wo die Kerzen ausgehen? Einige ziehen daraus den Schluß, daß es dort unten keine Luft gebe, daß also dort eine Leere sei. Das ist jedoch falsch, am Grund tiefer Brunnen fehlt nur die dünne Luft, während die dicke mephitische Luft sehr wohl noch da ist, und die ist es, die sowohl die Menschen als auch die Flammen erstickt. So ähnlich verhält es sich höchstwahrscheinlich auch mit deinem Zimmer. Du saugst die dünne Luft heraus, aber es bleibt die dicke, die sich nicht heraussaugen läßt, und die genügt, um dein Huhn sterben zu lassen.«

»Genug«, sagte Friedrich, »alle diese Maschinen sind ja sehr hübsch, aber außer den Spiegeln dort unten ließe sich keine von ihnen bei einer Belagerung oder in einer Schlacht verwenden. Also wozu sind sie dann gut? Kommt, laßt uns gehen, ich habe Hunger. Ardzrouni, du hast uns ein gutes Mahl versprochen. Mir scheint, es ist Zeit dafür.«

Ardzrouni verbeugte sich und führte Friedrich und die Seinen in den Bankettsaal. Das Mahl war in der Tat exzellent, zumindest für Leute, die wochenlang nur karge Feldkost bekommen hatten. Ardzrouni ließ das Beste auftragen, was die armenische und die türkische Küche zu bieten hatten, einschließlich gewisser überaus süßer Speisen, die den Eingeladenen das Gefühl gaben, in Honig zu ertrinken. Wie verabredet, kosteten Baudolino und seine Freunde von jedem Gericht, bevor es dem Kaiser vorgesetzt wurde. Entgegen jeder Hofetikette (aber wenn man im Krieg war, mußte die Etikette schon immer zahllose Ausnahmen dulden) saßen alle am selben Tisch, und Friedrich aß und trank mit Freude, als wäre er einer ihrer Gevatter, und lauschte neugierig einem Disput, der zwischen Boron und Ardzrouni ausgebrochen war.

So erklärte Boron: »Du versteifst dich darauf, von der Leere zu sprechen, als ob sie ein Raum ohne jeglichen Körper wäre, sei er auch nur aus Luft. Aber ein Raum ohne Körper kann nicht existieren, denn Raum ist eine Beziehung zwischen Körpern. Außerdem kann die Leere auch deshalb nicht existieren, weil die Natur einen Horror vor ihr hat, wie alle großen Philosophen lehren. Wenn du die Luft aus einem ins Wasser getauchten Rohr saugst, steigt das Wasser im Rohr, weil es keinen luftleeren Raum lassen kann. Im übrigen höre, die Gegenstände fallen zur Erde, und eine eiserne Statue schneller als ein Stück Stoff, weil die Luft sich schwertut, das Gewicht der Statue auszuhalten, während sie das des Stoffes leicht tragen kann. Die Vögel fliegen, weil sie durch die Bewegung ihrer Flügel viel Luft aufrühren, die sie trotz ihres Gewichts trägt. Die Vögel werden von der Luft genauso getragen wie die Fische vom Wasser. Gäbe es keine Luft, würden die Vögel vom Himmel fallen, aber wohlgemerkt mit derselben Geschwindigkeit wie jeder andere Körper. Deshalb hätten die Sterne, wenn am Himmel die Leere herrschte, eine unendliche Geschwindigkeit, denn sie würden in ihrem Fall oder in ihrem Kreisen nicht durch die Luft aufgehalten, die ihrem immensen Gewicht Widerstand leistet.«

Darauf Ardzrouni: »Wer hat gesagt, daß die Geschwindigkeit eines Körpers proportional zu seinem Gewicht ist? Sie hängt vielmehr, wie Johannes Philoponos sagte, von der Bewegung ab, in die er versetzt worden ist. Und außerdem, sag mir, wenn es keine Leere gäbe, wie würden die Dinge es dann anstellen, sich von einem Ort zum anderen zu bewegen? Sie müßten doch an die Luft stoßen, die sie nicht durchlassen würde.«

»Aber nein! Wenn ein Körper die Luft verdrängt, die dort ist, wo er sich hinbegibt, dann besetzt die Luft den Platz, den der Körper freigemacht hat! Das ist so, wie wenn zwei Personen in einer engen Gasse in entgegengesetzten Richtungen aneinander vorbeigehen. Sie ziehen den Bauch ein, sie drücken sich jeder an eine Mauer, und so schiebt sich der eine in die eine Richtung und der andere in die entgegengesetzte, und schließlich hat der eine den Platz des anderen eingenommen.«

»Ja, denn jeder der beiden versetzt seinen eigenen Körper kraft seines Willens in eine bestimmte Bewegung. Aber das gilt nicht für die Luft, denn die hat keinen Willen. Sie bewegt sich aufgrund des Stoßes, den ihr der an sie stoßende Körper versetzt. Aber dieser Stoß erzeugt eine Bewegung in der Zeit. In dem Moment, in dem der Gegenstand sich bewegt und der Luft vor sich einen Stoß versetzt, hat diese Luft sich noch nicht bewegt, und folglich befindet sie sich noch nicht an dem Platz, den der Gegenstand eben verlassen hat, um sie zu verdrängen. Und was ist dann an diesem Platz, wenn auch nur für einen Augenblick? Die Leere!«

Bis hierher war Friedrich dem Streitgespräch amüsiert gefolgt, aber nun hatte er genug davon. »Schluß jetzt«, sagte er. »Morgen könnt ihr's ja noch mal mit einem anderen Huhn in dem Zimmer oben versuchen. Aber jetzt, was Hühner angeht, laßt mich in Ruhe dieses hier essen, ich hoffe, man hat ihm gebührend den Hals langgezogen, wie Gott es befiehlt.«

25. Kapitel

Baudolino sieht Friedrich zweimal sterben

Das Bankett hatte bis in den späten Abend gedauert, und der Kaiser wünschte sich zurückzuziehen. Baudolino und die Seinen begleiteten ihn in sein Zimmer und inspizierten es noch einmal aufmerksam im Licht zweier Fackeln, die in Halterungen an den Wänden brannten. Der Poet wollte auch den Rauchfang des Kamins untersuchen, aber der wurde rasch so eng, daß kein menschliches Wesen hätte durchschlüpfen können. »Hier ist es schon viel, wenn der Rauch durchkommt«, sagte er. Sie warfen auch einen Blick in das Kämmerchen mit dem Abort, aber es war klar, daß niemand vom Grund der Abflußröhre hätte heraufsteigen können.

Neben dem Bett stand, zusammen mit einer schon brennenden Lampe, eine Kanne Wasser, und Baudolino wollte unbedingt davon kosten. Der Poet meinte, es könnte auch jemand das Kissen oder die Bettdecke vergiftet haben, an der Stelle, wo Friedrich sie beim Schlafen mit dem Mund berühren würde. Es wäre gut, wenn der Kaiser immer ein Gegengift in Reichweite hätte, man wisse ja nie...

Friedrich erwiderte, sie sollten es mit ihrer Sorge nicht übertreiben, aber da meldete sich Rabbi Solomon zu Wort. »Herr«, sagte er, »du weißt, daß ich, obwohl Jude, mich loyal dem Unternehmen verschrieben habe, das deinen Ruhm krönen wird. Dein Leben ist mir so lieb wie meines. Höre. Ich habe in Kalliupolis ein wunderbares Gegengift erworben. Hier«, er zog die Phiole aus dem Gewand, »ich schenke es dir, in meinem armseligen Leben wird es kaum passieren, daß ich von allzu mächtigen Feinden verfolgt werde. Solltest du dich in einer der nächsten Nächte zufällig unwohl fühlen, schluck es sofort. Wenn dir etwas Schädliches verabreicht worden ist, rettet es dich auf der Stelle.«

»Ich danke dir, Rabbi Solomon«, sagte Friedrich gerührt. »Wir Teutonen haben wirklich gut daran getan, die Angehörigen deiner Rasse zu beschützen, und so werden wir es auch in den kommenden Jahrhunderten halten, das schwöre ich dir im Namen meines Volkes. Ich nehme dein Geschenk gerne an, und sieh her, was ich damit mache.« Er holte aus seinem Reisesack den Schrein mit dem Gradal, den er jetzt immer eifersüchtig bei sich trug. »Hier, siehst du«, sagte er, »ich gieße die Flüssigkeit, die du mir gegeben hast, in den Kelch, der das Blut des Herrn enthalten hat.«

Solomon verbeugte sich, aber dabei murmelte er verblüfft zu Baudolino: »Der Heiltrank eines Juden wird zum Blute des falschen Messias... Möge der Heilige, der gesegnet immerdar sei, mir verzeihen. Aber schließlich, diese Geschichte vom Messias habt ihr Gojim erfunden, nicht Jeschua von Nazareth, der war ein Gerechter, unsere Rabbiner erzählen, er habe den Talmud bei Rabbi Josua ben Pera'hia studiert. Im übrigen gefällt mir dein Kaiser, und ich denke, man muß den Regungen des Herzens gehorchen.«

Friedrich hatte den Gradal aus dem Schrein genommen und wollte ihn gerade wieder zurückstellen, da unterbrach ihn Kyot. An jenem Abend fühlten sich alle berechtigt, das Wort an den Kaiser zu richten, ohne aufgefordert zu sein; es hatte sich ein Klima der Vertrautheit zwischen jenen wenigen Getreuen und ihrem Herrn gebildet, die da gleichsam verschanzt waren an einem Ort, von dem sie noch nicht wußten, ob er gastlich oder feindlich sein würde. So sagte nun also Kyot: »Herr, denk nicht, daß ich Zweifel an Rabbi Solomon hätte, aber auch er könnte getäuscht worden sein. Erlaube mir, von dieser Flüssigkeit zu kosten.«

»Herr, auch ich bitte dich, laß Kyot trinken«, sagte Rabbi Solomon.

Friedrich nickte. Kyot hob die Schale feierlich mit beiden Händen und führte sie an seinen Mund, als vollziehe er die heilige Kommunion. In diesem Augenblick schien auch Baudolino, als verbreite sich ein intensives Licht durch den Raum, aber vielleicht war es eine der Fackeln, die gerade besser zu brennen begann, weil die Flamme auf einen größeren Batzen Harz gestoßen war. Kyot verharrte ein Weilchen so und bewegte nur leicht den Mund, um den kleinen Schluck, den er genommen hatte, besser aufzusaugen. Dann drehte er sich um, die Schale dicht vor der Brust, und stellte sie vorsichtig in ihren Schrein zurück. Danach verschloß er jenes Tabernakel sehr langsam, um nicht das kleinste Geräusch zu machen.

»Ich rieche den Weiheduft«, murmelte Boron.

»Seht ihr diesen Lichtschein?« fragte Abdul.

»Alle Engel des Himmels steigen zu uns hernieder«, sagte Zosimos überzeugt und bekreuzigte sich verkehrt herum.

»Dieser Hundesohn«, flüsterte der Poet Baudolino ins Ohr. »Unter diesem Vorwand hat er seine heilige Messe mit dem Gradal zelebriert, und wenn er in seine Heimat zurückkehrt, wird er sich überall damit brüsten, von der Champagne bis zur Bretagne.« Baudolino flüsterte zurück, er solle nicht so giften, Kyot agiere wirklich wie einer, der in den höchsten Himmel entrückt ist.

»Niemand wird uns mehr beugen können«, sagte Friedrich, von einer tiefen mystischen Rührung ergriffen. »Bald wird Jerusalem befreit sein. Und dann machen wir uns alle zusammen auf, um diese hochheilige Reliquie dem Priester Johannes zurückzubringen. Baudolino, ich danke dir sehr für das, was du mir gegeben hast. Jetzt bin ich wirklich *Rex et Sacerdos*...«

Er lächelte, und gleichzeitig zitterte er. Die kurze Zeremonie schien ihn heftig erregt zu haben. »Ich bin müde«, sagte er. »Baudolino, ich verschließe das Zimmer jetzt mit diesem Riegel. Haltet gut Wache, und habt Dank für eure Ergebenheit. Weckt mich erst, wenn die Sonne hoch am Himmel steht. Dann werde ich schwimmen gehen.« Sprach's und fügte noch hinzu: »Ich bin furchtbar müde, ich würde am liebsten jahrhunderte- und aberjahrhundertelang schlafen.«

»Eine lange ruhige Nacht wird dir reichen, mein Vater«, sagte Baudolino liebevoll. »Du mußt nicht frühmorgens schwimmen gehen. Wenn die Sonne hoch steht, ist das Wasser nicht mehr so kalt. Schlaf gut.«

Sie gingen hinaus. Friedrich schloß die Tür, und sie hörten das Scharren des Riegels. Dann verteilten sie sich auf die Bänke rings an den Wänden.

»Uns steht hier kein kaiserlicher Abort zur Verfügung«, sagte Baudolino. »Gehen wir rasch unsere Bedürfnisse im Hof verrichten. Immer nur einer, damit der Saal hier nie unbewacht bleibt. Dieser Ardzrouni mag ja ein braver Mann sein, aber wir dürfen uns nur auf uns selbst verlassen.« Nach einer Weile waren alle wieder da. Baudolino löschte das Licht, sagte allen gute Nacht und versuchte einzuschlafen.

»Ich hatte irgendwie ein dummes Gefühl, Kyrios Niketas, ohne zu wissen, warum. Ich schlief unruhig und wachte nach kurzen wirren Träumen wieder auf, als hätte ich einen Alptraum gehabt. Im Halbschlaf erschien mir meine arme Colandrina, sie trank aus einem Gradal, der aus schwarzem Stein war, und sank tot zu Boden. Eine Stunde später hörte ich ein Geräusch. Auch der Waffensaal hatte ein Fenster, durch das bleiches Nachtlicht einfiel, ich glaube, der Mond stand als dünne Sichel am Himmel. Ich begriff, daß es der Poet war, der hinausging. Vielleicht hatte er sich noch nicht genügend erleichtert. Später – ich weiß nicht wann, ich war wieder eingeschlafen und wieder aufgewacht, und jedesmal schien mir, daß nur wenig Zeit vergangen war, aber das stimmte vielleicht nicht –, später ging auch Boron hinaus. Dann hörte ich ihn zurückkommen und hörte, wie Kyot ihm zuflüsterte, auch er sei nervös und wolle ein bißchen frische Luft schnappen. Aber schließlich war es meine Pflicht, darauf zu achten, wer hereinzukommen versuchte, nicht wer hinausging, und ich begriff, daß wir alle unruhig waren. Danach erinnere ich mich an nichts mehr, ich weiß nicht, wann der Poet zurückkam, aber lange vor Tagesanbruch schliefen sie alle tief, und so habe ich sie gesehen, als ich kurz vor Sonnenaufgang erwachte.«

Inzwischen lag der Waffensaal im Licht des triumphierenden Morgens. Einige Diener brachten Wein und Brot sowie ein paar Früchte aus der Gegend herein. Obwohl Baudolino wiederholt mahnte, keinen Lärm zu machen, damit der Kaiser nicht gestört wurde, rumorten alle recht munter. Nach einer Stunde schien Baudolino, obwohl der Kaiser darum gebeten hatte, nicht geweckt zu werden, daß es nun spät genug sei. Er klopfte an die Tür. Keine Antwort. Er klopfte erneut.

»Tiefer Schlaf, das«, lachte der Poet.

»Vielleicht hat er sich nicht so gut gefühlt«, überlegte Baudolino.

Sie klopften abermals, immer lauter. Keine Antwort.

»Gestern hat er wirklich erschöpft ausgesehen«, sagte Baudolino. »Vielleicht hat er einen Schwächeanfall gehabt. Brechen wir die Tür auf!«

»He, langsam!«, sagte der Poet. »Eine Tür aufzubrechen, die den Schlaf eines Kaisers schützt, das ist fast ein Sakrileg!«

»Begehen wir das Sakrileg«, sagte Baudolino. »Diese Sache gefällt mir nicht.«

Sie warfen sich gegen die Tür, die robust war, und solide war offenbar auch der Riegel, der sie versperrte.

»Noch einmal alle zugleich, auf *los* alle mit der Schulter dagegen«, sagte der Poet, dem bewußt wurde, daß ein Kaiser, der nicht erwachte, wenn man seine Tür aufbricht, einen verdächtigen Schlaf tat. Die Tür hielt noch immer. Der Poet ging Zosimos holen, der an seiner Kette lag, und stellte alle in zwei Reihen auf, so daß sie gleichzeitig mit voller Wucht gegen beide Türflügel donnern konnten. Beim vierten Versuch gab die Tür endlich nach.

Friedrich lag mitten im Zimmer, reglos, fast unbekleidet, so wie er sich zu Bett gelegt hatte. Neben ihm der Gradal, auf den Boden gefallen und leer. Im Kamin nur noch ein paar verkohlte Reste, als ob er angezündet worden und dann erloschen wäre. Das Fenster war geschlossen. Im Raum herrschte ein Geruch von verbranntem Holz und Kohlenasche. Boron ging hustend ans Fenster, um frische Luft einzulassen.

In der Annahme, daß jemand eingedrungen war und sich noch im Raum befand, stürmten der Poet und Boron los, um mit gezogenem Schwert jeden Winkel zu unter-

suchen, während Baudolino, der neben Friedrich niedergekniet war, ihm mit einer Hand den Kopf anhob und
mit der anderen leichte Backenstreiche versetzte. Der Boidi
erinnerte sich an das Herzmittel, das er in Kalliupolis gekauft hatte, öffnete die Kapsel an seinem Ring, zog die
Lippen des Kaisers auseinander und träufelte ihm die Flüssigkeit in den Mund. Friedrich zeigte keinerlei Regung. Sein
Gesicht war fahlgrau. Rabbi Solomon beugte sich über ihn,
versuchte seine Augen zu öffnen, befühlte seine Stirn, seinen Hals, seinen Puls, dann sagte er zitternd: »Dieser Mann
ist tot, möge der Herr, der Gesegnete heilig sei immerdar,
seiner Seele gnädig sein.«

»Herr Jesus Christus, das kann nicht sein!« schrie Baudolino auf. Doch so unerfahren er in medizinischen Dingen war, mußte er doch erkennen, daß Friedrich Barbarossa, der Kaiser des Heiligen Römischen Reiches, Hüter
des allerheiligsten Gradals, Hoffnungsträger der Christenheit, letzter und legitimer Nachfolger Caesars, des Kaisers
Augustus und Karls des Großen, nicht mehr war. Er brach
in Tränen aus, bedeckte das bleiche Gesicht mit Küssen,
nannte sich seinen geliebtesten Sohn in der Hoffnung, der
Kaiser könne es hören, aber schließlich wurde ihm klar,
daß alles vergeblich war.

Er stand auf, drängte die Freunde, noch einmal überall
nachzusehen, auch unter dem Bett, sie durchsuchten alle
Winkel nach Geheimgängen und -türen, klopften alle Wände ab, aber es war offensichtlich, daß nicht nur nirgendwo
jemand versteckt war, sondern daß auch niemand sich jemals irgendwo in diesem Zimmer hätte verstecken können.
Friedrich Barbarossa war in einem hermetisch verschlossenen Raum gestorben, den er selbst von innen verriegelt
hatte und der außen von seinen getreuesten Söhnen bewacht worden war.

»Holt Ardzrouni herbei, der ist ein Experte in medizinischer Kunst«, rief Baudolino.

»Auch ich bin ein Experte in medizinischer Kunst«,
beschwerte sich Rabbi Solomon. »Glaub mir, dein Vater
ist tot.«

»Mein Gott, mein Gott!« rief Baudolino. »Mein Vater ist

tot! Benachrichtigt die Wachen, holt seinen Sohn. Suchen wir seine Mörder!«

»Moment«, sagte der Poet. »Warum soll das ein Mord sein? Er war in einem verschlossenen Zimmer, er ist tot. Da liegt der Gradal zu seinen Füßen, der das Gegengift enthielt. Vielleicht hat er sich unwohl gefühlt, hat gedacht, er wäre vergiftet worden, und hat es getrunken. Übrigens hat das Kaminfeuer gebrannt. Wer außer ihm kann es angezündet haben? Ich habe von Leuten gehört, die plötzlich einen starken Schmerz in der Brust verspürten – kalter Schweiß brach ihnen aus, sie wollten sich wärmen, sie klapperten mit den Zähnen, und kurz darauf waren sie tot. Vielleicht hat der Rauch des Kamins seinen Zustand noch verschlimmert.«

»Was für ein Zeug war da im Gradal?« schrie plötzlich Zosimos auf, rollte die Augen und packte Rabbi Solomon an der Brust.

»Sei still, Elender«, sagte Baudolino. »Auch du hast gesehen, daß Kyot von dem Zeug gekostet hat.«

»Zuwenig, zuwenig«, jammerte Zosimos und schüttelte Solomon. »Ein Schluck genügt nicht, um sich zu betrinken! Wie blöd von euch, einem Juden zu trauen!«

»Blöd von uns war's, einem verdammten Griechen wie dir zu trauen«, rief der Poet, versetzte Zosimos einen Hieb und trennte ihn so von dem armen Rabbi, der vor Angst mit den Zähnen klapperte.

In der Zwischenzeit hatte Kyot den Gradal aufgehoben und andächtig in den Schrein zurückgestellt.

»Du meinst also«, fragte Baudolino den Poeten, »er ist nicht umgebracht worden, sondern durch den Willen des Herrn gestorben?«

»Das ist leichter anzunehmen, als an ein Luftwesen zu denken, das durch die Tür geschlüpft sein soll, die wir so gut bewacht haben.«

»Also rufen wir den Sohn und die Wachen«, sagte Kyot.

»Nein«, sagte der Poet. »Freunde, hört zu, es geht um unseren Kopf. Friedrich ist tot, und wir wissen, daß niemand in dieses verschlossene Zimmer hätte eindringen können. Aber der Sohn und die anderen Barone, die wissen das nicht. Für sie würden wir es gewesen sein.«

»Was für ein elender Gedanke!« sagte Baudolino immer noch schluchzend.

Darauf der Poet: »Hör zu, Baudolino: Der Sohn mag dich nicht, er kann uns nicht leiden und hat uns immer mißtraut. Wir waren die Wache, der Kaiser ist tot, also sind wir die Verantwortlichen. Noch bevor wir etwas sagen können, wird er uns am nächsten Baum aufgeknüpft haben, und wenn es in diesem verfluchten Tal keine Bäume gibt, wird er uns an die Burgmauern hängen. Du weißt sehr wohl, Baudolino, der Sohn hat diese Geschichte mit dem Gradal immer als ein Komplott angesehen, mit dem wir versuchten, seinen Vater an einen Ort zu locken, an den er nie hätte gehen dürfen. Er wird uns töten, um sich mit einem Schlag von uns allen zu befreien. Und seine Barone? Die Nachricht, daß der Kaiser umgebracht worden sei, würde sie dazu treiben, sich gegenseitig zu beschuldigen, es würde ein Massaker geben. Wir sind die Sündenböcke, die zum Wohle aller geopfert werden müssen. Wer wird der Aussage glauben, die ein kleiner Bastard wie du macht, entschuldige, du weißt schon, wie ich das meine, und dazu ein Säufer wie ich, ein Jude, ein Schismatiker, drei fahrende Scholaren und der Boidi, der als Alexandriner am meisten Gründe zum Haß auf Friedrich hatte? Wir sind bereits tot, Baudolino, so tot wie dein Adoptivvater.«

»Also was?« fragte Baudolino.

»Also ist die einzige Lösung«, sagte der Poet, »sie glauben zu machen, daß Friedrich woanders gestorben sei, nicht hier, wo wir ihn hätten beschützen müssen.«

»Und wie das?«

»Hat er nicht gesagt, daß er im Fluß schwimmen wollte? Wir ziehen ihn ordentlich an und legen ihm seinen Mantel um. Wir bringen ihn in den kleinen Hof, wo niemand ist, aber wo seit gestern abend die Pferde warten. Wir binden ihn im Sattel fest und reiten zum Fluß hinunter, und dort wird ihn das Wasser mit sich fortreißen. Ein ruhmreicher Tod für diesen Kaiser, der, wenngleich schon alt, sich mit den Naturkräften mißt. Der Sohn wird entscheiden, ob nach Jerusalem weitergezogen oder umgekehrt wird. Und wir können sagen, daß wir nach Indien weiterziehen wollen, um das letzte Gelübde unseres verstorbenen Herrn zu erfüllen. Der Sohn glaubt ja, wie es scheint, nicht an den Gradal. Also nehmen wir ihn und gehen, um zu tun, was der Kaiser hatte tun wollen.«

»Aber das heißt, einen Tod vorzutäuschen«, sagte Baudolino mit verlorenem Blick.

»Ist er denn nicht tot? Er *ist* tot. So schmerzlich das für alle sein mag, er *ist* tot. Wir gehen doch nicht hin und erzählen, er sei gestorben, während er noch lebt. Er ist tot, Gott nehme ihn unter seine Heiligen auf. Wir sagen lediglich, er sei im Fluß ertrunken, unter freiem Himmel, nicht in diesem Zimmer, wo wir ihn hätten beschützen müssen. Lügen wir damit? Nur ein bißchen. Wenn er gestorben ist, was spielt es da für eine Rolle, ob er hier drinnen oder dort draußen gestorben ist? Haben wir ihn etwa umgebracht? Wir wissen alle, daß es nicht so war. Wir lassen ihn dort sterben, wo uns auch die Übelwollendsten nicht die Schuld dafür geben können. Baudolino, das ist der einzige Ausweg, es gibt keinen anderen, egal ob du bloß deine Haut retten oder ob du zum Priester Johannes gelangen willst, um in seiner Gegenwart Friedrichs höchsten Ruhm zu preisen.«

Der Poet hatte recht, auch wenn Baudolino seine kalte Logik verfluchte, und alle waren derselben Meinung. Sie kleideten den Kaiser an, trugen ihn in den kleinen Hof hinunter, setzten ihn auf sein Pferd, banden ihn gut fest und stärkten ihm den Rücken auf ähnliche Weise, wie es der Poet einst bei den drei Magierkönigen getan hatte, damit es so aussah, als säße er hochaufgerichtet im Sattel.

»Zum Fluß hinunter bringen ihn nur Baudolino und Abdul«, sagte der Poet, »denn eine größere Eskorte würde die Aufmerksamkeit der Wachen erregen, die dann womöglich meinen, sie müßten sich der Gruppe anschließen. Wir anderen bleiben hier oben zur Bewachung des Zimmers, damit Ardzrouni oder andere nicht daran denken, es zu betreten, und räumen es auf. Oder besser noch, ich gehe runter auf die Mauern, um mit den Wachen zu schwatzen, so kann ich sie ablenken, während ihr die Burg verlaßt.«

Es schien, als ob der Poet als einziger noch imstande

war, vernünftige Entscheidungen zu treffen. Alle gehorchten. Baudolino und Abdul ritten langsam aus dem Hof, Friedrichs Pferd zwischen sich führend. Sie folgten dem Seitenweg bis zum Hauptweg, ritten vorsichtig über die Stufen ins Tal hinunter und machten sich dann in raschem Trab auf den Weg zum Fluß. Die Wachen grüßten den Kaiser von den Zinnen herab. Der kurze Ritt schien eine Ewigkeit zu dauern, aber endlich erreichten sie das Ufer.

Sie verbargen sich hinter einer Baumgruppe. »Hier sieht uns keiner«, sagte Baudolino. »Die Strömung ist stark, der Körper wird schnell mitgerissen werden. Wir reiten ein Stück ins Wasser, um ihn zu retten, aber der Grund ist steinig, so daß wir ihn nicht erreichen können. Also folgen wir ihm am Ufer und rufen um Hilfe… Die Strömung treibt ihn zum Lager.«

Sie banden den Leichnam Friedrichs los und entkleideten ihn bis auf das wenige, was ein schwimmender Kaiser braucht, um seine Sittsamkeit zu wahren. Kaum hatten sie ihn in den Fluß gestoßen, riß ihn die Strömung mit sich. Sie ritten ins Wasser, strafften die Zügel so, daß es aussah, als ob die Pferde scheuten, rissen sie herum, kehrten ans Ufer zurück und folgten dort im Galopp der armen, zwischen Strudeln und Steinen umhergeworfenen Leiche, schreiend und gestikulierend, um denen im Lager zu bedeuten, sie sollten den Kaiser retten.

Einige im Lager bemerkten ihre Signale, begriffen aber nicht gleich, was da geschah. Der Körper Friedrichs trieb kreiselnd talwärts, verschwand unter Wasser und tauchte ein Stück weiter vorn wieder auf. Von weitem war nicht leicht zu erkennen, daß da ein Mensch am Ertrinken war. Endlich begriff es jemand, drei Reiter sprengten ins Wasser, doch als der Körper bei ihnen ankam, stieß er gegen die Hufe der erschrockenen Pferde und wurde vorbeigerissen. Weiter unten gingen Soldaten mit Piken ins Wasser, und denen gelang es schließlich, die Leiche zu angeln und ans Ufer zu ziehen.

Als Baudolino und Abdul eintrafen, schien Friedrich ganz entstellt und zerschlagen von den Stößen gegen die Steine, und niemand konnte mehr annehmen, daß er noch lebte. Es erhob sich lautes Wehgeschrei, der Sohn wurde benachrichtigt, der bleich und noch fiebernd herbeigeeilt kam und beklagte, daß sein Vater sich ein weiteres Mal im Kampf mit den Wasserfluten habe messen wollen. Er erzürnte über Baudolino und Abdul, die ihn jedoch daran erinnerten, daß sie nicht schwimmen konnten, wie fast alle Menschen vom Lande, und daß er doch wisse, wie unmöglich es gewesen sei, den Kaiser zurückzuhalten, wenn er sich in den Kopf gesetzt habe, in einem Fluß zu schwimmen.

Die Leiche Friedrichs kam allen aufgedunsen vor, obgleich er – wenn er seit Stunden tot war – kein Wasser geschluckt haben konnte. Aber so ist das eben, wenn man einen Toten aus dem Wasser zieht, glaubt man, daß er ertrunken sei, und findet auch, daß er so aussieht.

Während der junge Friedrich und die anderen Barone sich der irdischen Reste des Kaisers annahmen und erschüttert berieten, was jetzt zu tun war, und während Ardzrouni, von dem schrecklichen Ereignis benachrichtigt, ins Tal hinunterritt, kehrten Baudolino und Abdul auf die Burg zurück, um sich zu vergewissern, daß die anderen inzwischen dort alles in Ordnung gebracht hatten.

»Stell dir vor, was inzwischen passiert war, Kyrios Niketas«, sagte Baudolino.

»Man muß kein Seher sein, um es zu erraten«, sagte Niketas lächelnd. »Die heilige Schale, der Gradal war verschwunden.«

»So ist es. Niemand konnte uns sagen, ob er verschwunden war, als wir unten im Hof dabei waren, Friedrich aufs Pferd zu binden, oder danach, als jeder versuchte, das Zimmer in Ordnung zu bringen. Alle waren sehr aufgeregt durcheinandergeschwirrt wie die Bienen; der Poet war hinuntergegangen, um mit den Wachen zu plaudern, und war folglich nicht dagewesen, um das Handeln der einzelnen mit seinem praktischen Sinn zu koordinieren. Nach einer Weile, als sie schon das Zimmer verlassen wollten, in dem nichts Dramatisches mehr passiert zu sein schien, hatte Kyot einen Blick in den Schrein geworfen und festgestellt, daß der Gradal nicht mehr da war. Als ich mit Abdul eintraf, waren sie gerade alle dabei, sich gegenseitig zu beschuldigen und einander abwechselnd Diebstahl oder Achtlosigkeit vorzuwerfen, letzteres in der Annahme, Ardzrouni könnte, während wir im Hof waren, in das Zimmer eingedrungen sein. Aber nein, sagte Kyot, ich hatte mitgeholfen, den Kaiser in den Hof zu bringen, aber dann bin ich gleich wieder rauf, um aufzupassen, daß niemand reinkam, und in der kurzen Zwischenzeit hätte Ardzrouni nicht heraufkommen können. Also hast du den Gradal genommen, ereiferte sich Boron und packte Kyot an der Gurgel. Nein, schrie Kyot zurück, eher bist du's gewesen, während ich am Fenster war, um die vor dem Kamin zusammengekehrte Asche hinauszuwerfen! Ruhe, Ruhe, rief der Poet dazwischen, sagt mir lieber, wo war eigentlich Zosimos, während wir unten im Hof waren? Ich war bei euch, und mit euch bin ich auch wieder raufgegangen, beteuerte Zosimos, und Rabbi Solomon bestätigte es. Eins war sicher, jemand hatte den Gradal genommen, und von da aus war es nicht weit zu der Annahme, daß dieser Jemand derselbe war, der Friedrich auf irgendeine Weise umgebracht hatte. Vergebens gab der Poet zu bedenken, daß Friedrich auch von allein gestorben sein könnte und daß dann einer von uns die Verwirrung genutzt haben könnte, um sich den Gradal zu nehmen, keiner glaubte ihm mehr. Freunde, versuchte uns Rabbi Solomon zu beschwichtigen, die menschliche Tollheit hat, angefangen mit Kain, die schlimmsten Verbrechen ersonnen, aber kein menschliches Hirn war je so verdreht, sich einen Mord in einem geschlossenen Raum auszudenken. – Freunde, sagte dagegen Boron, als wir hier reinkamen, war der Gradal noch da, und jetzt ist er nicht mehr da. Also hat ihn einer von uns. – Natürlich verlangte daraufhin jeder, daß sein Reisegepäck durchsucht wurde, aber da lachte der Poet nur höhnisch und sagte, wenn jemand den Gradal genommen habe, dann habe er ihn an einem sicheren Ort in der Burg versteckt, um ihn später zu holen. Lösung? Wenn Friedrich von Schwaben nichts dagegen habe, würden alle gemeinsam zum Reich des Priesters Johannes aufbrechen, und niemand dürfte zurückbleiben, um sich den Gradal zu holen. Ich sagte, das sei eine schreckliche Vorstellung, wir würden eine gefahrvolle Expedition unternehmen, bei der jeder sich auf die Hilfe der anderen verlassen müßte, und jeder (außer einem) würde alle anderen verdächtigen, Friedrichs Mörder zu sein. Der Poet erwiderte, entweder gehe es so oder gar nicht, und er hatte verdammt recht. Wir würden zu einem der größten Abenteuer aufbrechen, das je von guten Christen ins Auge gefaßt worden wäre, und jeder würde jedem mißtrauen.«

»Und seid ihr aufgebrochen?« fragte Niketas.

»Nicht von einem Tag auf den anderen, das hätte wie eine Flucht ausgesehen. Der ganze Hof war ständig versammelt, um über den Fortgang der Expedition zu entscheiden. Das Heer war dabei sich aufzulösen, viele wollten auf dem Seeweg nach Hause, andere wollten sich nach Antiochia einschiffen, wieder andere nach Tripolis. Schließlich entschied sich der junge Friedrich, auf dem Landweg weiterzuziehen. Dann wurde diskutiert, was mit Friedrichs Leichnam geschehen sollte, einige schlugen vor, sofort die Eingeweide zu entfernen, die am schnellsten verwesen, und ihn dann möglichst bald zu begraben, andere wollten warten bis zur Ankunft in Tarsos, der Geburtsstadt des Apostels Paulus. Aber der Leichnam konnte auch ohne die Eingeweide nicht lange konserviert werden, früher oder später würde man gezwungen sein, ihn in einer Mischung aus Wasser und Wein so lange kochen zu lassen, bis sich alles Fleisch von den Knochen gelöst haben würde und an Ort und Stelle begraben werden könnte, um den Rest dann später in Jerusalem beizusetzen, sobald man es wieder erobert hatte. Aber ich wußte, daß man die Leiche vor dem Kochen würde zergliedern müssen, und an diesem Gemetzel wollte ich nicht teilnehmen.«

»Ich habe sagen hören, niemand wisse, was mit diesen Gebeinen geschehen ist.«

»Das habe ich auch gehört, ach mein armer Vater! Kaum waren sie in Palästina angelangt, ist dann auch der junge Friedrich gestorben, verzehrt von seinem Leid und von den Strapazen der Reise. Im übrigen sind auch Richard Löwenherz und Philipp August nie in Jerusalem angekommen. Es war wirklich eine unglückselige Unternehmung, für alle Beteiligten. Aber diese Dinge habe ich erst dieses Jahr erfahren, als ich nach Konstantinopel zurückgekommen bin. Damals in Kilikien war es mir gelungen, Friedrich von Schwaben zu überzeugen, daß wir, um das Gelübde seines Vaters zu erfüllen, nach Indien aufbrechen mußten. Er schien erleichtert über meinen Vorschlag. Er wollte bloß wissen, wie viele Pferde und wieviel Proviant wir brauchten. Geh mit Gott, Baudolino, sagte er, ich glaube nicht, daß wir uns wiedersehen werden. Vielleicht dachte er, ich würde mich in fernen Ländern verlieren, dabei war er es, der sich verlieren sollte, der Unglückliche. Er war nicht schlecht, wenn auch zerfressen von Neid und Groll.«

Während also jeder jedem mißtraute, mußten unsere Freunde entscheiden, wer an der Reise teilnehmen sollte. Der Poet hatte zu bedenken gegeben, daß sie zwölf sein müßten. Denn wenn sie während der Reise zum Land des Priesters Johannes respektvoll behandelt werden wollten, sei es ratsam, die Leute glauben zu lassen, sie seien die zwölf Magierkönige auf dem Rückweg aus Bethlehem. Da jedoch nicht gesichert sei, ob die Magier wirklich zwölf waren oder doch nur drei, dürfe keiner von ihnen jemals sagen, daß sie die Magier seien; im Gegenteil, wenn jemand sie fragte, müßten sie es verneinen, aber so, daß es klinge, als hätten sie ein großes Geheimnis zu wahren. Gerade wenn und weil sie es gegenüber allen verneinten, würde es jeder glauben, der es glauben wollte. Der Glaube der anderen würde aus ihrer Zurückhaltung eine Bejahung machen.

Nun waren da Baudolino, der Poet, Boron, Kyot, Abdul, Solomon und Boidi. Zosimos war unverzichtbar, da er fortfuhr zu schwören, er habe die Karte des Kosmas Indikopleustes im Kopf, auch wenn es allen nicht wenig gegen den Strich ging, daß dieser Widerling einen der Magier darstellen sollte, aber man durfte nicht zimperlich sein. Es fehlten also noch vier Personen. Baudolino traute inzwischen nur noch den Alexandrinern, und so weihte er vier von ihnen in das Vorhaben ein: den Cuttica aus Quargnento, seinen Schwager Colandrino Guasco, den Porcello und den Aleramo Scaccabarozzi, genannt il Ciula, der trotz seines Spitznamens (»der Dödel«) ein solider und zuverlässiger Mann war, der nicht viele Fragen stellte. Sie erklärten sich einverstanden, da auch ihnen inzwischen schien, daß es mit Jerusalem ohnehin nichts mehr werden würde. Der junge Friedrich gab ihnen zwölf Pferde und sieben Maultiere mit Verpflegung für eine Woche. Danach, sagte er, werde sich die Göttliche Vorsehung um sie kümmern.

Während sie mit den Reisevorbereitungen beschäftigt waren, trat Ardzrouni zu ihnen und sprach sie mit der gleichen unterwürfigen Höflichkeit an, die er bisher dem Kaiser vorbehalten hatte.

»Teuerste Freunde«, sagte er, »ich weiß, daß ihr in ein fernes Reich aufbrecht...«

»Woher weißt du das, Herr Ardzrouni?« fragte mißtrauisch der Poet.

»Man hört so dies und das. Ich habe auch von einer Schale gehört...«

»Die du nie gesehen hast, nicht wahr?« sagte Baudolino und trat so nah vor ihn hin, daß der andere zurückweichen mußte.

»Nie gesehen. Aber gehört habe ich von ihr.«

»Wenn du so viele Dinge weißt«, sagte nun der Poet, »weißt du vielleicht auch, ob jemand in dieses Zimmer eingedrungen ist, während der Kaiser unten im Fluß ertrank?«

»Ist er wirklich im Fluß ertrunken?« fragte Ardzrouni. »Das ist das, was sein Sohn im Moment noch glaubt.«

»Freunde«, sagte der Poet, »dieser Kerl will uns offensichtlich drohen. Bei dem allgemeinen Durcheinander, das zur Zeit hier zwischen Burg und Lager herrscht, ist es ein leichtes, ihm einen Dolch in den Rücken zu stoßen und ihn irgendwo liegenzulassen. Aber vorher möchte ich noch gerne wissen, was er von uns will. Die Kehle durchschneiden kann ich ihm dann immer noch.«

»Mein Herr und mein Freund«, sagte Ardzrouni, »ich will nicht euer Verderben, ich will das meine vermeiden.

Der Kaiser ist auf meinem Grund und Boden gestorben, während er mein Brot aß und meinen Wein trank. Von seiten der Kaiserlichen habe ich keine Gunst und keinen Schutz mehr zu erwarten. Ich muß schon dankbar sein, wenn sie mich ungeschoren lassen. Hier jedoch bin ich in Gefahr. Seit ich Friedrich als Gast bei mir empfangen habe, hat Fürst Leo begriffen, daß ich den Kaiser gegen ihn auf meine Seite ziehen wollte. Solange Friedrich lebte, hätte mir Leo nichts tun können – und daran seht ihr, daß der Tod dieses Mannes für mich ein schreckliches Unglück ist. Jetzt wird Leo sagen, durch meine Schuld habe er, der Fürst der Armenier, das Leben des vornehmsten seiner Verbündeten nicht garantieren können. Eine treffliche Gelegenheit, mich dem Tod zu überantworten. Mir bleibt kein Ausweg mehr. Ich muß für lange Zeit verschwinden und dann mit etwas zurückkehren, was mir wieder Prestige und Autorität verschafft. Ihr seid im Begriff, euch auf die Suche nach dem Land des Priesters Johannes zu machen, und wenn ihr es findet, wird eure Expedition ein glorreiches Unternehmen sein. Ich möchte mitkommen. Dadurch beweise ich euch überdies, daß ich die Schale nicht habe, von der ihr sprecht, denn hätte ich sie, würde ich hierbleiben und sie benutzen, um mit irgendwem einen Handel zu schließen. Ich bin ein guter Kenner der Länder des Ostens, ich könnte euch nützlich sein. Ich weiß, daß der junge Herzog euch kein Geld gegeben hat – ich würde das bißchen Gold mitnehmen, über das ich verfüge. Und schließlich, Baudolino weiß es, besitze ich sieben kostbare Reliquien, sieben Häupter von Johannes dem Täufer, die wir unterwegs verkaufen könnten, eines hier, eines da.«

»Und wenn wir ablehnen«, sagte Baudolino, »dann gehst du zu Friedrich von Schwaben und bläst ihm ein, daß wir für den Tod seines Vaters verantwortlich sind.«

»Das habe ich nicht gesagt.«

»Hör zu, Ardzrouni, du bist nicht der Mensch, den ich freiwillig irgendwohin mitnehmen würde, aber in diesem verdammten Abenteuer riskiert inzwischen jeder von uns, der Feind des anderen zu werden. Auf einen Feind mehr kommt es da also nicht mehr an.«

»Aber genaugenommen wäre dieser Mensch bei uns überzählig«, sagte der Poet. »Wir sind schon zwölf, und ein dreizehnter bringt Unglück.«

Während die anderen über Ardzrounis Mitnahme diskutierten, dachte Baudolino über die sieben Täuferköpfe nach. Er war nicht so sicher, daß diese Köpfe wirklich ernstgenommen werden könnten, aber wenn ja, stellten sie zweifellos ein Vermögen dar. Er ging noch einmal in die kleine Kammer hinunter, wo er sie entdeckt hatte, und nahm einen der Köpfe zur Hand, um ihn genauer zu betrachten. Sie waren gut gemacht, das Antlitz des Heiligen mit seinen großen, weit aufgerissenen Augen ohne Pupillen war eindrucksvoll und regte zu heiligen Gedanken an. Sicher, wenn man sie alle in Reihe nebeneinander sah, feierten sie ihre eigene Falschheit, aber jeder für sich betrachtet konnte schon überzeugen. Baudolino stellte den Kopf wieder auf die Anrichte und kehrte zu den anderen zurück.

Drei von ihnen waren inzwischen einverstanden, Ardzrouni mitzunehmen, die anderen zögerten noch. Boron fand, Ardzrouni habe immer noch das Aussehen eines Mannes von Rang, und Zosimos könne, auch aus Gründen der Achtung vor jenen zwölf ehrwürdigen Personen, als Reitknecht durchgehen. Der Poet wandte dagegen ein, die Magierkönige hätten entweder jeder zehn Knechte, oder sie reisten sehr geheimnisvoll allein. Ein einzelner Reitknecht würde daher einen schlechten Eindruck machen. Was die Köpfe angehe, so könnten sie die auch ohne Ardzrouni mitnehmen. An dieser Stelle brach Ardzrouni in Tränen aus und jammerte, sie wollten anscheinend wirklich seinen Tod. Kurz und gut, die Entscheidung wurde auf den nächsten Tag verschoben.

Genau an diesem nächsten Tag, als die Sonne bereits hoch am Himmel stand und sie mit den Vorbereitungen fast fertig waren, merkte auf einmal jemand, daß schon den ganzen Morgen lang nichts von Zosimos zu sehen gewesen war. In der Hektik der beiden letzten Tage hatte ihn niemand mehr richtig bewacht, er hatte mitgeholfen, die Pferde zu zäumen und die Maultiere zu beladen, und war nicht mehr angekettet worden. Kyot entdeckte, daß eines der Maultiere fehlte, und Baudolino kam es wie eine Erleuchtung. »Die Köpfe«, rief er, »die Köpfe! Zosimos war der einzige außer mir und Ardzrouni, der wußte, wo sie sind!« Er lief mit allen im Schlepptau zu der kleinen Kammer hinunter und mußte feststellen, daß nur noch sechs Köpfe da waren.

Ardzrouni schaute unter der Anrichte nach, ob vielleicht einer der Köpfe heruntergefallen war, und fand dreierlei: einen kleinen geschwärzten menschlichen Schädel, ein Siegel mit einem Zeta und getrocknete Siegellackreste. Damit war die Sache leider nur allzu klar: Zosimos hatte sich im allgemeinen Durcheinander des Vormittags den Gradal aus dem Schrein geholt, wohin Kyot ihn zurückgestellt hatte, war rasch in die Kammer hinuntergelaufen, hatte einen der Köpfe geöffnet, hatte den Schädel herausgenommen und statt dessen den Gradal hineingetan, hatte den Kopf mit seinem Siegellack aus Kalliupolis wieder versiegelt und zurückgestellt, war unschuldig wie ein Engel zu den anderen zurückgekehrt und hatte auf den rechten Moment gewartet. Als er dann hörte, daß die zum Aufbruch Bereiten die Köpfe untereinander aufteilen wollten, war ihm klargeworden, daß er nicht länger warten konnte.

»Ich muß sagen, Kyrios Niketas, trotz meiner Wut, von dem Kerl überlistet worden zu sein, verspürte ich eine gewisse Erleichterung, und ich glaube, es ging uns allen so. Wir hatten den Schuldigen gefunden, einen Schuft von höchst glaubwürdiger Schuftigkeit, und waren nicht mehr versucht, uns gegenseitig zu verdächtigen. Zosimos' Schurkerei machte uns rasend, aber sie gab uns das wechselseitige Vertrauen zurück. Wir hatten keine Beweise dafür, daß Zosimos, nachdem er den Gradal gestohlen hatte, auch etwas mit Friedrichs Tod zu tun haben sollte, denn in der betreffenden Nacht war er die ganze Zeit an sein Bett gefesselt gewesen, aber das brachte uns auf die Hypothese des Poeten zurück, daß Friedrich womöglich *nicht* umgebracht worden war.«

Sie versammelten sich, um zu beratschlagen. Vor allem war festzustellen, daß Zosimos – wenn er bei Einbruch der Nacht geflohen war – inzwischen einen Vorsprung von zwölf Stunden hatte. Der Porcelli erinnerte zwar daran, daß sie Pferde hatten und Zosimos nur ein Maultier, aber Baudolino gab zu bedenken, daß ringsum Berge waren, wer weiß bis wohin, und auf Bergpfaden kommen Maultiere schneller voran als Pferde. Kein Gedanke also, ihn einzuholen. Einen halben Tag Vorsprung hatte er, und einen halben Tag würde er auch behalten. Die einzige Möglichkeit war, zu überlegen, in welche Richtung er geflohen war, und dann dieselbe Richtung zu nehmen.

So begann der Poet: »Nach Konstantinopel kann er sich nicht auf den Weg gemacht haben, denn erstens ist dort, mit Isaakios Angelos auf dem Thron, für ihn dicke Luft, und zweitens müßte er durch die Länder der Seldschuken, die wir gerade nach allerlei Mißhelligkeiten hinter uns haben, und er weiß sehr wohl, daß sie ihm früher oder später das Fell über die Ohren ziehen würden. Die vernünftigste Hypothese ist, daß er, wo er doch diese Karte kennt, das gleiche will, was auch wir gewollt haben: zum Reich des Priesterkönigs gelangen, sich dort als Abgesandter Friedrichs oder wessen auch immer vorstellen, den Gradal zurückgeben und mit Ehren überhäuft werden. Infolgedessen muß man, um Zosimos wiederzufinden, sich zum Reich des Priesterkönigs aufmachen und ihn unterwegs abfangen. Also los, machen wir uns auf den Weg, fragen wir uns durch, suchen wir nach der Spur eines griechischen Mönches, der schon aus einer Meile Entfernung als solcher zu erkennen ist, laßt mir endlich die Genugtuung, ihn zu erwürgen, und holen wir uns den Gradal zurück.«

»Sehr gut«, sagte Boron, »aber in welche Richtung sollen wir gehen, wo doch nur er die Karte kennt?«

»Freunde«, sagte Baudolino, »hier kommt uns Ardzrouni von neuem zugute. Er kennt die Orte, und außerdem sind wir jetzt nur noch elf, und wir brauchen auf jeden Fall einen zwölften König.«

So wurde Ardzrouni feierlich und zu seiner großen Erleichterung in die Gruppe der zwölf Verwegenen aufgenommen. Über den einzuschlagenden Weg wußte er sehr vernünftige Dinge zu sagen: Wenn das Reich des Priesterkönigs im Osten lag, unweit des Irdischen Paradieses, mußte man sich in Richtung der aufgehenden Sonne bewegen. Aber wenn man geradeaus dorthin ging, lief man Gefahr, durch Länder der Ungläubigen zu kommen, er wisse jedoch eine Möglichkeit, zumindest streckenweise durch Länder zu kommen, die von Christenmenschen bewohnt seien – was auch im Hinblick auf die Täuferköpfe erstrebenswert sei, da man sie schlecht an Türken verkaufen könne. Er versicherte, genauso würde auch Zosimos gedacht haben, und nannte eine Reihe von Ländern und Städten, von denen unsere Freunde noch nie gehört hatten. Mit seinem handwerklichen Geschick fabrizierte er eine Art Popanz, der am Ende tatsächlich ein bißchen wie Zosimos aussah, mit langem Haupthaar und langem struppigem Bart aus geschwärzter Mohrenhirse und zwei schwarzen Steinen an Stelle der Augen. Das Gesicht wirkte fanatisch erregt wie der, den es darstellen sollte. »Wir müssen durch Gegenden, in denen man unbekannte Sprachen spricht«, sagte Ardzrouni, »und um die Leute zu fragen, ob sie Zosimos gesehen haben, wird uns nichts anderes übrigbleiben, als dieses Abbild vorzuzeigen.« Baudolino versicherte, mit den unbekannten Sprachen werde es keine Probleme geben, da er, wenn er eine Weile mit den Barbaren gesprochen habe, rasch lerne, so zu sprechen wie sie, aber das Porträt werde trotzdem nützlich sein, denn an manchen Orten würden sie nicht so lange bleiben können, bis er die Sprache erlernt habe.

Bevor sie aufbrachen, gingen sie alle in die Kammer hinunter, um sich jeder einen Täuferkopf zu nehmen. Sie waren zwölf, und die Köpfe waren jetzt nur noch sechs. Baudolino entschied, daß Ardzrouni keinen verdient habe, Solomon würde gewiß keinen Wert darauf legen, mit einer christlichen Reliquie herumzulaufen, der Cuttica, der Ciula, Porcelli und Colandrino waren als letzte hinzugekommen, also würden die sechs Köpfe auf ihn selbst, den Poeten, Abdul, Kyot, Boron und Boidi entfallen. Der Poet wollte gleich nach dem ersten greifen, aber Baudolino erinnerte ihn lachend daran, daß doch nun alle gleich waren, nachdem Zosimos den einzigen guten an sich genommen hatte. Der Poet zog errötend die Hand zurück und ließ Abdul wählen. Baudolino begnügte sich mit dem letzten Kopf, und jeder steckte den seinen in sein Reisegepäck.

»Das war alles«, sagte Baudolino zu Niketas. »Gegen Ende Juni Anno Domini 1190 brachen wir auf, zwölf an der Zahl wie die Magier aus dem Morgenland, wenn auch nicht so tugendhaft wie sie, um endlich das Land des Priesters Johannes zu erreichen.«

26. Kapitel

Baudolino und die Reise der Magier

Von nun an erzählte Baudolino seine Geschichte fast pausenlos weiter, nicht nur in den Abend- und Nachtstunden, wenn sie rasteten, sondern auch tagsüber, wenn sie ritten, während die Frauen über die Hitze klagten, die Kinder anhalten mußten, um Pipi zu machen, und die Maultiere alle naselang bockten. Es war also eine stockende Erzählung, stockend wie ihr Ritt, in der Niketas Leerstellen, Brüche, endlose Räume und überaus lange Zeiten erriet. Und das war verständlich, denn die Reise der zwölf hatte, wie aus Baudolinos Erzählung hervorging, mit Verirrungen, eintönigen Wartepausen und leidvollen Umwegen etwa vier Jahre gedauert.

Vielleicht, während sie so reisten unter glühenden Sonnen, die Augen nicht selten verklebt von Sandstürmen, auf immer neue Sprachen hörend, erlebten die Reisenden Augenblicke, in denen sie geradezu fiebrig angespannt waren, und andere, in denen sie schläfrig dösten. Zahllose Tage verbrachten sie mit der bloßen Überlebenssicherung, indem sie flüchtenden Tieren nachsetzten, mit örtlichen Wilden über einen Fladen oder ein Stück Lamm verhandelten oder versiegende Quellen entdeckten in Ländern, wo es nur einmal jährlich regnete. Und außerdem, sagte sich Niketas, wenn man so durch Wüsten reist unter einer Sonne, die einem ins Hirn sticht, dann kommt es doch vor, erzählen Reisende, daß man von Luftspiegelungen getäuscht wird, daß man nachts Stimmen in den Dünen hört und daß man, wenn man einen Strauch findet, Gefahr läuft, von Beeren zu kosten, die anstatt zu nähren einem den Magen umdrehen.

Zu schweigen davon, daß Baudolino, wie Niketas recht gut wußte, von Natur aus nicht gerade aufrichtig war, und wenn es schon schwer ist, einem Lügner zu glauben, der einem zum Beispiel erzählt, er sei in Ikonion gewesen, wie dann erst einem, der behauptet, Wesen gesehen zu haben, die auch die glühendste Phantasie sich nur mit Mühe vorstellen kann und bei denen er selber nicht sicher ist, ob er sie wirklich gesehen hat?

An eines hatte Niketas beschlossen zu glauben, weil man die Leidenschaft, mit der Baudolino davon sprach, als ein Zeugnis der Wahrheit ansehen konnte: daß unsere zwölf Magier während ihrer ganzen Reise stets vom Verlangen getrieben waren, ihr Ziel zu erreichen. Welches freilich für jeden von ihnen ein anderes war: Boron und Kyot wollten nur den Gradal wiederfinden, auch wenn er nicht im Reich des Priesters gelandet war; Baudolino wollte dieses Reich immer sehnlicher finden, und mit ihm Rabbi Solomon, der dort seine zehn verstreuten Stämme zu finden hoffte; der Poet suchte irgendein Reich, mit oder ohne Gradal; Ardzrouni wollte nur weg von da, wo er herkam, und Abdul, man kann sich's schon denken, war überzeugt, je weiter er in die Ferne ging, desto näher käme er dem Objekt seiner überaus keuschen Begierde.

Die Gruppe der Alexandriner war die einzige, die mit beiden Beinen auf dem Boden zu gehen schien, sie hatten einen Pakt mit Baudolino geschlossen und folgten ihm aus Solidarität, oder vielleicht aus Dickköpfigkeit, denn wenn man einen Priester Johannes finden will, muß man ihn finden, sonst wird man, wie Aleramo Scaccabarozzi genannt il Ciula sagte, von den Leuten nicht mehr ernst genommen. Aber vielleicht gingen sie auch deshalb treu und brav mit, weil der Boidi sich in den Kopf gesetzt hatte, daß sie, einmal ans Ziel gelangt, sich dort mit wunderbaren Reliquien eindecken würden (und nicht mit falschen wie diesen Täuferköpfen), um sie ins heimatliche Alexandria zu bringen und so diese noch geschichtslose Stadt in den meistbesuchten Wallfahrtsort der Christenheit zu verwandeln.

Ardzrouni hatte sie, um den Türken von Ikonion aus dem Weg zu gehen, zuerst über einige Bergpässe geführt, auf denen die Pferde Gefahr liefen, sich ein Bein zu brechen, dann sechs Tage lang durch ein steiniges Gelände, das übersät war mit Leichen von handgroßen Eidechsen, die an Hitzschlag gestorben waren. Ein Glück, daß wir genug zu essen mithaben und nicht diese ekligen Viecher essen müssen, sagte der Boidi ganz erleichtert – und täuschte sich, denn ein Jahr später hätte er noch weit ekligere Echsen genommen, hätte sie auf einen Zweig gespießt geröstet und zugesehen, während ihm das im Munde zusammengelaufene Wasser schon aufs Kinn troff, wie diese Leckerbissen schön braun brutzelten.

Hin und wieder kamen sie auch durch Dörfer, und in jedem zeigten sie den Zosimos-Popanz. Ja, sagte jemand, genau so ein Mönch ist hier vorbeigekommen, er ist einen Monat geblieben, und dann hat er sich aus dem Staub gemacht, weil er meine Tochter geschwängert hatte... Aber wie kann er denn einen Monat geblieben sein, wenn wir erst seit zwei Wochen unterwegs sind? Wann war denn das? Och, das kann vor sieben Ostern gewesen sein, seht das grindige Kind dort, das ist die Frucht seiner Sünde. Ach so, dann war's gar nicht er, diese schmuddeligen Mönche sehen doch alle gleich aus. Oder auch: Ja, scheint so, genau mit so einem Bart, vor drei Tagen etwa, ein sympathischer Buckliger. Aber wenn er bucklig war, kann er's auch nicht gewesen sein. Baudolino, bist du sicher, daß du diese Sprache wirklich verstehst, oder übersetzt du uns einfach, was dir gerade in den Sinn kommt? Oder auch: Ja, ja, klar haben wir den gesehen, der da war's – und dabei zeigten sie auf Rabbi Solomon, vielleicht wegen seines schwarzen Bartes. Also wirklich, fragten sie vielleicht immer genau die Vertrotteltsten?

Ein Stück weiter trafen sie auf Leute, die in kreisrunden Zelten wohnten und sie mit den Worten begrüßten: »*La ellec olla Sila, Machimet rores alla.*« Sie antworteten ebenso höflich auf Alemannisch, denn eine Sprache war so gut wie die andere, und dann zeigten sie den Zosimos-Popanz vor. Die Leute begannen zu lachen und redeten alle durcheinander, aber aus ihren Gebärden war zu entnehmen, daß sie sich an Zosimos erinnerten: Er war vorbeigekommen, hatte ihnen den Kopf eines christlichen Heiligen angebo-

ten, und sie hatten gedroht, ihm etwas hinten reinzustek-
ken. Da begriffen unsere Freunde, daß sie in eine Bande
von pfählenden Türken geraten waren, und entfernten sich
rasch mit großen Abschiedsgesten und breitem, alle Zähne entblößendem Lächeln, während der Poet Ardzrounis
Kopf an den Haaren zu sich herüberzog und ihm zu-
knurrte: Bravo, bravo, du weißt den Weg, ja? Führst uns
direkt ins Maul des Antichrist – und Ardzrouni röchelte,
nicht er habe sich im Weg geirrt, sondern diese Leute, die
eben Nomaden seien, und bei Nomaden wisse man nie,
wohin die gingen.

»Aber weiter vorn«, versicherte er, »da werden wir nur
auf Christen stoßen, wenn auch auf nestorianische.«

»Gut«, sagte Baudolino, »wenn sie Nestorianer sind, gehören sie schon zur Rasse des Priesters, aber von jetzt an
passen wir auf, wenn wir in ein Dorf kommen, und schau-
en, bevor wir zu reden anfangen, ob es da Kreuze und
Kirchtürme gibt.«

Von wegen Kirchtürme. Die nächsten menschlichen Sied-
lungen, auf die sie stießen, waren Ansammlungen von niedrigen Hütten aus Lehm, und selbst wenn es unter ihnen
eine Kirche gab, war sie nicht als solche zu erkennen, die
Leute dort begnügten sich mit wenigem, um den Herrn zu
loben.

»Bist du sicher, daß Zosimos hier durchgekommen ist?«
fragte Baudolino, und Ardzrouni sagte, er solle nur ganz
ruhig sein. Eines Abends sah Baudolino ihn die unterge-
hende Sonne beobachten, wobei er Maße am Himmel zu
nehmen schien, die Arme vorgestreckt und die Finger beider Hände so überkreuz, daß sie dreieckige Fenster bildeten, durch die er in die Wolken spähte. Baudolino fragte ihn,
was er da mache, und Ardzrouni sagte, er versuche herauszufinden, wo der große Berg sei, hinter dem die Sonne
jeden Abend versinke, unter der großen Wölbung des Tabernakels.

»Heilige Madonna!« rief Baudolino. »Glaubst etwa auch
du an diese Geschichte vom Tabernakel, so wie Zosimos
und dieser Kosmas Indikopleustes?«

»Aber klar doch«, sagte Ardzrouni, als hätte man ihn gefragt, ob er glaube, daß Wasser naß macht. »Wie könnte ich sonst so sicher sein, daß wir denselben Weg gehen, den Zosimos genommen haben muß?«

»Dann kennst du also die Karte, die uns Zosimos immer versprochen hat?«

»Ich weiß nicht, was Zosimos euch versprochen hat, aber ich habe Kosmas' Karte.« Er zog ein Pergament aus seinem Reisesack und zeigte es den Freunden.

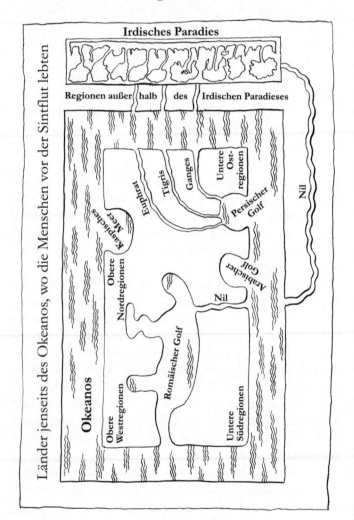

»Hier, seht ihr? Dies ist der Rahmen des Okeanos. Jenseits davon sind die Länder, in denen Noah vor der Sintflut lebte. Ganz im Osten dieser Länder, getrennt vom Okeanos durch Regionen, die von allerlei Monsterwesen bewohnt sind – da werden auch wir durchmüssen –, liegt das Irdische Paradies. Aus ihm kommen, wie hier gut zu sehen ist, die Flüsse Euphrat, Tigris und Ganges, sie durchqueren den Okeanos, um durch die Länder zu fließen, zu denen wir unterwegs sind, und ergießen sich dann in den Persischen Golf, während der Nil hier unten einen weiten Umweg durch die vorsintflutlichen Länder macht, dann den Okeanos durchquert, dann durch die Unteren Südregionen fließt, genauer gesagt durch Ägypten, und sich in den Romäischen Golf ergießt, also in das, was die Lateiner zuerst Mittelmeer und dann Hellespont nennen. So, wir müssen also hier weiter in östlicher Richtung gehen, dann treffen wir zuerst auf den Euphrat, dann auf den Tigris und dann auf den Ganges, und dann biegen wir in die Unteren Ostregionen ab.«

»Aber«, unterbrach der Poet, »wenn das Reich des Priesters Johannes nahe beim Irdischen Paradies liegt, müssen wir dann, um hinzukommen, den Okeanos überqueren?«

»Es liegt nahe beim Irdischen Paradies, aber diesseits des Okeanos«, sagte Ardzrouni. »Allerdings müssen wir den Sambatyon überqueren...«

»Den Sambatyon, den steinernen Fluß!« rief Solomon und legte fromm die Hände zusammen. »Dann hatte Eldad also nicht gelogen, und dies ist die Straße, die uns zu den verstreuten Stämmen führt!«

»Den Sambatyon haben auch wir schon im Brief des Priesters erwähnt«, erinnerte Baudolino, »und es ist klar, daß er da irgendwo sein muß. Also gut, der Herr ist uns zu Hilfe gekommen, er hat uns Zosimos verlieren lassen, aber er hat uns Ardzrouni finden lassen, der anscheinend mehr darüber weiß.«

Eines Tages erblickten sie von weitem einen prächtigen Tempel mit Säulenportal und bebildertem Giebelfeld. Doch als sie näher kamen, sahen sie, daß der Tempel nur eine Fassade war, denn der Rest war Felsen, und tatsächlich befand sich jenes Säulenportal hoch oben in den Berg eingefügt, und man mußte hinaufsteigen, Gott weiß wie, bis zu der Höhe, wo die Vögel fliegen, um es zu erreichen. Bei genauerem Hinsehen entdeckten sie dann an den Bergen ringsum noch andere Fassaden, hoch oben an steilen Wänden aus Lavagestein, und bisweilen mußten sie sehr genau hinsehen, um den bearbeiteten Stein von dem durch die Natur geformten zu unterscheiden, und dann entdeckten sie noch mehr gemeißelte Kapitelle, Gewölbe, Bögen und Kolonnaden von edelster Gestalt. Die Bewohner des Tals sprachen eine dem Griechischen ähnliche Sprache und sagten, ihre Stadt heiße Bakanor, aber was man dort oben sähe, seien Kirchen aus der Zeit vor tausend Jahren, als in jener Gegend Aleksandros herrschte, ein großer König der Griechen, der einen am Kreuz gestorbenen Propheten verehrte. Inzwischen hätten sie vergessen, wie man zu dem Tempel hinaufsteige, sie wüßten auch nicht, was darin sei, sie zögen es vor, die Götter (sie sagten tatsächlich »die Götter«, nicht den Herrgott) in einem offenen Hof zu verehren, in dessen Mitte der vergoldete Kopf eines Büffels thronte, erhaben auf einem hölzernen Pfahl.

Gerade an jenem Tag beging die ganze Stadt das feierliche Begräbnis eines jungen Mannes, den alle sehr gemocht hatten. In der Ebene am Fuß des Berges hatte man ein Bankett hergerichtet, und in der Mitte eines Kreises von Tischen, die schon gedeckt waren, stand ein Altar, auf dem der Leichnam des Verstorbenen lag. Hoch oben flogen in großen Kreisen und immer niedriger kommend Adler, Geier, Raben und andere Raubvögel, als wären sie zu dem Fest geladen. Ganz in Weiß gekleidet trat der Vater des Toten an den Altar, trennte ihm mit einer Axt den Kopf ab und legte ihn auf einen goldenen Teller. Danach zerteilten ebenfalls weißgekleidete Gehilfen den Leichnam in kleine Stücke, und jeder der Eingeladenen wurde aufgefordert, ein Stück zu nehmen und es zu einem Vogel hinaufzuwerfen, der es im Fluge auffing und mit ihm davonflog. Jemand erklärte Baudolino, die Vögel trügen den Toten ins Paradies, und dieser Brauch sei viel schöner als der anderer

Völker, die ihre Toten in der Erde verfaulen ließen. Alsdann kauerten sich alle vor die Tische, und jeder kostete etwas vom Fleisch des Kopfes, bis dieser nur noch ein nackter Schädel war, sauber und blank wie aus Metall, und sie daraus eine Schale machten, aus der alle freudig und den Verstorbenen preisend tranken.

Ein andermal zogen sie eine ganze Woche lang durch ein Sandmeer, in dem sich Dünen wie große Wellen erhoben und der Boden unter den Füßen und den Hufen der Pferde zu wanken schien. Solomon, der schon bei der Überfahrt von Kalliupolis seekrank geworden war, litt während dieser Tage unter ständigem Brechreiz, konnte jedoch nur sehr wenig von sich geben, da die Reisenden nur sehr wenig Gelegenheit hatten, etwas zu sich zu nehmen, und es war ein Glück, daß sie sich mit genügend Wasser versorgt hatten, ehe sie diesen Teil des Weges in Angriff nahmen. Hier war es, daß Abdul zum ersten Mal Fieberanfälle bekam, die ihn von da an während der ganzen weiteren Reise immer heftiger schüttelten, so daß er schließlich nicht einmal mehr in der Lage war, abends seine Lieder zu singen, wozu die Freunde ihn aufforderten, wenn sie im Mondlicht rasteten.

Manchmal kamen sie auch zügig voran, wenn sie durch weite Grassteppen zogen, und wenn sie nicht mit widrigen Elementen zu kämpfen hatten, führten Boron und Ardzrouni endlose Streitgespräche über das Thema, das sie nicht losließ, nämlich die Frage der Leere.

Boron führte seine üblichen Argumente ins Feld – daß, wenn es die Leere gäbe, uns nichts daran hindern würde, nach unserer Welt noch viele andere Welten in dieser Leere anzunehmen, und so weiter und so fort. Doch Ardzrouni hielt ihm entgegen, er verwechsle die allgemeine Leere, über die sich diskutieren ließe, mit der Leere, die sich in den Zwischenräumen zwischen den Korpuskeln bilde. Und auf Borons Frage, was denn diese Korpuskeln seien, erinnerte ihn Ardzrouni daran, daß man nach der Ansicht einiger altgriechischer Philosophen sowie auch gewisser arabischer Theologen, nämlich der Anhänger des Kalam, also der Mutakallimun, nicht denken darf, die Körper seien feste Substanzen. Das ganze Universum, jedes Ding, das in ihm existiert, auch wir selbst, sind vielmehr zusammengesetzt aus unsichtbaren Korpuskeln, genannt Atome, die sich unablässig bewegen und so das Leben erzeugen. Die Bewegung dieser Korpuskeln ist die Grundbedingung allen Werdens und allen Vergehens. Und zwischen Atom und Atom ist notwendigerweise, eben damit sie sich frei bewegen können, Leere. Ohne die Leere zwischen den Korpuskeln, aus denen jeder Körper besteht, könnte nichts zerschnitten, zerrissen oder gebrochen werden, auch könnte nichts Wasser aufsaugen noch von Kälte oder Hitze durchdrungen werden. Wie können die Nährstoffe sich in unserem Körper verteilen, wenn nicht, indem sie durch die leeren Räume zwischen den Korpuskeln reisen, aus denen unsere Körper bestehen? »Stich eine Nadel in eine prall aufgeblasene Schweineblase«, sagte Ardzrouni, »und die Luft beginnt erst zu entweichen, wenn die Nadel durch ihre Bewegung das Loch vergrößert, das sie gemacht hat. Wie kommt es, daß die Nadel zuerst einen Augenblick in der Blase steckt, die noch ganz voller Luft ist? Weil sie sich in die Leere zwischen den Korpuskeln der Luft einschiebt.«

»Deine Korpuskeln sind eine Ketzerei, niemand hat sie jemals gesehen, außer deinen arabischen Kallimotemun oder wie die heißen«, antwortete Boron. »Schon während die Nadel eindringt, entweicht ein bißchen Luft, wodurch Platz für die Nadelspitze entsteht.«

»Dann nimm eine leere Flasche und tauche sie mit dem Hals voran ins Wasser. Das Wasser dringt nicht ein, weil noch Luft in der Flasche ist. Saug die Luft heraus, verschließ die Flasche mit dem Daumen, damit keine andere Luft eindringt, tauche sie ins Wasser, zieh den Daumen weg, und das Wasser dringt ein, wo du eine Leere geschaffen hast.«

»Das Wasser steigt, weil die Natur so agiert, daß keine Leere entsteht. Die Leere ist widernatürlich, und was wider die Natur ist, kann es nicht in der Natur geben.«

»Aber während das Wasser steigt, und das tut es ja nicht mit einem Schlag, was ist dann in dem Teil der Flasche, der sich noch nicht wieder gefüllt hat, seit die Luft herausgesogen worden ist?«

»Wenn man die Luft heraussaugt, beseitigt man nur die kalte Luft, die sich langsam bewegt, aber man läßt einen Teil der warmen Luft, die sich schnell bewegt, in der Flasche. Das Wasser dringt ein und treibt die warme Luft sofort hinaus.«

»Dann nimm eine Flasche voll Luft und erhitze sie, so daß sie nur warme Luft enthält. Dann tauch sie mit dem Hals voran ins Wasser. Obwohl sie nur warme Luft enthält, dringt kein Wasser ein. Also hat die Wärme der Luft nichts damit zu tun.«

»Ach ja? Dann nimm die Flasche erneut und mach in ihren Boden, auf der bauchigen Seite, ein Loch. Tauche sie mit der Seite des Loches voran ins Wasser. Das Wasser dringt nicht ein, weil Luft in der Flasche ist. Nun setz die Lippen an den Flaschenhals, der außerhalb des Wassers geblieben ist, und sauge die ganze Luft heraus. Im gleichen Maße, wie du die Luft heraussaugst, steigt das Wasser durch das Loch am Boden herauf. Nun zieh die Flasche aus dem Wasser und halte dabei den Hals verschlossen, so daß die Luft nicht hineinkann. Du wirst sehen, das Wasser bleibt in der Flasche und kommt nicht durch das Loch am Boden heraus, weil die Natur es verabscheuen würde, eine Leere in der Flasche zu lassen.«

»Das Wasser fließt deshalb nicht heraus, weil es zuerst hochgestiegen ist, und ein Körper kann keine Bewegung machen, die der ersten entgegengesetzt ist, wenn er nicht einen neuen Anstoß erhält. Nun paß auf. Steck eine Nadel in eine pralle Blase, laß die ganze Luft entweichen, pffft, dann verstopfe sofort das Loch, das die Nadel gemacht hat. Jetzt nimm die Blase mit spitzen Fingern an zwei Seiten und zieh sie auseinander, wie wenn du die Haut hier auf deinem Handrücken hochziehst. Du siehst, wie die Blase sich öffnet. Und was ist jetzt in der Blase, nachdem du ihre Wände erweitert hast? Leere!«

»Wer hat gesagt, daß die Wände der Blase sich voneinander lösen?«

»Probier's doch.«

»Nein, ich bin kein Mechanikus, ich bin ein Philosoph, ich ziehe meine Schlüsse durch bloßes Denken. Wenn deine Blase sich tatsächlich erweitert, dann deshalb, weil sie Poren hat, durch die nach dem Entweichen der alten Luft bereits wieder ein wenig neue Luft eingedrungen ist.«

»Ach ja? Also erst einmal, was sind Poren, wenn nicht kleine Leerräume? Und wie kann die Luft von alleine durch sie eindringen, wenn sie durch keinen Anstoß in Bewegung versetzt worden ist? Und wie kommt es, daß die Blase, wenn du die Luft aus ihr entfernt hast, sich nicht spontan wieder aufbläht? Und wenn es da Poren gibt, warum hat die Blase, als sie prall gefüllt und gut verschlossen war und du sie gedrückt hast, um der Luft in ihr einen Bewegungsanstoß zu geben, ihre Luft nicht durch diese Poren verloren? Einfach deshalb, weil Poren zwar kleine Leerräume sind, aber kleiner als die Korpuskeln der Luft.«

»Drück noch stärker auf die Blase, und du wirst schon sehen. Oder laß die Blase ein paar Stunden lang prall in der Sonne liegen, und du wirst sehen, wie sie langsam von selber schlaff wird, weil die Wärme die kalte Luft in warme Luft verwandelt, die schneller entweicht.«

»Jetzt nimm eine Flasche…«

»Mit Loch am Boden oder ohne?«

»Ohne. Tauch sie ganz ins Wasser, schräg geneigt. Du siehst, daß im gleichen Maße, wie das Wasser eindringt, die Luft herauskommt und blubb blubb macht, womit sie ihre Existenz bekundet. Nun zieh die Flasche heraus, leere sie, saug alle Luft heraus, halte die Öffnung mit dem Daumen zu, tauche die Flasche wieder schräg geneigt ins Wasser und zieh den Daumen weg. Das Wasser dringt ein, aber man hört und sieht keinerlei blubb blubb. Weil drinnen die Leere war.«

An diesem Punkt unterbrach der Poet die beiden Streithähne, um daran zu erinnern, daß Ardzrouni sich nicht ablenken lassen dürfe, denn bei all diesem blubb blubb und diesen Flaschen seien sie alle durstig geworden, ihre Blasen seien inzwischen leer, und so wäre es klüger gewesen, sie hätten sich zu einem Fluß begeben oder sonst irgendwohin, wo es feuchter war als da, wo sie sich gerade befanden.

Immer wieder hörten sie von Zosimos. Jemand hatte ihn gesehen, jemand hatte von einem Mann mit schwarzem Bart gehört, der sich nach dem Reich des Priesters Johannes erkundigte. Worauf unsere Freunde begierig fragten: »Und was habt ihr ihm gesagt?«, und fast immer antworteten die Leute, sie hätten das gesagt, was dort alle wüßten, nämlich daß der Priester Johannes im Osten wohne, aber daß man Jahre brauche, um dorthin zu gelangen.

Der Poet schimpfte wütend, in den Handschriften der Bibliothek von Sankt Viktor sei zu lesen, daß die, die in jene Länder gereist sind, nichts anderes taten als immerfort auf prächtige Städte zu stoßen, mit Tempeln, deren Dach mit Smaragden gedeckt war, Palästen mit goldenen Saaldecken, Säulen mit Kapitellen aus Ebenholz, Statuen, die zu leben schienen, goldenen Altären mit sechzig Stufen, Mauern aus purem Saphir, Steinen, die so leuchteten, daß sie die Räume wie Fackeln erhellten, auf Berge aus Kristall, Flüsse aus Diamanten, Gärten mit Bäumen, aus denen balsamische Düfte stiegen, die es den Bewohnern erlaubten, allein vom Einsaugen ihrer Gerüche zu leben, auf Klöster, in denen nur farbenprächtigste Pfauen gezüchtet wurden, deren Fleisch keiner Verwesung unterlag und sich auf Reisen dreißig Tage und länger auch in glühender Sonne frisch hielt, ohne je einen schlechten Geruch anzunehmen, auf herrlich klare Brunnen, deren Wasser schimmerte wie das Licht des Blitzes, so daß, wenn man einen in Salz getrockneten Fisch hineinwarf, er sofort zum Leben erwachte und davonflitzte, ein Zeichen, daß es sich um den Brunnen der ewigen Jugend handelt... Sie aber hatten bisher nichts als Wüsten, Gestrüpp und Geröllfelder gesehen, bei denen man sich nicht einmal auf die Steine setzen konnte, weil sie so heiß waren, daß sie einem den Hintern verbrannten, die einzigen Städte, auf die sie gestoßen waren, hatten aus elenden Hütten bestanden, bewohnt von abstoßenden Wesen, wie Colandiofonta, wo die Artabanten lebten, Menschen, die auf allen vieren gingen wie die Schafe, oder Iambut, wo sie gehofft hatten, ein wenig Ruhe zu finden, nachdem sie durch sonnenverbrannte Ebenen gezogen waren, und wo die Frauen zwar nicht schön, aber

auch nicht allzu häßlich waren, jedoch, wie sich heraus-
stellte, ihren Ehemännern so übertrieben treu, daß sie
zur Verteidigung ihrer Keuschheit giftige Vipern in der
Vagina trugen – und wenn sie das wenigstens vorher gesagt
hätten, aber nein, eine hatte vorgetäuscht, sich dem Poeten
hinzugeben, der sich um ein Haar der ewigen Keuschheit
hätte verschreiben müssen und gerade noch zurücksprin-
gen konnte, als er zu seinem Glück das Zischen hörte...
Bei den Sümpfen von Kataderse waren sie auf Männer
gestoßen, deren Hodensäcke bis zu den Knöcheln herun-
terhingen, und in Nekuweran auf Menschen, die nackt wie
die wilden Tiere waren und sich in den Straßen paarten wie
Hunde, der Vater besprang die Tochter, der Sohn die Mutter. In Tana waren sie Menschenfressern begegnet, die zum
Glück keine Ausländer fraßen, weil sie sich vor ihnen ekel-
ten, sondern bloß ihre eigenen Kinder. An dem Fluß Arlon
waren sie in ein Dorf geraten, wo die Einwohner um ein
Götzenbild tanzten und sich mit scharfen Messern Wunden in alle Glieder schnitten, dann wurde das Götzenbild
auf einen Karren geladen und durch die Straßen gefahren,
und viele warfen sich fröhlich unter die Räder und ließen
sich die Glieder zermalmen, bis sie daran starben. In Sali-
but hatten sie einen Wald durchquert, in dem es von
froschgroßen Flöhen wimmelte, in Karjamarja waren sie
pelzigen Männern begegnet, die wie Hunde bellten, und
nicht einmal Baudolino konnte ihre Sprache verstehen, und
Frauen mit Wildschweinzähnen, Haaren bis zu den Füßen
und Kuhschwänzen.

Diese und andere schaurigen Dinge hatten sie gesehen,
aber nichts von den Wundern des Orients, kein einziges, als
wären alle, die darüber geschrieben haben, große Lügner
gewesen.

Ardzrouni riet zur Geduld, er habe ihnen doch gesagt,
daß vor dem Irdischen Paradies eine ziemlich wilde Gegend komme, aber der Poet entgegnete, wilde Gegenden
würden von wilden Tieren bewohnt, denen sie zum Glück
noch nicht begegnet seien, was aber dann wohl auch noch
kommen werde, und wenn das, was sie bisher gesehen
hatten, noch nicht die richtige Wildnis war, na dann viel

Vergnügen für den Rest! Abdul, der immer mehr fieberte, meinte, es sei unmöglich, daß seine Prinzessin an so gottverfluchten Orten lebe, vielleicht hätten sie den falschen Weg genommen. »Aber ich habe bestimmt nicht die Kraft zur Umkehr, Freunde«, sagte er schwach, »und darum glaube ich, daß ich auf meinem Weg ins Glück sterben werde.«

»Sei still, du weißt ja nicht mehr, was du redest«, fuhr ihn der Poet an. »Nächtelang hast du uns mit anhören lassen, wie du die Schönheit deiner unmöglichen Liebe besingst, und jetzt, wo du siehst, daß sie unmöglicher gar nicht sein könnte, müßtest du doch zufrieden und geradezu überglücklich sein!« Baudolino zog ihn beiseite und flüsterte ihm zu, Abdul phantasiere inzwischen und es sei nicht nötig, ihn noch mehr leiden lassen.

Nach einer Zeit, die gar nicht mehr aufhören wollte, gelangten sie nach Salopatana, eine ziemlich elende Stadt, deren Bewohner sie staunend empfingen, wobei sie die Finger bewegten, als ob sie sie zählten. Es war klar, die Leute wunderten sich, daß sie zwölf waren, und alle knieten nieder, während einer loslief, um die anderen zu benachrichtigen. Nach einer Weile kam ihnen eine Art Archimandrit entgegen, der auf Griechisch psalmodierte und ein hölzernes Kreuz vor sich hertrug (von wegen silberne Kreuze, besetzt mit Rubinen, murmelte der Poet), und er sagte zu Baudolino, seit langem erwarte man an diesem Ort die Rückkehr der Heiligen Magierkönige, die tausend und abertausend Jahre lang tausend Abenteuer durchgemacht hätten, nachdem sie das Kind in Bethlehem angebetet hatten. Sodann fragte dieser Archimandrit sie tatsächlich, ob sie ins Land des Priesters Johannes zurückkehrten, aus dem sie zweifellos stammten, um ihn von seiner langen Mühsal zu erlösen und die Macht wieder an sich zu nehmen, die sie einst über diese gesegneten Länder ausgeübt hatten.

Baudolino frohlockte. Er stellte allerlei Fragen über das, was sie dort erwartete, aber dann begriff er, daß auch diese Leute nicht wußten, wo das Reich des Priesters lag, sondern nur felsenfest glaubten, daß es irgendwo im Osten sein mußte. Ja, sie wunderten sich, daß er solche Fragen stellte, gerade die Magier müßten doch sichere Kenntnisse über das Reich des Priesters haben, wo sie doch von dort stammten!

»Ihr allerheiligsten Herren«, sagte der gute Archimandrit, »ihr seid gewiß nicht wie jener byzantinische Mönch, der vor einiger Zeit hier durchgekommen ist und nach jenem Reich gefragt hat, um dem Priester ich weiß nicht was für eine Reliquie zurückzubringen, die ihm geraubt worden sei. Dieser Mensch hatte eine verschlagene und treulose Miene, und er war zweifellos ein Häretiker, wie alle Griechen der Länder am Meer, denn er rief ständig die Allerheiligste Jungfrau Mutter Gottes an, und Nestorios, unser Vater und Licht der Wahrheit, hat uns gelehrt, daß Maria nur die Mutter des Menschen Christus war. Ich bitte euch, kann man je ernsthaft an einen Gott in Windeln glauben, an einen Gott im Säuglingsalter, an einen Gott am Kreuz? Nur die Heiden geben ihren Göttern eine Mutter!«

»Verschlagen und treulos ist dieser Mönch gewiß«, unterbrach ihn der Poet, »und ihr müßt wissen: diese Reliquie hat er uns gestohlen.«

»Der Herr strafe ihn. Wir haben ihn weiterziehen lassen, ohne ihm etwas von den Gefahren zu sagen, in die er geraten würde, und so wußte er nichts von Abkasia, möge Gott ihn züchtigen, indem er ihn in jene Finsternis stürzt! Dort wird er sicher auch auf die Mantikore stoßen und auf die schwarzen Steine des Bubuktar.«

»Freunde«, sagte der Poet halblaut, »diese Leute könnten uns viele wertvolle Dinge sagen, aber sie würden sie uns nur sagen, weil wir die Magier sind, und gerade weil wir für sie die Magier sind, halten sie es nicht für nötig, sie uns zu sagen. Wenn ihr mich fragt, wir sollten uns gleich aus dem Staub machen, denn wenn wir noch eine Weile mit ihnen reden, sagen wir womöglich irgendwas Dummes, und sie kapieren, daß wir nicht wissen, was die Magier wissen müßten. Leider können wir ihnen auch keinen Täuferkopf anbieten, denn Magierkönige, die mit Reliquien handeln, kann ich mir hier nicht gut vorstellen. Also sehen wir zu, daß wir verschwinden, sie mögen ja gute Christen sein, aber niemand sagt uns, daß sie milde mit Leuten umspringen, von denen sie sich verarscht fühlen.«

So verabschiedeten sie sich eilends, nahmen viel Reiseproviant als Geschenk entgegen und fragten sich bang, was wohl dieses Abkasia sein mochte, in dem man so leicht zu Fall kommen konnte.

Was die schwarzen Steine des Bubuktar waren, erfuhren sie bald. Zu Tausenden lagen sie auf dem Grund des gleichnamigen Flusses, und einige Nomaden, denen sie unterwegs begegnet waren, hatten sie gewarnt: wer diese Steine berühre, werde genauso schwarz wie sie. Ardzrouni meinte jedoch, es müßten sehr kostbare Steine sein, die von den Nomaden auf irgendwelchen fernen Märkten verkauft würden, und sie erzählten dieses Märchen nur, um zu verhindern, daß andere die Steine nahmen. Er sprang auch gleich in den Fluß, um sich welche zu holen, und zeigte den Freunden, wie glattpoliert und vollkommen rundgeschliffen sie waren. Doch während er sprach, wurden sein Gesicht, sein Hals, seine Hände zusehends schwarz wie Ebenholz; er öffnete sein Gewand, und auch seine Brust war rabenschwarz, er entblößte Beine und Füße, und auch sie sahen aus wie verkohlt.

Ardzrouni stürzte sich nackt in den Fluß, wälzte sich im Wasser, schabte sich die Haut mit dem Kies am Grund... Nichts zu machen, er war schwarz wie die Nacht geworden, und man sah nur das Weiß seiner Augen und das Rot seiner Lippen unter dem ebenfalls schwarzen Bart.

Die anderen konnten sich kaum halten vor Lachen, während Ardzrouni ihre Mütter verfluchte, dann hoben sie an, ihn zu trösten: »Wollten wir nicht, daß man uns für die Magier hält?« sagte Baudolino. »Na bitte, mindestens einer von ihnen war schwarz, und ich schwöre, daß einer der drei, die jetzt in Köln liegen, ein Mohr ist. Also wird unsere Truppe noch ein Stück glaubwürdiger sein.« Solomon ergänzte fürsorglicher, er habe von Steinen gehört, die die Hautfarbe ändern, aber es gebe auch Heilmittel, und sicher werde Ardzrouni bald wieder weiß werden, weißer denn je.

»Jawohl, am Sankt-Nimmerleins-Tag«, feixte der Ciula, und sie mußten den unglücklichen Armenier festhalten, denn er wollte ihm ein Ohr abbeißen.

Eines schönen Tages kamen sie in einen lauschigen Hain voll dichtbelaubter Bäume mit Früchten aller Art, durch den ein Fluß plätscherte, dessen Wasser weiß wie Milch war. Und in dem Hain taten sich grünende Lichtungen auf, mit Palmen und Weinstöcken voll herrlicher Trauben, die Beeren groß wie Cedrolimonen. Auf einer dieser Lichtungen stand ein Dorf mit schlichten robusten Hütten aus geflochtenem Stroh, aus denen Menschen traten, die völlig nackt waren, von Kopf bis Fuß, und es war nur Zufall, wenn bei einigen Männern der überaus lange und wallende Bart manchmal die Scham bedeckte. Die Frauen fanden nichts dabei, Brüste und Bauch zu zeigen, aber sie machten keinen schamlosen Eindruck, im Gegenteil, sie sahen den Neuankömmlingen freimütig ins Gesicht, ohne jedoch unkeusche Gedanken aufkommen zu lassen.

Sie sprachen Griechisch und empfingen die Gäste sehr höflich. Sie seien Gymnosophisten, sagten sie, was soviel heiße wie Leute, die sich in unschuldiger Nacktheit darin übten, die Weisheit zu kultivieren und die Güte zu praktizieren. Unsere Reisenden wurden eingeladen, sich nach Lust und Laune in ihrem Dorf umzusehen, und am Abend wurden sie mit einem Essen bewirtet, das allein aus natürlichen Produkten der Erde bestand. Baudolino stellte einige Fragen an den ältesten von ihnen, den alle mit besonderer Ehrfurcht behandelten. Er fragte, was sie besäßen, und jener antwortete: »Wir besitzen die Erde, die Bäume, die Sonne, den Mond und die Sterne. Wenn uns hungert, essen wir die Früchte des Waldes, die dem Lauf der Sonne und des Mondes folgend von selber wachsen. Wenn uns dürstet, gehen wir an den Fluß und trinken. Wir haben jeder eine Frau, und dem Mondzyklus folgend befruchtet ein jeder seine Gefährtin, bis sie ihm zwei Kinder geboren hat, von denen wir eines dem Vater und eines der Mutter geben.«

Baudolino wunderte sich, daß er weder einen Tempel

noch einen Friedhof gesehen hatte, und der Alte sagte: »Dieser Ort, an dem wir leben, ist auch unser Grab, hier sterben wir, indem wir uns zum Schlaf des Todes hinlegen. Die Erde erzeugt uns, die Erde ernährt uns, unter der Erde tun wir den ewigen Schlaf. Was den Tempel betrifft, so wissen wir wohl, daß sie andernorts welche errichten, um das zu verehren, was sie den Schöpfer aller Dinge nennen. Wir glauben jedoch, daß die Dinge durch *charis* entstanden sind, als Geschenk ihrer selbst, so wie sie sich auch von selbst erhalten und wie der Schmetterling die Blüte bestäubt, die ihn, während sie wächst, ernährt.«

»Aber soweit ich verstanden habe, praktiziert ihr die gegenseitige Liebe und Achtung, ihr tötet keine Tiere und erst recht nicht euresgleichen. Kraft welchen Gebotes tut ihr das?«

»Wir tun das gerade, um das Fehlen jeden Gebotes wettzumachen. Nur indem wir Gutes tun und lehren, können wir uns und unseresgleichen über das Fehlen eines Allvaters hinwegtrösten.«

»Ohne einen Allvater geht es nicht«, murmelte der Poet zu Baudolino, »sieh nur, wie unser schönes Heer beim Tode Friedrichs zerfallen ist. Die leben hier von Luft und Liebe in den Tag hinein, aber wie das Leben geht, wissen sie nicht...«

Boron war jedoch sehr beeindruckt von ihrer Weisheit und stellte dem Alten eine Reihe von Fragen.

»Wer sind mehr, die Lebenden oder die Toten?«

»Die Toten sind mehr, doch man kann sie nicht mehr zählen. Deswegen sind die, die man sieht, mehr als die anderen, die man nicht mehr sehen kann.«

»Was ist stärker, der Tod oder das Leben?«

»Das Leben, denn beim Aufgang hat die Sonne hell leuchtende Strahlen, und wenn sie untergeht, scheint sie schwächer.«

»Was ist größer, die Erde oder das Meer?«

»Die Erde, denn auch das Meer ruht auf ihr.«

»Was ist zuerst gekommen, der Tag oder die Nacht?«

»Die Nacht. Alles, was entsteht, bildet sich im Dunkel des Bauches und kommt erst danach ans Licht.«

»Was ist die bessere Seite, rechts oder links?«

»Rechts. Geht doch auch die Sonne rechts auf und bewegt sich nach links über den Himmel, und die Frau gibt dem Säugling zuerst die rechte Brust.«

»Welches ist das wildeste aller Tiere?« fragte der Poet.

»Der Mensch.«

»Warum?«

»Frag dich selbst. Auch du bist ein Raubtier, das andere Raubtiere um sich hat und aus Machtgier allen anderen Raubtieren das Leben nehmen möchte.«

Da sagte der Poet: »Aber wenn alle so wären wie ihr, dann gäbe es keine Seefahrt, keinen Ackerbau, keine großen Reiche, die Ordnung und Größe in das kleinliche Durcheinander der irdischen Dinge bringen.«

Darauf der Alte: »Jede dieser Errungenschaften ist sicher ein Glück, aber eines, das auf dem Unglück anderer beruht, und das wollen wir nicht.«

Abdul fragte, ob sie wüßten, wo die schönste und fernste aller Prinzessinnen lebte. »Suchst du sie?« fragte der Alte, und Abdul bejahte. »Hast du sie nie gesehen?« fragte der Alte weiter, und Abdul verneinte. »Willst du sie haben?« und Abdul sagte, das wisse er nicht. Da ging der Alte in seine Hütte und kam mit einer metallenen Platte heraus, die so blank und glänzend war, daß alle Dinge ringsum sich in ihr spiegelten wie auf einer klaren Wasserfläche. »Diesen Spiegel haben wir einmal als Gastgeschenk bekommen«, sagte er, »und wir konnten ihn aus Höflichkeit gegenüber dem Schenkenden nicht ablehnen. Aber niemand von uns würde sich darin betrachten wollen, denn das könnte uns zur Eitelkeit über unseren Körper verführen oder zum Erschrecken über einen körperlichen Mangel, und dann würden wir in der Angst leben, daß uns die anderen verachteten. In diesem Spiegel wirst du vielleicht eines Tages erblicken, was du gesucht hast.«

Kurz vor dem Einschlafen, als sie in ihrer Hütte lagen, sagte der Boidi mit feuchten Augen: »Laßt uns hierbleiben.«

»Toll würdest du aussehen, so ganz splitternackt«, entgegnete der Poet.

»Vielleicht wollen wir zuviel«, sagte Rabbi Solomon, »aber inzwischen können wir nicht mehr anders, als es zu wollen.«

Am nächsten Morgen zogen sie weiter.

27. Kapitel

Baudolino in der Finsternis von Abkasia

Nachdem sie die Gymnosophisten verlassen hatten, irrten sie lange umher auf der Suche nach einem Weg zum Sambatyon, der nicht durch jene schrecklichen Orte führte, die man ihnen genannt hatte. Sie durchquerten Ebenen, durchwateten Flüsse, kletterten steile Hänge empor, während Ardzrouni immer wieder Berechnungen anhand der Karte von Kosmas anstellte und verkündete, daß der Euphrat oder der Tigris oder der Ganges nun nicht mehr weit sein könnten. Der Poet herrschte ihn an, er solle still sein, häßlich und schwarz wie er sei, Solomon wiederholte, er werde schon irgendwann wieder weiß werden, und die Tage und Monate gingen dahin.

Einmal lagerten sie an einem Teich. Das Wasser war nicht das klarste, aber es mochte angehen, und besonders die Pferde genossen es sehr. Als sie sich gerade zum Schlafen legen wollten, ging der Mond auf, und im Licht seiner ersten Strahlen erblickten sie ein unheimlich anmutendes Gewimmel. Es war ein nicht enden wollendes Heer von Skorpionen, alle mit aufgerichtetem Stachel, offenbar auf der Suche nach Wasser, und danach kam eine Legion von Schlangen in allen Farben: einige rot, andere schwarz und weiß, wieder andere schimmernd wie Gold. Die ganze Gegend war ein einziges Zischen, und unsere Freunde erfaßte ein großes Entsetzen. Sie stellten sich im Kreis, mit den Schwertern nach außen, um das üble Gezücht zu erschlagen, bevor es sich ihrer Abwehrkette nähern konnte. Aber die Schlangen und Skorpione schienen mehr vom Wasser angelockt als von ihnen, und sowie sie getrunken hatten, zogen sie sich der Reihe nach wieder zurück und verschwanden in irgendwelchen Bodenritzen.

Um Mitternacht, als die Bedrängten schon dachten, sie könnten ein bißchen schlafen, erschienen Schlangen mit einem gezackten Kamm auf dem Rücken, und jede von ihnen hatte zwei oder drei Köpfe. Mit ihren Schuppen fegten sie den Boden, und sie hielten den Rachen weit aufgerissen, so daß man drei Zungen darin züngeln sah. Ihren Gestank konnte man eine Meile weit riechen, und man hatte den Eindruck, daß ihre im Mondlicht glimmenden Augen Gift sprühten, wie es ja übrigens bei den Basilisken geschieht... Unsere Freunde kämpften eine Stunde lang gegen sie, auch weil diese Bestien aggressiver als die anderen waren und es vielleicht auf ihr Fleisch abgesehen hatten. Sie töteten einige, und deren Artgenossen stürzten sich auf die Leichen, verspeisten sie mit Genuß und vergaßen darüber die Menschen. Schon dachten diese, sie hätten es überstanden, da erschienen nach den Schlangen große Krebse, mehr als hundert, mit einer Schuppenhaut wie Krokodile und einem Panzer, an dem ihre Schwerter abprallten. Bis Colandrino eine aus der Verzweiflung geborene Idee hatte: Er näherte sich einem von ihnen und gab ihm einen kräftigen Fußtritt genau unter den Bauch, woraufhin der Krebs auf den Rücken fiel und wild mit den Scheren ruderte. So gelang es unseren Freunden schließlich, die Angreifer zu umzingeln, sie mit Zweigen zu bedecken und diese anzuzünden. Später entdeckten sie, daß die Krebse, hatte man sie erst einmal ihres Panzers beraubt, durchaus eßbar waren, und so konnten sie sich zwei Tage lang an einem weichen und faserigen, aber alles in allem recht guten und nahrhaften Fleisch erfreuen.

Ein andermal begegneten sie tatsächlich einem Basilisken, und er war genauso, wie es in vielen Berichten überliefert wird, die zweifelsohne der Wahrheit entsprechen. Er trat aus einem Felsblock, indem er den Stein aufsprengte, wie schon Plinius berichtet. Er hatte den Kopf und die Krallen eines Hahns und anstelle des Kamms einen roten Auswuchs in Form einer Krone, dazu gelbe Glupschaugen wie ein Frosch und den Leib einer Schlange. Er war smaragdgrün mit silbrigen Reflexen, und auf den ersten Blick sah er beinahe schön aus, doch man wußte, daß sein Atem ein Tier oder einen Menschen vergiften konnte, und schon von weitem roch man seinen widerwärtigen Leichenge-stank.

»Kommt ihm nicht nahe«, rief Solomon, »und seht ihm vor allem nicht in die Augen, denn auch sie sprühen Gift!« Der Basilisk schlängelte sich auf sie zu, und der Gestank wurde noch unerträglicher, bis Baudolino eine Möglich-keit einfiel, wie man ihn töten könnte. »Der Spiegel, der Spiegel«, rief er zu Abdul gewandt. Dieser reichte ihm den metallenen Spiegel, den ihm die Gymnosophisten ge-schenkt hatten. Baudolino streckte ihn mit der rechten Hand wie einen Schild dem Monster entgegen, während er sich die linke vor die Augen hielt, um seinem tödlichen Blick zu entgehen, und schritt langsam voran, die Schritte nach dem bemessend, was er am Boden sah. Vor der Bestie angelangt, blieb er stehen und streckte den Spiegel noch weiter vor. Angelockt von den Reflexen, hob der Basilisk den Kopf, heftete seine Froschaugen auf die schimmernde Oberfläche und stieß seinen giftigen Atem aus. Doch gleich darauf erzitterte er am ganzen Leibe, klapperte mit den violetten Augenlidern, stieß ein schauerliches Gebrüll aus und fiel tot um. Da wurde allen klar, daß der Spiegel dem Basilisken sowohl die Macht seines Blickes als auch den Hauch seines tödlichen Atems zurückgeworfen hatte, so daß er seinen beiden Wunderwaffen selbst zum Opfer gefallen war.

»Wir sind bereits in einem Land voller Monster«, sagte sehr zufrieden der Poet. »Das Reich kann nicht mehr weit sein.« Baudolino wußte nicht recht, ob er, wenn er »das Reich« sagte, noch an das Reich des Priesters dachte oder schon an sein für die Zukunft erhofftes eigenes.

So weiterziehend, heute auf menschenfressende Flußpfer-de stoßend, morgen auf Fledermäuse, die größer waren als Tauben, gelangten sie zu einem Dorf am Rande der Berge, vor dem sich eine Ebene mit spärlichen Bäumen erstreckte. Auf den ersten Blick schien diese Ebene in einen leichten Nebel gehüllt, aber weiter hinten wurde der Nebel immer dichter, um schrittweise zu einer dunklen, undurchdringlichen Wolke zu werden, die sich am Horizont in einen einzigen tiefschwarzen Streifen verwandelte, der sich scharf von den roten Streifen des Sonnenuntergangs abhob.

Die Bewohner des Dorfes waren herzlich, aber um ihre Sprache zu erlernen, die ausschließlich aus gutturalen Lauten bestand, brauchte Baudolino mehrere Tage, während deren sie gastlich aufgenommen und mit dem Fleisch von Berghasen bewirtet wurden, die es in jener Gegend reichlich gab. Als eine Verständigung möglich wurde, erklärten ihm die Dörfler, am Fuße der Berge beginne die weite Ebene von Abkasia, mit der es folgende Bewandtnis habe: Sie sei ein einziger riesiger Wald, in dem immer tiefstes Dunkel herrsche, aber nicht bloß wie in der Nacht, wo man immerhin noch das Licht der Sterne habe, sondern wirklich pechschwarze Finsternis, als befinde man sich mit geschlossenen Augen auf dem Grund einer Höhle. Diese lichtlose Provinz werde von den Abkasianern bewohnt, die dort sehr gut leben könnten, so wie die Blinden an Orten, wo sie seit frühester Kindheit aufgewachsen sind. Anscheinend orientierten sie sich mit dem Gehör oder dem Geruchssinn, aber wie sie aussähen, wisse niemand zu sagen, denn niemand habe sich jemals dorthin gewagt.

Baudolino fragte, ob es noch andere Möglichkeiten gebe, von dieser Stelle aus weiter nach Osten zu ziehen, und die Leute sagten, nun ja, man brauche bloß den Wald von Abkasia zu umgehen, aber das würde, wie alte Erzählungen überlieferten, mehr als zehn Jahre dauern, denn dieser finstere Wald erstrecke sich über hundertzwölftausend *salamoc* – und es war für unsere Freunde unmöglich herauszufinden, wie lang ein *salamoc* war, bestimmt aber länger als eine Meile, ein Stadium oder eine Parasange.

Sie wollten schon aufgeben, als der Porcelli, der immer der Stillste in der Truppe gewesen war, Baudolino daran erinnerte, daß sie doch in der Frascheta gewöhnt waren, im dichtesten Nebel zu gehen, den man fast mit dem Messer zerschneiden mußte, was noch schlimmer war, als im tiefsten Dunkel zu gehen, denn in jenem Grau konnte man, als Täuschung der ermüdeten Augen, Gestalten auftauchen sehen, die es auf dieser Welt nicht gab, so daß man auch dort haltmachen mußte, wo man noch hätte weitergehen können, denn wenn man der Täuschung erlag, verirrte man sich und stürzte in einen Graben. »Und wie gehst du im Nebel bei uns zu Hause«, sagte er, »wenn nicht nach dem Gefühl, nach dem Instinkt, nach Gehör und Tastsinn, wie es die Fledermäuse tun, die blind wie sonstwas sind? Du kannst nicht mal deinem Geruchssinn folgen, denn der Nebel steigt dir in die Nase, und das einzige, was du riechst, ist sein Nebelgeruch! Also«, schloß der Porcelli, »wenn du ans Gehen im Nebel gewöhnt bist, dann ist das Gehen in tiefster Dunkelheit wie ein Gehen am hellichten Tag.«

Die übrigen Alexandriner stimmten zu, und so war es nun an Baudolino und seinen fünf Jugendfreunden, die Truppe anzuführen, während die anderen sich jeder an eines ihrer Pferde banden und ihnen gottergeben folgten.

Anfangs ging es noch voran, daß es eine Freude war, denn sie kamen sich tatsächlich vor wie im Nebel bei sich zu Hause, aber nach einigen Stunden wurde es wirklich stockdunkel. Die Anführer spitzten die Ohren, um das Knacken von Zweigen zu hören, und wenn es nicht mehr zu hören war, schlossen sie daraus, daß sie auf eine Lichtung gelangt waren. Die Bewohner des Dorfes am Rand der Ebene hatten ihnen gesagt, daß dort immer eine kräftige Brise von Süden nach Norden wehte, und so hielt Baudolino von Zeit zu Zeit einen feuchten Finger in die Luft, um zu prüfen, woher der Wind kam, und sich dann nach Osten zu wenden.

Wann es Nacht wurde, merkten sie daran, daß die Luft kühler wurde, und dann hielten sie an, um zu rasten – eine sinnlose Entscheidung, meinte der Poet, denn unter solchen Umständen könne man ebensogut auch am Tage rasten. Doch Ardzrouni wies darauf hin, daß man, wenn es kühl wurde, keine Geräusche von Tieren mehr hörte, die sich jedoch beim ersten wärmenden Lüftchen wieder einstellten, besonders der Vogelgesang, was darauf hindeute, daß alle Lebewesen in Abkasia den Tag nach dem Näherkommen von Kälte und Wärme bemaßen, als wäre es das Erscheinen des Mondes oder der Sonne.

Lange bemerkten sie keinerlei Anwesenheit von Menschen. Als ihre Vorräte aufgezehrt waren, streckten sie die Hände aus, bis sie an die Zweige eines Baumes stießen, und tasteten sie Zweig für Zweig ab, manchmal stundenlang, bis sie auf eine Frucht stießen, die sie dann freudig aßen in der Hoffnung, daß sie nicht giftig war. Oft war der lockende Duft irgendeines pflanzlichen Wunders das Ausschlaggebende für Baudolino (der die feinste Nase von allen hatte), um zu entscheiden, ob sie geradeaus weiterreiten oder nach rechts oder links abbiegen sollten. Mit der Zeit wurden sie immer feinfühliger und geschickter. Aleramo Scaccabarozzi genannt il Ciula hatte einen Bogen, den er schußbereit hielt, bis er vor sich das Schnattern eines weniger flinken Vogels hörte, der vielleicht weniger flugfähig war, so wie bei uns die Hühner. Er schoß den Pfeil ab, und in den meisten Fällen gelang es ihnen, geleitet von einem Todesschrei oder einem moribunden Flügelgeflatter, die Beute zu packen, die sie dann rupften und über einem Feuer aus Zweigen brieten. Das Verblüffendste war, daß sie durch Aneinanderreiben von Steinen das Holz entzünden konnten – die Flamme erhob sich rot, wie es sich gehörte, aber sie erhellte nichts, nicht einmal die Gesichter derer, die sie umringten, und sie brach genau an der Stelle ab, wo der zu bratende Vogel, auf einen Zweig gespießt, in sie hineingehalten wurde.

Wasser zu finden war nicht schwer, denn oft genug hörten sie das Plätschern einer Quelle oder eines Baches. Insgesamt kamen sie jedoch nur sehr langsam voran, und einmal mußten sie feststellen, daß sie nach zwei Tagen an dieselbe Stelle zurückgekehrt waren, von der sie sich aufgemacht hatten, denn als sie an einem kleinen Wasserlauf tastend die Gegend erkundeten, stießen sie auf die Spuren ihres früheren Lagers.

Schließlich aber bemerkten sie die Anwesenheit der Abkasianer. Zuerst hörten sie Stimmen, ein Wispern und Tuscheln, das sie rings umgab, und es waren erregte Stimmen, wenngleich sehr leise, als zeigten die Bewohner des Waldes dabei mit den Fingern auf jene unerwarteten und nie gesehenen beziehungsweise nie gehörten Besucher. Einmal stieß der Poet einen lauten Schrei aus, und mit einem Schlag verstummte das Gewisper, während ein Rascheln von Gras und Blättern anzeigte, daß die Abkasianer erschrocken davonliefen. Aber dann kamen sie zurück und fingen wieder an zu wispern, zunehmend erstaunt über diese Invasion.

Mit einem Mal spürte der Poet, wie er von einer Hand gestreift wurde oder eher von einer pelzigen Pfote. Blitzschnell packte er zu und hielt etwas fest, und im gleichen Moment ertönte ein Schreckensschrei. Der Poet ließ los, und die Stimmen der Waldbewohner wichen ein Stückweit zurück, als hätten sie ihren Kreis um die Eindringlinge etwas vergrößert, um in gebührender Entfernung zu bleiben.

Einige Tage lang geschah nichts. Die Reisenden zogen weiter, und die Abkasianer begleiteten sie, und vielleicht waren es nicht dieselben wie in den ersten Tagen, sondern andere, denen ihr Durchzug angekündigt worden war. Tatsächlich hörten die Reisenden eines Nachts (war es Nacht?) etwas wie ein Trommeln, als schlüge jemand rhythmisch auf einen hohlen Baumstamm. Es war ein dumpfes Geräusch, aber es verbreitete sich durch den ganzen Raum ringsumher, vielleicht meilenweit, und sie begriffen, daß es die Methode war, mit der die Abkasianer einander über weite Entfernungen mitteilten, was sich in ihrem Wald ereignete.

Mit der Zeit gewöhnten sie sich an ihre unsichtbaren Begleiter. Und sie gewöhnten sich immer mehr an die Dunkelheit, so daß auch Abdul, der besonders unter den Strahlen der Sonne gelitten hatte, sich wieder besser fühlte, fast kaum noch Fieber hatte und auf seine Lieder zurückkam. Eines Abends (war es Abend?), während sie sich am Feuer wärmten, holte er sein Instrument aus der Satteltasche und fing wieder an zu singen:

> *Iratz e gauzens m'en partrai,*
> *Qan veirai cest'amor de loing;*
> *Mas non sai coras la-m veirai,*
> *Car trop son nostras terras loing.*

Assatz hi a portz e camis,
E per aisso no-n sui devis...
Mas tot sia cum a Dieu platz!

Traurig und glücklich werde ich ziehen,
Wenn ich meine ferne Liebe gesehen;
Doch weiß ich nicht, wann das je wird geschehen,
Zu fern voneinander sind unsere Länder.
So viele Häfen, so viele Wege,
Drum kann ich es nicht erraten...
Doch alles geschehe nach Gottes Wille.

Die Abkasianer, die bis dahin pausenlos überall ringsum gewispert hatten, waren verstummt. Still hatten sie Abduls Lied zugehört, dann versuchten sie ihm zu antworten: Aus hundert Lippen (waren es Lippen?) erklang ein Flöten und Zwitschern wie von Amseln, das die von Abdul gespielte Melodie wiederholte und variierte. So gelangten sie zu einer Verständigung ohne Worte mit ihren Gästen, und in den folgenden Nächten unterhielten sie sich miteinander, die einen singend und die anderen, als spielten sie auf Flöten. Einmal stimmte der Poet eines jener derben Tavernenlieder an, die in Paris sogar die Kellnerinnen erröten ließen, und Baudolino fiel mit ein. Die Abkasianer antworteten nicht, aber nach einer langen Stille begannen zwei oder drei von ihnen wieder, Abduls Melodien zu modulieren, als wollten sie sagen, diese sind schön und angenehm, nicht die anderen. Damit bekundeten sie, wie Abdul fand, echtes Zartgefühl und die Fähigkeit, gute von schlechter Musik zu unterscheiden.

Als einziger von den Abkasianern ermächtigt, mit ihnen zu »sprechen«, fühlte sich Abdul wie neu geboren. Wir sind im Reich der Zärtlichkeit, sagte er, also nicht weit von meinem Ziel. Los, gehen wir hin! Nein, erwiderte der Boidi ganz verzaubert, warum bleiben wir nicht hier? Gibt es einen schöneren Platz auf der Welt als diesen, wo man, selbst wenn hier etwas häßlich ist, es nicht sieht?

Auch Baudolino sagte sich, daß ihn, nachdem er so viele Dinge in der weiten Welt gesehen hatte, diese langen Tage im Dunkeln zur Ruhe gebracht, ja mit sich selbst versöhnt hatten. Im Dunkeln kehrte er zu seinen Erinnerungen zurück und dachte an seine Kindheit, an seinen Vater und seine Mutter, an die sanfte unglückliche Colandrina. Eines Abends (war es Abend? Ja, denn die Abkasianer schliefen still), als er keinen Schlaf fand, machte er ein paar Schritte und berührte mit den Händen die Blätter der Bäume, als ob er etwas suchte. Plötzlich stieß er auf eine Frucht, die sich weich anfühlte und köstlich duftete. Er brach sie ab und biß hinein, und sofort fühlte er sich von einem sehnsuchtsvollen Verlangen durchdrungen, so daß er nicht mehr wußte, ob er träumte oder wachte.

Auf einmal sah er – oder besser, fühlte er ganz in der Nähe, als ob er sie sähe – Colandrina. »Baudolino, Baudolino«, rief sie mit mädchenhafter Stimme, »bleib nicht da, wo du bist, auch wenn dir da alles so schön vorkommt. Du mußt zum Reich dieses Priesters, von dem du mir erzählt hast, und mußt ihm diesen Kelch bringen, wer macht sonst unser Baudolinchen-Colandrinchen zum Herzog? Mach mich glücklich, hier oben geht's mir nicht schlecht, aber du fehlst mir so!«

»Colandrina, Colandrina«, rief Baudolino oder glaubte er zu rufen, »sei still, du bist eine Larve, eine Täuschung, eine Frucht dieser Frucht! Die Toten kehren nicht zurück!«

»Gewöhnlich nicht«, antwortete Colandrina, »aber ich hab so sehr gebettelt. Ich habe gesagt, ihr habt mir nur eine Jahreszeit mit meinem Mann gegeben, nur ein winziges Stückchen. Tut mir diesen kleinen Gefallen, wenn ihr ein Herz habt. Es geht mir gut hier oben, ich sehe die Madonna und alle Heiligen, aber mir fehlen die Liebkosungen meines Baudolino, der mich so schön gekitzelt hat. Da haben sie mir ein bißchen Zeit gegeben, gerade genug für ein Küßchen. Baudolino, gib dich auf der Reise nicht mit den Frauen ab, die du unterwegs triffst, sie haben womöglich schlimme Krankheiten. Nimm die Beine in die Hand und geh der Sonne entgegen.«

Sie verschwand, während Baudolino eine weiche Berührung auf der Wange spürte. Er schüttelte seinen Wachtraum ab, legte sich wieder hin und schlief friedlich ein.

Am nächsten Morgen sagte er zu seinen Gefährten, sie müßten weiterziehen.

Noch viele weitere Tage vergingen, dann entdeckten sie einen Schimmer, einen milchigen Streifen am Horizont. Langsam verwandelte sich die Finsternis wieder in das Grau eines dichten gleichmäßigen Nebels. Sie wurden gewahr, daß die Abkasianer, die sie begleitet hatten, stehengeblieben waren und sich flötend und pfeifend von ihnen verabschiedeten. Offenbar waren sie am Rand einer Lichtung stehengeblieben, an der Grenze jener Helligkeit, die sie sicherlich fürchteten, und es hörte sich an, als winkten sie ihnen nach, und am Klang ihrer Stimmen war zu erkennen, daß sie lächelten.

Erneut ging es durch den Nebel, dann erblickten die zwölf zum ersten Mal wieder die Sonne. Anfangs waren sie wie geblendet, und Abdul wurde gleich wieder von Fieberschauern gepackt. Sie hatten gedacht, nach der Prüfung mit Abkasia würden sie endlich in die ersehnten Gefilde gelangen, aber sie mußten rasch einsehen, daß dem nicht so war.

Kaum hatten sie den Nebel hinter sich, kamen Vögel mit Menschengesichtern geflogen, die über ihren Köpfen kreisten und riefen: »Welchen Boden betretet ihr da? Zurück, zurück! Das Land der Seligen darf nicht verletzt werden. Kehrt zurück in das Land, das euch gegeben worden ist!« Der Poet sagte, es handle sich um eine Hexerei, vielleicht um eine der Methoden, mit denen das Land des Priesters verteidigt werde, und überredete die anderen weiterzuziehen.

Nachdem sie ein paar Tage durch eine Steinwüste ohne jeden Halm geritten waren, sahen sie drei Bestien auf sich zukommen. Die eine war zweifellos eine Katze, der Rücken gebuckelt, das Fell gesträubt und Augen wie glühende Kohlen. Die andere hatte den Kopf eines brüllenden Löwen, den Leib einer Ziege und das Hinterteil eines Drachens, doch auf dem Ziegenrücken erhob sich ein zweiter Kopf, der Hörner hatte und blökte. Der Schwanz war eine

Schlange, die sich mit drohendem Zischen nach vorne reckte. Die dritte Bestie hatte einen Löwenleib, einen Skorpionstachel und einen fast menschlichen Kopf mit himmelblauen Augen, einer schöngezeichneten Nase und einem weit aufgerissenen Mund, in dem man oben und unten je eine dreifache Reihe von messerscharfen Zähnen gewahrte.

Am meisten Sorge bereitete unseren Freunden zunächst die Katze, bekanntlich ein Bote Satans und Haustier nur bei Hexen und Zauberern, auch weil man sich gegen jedes Untier verteidigen kann, nur nicht gegen sie, denn noch ehe man das Schwert gezogen hat, springt sie einem ins Gesicht und kratzt einem die Augen aus. Solomon murmelte überdies, es sei nichts Gutes zu erwarten von einem Tier, das nirgendwo im Buch der Bücher erwähnt werde. Das zweite Tier war Boron zufolge sicherlich eine Chimäre, das einzige Wesen, welches, wenn es die Leere gäbe, summend in ihr fliegen und die Gedanken der Menschen aufsaugen könne. Beim dritten Tier gab es keinen Zweifel, und Baudolino erkannte es als eine Mantikore, nicht unähnlich der Bestie Leukokroka, über die er vor langer Zeit (wie lange mochte das hersein?) an Beatrix geschrieben hatte.

Die drei Monster kamen ihnen entgegen: die Katze mit raschen Sprüngen auf lautlosen Katzenpfoten, die beiden anderen mit gleicher Entschiedenheit, aber ein wenig langsamer wegen der Schwierigkeit, die ein dreigestaltiges Tier mit der Abstimmung seiner so verschiedenen Fortbewegungsweisen hat.

Als erster ergriff die Initiative Aleramo Scaccabarozzi genannt il Ciula, der sich inzwischen nicht mehr von seinem Bogen trennte. Er schoß einen Pfeil mitten in den Kopf der Katze, die sogleich tot zusammenbrach. Bei diesem Anblick machte die Chimäre einen Satz nach vorn. Mutig trat ihr der Cuttica aus Quargnento entgegen, um sie zu durchbohren, wobei er ausrief, bei sich zu Hause habe er es geschafft, liebestolle Stiere sanft wie Tauben zu machen, aber da tat die Bestie unversehens einen weiteren Satz, fiel über ihn her und hatte ihn schon mit ihren Löwenpranken gepackt, als der Poet, Baudolino und Colandrino herbeieilten, um ihr so lange mit Schwerthieben zuzusetzen, bis sie den Griff lockerte und zu Boden stürzte.

Inzwischen hatte die Mantikore angegriffen. Ihr traten Boron, Kyot, der Boidi und der Porcelli entgegen, während Solomon sie mit Steinen bewarf, in seiner heiligen Sprache fluchend, Ardzrouni sich zurückzog, nun auch schwarz vor Entsetzen, und Abdul sich, von einem heftigen Fieberanfall erfaßt, in Krämpfen am Boden wand. Die Bestie schien die Situation mit zugleich menschlicher und tierischer Schläue zu bedenken. Unerwartet behende stieß sie jeden beiseite, der ihr in den Weg trat, und noch ehe jemand sie verwunden konnte, stürzte sie sich auf den wehrlosen Abdul, schlug ihm ihre dreifachen Zähne in eine Schulter und ließ auch nicht los, als die anderen herbeigeeilt kamen, um ihren Genossen zu befreien. Sie brüllte unter den Schwerthieben, aber sie hielt Abduls Schulter verbissen fest, so daß er heftig blutete und die Wunde immer größer wurde. Endlich konnte die Mantikore den wütenden Hieben ihrer vier rasenden Gegner nicht länger standhalten und hauchte mit einem gräßlichen Röcheln ihr Leben aus. Aber es war sehr mühsam, ihre Kiefer zu öffnen und den armen Abdul aus ihrem Griff zu befreien.

Am Ende dieser Schlacht hatte der Cuttica einen verletzten Arm, aber Solomon verarztete ihn bereits mit einer Salbe aus seinen Beständen und sagte, er werde bald wieder wohlauf sein. Abdul hingegen wimmerte matt und verlor viel Blut. »Verbindet ihn«, sagte Baudolino, »so schwach, wie er war, darf er nicht auch noch bluten!« Sie versuchten alles mögliche, um den Blutstrom zu stillen, sie nahmen sogar ihre Kleider, um die Wunde zu verbinden, aber das Ungeheuer hatte die Zähne tief in den Leib gegraben, vielleicht bis zum Herzen.

Abdul phantasierte. Seine Prinzessin müsse ganz nahe sein, murmelte er, und er könne nicht ausgerechnet jetzt sterben. Sie sollten ihm auf die Beine helfen, bat er, und als sie es versuchten, mußten sie ihn festhalten, denn es war klar, daß die Bestie irgendein Gift in seine Adern gespritzt hatte.

Auf seine eigene Fälschung vertrauend, holte Ardzrouni aus Abduls Reisegepäck den Täuferkopf, zerbrach das Siegel, nahm den Schädel aus dem kopfförmigen Reliquiar und legte ihn Abdul in die Hände. »Bete«, sagte er, »bete für deine Genesung.«

»Blödmann«, fauchte der Poet, »erstens hört er dich nicht, und zweitens ist das der Kopf von wer weiß wem, den du dir aus einem entweihten Friedhof geholt hast.«

»Jede beliebige Reliquie kann den Geist eines Sterbenden neu beleben«, sagte Ardzrouni.

Am späten Nachmittag konnte Abdul nichts mehr sehen und fragte, ob sie wieder im Wald von Abkasia seien. Als klar war, daß es mit ihm zu Ende ging, entschloß sich Baudolino wieder einmal – wie gewöhnlich aus gutem Herzen – zu einer Lüge.

»Abdul«, sagte er, »jetzt bist du am Ziel deiner Wünsche. Du bist angekommen, wohin du immer gewollt hast, du mußtest nur noch die Prüfung der Mantikore bestehen. Hier, sieh her, deine Herrin steht vor dir. Als sie von deiner unglücklichen Liebe erfuhr, ist sie herbeigeeilt von den Rändern des seligen Landes, in dem sie lebt, gerührt und hingerissen von deiner Ergebenheit.«

»Nein«, hauchte Abdul, »das ist nicht möglich. Sie kommt zu mir, und nicht ich zu ihr? Wie werde ich soviel Glück aushalten können? Sagt ihr, sie soll warten. Helft mir auf, ich bitte euch, daß ich ihr entgegengehen und ihr huldigen kann...«

»Sei ruhig, mein Freund, wenn sie es so beschlossen hat, mußt du dich ihrem Willen fügen. Hier, mach die Augen auf, sie beugt sich über dich.« Und während Abdul die Lider hob, hielt Baudolino seinem nun schon getrübten Blick den Spiegel der Gymnosophisten hin, in dem der Sterbende vielleicht die Umrisse eines ihm nicht unbekannten Antlitzes sah.

»O Herrin, ich sehe dich«, sagte er kaum hörbar, »zum ersten und letzten Mal. Ich hatte nicht geglaubt, diese Freude noch zu erleben. Aber ich fürchte, daß du mich liebst, und das könnte meine Leidenschaft stillen... O nein, Prinzessin, das ist zuviel, warum beugst du dich nieder, um mich zu küssen?« Er näherte seine zitternden Lippen dem Spiegel. »Was empfinde ich jetzt? Leid über das Ende meiner Suche oder Freude über die unverhoffte Eroberung?«

»Ich liebe dich, Abdul, und das genügt«, hatte Baudolino das Herz, dem sterbenden Freund ins Ohr zu flüstern, und der lächelte. »Ja, du liebst mich, und das genügt. Habe ich das nicht immer gewollt, auch wenn ich den Gedanken daran verdrängte aus Angst, es könnte Wirklichkeit werden? Aber jetzt könnte ich mir nichts weiter wünschen. Wie schön du bist, meine Prinzessin, wie rot deine Lippen sind...« Er ließ den falschen Täuferschädel auf den Boden rollen, griff mit zitternder Hand nach dem Spiegel und reckte ihm die Lippen entgegen, um die von seinem Atem beschlagene Oberfläche zu berühren. »Heute feiern wir einen fröhlichen Tod, den Tod meines Schmerzes. Oh, süße Herrin, du warst meine Sonne und mein Licht, wo du vorbeigingst, war Frühling, und im Mai warst du die Mondscheibe, die meine Nächte verzauberte.« Er besann sich für einen Augenblick und sagte zitternd: »Aber ist das vielleicht nur ein Traum?«

»Abdul«, flüsterte Baudolino im Gedenken an Verse, die er einmal von ihm gehört hatte, »was ist das Leben, wenn nicht der Schatten eines flüchtigen Traums?«

»Danke, meine Geliebte«, sagte Abdul. Er machte eine letzte Anstrengung, während Baudolino seinen Kopf hob, und küßte den Spiegel dreimal. Dann neigte er das nun leblose, wächserne Antlitz im Licht der untergehenden Sonne über der Steinwüste.

Die Alexandriner hoben ein Grab aus. Baudolino, der Poet, Boron und Kyot, die einen Freund beweinten, mit dem sie seit Jugendjahren alles geteilt hatten, ließen seine sterbliche Hülle in die Erde hinab, legten ihm das Instrument auf die Brust, das nie wieder den Lobpreis der fernen Prinzessin singen würde, und bedeckten sein Antlitz mit dem Spiegel der Gymnosophisten.

Baudolino las den Schädel und den vergoldeten Schrein auf, dann ging er den Reisesack des toten Freundes holen, in dem er eine Pergamentrolle mit seinen Liedern fand. Er wollte gerade den Schädel des Täufers, den er wieder in seinen Schrein getan hatte, mit hineinpacken, da sagte er sich: »Wenn er ins Paradies kommt, was ich hoffe, braucht er ihn nicht, denn dort wird er dem echten Täufer begegnen, mit Kopf und allem. Und auf jeden Fall läßt man sich dort besser nicht mit einer Reliquie erwischen, die falscher nicht sein könnte. Diesen Kopf werde ich an mich nehmen, und wenn ich ihn eines Tages verkaufen kann, werde ich das Geld benutzen, um dem toten Freund wenn nicht ein Grab, so doch einen schönen Gedenkstein in einer christlichen Kirche errichten zu lassen.« Er schloß den Schrein, versiegelte ihn, so gut es ging, und tat ihn zu seinem eigenen in seinen Reisesack. Für einen Augenblick beschlich ihn der Verdacht, er sei gerade dabei, einen Toten zu bestehlen, aber er kam zu dem Schluß, daß er im Grunde nur etwas als Leihgabe nahm, was er in anderer Form zurückgeben würde. Dennoch zog er es vor, den anderen nichts davon zu sagen. Er packte alles übrige in Abduls Reisesack und legte ihn neben den Toten ins Grab.

Sie füllten das Grab mit Erde und pflanzten anstelle eines Kreuzes das Schwert des Verstorbenen darauf. Baudolino, der Poet, Boron und Kyot knieten nieder, um ein Gebet zu verrichten, während Solomon etwas abseits einige bei den Juden übliche Litaneien sprach. Die anderen standen ein Stück weiter hinten. Der Boidi hob zu einer kleinen Rede an, aber dann begnügte er sich mit einem langgezogenen »Hmm...«.

»Wenn man bedenkt, daß er vor kurzem noch da war«, murmelte der Porcelli.

»Heut' sind wir hier und morgen dort«, sagte Aleramo Scaccabarozzi genannt il Ciula.

»Wer weiß, wieso es gerade ihn treffen mußte«, sagte der Cuttica.

»Das ist eben Schicksal« schloß Colandrino, der, obwohl noch jung, schon sehr weise war.

28. Kapitel

Baudolino überquert den Sambatyon

»Halleluja!« rief Niketas nach drei Tagen Reise. »Dort unten liegt Selymbria, das trophäengeschmückte!« Und mit Trophäen geschmückt war sie tatsächlich, die kleine Stadt mit den niedrigen Häusern und schmalen Gassen, die menschenleer vor ihnen lagen, denn – wie sie später erfuhren – die Einwohner feierten gerade den Tag nach dem Fest eines Heiligen oder Erzengels. Mit Girlanden geschmückt war auch eine hohe weiße Säule, die sich auf einem offenen Platz am Stadtrand erhob, und Niketas erklärte Baudolino, daß vor Jahrhunderten auf dieser Säule ein Eremit gelebt habe, der bis zu seinem Tod niemals heruntergekommen sei und dort oben zahlreiche Wunder vollbracht habe. Aber Menschen dieses Schlages gebe es heute nicht mehr, und vielleicht sei auch das einer der Gründe für das Unglück des Reiches.

Sie begaben sich unverzüglich zum Haus jenes Freundes, auf den Niketas vertraute, und dieser Theophilattos, ein älterer Herr, gastfreundlich und jovial, empfing sie mit wahrhaft brüderlicher Liebe. Er ließ sich über ihr Unglück ins Bild setzen, beklagte mit ihnen das zerstörte Konstantinopel, zeigte ihnen das Haus, in dem es viele leere Zimmer für die ganze Gästeschar gab, und erquickte sie unverzüglich mit jungem Wein und einem üppigen Salat mit Oliven und Käse.

»Bleibt ein paar Tage im Haus, ohne auszugehen«, empfahl er. »Hierher sind schon viele Flüchtlinge aus Konstantinopel gekommen, und die Leute hier sind noch nie besonders gut auf die aus der Hauptstadt zu sprechen gewesen. ›Jetzt kommt ihr daher und bettelt um Almosen, ihr, die ihr immer so große Töne gespuckt habt‹, sagen sie. Und ein Stück Brot lassen sie sich in Gold aufwiegen. Aber wenn es nur das wäre. Hierher sind seit einiger Zeit auch Lateiner gekommen. Sie haben sich von Anfang an sehr großspurig aufgeführt, wie also erst jetzt, seit sie wissen, daß Konstantinopel ihnen gehört und einer von ihren Anführern der Basileus wird. Sie laufen in purpurgesäumten Gewändern herum, die sie unseren hohen Beamten weggenommen haben, sie setzen die aus den Kirchen geraubten Mitren ihren Pferden auf den Kopf, sie grölen unsere Hymnen in einem von ihnen erfundenen Griechisch, in das sie obszöne Wörter aus ihren Sprachen mischen, sie kochen ihre Speisen in unseren geweihten Gefäßen, und sie führen ihre Dirnen als große Damen umher. Früher oder später wird auch das vorübergehen, aber fürs erste habt ihr hier bei mir Ruhe vor ihnen.«

Baudolino und Niketas wünschten sich nichts lieber. In den nächsten Tagen erzählte Baudolino seine Geschichte unter Ölbäumen weiter. Sie saßen bei neuem Wein und Oliven und kosteten Oliven, Oliven und nochmals Oliven, um wieder neuen Durst auf Wein zu bekommen. Niketas war begierig zu hören, ob die Reisenden nun endlich zum Reich des Priesters Johannes gelangt waren.

Ja und nein, sagte Baudolino. Auf jeden Fall mußten sie zuvor noch dem Sambatyon überqueren. Und dieses Abenteuer begann er sogleich zu erzählen. Und wie er zart und behutsam gewesen war, als er von Abduls Tod erzählt hatte, so war er nun episch und majestätisch, als er von dieser Flußüberquerung berichtete. Woran man sah, dachte Niketas ein weiteres Mal, daß Baudolino ein bißchen wie jenes seltsame Tier war, von dem er – Niketas – nur gehört, das Baudolino aber vielleicht auch gesehen hatte, nämlich das sogenannte Chamäleon, das ähnlich wie eine sehr kleine Ziege aussieht und je nachdem, wo es sich gerade befindet, seine Farbe wechselt, wobei es von Schwarz bis Zartgrün variieren und nur Weiß, die Farbe der Unschuld, nicht annehmen kann.

Traurig über den Tod ihres Gefährten, machten die Reisenden sich wieder auf und gelangten erneut in eine gebirgige

Gegend. Beim weiteren Eindringen hörten sie erst ein fernes Rumoren, dann ein immer lauter und deutlicher werdendes Poltern und Prasseln, als stürzte eine Lawine aus Steinen und Felsbrocken von einem Gipfel und risse donnernd Geröll und Erdreich mit sich zu Tal. Dann gewahrten sie eine Staubwolke, ähnlich einem Dunst oder Nebel, aber im Unterschied zu einer feuchten Masse, die das Sonnenlicht getrübt hätte, glitzerten hier unzählige Reflexe, als brächen sich die Sonnenstrahlen in einem Gewimmel von mineralischen Atomen.

Als erster begriff Rabbi Solomon: »Das ist der Sambatyon!« rief er. »Also sind wir unserem Ziel nicht mehr fern!«

Es war tatsächlich der steinerne Fluß, und das wurde ihnen klar, als sie an sein Ufer gelangten, betäubt von dem brüllend lauten Getöse, in dem sie kaum ihr eigenes Wort verstanden, geschweige denn das der anderen. Es war ein majestätischer Strom von Steinen und Erdklumpen, die unaufhörlich vorbeizogen, und in dieser Flut konnte man große unförmige Brocken erkennen, unregelmäßige Platten, schneidend wie Klingen, breit wie Grabsteine, und dazwischen Kies, Fossile, Baumwipfel, Klippen und große Späne.

Mit gleichbleibender Geschwindigkeit, als würden sie von einem heftigen Wind getrieben, purzelten Kalksteinblöcke übereinander, große Schiefersplitter türmten sich darüber, um immer dann ihren Ansturm zu mildern, wenn sie auf träge Kiesfluten stießen, während runde Kiesel, glattpoliert wie von Wasser durch ihr Dahingleiten zwischen größeren Steinen, in die Luft sprangen, mit trockenem Klacken zurückfielen und von Strudeln erfaßt wurden, die sie selbst durch ihr Aneinanderstoßen erzeugt hatten. Inmitten und über dieser Anhäufung von mineralischen Massen bildeten sich Fontänen von Sand, Böen von Gips, Wolken von Steinchen, Schaumkronen von Bimssand und Bäche von Mörtel.

Da und dort Spritzer von Alabasterglas oder Hagelschauer von Kohlen, und dann mußten die Reisenden sich das Gesicht bedecken, um nicht getroffen zu werden.

»Was für ein Tag ist heute?« schrie Baudolino zu seinen

Gefährten. Und Solomon, der gewissenhaft jeden Sabbat verzeichnete, erinnerte daran, daß die Woche gerade erst begonnen hatte und es noch mindestens sechs Tage dauern würde, bis der Fluß das nächste Mal stillstehen würde. »Und wenn er dann stillsteht, kann man ihn nicht überqueren, ohne die Sabbatruhe zu verletzen«, schrie er verzweifelt. »Oh, warum hat der Herr, immerdar sei gesegnet der Heilige, in seiner Weisheit nicht gewollt, daß dieser Fluß am Sonntag stillsteht, wo doch ihr Gojim so unfromm seid, daß ihr die Sonntagsruhe mit Füßen tretet!«

»Mach dir keine Gedanken über den Sabbat«, brüllte Baudolino zurück, »wenn der Fluß stillstehen würde, wüßte ich schon, wie ich dich hinüberbekäme, ohne daß du eine Sünde begehen mußt. Man müßte dich bloß auf ein Maultier packen, während du schläfst. Das Problem ist, wie du selbst gesagt hast: Wenn der Fluß innehält, erhebt sich eine Feuerwand am Ufer, und wir stehen wieder genauso dumm da... Also hat es keinen Zweck, hier sechs Tage zu warten. Gehen wir flußaufwärts zur Quelle, vielleicht gibt es einen Übergang irgendwo hinter ihr.«

»Was, was?« schrien die anderen, die kein Wort verstanden hatten, aber als sie ihn dann losreiten sahen, folgten sie ihm in der Hoffnung, daß er eine gute Idee hatte. Es war jedoch eine miserable, denn sie ritten sechs Tage und sahen zwar, wie sich das Flußbett verengte und der Fluß allmählich zu einem Wildbach und dann zu einem Bächlein wurde, aber zur Quelle gelangten sie erst am fünften Tag, nachdem bereits seit dem dritten eine Kette sehr hoher Berge am Horizont aufgetaucht und immer näher gerückt war, um schließlich fast senkrecht über den Reisenden aufzuragen, so daß sie kaum noch den Himmel sahen, eingezwängt in einen immer enger werdenden Kamin ohne jeden Ausgang, von dem aus man hoch, hoch oben nur ein kaum schimmerndes Wölkchen erblickte, das am höchsten Gipfel jener Höhen nagte.

Hier, aus einer Spalte zwischen zwei Bergen, fast einer Wunde, sah man den Sambatyon entspringen: Ein Brodeln von Sandstein, ein Gurgeln von Tuff, ein Tröpfeln von Kalkstein, ein Klackern von Keilen und Splittern, ein Kollern von sich verklumpendem Erdreich, ein Scharren und Schieben von Schollen, ein Regen von Ton und Lehm verwandelten sich allmählich in einen gleichmäßigeren Fluß, der seine Reise zu irgendeinem grenzenlosen Sandozean begann.

Unsere Freunde versuchten einen Tag lang, die Berge zu umgehen und einen Paß oberhalb der Quelle zu finden, aber vergebens. Schlimmer noch, sie wurden von jähen Erdrutschen bedroht, die sich vor die Hufe ihrer Pferde ergossen, sie mußten einen längeren Umweg nehmen, wurden von der Nacht überrascht an einem Ort, wo ab und zu brennende Schwefelbrocken den Hang herabgerollt kamen, weiter vorn wurde die Hitze unerträglich, und sie begriffen, daß sie, selbst wenn sie dort einen Weg durchs Gebirge finden würden, nach dem Ende ihrer Wasservorräte in jener toten Natur verdursten müßten, und so beschlossen sie umzukehren. Allerdings mußten sie dann entdecken, daß sie sich bei ihrem Hin und Her durch die Berge verirrt hatten, und so brauchten sie noch einen weiteren Tag, um ihren Ausgangspunkt wiederzufinden.

Sie erreichten ihn, als nach Solomons Berechnungen der Sabbat gerade vorbei war, und selbst wenn der Fluß zum Stillstand gekommen sein sollte, hatte er doch nun wieder zu strömen begonnen, und sie mußten weitere sechs Tage warten. Unter Ausrufen, die ihnen sicher nicht gerade das Wohlwollen des Himmels einbrachten, beschlossen sie daraufhin, flußabwärts zu suchen, in der Hoffnung, daß der Sambatyon sich am Ende zu einem Mündungstrichter oder Delta öffnen und in eine eher ruhige Wüste verwandeln würde.

So ritten sie erneut einige Tage von morgens bis abends, zum Teil in größerem Abstand vom Ufer auf der Suche nach weniger unwegsamem Gelände, und der Himmel mußte ihre Flüche vergessen haben, denn sie fanden eine kleine Oase mit etwas Grünzeug und eine Quelle, die zwar nur spärlich sprudelte, aber genügte, um ihnen Erfrischung und Vorrat für einige weitere Tage zu spenden. Dann zogen sie weiter, immer begleitet vom Brüllen des Flusses, unter brennenden Himmeln, an denen hin und wieder

Streifen schwarzer Wolken erschienen, dünn und flach wie die Steine am Grund des Bubuktar.

Bis sie schließlich, nach beinahe fünf Tagen Reise durch die glühende Hitze und Nächten, die kaum Abkühlung brachten, den Eindruck hatten, daß der dumpf tosende Dauerlärm jener Flut sich veränderte. Die Strömung wurde schneller, es bildeten sich Strudel und Schnellen, die Basaltbrocken mit sich rissen, als ob es Strohhalme wären, man hörte ein fernes Donnern... Dann, immer rascher fließend, begann sich der Sambatyon in eine Vielzahl von Flüßchen zu unterteilen, die sich in Berghänge eingruben wie die Finger der Hand in einen Schlammklumpen; manchmal drang eine Welle in eine Höhle ein und kam dann aus einer Art Felsspalte, die begehbar schien, brüllend herausgeschossen, um sich wütend ins Tal zu stürzen. Und plötzlich, nach einem weiten Umweg, den sie hatten nehmen müssen, weil selbst das Ufer durch Geröllstrudel unpassierbar geworden war, sahen sie, als sie auf ein Hochplateau gelangten, wie sich der Sambatyon – unter ihnen – in eine Art Höllenschlund ergoß und verschwand.

Es waren Katarakte, die aus Dutzenden von amphitheaterförmig angeordneten Felsentraufen in einen gigantischen letzten Strudel stürzten, einen unaufhörlichen Wirbel von Granit, einen Mahlstrom von Bitumen, einen Sog von Alaun, ein Brodeln von Schist, ein Branden von Auripigment an die Ufer. Und über der Materie, die dieser Strudel zum Himmel spie, aber unten für die Augen derer, die auf das Schauspiel hinunterblickten wie hoch oben von einem Turm, erzeugten die Sonnenstrahlen auf den steinernen Tröpfchen einen riesigen Regenbogen, der, da jeder Stein die Strahlen mit einem anderen Glanz entsprechend seiner Natur zurückwarf, sehr viel mehr Farben aufwies als diejenigen, die sich gewöhnlich nach einem Gewitter am Himmel bilden, und im Unterschied zu jenen schien dieser in alle Ewigkeit zu glänzen, ohne sich jemals aufzulösen.

Es war ein Rotschimmern von Blutstein und Zinnober, ein Schwarzglänzen von Phosphat wie bei atramentiertem Stahl, ein Changieren von Auripigmentpartikeln von Gelb bis zu grellem Orange, ein Blaufunkeln von Armenium, ein

Weißblinken von kalzinierten Muscheln, ein Grünleuchten von Malachiten, ein Verblassen von Bleioxyd in immer bleicheren Tönen, ein Gleißen von Realgarkristallen, ein Grummeln von gründunkler Erdkrume, die zu Blauspatpulver verblaßte und dann zu Nuancen von Indigo und Violett überging, ein Triumph von Musivgold, ein Purpurglühen von gebranntem Bleiweiß, ein Flammen von miniumrotem Sandarak, ein Irisieren von Silbertonerde und eine einzige Transparenz von Alabastern.

Keine menschliche Stimme konnte sich in diesem donnernden Tosen Gehör verschaffen, aber die Reisenden hatten auch gar kein Verlangen zu reden. Schweigend wohnten sie der Agonie des Sambatyon bei, der sich, wütend über sein Los, ins Innere der Erde ergoß und alles mitzureißen versuchte, was ihn umgab, seine Steine fletschend, um seiner ganzen Ohnmacht Ausdruck zu verleihen.

Weder Baudolino noch seine Gefährten waren sich bewußt geworden, wie lange sie den heiligen Zorn bewundert hatten, mit dem sich der Fluß in die Eingeweide der Erde stürzte, um sich widerwillig darin zu begraben, aber sie mußten recht lange dort oben gestanden haben, und es mußte schon Freitagabend geworden sein, also der Anfang des Sabbat, denn mit einem Mal, wie auf Kommando, erstarrte der steinerne Fluß zu einer Leichenstarre, und der Strudel am Grund der Schlucht verwandelte sich in ein träges steiniges Tal, über dem ganz plötzlich ein unheimliches Schweigen herrschte.

Nach dem, was ihnen erzählt worden war, erwarteten sie nun, daß sich am Ufer des Flusses eine Flammenwand erhob. Aber nichts dergleichen geschah. Der Fluß lag schweigend da, die aufgewirbelten Teilchen sanken langsam ins Flußbett nieder, der nächtliche Himmel klarte auf und enthüllte ein Blinken und Funkeln von Sternen, das bisher verborgen geblieben war.

»Da kann man mal sehen, daß man nicht immer alles glauben darf, was einem erzählt wird«, folgerte Baudolino. »Wir leben in einer Welt, in der sich die Leute die unwahrscheinlichsten Geschichten ausdenken. Solomon, diese hier habt ihr Juden in Umlauf gesetzt, um die Christen daran zu hindern, in diese Gegend zu kommen.«

Solomon antwortete nichts darauf, denn er war ein Mann von rascher Auffassungsgabe und hatte verstanden, wie Baudolino ihn über den Fluß zu bringen gedachte. »Ich werde nicht einschlafen«, sagte er rasch.

»Mach dir keine Sorge«, erwiderte Baudolino, »ruh dich aus, während wir eine Furt suchen.«

Solomon wäre gerne geflohen, aber am Sabbat konnte er weder ein Pferd besteigen noch gar zu Fuß durch die Berge entkommen. So blieb er die ganze Nacht lang sitzen, den Kopf in die Fäuste gestützt, und verfluchte zusammen mit seinem Los die verfluchten Gojim.

Am nächsten Morgen, als die anderen eine Stelle gefunden hatten, wo man den Fluß gefahrlos überqueren konnte, ging Baudolino zu Solomon, lächelte ihm verständnisvoll zu und schlug ihm mit einem Holzhammer direkt hinters Ohr.

Und so geschah es, daß Rabbi Solomon, als einziger unter allen Kindern Israel, im Schlaf den Sambatyon an einem Sabbat überquerte.

29. Kapitel

Baudolino kommt nach Pndapetzim

Den Sambatyon überquert zu haben hieß noch nicht, im Reich des Priesters Johannes angekommen zu sein. Es hieß nur, daß sie die bekannten Teile der Erde verlassen hatten, selbst die, zu denen die kühnsten Reisenden vorgedrungen waren. Und tatsächlich mußten unsere Freunde noch viele Tage weiterziehen, durch Gegenden, die mindestens so zerklüftet wie die Ufer des steinernen Flusses waren. Dann gelangten sie in eine Ebene, die nicht aufhören wollte. Fern am Horizont war eine Bergkette zu erkennen, ziemlich niedrig, aber gezackt mit steilen, fingerdünnen Spitzen, die Baudolino an die Form der Alpen erinnerten, wie er sie als Kind gesehen hatte, als er ihren östlichen Teil auf dem Weg von Italien nach Deutschland durchquert hatte – aber die waren viel höher und eindrucksvoller gewesen.

Die Bergkette war jedoch ganz im Osten, und in der weiten Ebene vor ihr kamen die Pferde nur mühsam voran, da überall eine üppige Vegetation wuchs, die aussah wie reifes Getreide, nur daß es sich nicht um Getreide handelte, sondern um eine Art grüngelbes, mehr als mannshohes Farnkraut, und diese fruchtbare Steppe erstreckte sich, so weit das Auge reichte, wie ein leicht gewelltes, von einer ständigen Brise bewegtes Meer.

Als sie auf eine Lichtung kamen, gleichsam auf eine Insel in diesem Meer, sahen sie, daß in der Ferne, und zwar nur an einer Stelle, die Oberfläche sich nicht mehr in gleichmäßigen Wellen bewegte, sondern eher im Zickzack, als würde ein Tier, ein sehr großer Hase, das Farnkraut durchpflügen, aber wenn es ein Hase war, bewegte er sich auf einer weit ausholenden Zickzacklinie und sehr viel schneller als ein gewöhnlicher Hase. Da unsere Abenteurer schon einigen nicht gerade vertraueneinflößenden Tieren begegnet waren, strafften sie die Zügel und machten sich auf einen neuen Kampf gefaßt.

Die Zickzacklinie kam auf sie zu, und man hörte das Farnkraut rascheln. Kurz darauf erschien am Rand der Lichtung ein Wesen, das die Halme wie einen Vorhang mit den Händen zerteilte.

Hände und Arme waren es ohne Zweifel, die das Wesen da hatte, das ihnen nun entgegenkam. Ansonsten aber hatte es nur ein einziges Bein. Nicht daß es verstümmelt gewesen wäre, denn dieses eine Bein verlängerte seinen Leib auf ganz natürliche Weise, als wäre nie Platz für ein zweites gewesen, und mit dem einzigen Fuß dieses einzigen Beins lief das Wesen ganz zwanglos, als hätte es von Geburt an nie etwas anderes gekannt. Ja, mehr noch, während es rasch auf sie zukam, vermochten sie nicht zu erkennen, ob es sich hüpfend bewegte oder ob es ihm seiner Beschaffenheit zum Trotz gelang, Schritte zu tun, also sein einziges Bein vor- und zurückzubewegen, wie wir es mit zwei Beinen tun, und dabei irgendwie voranzukommen. Die Geschwindigkeit, mit der es sich bewegte, war so groß, daß man die Einzelbewegungen nicht unterscheiden konnte, wie es bei rasch trabenden Pferden vorkommt, bei denen man nie recht weiß, ob es einen Moment gibt, in dem alle vier Füße in der Luft sind, oder ob nicht immer mindestens zwei den Boden berühren.

Als das Wesen vor ihnen angelangt war, sahen sie, daß sein einziger Fuß etwa doppelt so groß wie der eines Menschen war, aber wohlgeformt, mit quadratischen Zehennägeln und fünf Zehen, die alle breit und kräftig wie große Zehen aussahen.

Im übrigen war es so groß wie ein Kind von zehn bis zwölf Jahren, reichte ihnen also nur bis zur Hüfte, hatte einen wohlgeformten Kopf mit kurzen gelblichen Strubbelhaaren, zwei runde freundliche Rinderaugen, eine kleine Stupsnase, einen breiten Mund, der bis fast zu den Ohren reichte und der in dem, was zweifellos ein Lächeln war, ein kräftiges schönes Gebiß enthüllte. Baudolino und die Seinen erkannten es sofort, nach allem, was sie darüber gelesen und gehört hatten: Es war ein Skiapode oder Schattenfüßler – und hatten sie nicht solche Wesen auch schon in den Brief des Priesters getan?

Der Skiapode lächelte immer noch, hob beide Hände über den Kopf und legte sie senkrecht zusammen, was sicher ein Zeichen des Grußes war, und sagte aufrecht wie eine Statue auf seinem einen Fuß stehend mehr oder weniger: »*Aleichem sabí, Iani kalá bensor.*«

»Das ist eine Sprache, die ich noch nie gehört habe«, sagte Baudolino. Dann fragte er ihn auf Griechisch: »Was sprichst du für eine Sprache?«

Der Skiapode antwortete in einem Griechisch sehr eigener Art: »Ich nix wisse, was für Sprache das war. Ich gedacht, ihr Fremde, und gesprochen erfundene Sprache, die so kling wie Sprache von Fremden. Aber ihr spreche Sprache von Presbyter Johannes und sein Diakon. Ich euch grüße, ich Gavagai, steh zu Diensten.«

Da dieser Gavagai offenbar harmlos, ja freundlich war, stiegen Baudolino und die Seinen ab, setzten sich auf den Boden, luden ihn ein, sich gleichfalls zu setzen, und boten ihm von dem wenigen an, was sie noch hatten. »Nein«, sagte er, »ich euch danke, aber ich viel gegessen heut morgen.« Dann machte er das, was man allen guten Traditionen zufolge von einem Skiapoden erwartet: Er legte sich lang auf den Rücken, hob das Bein so, daß der große Fuß seinem Kopf Schatten spendete, verschränkte die Arme unter dem Kopf und lächelte glücklich, als läge er unter einem Sonnenschirm. »Bißchen Erfrischung gut nach all dem Rennen. Aber sag, wer sinde ihr? Schade, daß ihr nicht zwölf, ihr sonst Heilige Magier, die zurückkomme, sogar Mohr dabei. Schade, daß ihr nur elf.«

»Ja, schade«, sagte Baudolino. »Aber wir sind elf. Elf Magier interessieren dich nicht, oder?«

»Elf Magier interessiere niemand. Jeden Morgen in Kirche wir bete für Rückkehr von zwölf. Wenn bloß zurückkomme elf, wir schlecht gebetet.«

»Die erwarten hier offenbar wirklich die Magier«, flüsterte der Poet zu Baudolino. »Wir müssen eine Möglichkeit finden, sie glauben zu machen, daß der zwölfte hier irgendwo in der Gegend ist.«

»Aber ohne die Magier selbst zu erwähnen«, flüsterte Baudolino zurück. »Wir sind zwölf, und den Rest können die sich selber zusammenreimen. Sonst kriegt der Priester Johannes am Ende womöglich noch raus, wer wir wirklich sind, und wirft uns seinen weißen Löwen, oder wie immer die heißen, zum Fraß vor.«

Dann wandte er sich wieder an Gavagai: »Habe ich dich richtig verstanden, du bist ein Diener des Presbyters? Sind wir also im Reich des Priesters Johannes angekommen?«

»Du warte. Du nicht einfach kann sagen: Ich angekommen in Reich von Presbyter Johannes, nachdem du ein bißchen Weg gegangen. Sonst alle komme. Ihr euch befinde in große Provinz von Diakon Johannes, Sohn von Presbyter, der regier all dies Land. Jeder, der in Reich von Presbyter will, musse hier durch. Alle Besucher, die komme, musse erst warten in Pndapetzim, großer Hauptstadt von Diakon.«

»Wie viele Besucher sind denn schon gekommen?«

»Niemand. Ihr die ersten.«

»Ist wirklich niemand vor uns gekommen, auch kein Mann mit einem schwarzen Bart?« fragte Baudolino.

»Ich niemand gesehen«, sagte Gavagai. »Ihr die ersten.«

»Dann müßten wir hierbleiben und auf Zosimos warten«, knurrte der Poet, »und wer weiß, ob er kommt. Vielleicht ist er noch in Abkasia und irrt durch die Finsternis.«

»Es wäre noch schlimmer, wenn er schon vor uns gekommen wäre und den Gradal diesen Leuten hier überreicht hätte«, warf Kyot ein. »Aber wenn wir den Gradal nicht haben, womit sollen wir uns dann präsentieren?«

»Nur Ruhe, auch die Eile braucht Zeit«, sagte der Boidi weise. »Jetzt schauen wir erstmal, was wir da finden, dann überlegen wir uns was.«

Baudolino erklärte Gavagai, daß sie gern in Pndapetzim bleiben würden, um auf ihren zwölften Genossen zu warten, der ihnen während eines Sandsturms in einer viele Tagereisen entfernten Wüste abhanden gekommen sei. Er fragte ihn, wo der Diakon lebe.

»Dort hinten in sein Palast. Ich euch hinbring. Oder besser, ich vorher sag meine Freunde, daß ihr komme, und wenn ihr ankomme, sie euch festlich empfange. Gäste uns heilig, Gäste sinde Gabe des Herrn.«

»Gibt es noch andere Skiapoden hier im Farn?«

»Ich nicht glaube, aber vorhin ich gesehen ein Blemmy, den ich kenn – schöner Zufall, denn Skiapoden nicht sehr gute Freunde von Blemmys.« Er steckte sich zwei Finger in den Mund und stieß einen langgezogenen Pfiff aus. Nach wenigen Augenblicken gingen die Farnhalme auseinander, und es erschien ein anderes Wesen. Es war sehr verschieden von dem Skiapoden, und tatsächlich hatten unsere Freunde schon bei der Erwähnung eines Blemmyers zu sehen erwartet, was sie nun sahen. Das Wesen war breitschultrig und stark untersetzt, doch mit schmaler Hüfte, es hatte zwei kurze behaarte Beine, aber es hatte keinen Kopf und auch keinen Hals. Auf der Brust, wo wir Menschen die Brustwarzen haben, öffneten sich zwei mandelförmige, überaus lebhafte Augen und unter einer leichten Erhebung mit zwei Nasenlöchern ein kreisrundes, aber sehr dehnbares Loch, das beim Sprechen verschiedene Formen annahm, je nach den Lauten, die es von sich gab. Gavagai ging hin, um mit ihm zu tuscheln, wobei er auf die Besucher deutete, und der Blemmyer nickte erkennbar, wenn auch nicht mit dem Kopf, den er ja nicht hatte, sondern indem er die Schultern vorbeugte.

Dann näherte er sich den Besuchern und sagte mehr oder weniger: »*Ouiii, ouioioioi, aueua!*« Als Zeichen der Freundschaft boten ihm die Reisenden einen Becher Wasser an. Der Blemmyer holte aus einem Beutel, den er bei sich trug, ein Röhrchen, steckte es in das Loch, das er unter der Nase hatte, und begann das Wasser aufzusaugen. Dann bot ihm Baudolino ein großes Stück Käse an. Der Blemmyer führte es sich an den Mund, der plötzlich so groß wie der Käse wurde und diesen verschlang. Der Blemmyer sagte: »*Euaoi oea!*« Dann legte er sich eine Hand auf die Brust beziehungsweise die Stirn wie jemand, der etwas verspricht, hob beide Hände zum Gruß und verschwand zwischen den Farnhalmen.

»Er vor uns ankomme«, sagte Gavagai. »Blemmy nicht so schnell wie Skiapode, aber immer noch schneller als diese langsamen Tiere, auf denen ihr gesessen. Was sinde das?«

»Pferde«, sagte Baudolino, wobei ihm einfiel, daß es im Reich des Priesters keine gab.

»Wie sinde Pferde?« fragte der Skiapode neugierig.

»Wie die hier«, antwortete der Poet, »genau wie die hier.«

»Ich euch danke. Ihr mächtige Menschen, ihr unterwegs auf Tieren, die genauso sinde wie Pferde.«

»Jetzt hör mal. Vorhin hast du gesagt, daß die Skiapoden keine Freunde der Blemmyer sind. Gehören sie denn nicht zum Reich oder zu dieser Provinz?«

»O doch, sie Diener von Presbyter, genau wie wir und wie Ponkier, Pygmäen, Giganten, Panothier, Ohne-Zungen, Nubier, Eunuchen und Satyrn-die-man-nie-sieht. Alles gute Christen und treue Diener von Diakon und Presbyter.«

»Seid ihr keine Freunde, weil ihr verschieden seid?« fragte der Poet.

»Wie du meinen verschieden?«

»Na, so wie du von uns verschieden bist, und ...«

»Wieso ich verschieden von euch?«

»Na hör mal«, sagte der Poet, »also erstens hast du bloß ein Bein, und wir und der Blemmyer haben zwei!«

»Wenn ihr und Blemmy eins hochheb, ihr auch bloß eins.«

»Aber du hast kein zweites zum Runterlassen!«

»Wieso soll ich Bein runterlasse, das ich nicht habe? Muß du drittes Bein runterlasse, das du nicht habe?«

»Hör zu, Gavagai«, mischte sich der Boidi begütigend ein, »du wirst doch zugeben, daß der Blemmyer keinen Kopf hat.«

»Wieso keinen Kopf? Er Augen, Nase und Mund, er spreche und esse. Wie du das mache, wenn du keinen Kopf?«

»Ja, hast du denn nie bemerkt, daß er keinen Hals hat? Und auf dem Hals nicht dieses runde Ding, das auch du auf dem Hals hast, aber eben *er nicht*?«

»Was heißen bemerkt?«

»Gesehen, mitgekriegt, du weißt schon, was!«

»Vielleicht du meinen, daß er nicht genauso aussehe wie ich, daß meine Mutter ihn nicht kann verwechseln mit mir. Aber auch du nicht genauso aussehe wie dieser dein Freund hier, weil er Narbe auf Wange und du nicht. Und dein Freund auch verschieden von diesem Mohr da, der schwarz wie einer der Magier, und der wieder iste verschieden von dem andern da mit dem schwarzen Rabbinerbart.«

»Woher weißt du, daß ich einen Rabbinerbart habe?« fragte Solomon hoffnungsvoll, denn er dachte natürlich sofort an die zehn verstreuten Stämme und sah in diesen Worten einen klaren Hinweis darauf, daß sie hier vorbeigekommen waren oder wenigstens irgendwo in der Nähe lebten. »Hast du jemals andere Rabbiner gesehen?«

»Ich nicht, aber da hinten in Pndapetzim alle sage Rabbinerbart.«

Da griff Boron ein: »Laßt es gut sein. Dieser Skiapode kann keinen Unterschied zwischen sich und einem Blemmyer erkennen, sowenig wie wir einen zwischen Porcelli und Baudolino. Denkt doch mal nach, das ist wie bei uns, wenn wir Leuten aus fremden Ländern begegnen. Könnt ihr einen Unterschied zwischen zwei Mohren erkennen?«

»Ja schon«, sagte Baudolino, »aber ein Blemmyer und ein Skiapode sind nicht wie wir und die Mohren, die wir ja nur sehen, wenn wir zu ihnen hinreisen. Die hier leben alle in derselben Provinz, und er unterscheidet zwischen Blemmyer und Blemmyer, wenn er sagt, daß der, den wir eben gesehen haben, sein Freund ist, aber die anderen nicht. Jetzt hör mir mal gut zu, Gavagai: Du hast gesagt, in dieser Provinz leben Panothier. Ich weiß, was Panothier sind, es sind Leute, die fast so aussehen wie wir, nur haben sie zwei Ohren, die so groß sind, daß sie ihnen bis zu den Knien gehen, und wenn sie frieren, hüllen sie sich in sie ein wie in einen Mantel. Sind so die Panothier?«

»Ja, wie wir. Auch ich zwei Ohren.«

»Aber nicht bis zu den Knien, Herrgott!«

»Auch du viel größere Ohren als dein Freund hier.«

»Aber nicht wie die Panothier, Himmelnochmal!«

»Jeder Ohren, wie ihm seine Mutter gemacht.«

»Aber warum sagst du dann, daß ihr Skiapoden euch nicht gut mit den Blemmyern versteht?«

»Sie denke schlecht.«

»In welchem Sinne schlecht?«

»Sie Christen auf falschem Weg. Sie *phantasiastoi*. Sie sage richtig wie wir, daß Sohn nicht gleiche Natur wie Vater, weil Vater schon da vor aller Zeit, während Sohn geschaffen von Vater, nicht aus Notwendigkeit, sondern aus Wille. Darum Sohn im Grunde nur Adoptivsohn von Gott, nicht? Blemmys nun sage: Ja, Sohn nicht gleiche Natur wie Vater, aber Sohn Logos, und Logos, auch wenn nur Adoptivsohn von Vater, kann nicht werden Fleisch. Also Jesus nie Fleisch geworden, und was Apostel gesehen, war bloß... wie sage... *phantasma*...«

»Bloße Erscheinung, Trugbild.«

»Genau. Sie sage, nur Phantasma von Gott am Kreuz gestorben, nicht geboren in Bethlehem, nicht geboren von Maria, sondern eines Tages am Fluß Jordan vor Johannes dem Täufer erschienen, und alle gerufen oh! Aber wenn Sohn nicht Fleisch geworden, wie kann er dann sagen, dies Brot mein Leib? Und darum mache Blemmys auch nicht Kommunion mit Brot und *burq*.«

»Vielleicht weil sie den Wein, oder wie du ihn nennst, durch ein Röhrchen saugen müßten«, sagte der Poet.

»Und die Panothier?« fragte Baudolino.

»Oh, ihnen egal, was Sohn mach, wenn runtersteige auf Erde. Sie nur denke an Heiligen Geist. Sie sage, Christen in Abendland denke, daß Heiliger Geist ausgehe von Vater und Sohn. Sie protestiere und sage, dies ›und Sohn‹ später hinzugefügt und in Credo von Konstantinopolis noch nicht drin gewesen. Für sie Heiliger Geist nur ausgehe von Vater. Sie denke Gegenteil von Pygmäen. Pygmäen sage, Heiliger Geist nur ausgehe von Sohn und nicht von Vater. Panothier hasse vor allem Pygmäen.«

»Freunde«, sagte Baudolino zu seinen Gefährten gewandt. »Es scheint mir klar zu sein, daß die verschiedenen Rassen, die in dieser Provinz leben, überhaupt kein Gewicht auf die Unterschiede in Körperbau, Farbe und Form legen – während wir ja, wenn wir bloß einen Zwerg sehen, ihn schon als eine Laune der Natur betrachten. Statt dessen legen sie, wie es auch viele unserer Gelehrten tun, großes Gewicht auf die Unterschiede in den Ideen über die Natur Christi oder über die Heilige Dreieinigkeit, von der wir in Paris so oft gehört haben. Das ist ihre Art zu denken. Versuchen wir das zu verstehen, sonst werden wir uns immer in endlosen Diskussionen verlieren. Also tun wir so, als ob die Blemmyer wie die Skiapoden wären, und was sie über die Natur Unseres Herrn denken, braucht uns nicht weiter zu kümmern.«

»Nach dem, was ich verstanden habe, teilen die Skiapoden die schreckliche Häresie des Arius«, sagte Boron, der wie immer derjenige unter ihnen war, der die meisten Bücher gelesen hatte.

»Na wenn schon«, meinte der Poet. »Mir scheint das eine Sache für Graeculi zu sein. Für uns im Norden war es immer viel wichtiger zu wissen, wer der wahre Papst und wer der Gegenpapst war – dabei hing alles von einer Laune meines verstorbenen Herrn Rainald ab. Jeder hat seine Fehler. Baudolino hat recht, tun wir einfach so, als ob nichts wäre, und bitten wir den flotten Knaben hier, uns zu seinem Diakon zu führen, der vielleicht kein großer Herr ist, aber immerhin schon mal Johannes heißt.«

Sie baten also Gavagai, sie nach Pndapetzim zu führen, und er machte sich mit gebremsten Sprüngen auf den Weg, damit die Pferde ihm folgen konnten. Nach zwei Stunden kamen sie ans Ende des Farnkrautmeeres und gelangten in eine steinige Zone, die mit Öl- und Obstbäumen bestellt war. Unter den Bäumen saßen, neugierig aufschauend, Wesen mit menschlichen Zügen, die ihnen grüßend zuwinkten, aber nur stammelnde Laute von sich gaben. Es waren, wie Gavagai erklärte, die Zungenlosen, die außerhalb der Stadt lebten, weil sie Messalianer waren, Leute, die glaubten, man könne allein durch ständiges stilles Gebet in den Himmel kommen, ohne die Sakramente zu vollziehen, ohne sich in Werken der Barmherzigkeit oder anderen Arten der Selbstkasteiung zu üben, auch ohne andere Formen des Gottesdienstes. Deswegen gingen sie nie in die Kirchen von Pndapetzim. Sie wurden von allen scheel angesehen, weil sie behaupteten, auch Arbeit sei ein gutes Werk und darum unnütz. Sie lebten in größter Armut und ernährten sich von den Früchten jener Bäume, von denen sie sich ohne Scheu einfach nahmen, was sie brauchten, obwohl sie der ganzen Gemeinde gehörten.

»Sonst sind sie wie ihr, nicht wahr?« frotzelte der Poet.

»Wie wir, wenn nix sage.«

Die Berge rückten immer näher, und je näher sie kamen, desto besser erkannte man ihre Natur. Am Ende der steinigen Zone erhoben sich zahlreiche glatte gelbliche Kegel, die aussahen wie aus Schlagsahne, fand Colandrino, oder nein, wie aus Zuckerwatte, ach was, wie schmale Sandhaufen, dicht an dicht nebeneinandergesetzt wie die Bäume in einem Wald. Dahinter ragte auf, was aus der Ferne wie hochgereckte Finger ausgesehen hatte: eine Reihe von mächtigen Zinnen, die auf der Spitze etwas wie Hüte trugen, liegende Felsbrocken aus dunklerem Stein, bald in Form einer Kapuze, bald eher als flache Mütze, die vorne und hinten überstand. Beim Näherkommen erwiesen sich die Felsen als weniger spitz, aber jeder von ihnen erschien mit Löchern durchbohrt wie ein Bienenhaus, bis man begriff, daß diese Löcher Höhlen waren, in den Stein gehauene Wohnungen, zu denen man auf kleinen hölzernen Leitern gelangte, die sich von Absatz zu Absatz miteinander verbanden und an jedem dieser Kegel ein luftiges Netzwerk bildeten, auf dem die Bewohner, die von weitem wie Ameisen aussahen, behende auf und ab kletterten.

Im Zentrum der Stadt gab es richtige Häuser, ja mehrgeschossige Häuserzeilen, auch sie in den Felsen gehauen, aus dem nur einige obere Fassadenteile hervorsprangen. Weiter hinten erhob sich ein imposanteres Felsmassiv von unregelmäßiger Form, gleichfalls ein einziger Bienenstock voller Höhlen, aber mit eher geometrischen Öffnungen ähnlich Fenstern und Türen und in manchen Fällen mit kleinen Altanen, Logen oder Balkonen davor. Einige Öffnungen waren mit bunten Tüchern verhängt, andere mit geflochtenen Strohmatten. Kurzum, man befand sich inmitten einer ziemlich wilden Gebirgslandschaft und zugleich im Zentrum einer volkreichen und geschäftigen Stadt, auch wenn diese gewiß nicht so großartig war, wie unsere Reisenden sie erwartet hatten.

Daß die Stadt geschäftig und volkreich war, sah man an der Menge, die, man kann zwar nicht sagen: ihre Straßen und Plätze, aber die Räume zwischen Kegel und Klippe, Massiv und Zinne belebte. Es war eine bunte Menge, durchmischt mit Hunden, Eseln und vielen Kamelen, jenen Tieren, die unsere Freunde schon zu Beginn ihrer Reise gesehen hatten, aber noch nie in so großer Zahl und Vielfalt wie hier, manche mit einem Höcker, manche mit zweien und manche sogar mit dreien. Sie sahen auch einen Feuerschlucker, der sich vor einer Schar von Einwohnern produzierte und einen Panther an der Leine führte. Die Tiere, die sie am meisten in Erstaunen versetzten, waren sehr bewegliche Vierfüßler, die zum Ziehen von kleinen Karren benutzt wurden: Sie hatten Leiber wie Fohlen, sehr hohe Beine mit Hufen wie Rinder, ein gelbes Fell mit großen braunen Flecken und vor allem einen überaus langen Hals, auf dem sich ein Kamelkopf mit zwei kleinen senkrechten Hörnern erhob. Gavagai sagte, es seien Kameloparden, sie seien schwer zu fangen, weil sie sehr schnell rennen könnten, so daß nur die Skiapoden imstande seien, sie einzuholen und ihnen eine Schlinge über den Kopf zu werfen.

Tatsächlich war die Stadt, obwohl sie keine Gassen und Plätze hatte, ein einziger großer Markt, und an jeder freien Stelle war ein Zelt oder ein Verkaufsstand errichtet, ein Teppich ausgebreitet oder ein Brett horizontal über zwei Steine gelegt. Angeboten wurden Obst und Früchte, Fleischstücke (bevorzugt offenbar vom Kameloparden), Teppiche mit Mustern in allen Farben des Regenbogens, Kleider, Messer aus schwarzem Obsidian, Steinäxte, Tonschalen, Halsketten aus Knöchelchen oder aus roten und gelben Steinchen, Hüte in den seltsamsten Formen, Umhängetücher, Decken, zierlich geschnitzte Holzkästchen, Geräte zur Feldbestellung, Stoffbälle und -puppen für die Kinder, daneben Amphoren mit blauen, grünen, ambra-, rosa- und zitronenfarbenen Flüssigkeiten sowie Schalen voll Pfeffer.

Das einzige, was man auf diesem Jahrmarkt nirgendwo sah, waren Metallgegenstände, und tatsächlich verstand Gavagai, als er nach dem Grund dafür gefragt wurde, auch überhaupt nicht, was Wörter wie Eisen, Metall, Bronze oder Kupfer bedeuteten, gleich in welcher Sprache Baudolino es versuchte.

Die Menge bestand aus geschäftig umhereilenden Skiapoden, die vollbeladene Körbe auf den Köpfen trugen, aus Blemmyern, die fast immer in gesonderten Grüppchen gingen oder hinter Verkaufstischen standen und Kokosnüsse anboten, aus Panothiern, die ihre langen Ohren im Wind flattern ließen (bis auf die Frauen, die sie sich züchtig über den Busen legten und mit einer Hand davor zusammenhielten wie ein Halstuch), und anderen Leuten, die aus einem jener Bücher über die Wunder entsprungen schienen, an deren Miniaturen sich Baudolino einst ergötzt hatte, als er Inspiration für seine Briefe an Beatrix suchte.

Da waren jene, die zweifellos Pygmäen sein mußten, Leute mit sehr dunkler Haut, einem Lendenschurz aus Stroh und jenem Bogen auf dem Rücken, mit dem sie, wie ihre Natur es wollte, in immerwährendem Krieg mit den Kranichen lagen – in welchem sie nicht wenige Siege errungen haben mußten, denn viele von ihnen boten den Passanten ihre Beute an, aufgehängt an einem langen Stock, den sie zu viert umhertrugen, je zwei vorn und zwei hinten. Da die Pygmäen kleiner als die Kraniche waren, schleiften die aufgehängten Vögel über den Boden, und deshalb waren sie am Hals aufgehängt worden, so daß die nachschleifenden Füße einen langen Strich im Staub hinterließen.

Da waren die Ponkier, und voller Neugier, obwohl sie schon von ihnen gelesen hatten, betrachteten unsere Freunde diese Wesen mit geraden Beinen ohne Kniegelenke, die steif auf Pferdehufen daherstaksten. Am bemerkenswertesten an ihnen war aber, daß bei den männlichen Angehörigen dieser Rasse der Phallus an der Brust hing und bei den weiblichen die Vagina an der gleichen Stelle war, die man jedoch nicht sah, weil die Ponkierinnen sie mit einem hinten zusammengeknüpften Brusttuch verhüllten.

Der Tradition zufolge weideten sie Ziegen mit sechs Hörnern, und tatsächlich boten sie einige von diesen Tieren auf dem Markt feil.

»Genau wie es in den Büchern geschrieben stand!« murmelte Boron ganz verzückt. Dann sagte er laut, damit Ardzrouni es hörte: »Und in den Büchern stand auch geschrieben, daß die Leere nicht existiert. Wenn also die Ponkier existieren, dann existiert die Leere nicht.« Ardzrouni zuckte die Achseln und konzentrierte sich auf die Frage, ob es irgendwo eine Flüssigkeit zum Bleichen der Haut zu kaufen gab.

Um die Unrast all dieser vielen Leute im Zaum zu halten, kamen von Zeit zu Zeit hochgewachsene kohlschwarze Männer vorbei, nackt bis zum Gürtel, bekleidet mit Pluderhosen und weißem Turban und bewaffnet mit riesigen knorrigen Keulen, die mit einem einzigen Schlag einen Ochsen niedergestreckt hätten. Da die Einwohner von Pndapetzim, als sie die Fremden durch die Stadt reiten sahen, sich an jeder Ecke zusammenscharten, um einander vor allem die Pferde zu zeigen, die sie offenkundig noch nie gesehen hatten, griffen die schwarzen Männer alle naselang ein, um für Ordnung zu sorgen, wobei es genügte, daß sie ihre Keulen schwangen, um sofort eine Leere ringsumher zu erzeugen.

Baudolino war nicht entgangen, daß es Gavagai gewesen war, der, als die Ansammlung dichter wurde, den schwarzen Männern ein Alarmzeichen gegeben hatte. Aus den Gebärden vieler Umstehender war zu ersehen, daß sie sich den illustren Gästen gern als Führer angedient hätten, aber Gavagai war entschlossen, dieses Amt für sich zu behalten, und stolzierte vor den Gästen einher, als wollte er sagen: »Finger weg, diese Leute sind mein persönliches Eigentum!«

Was die schwarzen Männer betraf, so erklärte er Baudolino, sie seien die nubischen Wachen des Diakons, deren Vorfahren aus den Tiefen Afrikas stammten, aber sie seien längst keine Fremden mehr, denn seit ungezählten Generationen lebten sie in der Nähe von Pndapetzim und seien dem Diakon ergeben bis in den Tod.

Schließlich sahen unsere Freunde, um einiges größer noch als sogar die Nubier und viele Spannen hoch über die Köpfe der anderen ragend, die Giganten, die außer gigantisch auch einäugig waren. Sie waren struppig und schlecht gekleidet, und – so Gavagai – sie beschäftigten sich entweder mit dem Bau von Wohnungen in den Felsen oder mit dem Hüten von Schafen und Rindern, und darin waren sie ausgezeichnet, denn sie konnten einen Stier an den Hörnern packen und zu Boden werfen, und wenn ein Hammel sich von der Herde entfernte, schnappten sie ihn am Fell und holten ihn an die Stelle zurück, von wo er ausgebüxt war.

»Seid ihr auch mit denen verfeindet?« fragte Baudolino.

»Hier niemand Feind von niemand«, antwortete Gavagai. »Sieh doch, sie alle zusammen kaufe und verkaufe wie gute Christen. Dann alle zurück nach Hause, jeder in seins. Bleibe nicht zusammen zum Essen oder zum Schlafen. Jeder denke, wie will, auch wenn schlecht denke.«

»Und die Giganten denken schlecht?«

»Uh! Schlechter als schlimmste! Sie *artotyritoi*, Leute, die glaube, daß Jesus im Letzten Abendmahl Brot und Käse gewandelt, weil sage, so war normales Essen bei alten Patriarchen. Darum mache Kommunion mit Brot und Käse, und für sie Häretiker alle, die mache mit *burq*. Aber hier sowieso fast alle falsch denke außer Skiapoden.«

»Du hast gesagt, daß es hier auch Eunuchen gibt. Denken die auch falsch?«

»Ich lieber nix sage über Eunuchen, zu mächtig. Eunuchen nicht mit gwöhnlichen Leuten verkehre. Aber denke anders als ich.«

»Aber abgesehen von ihrem Denken sind sie genauso wie du, vermute ich...«

»Wieso nicht, was denn bei mir anders als bei ihnen?«

»Zum Teufel, du verflixter Großfuß!« platzte der Poet los. »Du gehst doch zu Frauen, oder?«

»Zu Frauen Skiapode ja, die nicht schlecht denke.«

»Und deinen Frauen steckst du dieses Dingens da rein, verdammt, wo hast du das überhaupt?«

»Hier, hinterm Bein, wie alle.«

»Also mal abgesehen davon, daß ich es nicht hinterm

Bein habe – und grad eben haben wir ja Kerle gesehen, die es über dem Nabel haben –, wirst du doch wohl wenigstens wissen, daß die Eunuchen dieses Dingens da überhaupt nicht haben und nicht zu Frauen gehen?«

»Vielleicht weil Eunuchen keine Lust auf Frauen. Vielleicht weil ich in Pndapetzim noch nie weibliche Eunuchen gesehen. Die Ärmsten, denk nur: vielleicht habe Lust, aber finde keine Eunuchin, schließlich kann ja nicht gehen zu Frauen von Blemmys oder Panothier, die schlecht denke...«

»Aber du hast doch bemerkt, daß die Giganten nur ein Auge haben?«

»Ich auch nur eins. Schau, ich zumach dies Auge, bleib nur anderes.«

»Haltet mich fest, ich könnt' ihn erwürgen!« schnaubte der Poet mit Schaum vor dem Mund.

»Kurz und gut«, sagte Baudolino, »Blemmyer denken schlecht, Giganten denken schlecht, alle denken schlecht, nur Skiapoden nicht. Und was denkt dieser euer Diakon?«

»Diakon nix denke. Diakon befehle.«

Während sie sprachen, trat einer der Nubier plötzlich vor Colandrinos Pferd, kniete nieder, streckte die Arme vor, senkte den Kopf und sprach einige Worte in einer unbekannten Sprache, aber am Ton war zu hören, daß es sich um eine flehentliche Bitte handelte.

»Was will er?« fragte Colandrino. Gavagai antwortete, der Nubier habe im Namen Gottes gebeten, ihm mit dem schönen Schwert, das er am Gürtel trage, den Kopf abzuschlagen.

»Er will, daß ich ihn töte? Wieso?«

Gavagai schien verlegen. »Nubier seltsame Leut. Du wisse, sie Circumcellionen. Gute Krieger nur, weil Martyrium wolle. Kaum irgendwo Krieg, gleich suche Martyrium. Nubier wie kleine Kinder, wolle immer sofort haben, was ihnen gefalle.« Er sagte etwas zu dem Nubier, und der ging gesenkten Hauptes davon. Auf die Frage, was es mit den Circumcellionen auf sich habe, sagte Gavagai nur, die Circumcellionen seien die Nubier. Dann wies er darauf hin, daß der Sonnenuntergang nahte und der Markt sich auflöste, daß es also Zeit sei, sich zum Turm zu begeben.

Tatsächlich war die Menge dabei, sich zu zerstreuen, die Verkäufer packten ihre Sachen in große Körbe; aus den Öffnungen in den Felswänden kamen Seile herunter, und die Ware wurde hinaufgezogen. Es war ein geschäftiges Auf und Ab, und kurz darauf lag die ganze Stadt verlassen da. Einen Moment lang schien sie ein großer Friedhof mit unzähligen Grabnischen zu sein, aber schon begannen sich jene Tür- oder Fensteröffnungen eine nach der anderen zu erhellen, ein Zeichen, daß die Einwohner von Pndapetzim Kamine und Lampen anzündeten, um sich auf den Abend vorzubereiten. Dank irgendwelcher unsichtbaren Bohrlöcher kam der Rauch all dieser Feuer aus den Spitzen der Felskegel, und der inzwischen fahle Himmel wurde schraffiert von schwarzbraunen Federbüschen, die sich aufsteigend in den Wolken verloren.

Unsere Freunde durchmaßen den Rest von Pndapetzim und gelangten zu einem offenen Platz, hinter welchem die Berge keinen erkennbaren Durchgang mehr ließen. Hier erhob sich, halb in den Berghang eingelassen, das einzige artifizielle Bauwerk der ganzen Stadt. Es war ein Turm beziehungsweise der vordere Teil eines runden Stufenturms, unten breit und nach oben hin immer schmaler werdend, aber nicht wie eine aus immer kleineren Kuchen aufgeschichtete Torte, denn ein kontinuierlicher Umgang zog sich spiralförmig von Stufe zu Stufe hinauf, und man erriet, daß er auch im Innern des Felsens auf der Rückseite weiterging und sich also von der Basis bis zur Spitze um den Bau wand. Der Turm selbst bestand aus lauter hohen Doppeltoren mit Rundbögen, die sich aneinanderreihten, ohne mehr Platz zwischen sich zu lassen als für den Pfeiler, der ein Tor vom anderen trennte, und das Ganze sah aus wie ein Ungeheuer mit tausend Augen. Rabbi Solomon meinte, so müsse der Turm zu Babel gewesen sein, den der grausame Nimrod errichtet habe, um herauszufordern den Heiligen, der gesegnet sein solle immerdar.

»Dies hier«, sagte Gavagai mit unverhohlenem Stolz, »dies iste Palast von Diakon Johannes. Ihr jetzt stehenbleibe und warte, weil Diakon wisse, daß ihr komme, und er euch vorbereite feierlichen Empfang. Ich jetzt gehe.«

»Wo gehst du hin?«

»Ich nix kann mit reingehen in Turm. Wenn ihr empfangen und bei Diakon gewesen, ich euch komme wieder
holen. Ich euer Führer in Pndapetzim, ich euch nicht lasse
allein. Obacht bei Eunuchen, der da junger Mann« – er
deutete auf Colandrino –, »und Eunuchen Gefallen an
Jugend. *Ave, evcharistó, salám.*« Er salutierte fast militärisch
strammstehend auf seinem einen Fuß, machte kehrt und
war einen Augenblick später schon weit in der Ferne.

30. Kapitel

Baudolino begegnet dem Diakon Johannes

Als sie noch etwa fünfzig Schritte vom Turm entfernt waren, sahen sie einen Zug herauskommen. Vorneweg eine Abordnung Nubier, aber prächtiger angetan als die auf dem Markt: der Unterleib und die Beine in enganliegende weiße Tücher gewickelt, darüber ein Lendenschurz; der Oberkörper nackt, aber mit einem roten Schulterumhang und einem ledernen Halsband, an dem bunte Steine befestigt waren, nicht Edelsteine, sondern Kiesel wie vom Grund eines Flusses, aber angeordnet wie ein lebhaftes Mosaik; auf dem Kopf eine weiße Kapuze mit zahlreichen Schleifchen; an Armen, Handgelenken und Fingern Bänder und Ringe aus geflochtener Kordel. Die Männer in der ersten Reihe spielten Pfeifen und Trommeln, die in der zweiten trugen ihre riesigen Keulen auf der Schulter, die in der dritten hatten nur einen Bogen umgehängt.

Danach kam ein Aufmarsch derer, die zweifellos die Eunuchen waren: in weite weiche Gewänder gehüllt, geschminkt wie Frauen und gekrönt mit Turbanen, hoch wie Kathedralen. Der in der Mitte trug ein Tablett mit Fladen. Am Ende, rechts und links begleitet von zwei Nubiern, die Fächer aus Pfauenfedern über seinem Kopf wedelten, kam der, welcher offenkundig der höchste Würdenträger dieses Aufmarsches war: auf dem Kopf ein Turban, hoch wie zwei Kathedralen, ein kompliziertes Gebilde aus seidenen Tüchern in verschiedenen Farben, an den Ohren Anhänger aus bunten Steinen, an den Armen Bänder mit schillernden Vogelfedern. Auch er trug ein langes Kleid, das bis zu den Füßen reichte, an der Hüfte jedoch mit einer handbreiten Schärpe aus blauer Seide zusammengehalten wurde, und auf der Brust ein Kreuz aus bemaltem Holz. Er war ein

Mann in fortgeschrittenem Alter, die rotgeschminkten Lippen und die schwarzumrandeten Augen bildeten einen scharfen Kontrast zu seiner schlaffen gelblichen Haut und ließen ein mächtiges, bei jedem Schritt wabbelndes Doppelkinn um so stärker hervortreten. Er hatte feiste Hände mit überlangen, rosa lackierten und messerscharf geschliffenen Fingernägeln.

Der Zug hielt vor den Besuchern an, die Nubier stellten sich in zwei Reihen auf, indes die Eunuchen niedereren Ranges vor den Gästen niederknieten und der mit dem Tablett sich verbeugte und die Fladen anbot. Baudolino und die Seinen wußten zuerst nicht recht, was sie tun sollten, dann stiegen sie ab, nahmen sich von den Fladen, kauten artig und verbeugten sich ihrerseits. Daraufhin trat endlich der Obereunuche vor, warf sich der Länge nach mit dem Gesicht nach unten auf den Boden, erhob sich dann wieder und sprach sie auf Griechisch an.

»Seit der Geburt Unseres Herrn Jesus Christus erwarten wir eure Rückkehr, wenn ihr, woran ich nicht zweifle, diejenigen seid, für die wir euch halten, und es schmerzt mich zu hören, daß der zwölfte unter euch – doch ein erster unter allen Christen wie ihr – durch die erbarmungslose Natur vom Wege abgebracht worden ist. Während ich unsere Wachen anweise, unermüdlich nach ihm Ausschau zu halten, wünsche ich euch einen glücklichen Aufenthalt in Pndapetzim«, sprach er mit Knabenstimme. »Dies sage ich euch im Namen des Diakons Johannes, ich, Praxeas, Oberhaupt der Eunuchen am Hofe, Protonotarios der Provinz, einziger Legat des Diakons beim Priester, oberster Wächter und Logothet des Geheimen Weges.« Er sprach, als müßten auch Magier von soviel Würde beeindruckt sein.

»*Oh, basta là*«, murmelte Aleramo Scaccabarozzi genannt il Ciula, »hört euch bloß den an!«

Baudolino hatte schon oft darüber nachgedacht, wie er sich dem Priester Johannes vorstellen würde, aber noch nie, wie man sich einem Obereunuchen im Dienst des Diakons eines Priesters vorstellte. So beschloß er, sich an das zu halten, was sie sich vorgenommen hatten. »Herr«, sagte er, »groß ist unsere Freude, in diese edle, reiche und wunderbare Stadt Pndapetzim gelangt zu sein, die schönste und blühendste, die wir auf unserer Reise gesehen haben. Wir kommen von weit her, um dem Priester Johannes die höchste Reliquie der Christenheit zu bringen: den Kelch, aus welchem Unser Herr Jesus während des Letzten Abendmahles getrunken hat. Leider hat der Dämon, neiderfüllt, wie er ist, die Kräfte der Natur gegen uns entfesselt und einen unserer Mitbrüder unterwegs sich verirren lassen, dummerweise gerade den, der das Geschenk bei sich trug und mit ihm weitere Zeugnisse unserer Hochachtung für den Priester...«

»Wie beispielsweise«, fügte der Poet hinzu, »hundert Barren massives Gold, zweihundert große Affen, eine Krone aus tausend Goldlire mit Smaragden, zehn unschätzbare Perlenschnüre, achtzig Kästen Elfenbein, fünf Elefanten, drei gezähmte Leoparden, dreißig menschenfressende Hunde und dreißig Kampfstiere, dreihundert Elefantenzähne, tausend Pantherfelle und dreitausend Stangen Ebenholz...«

»Wir hatten schon von diesen uns unbekannten Reichtümern und Substanzen gehört, an denen das Land der untergehenden Sonne Überfluß hat«, sagte Praxeas mit glänzenden Augen, »und gelobt sei der Himmel, daß ich sie sehen darf, bevor ich dieses Jammertal verlasse!«

»Kannst du nicht irgendwann mal dein Schandmaul halten?« zischelte der Boidi dem Poeten von hinten ins Ohr und boxte ihm in den Rücken. »Wenn nun Zosimos auftaucht, und sie sehen, daß er noch abgebrannter ist als wir?«

»Sei still«, knurrte der Poet schiefmäulig zurück, »wir haben doch schon gesagt, daß der Dämon im Spiel ist, und der hat eben alles verschlungen. Alles außer dem Gradal.«

»Aber wenigstens ein Geschenk, irgendein Gastgeschenk bräuchten wir jetzt, um ihnen zu zeigen, daß wir keine Bettler sind«, zischelte der Boidi weiter.

»Vielleicht ein Täuferkopf?« erwog Baudolino.

»Wir haben nur noch fünf«, sagte der Poet, immer ohne die Lippen zu bewegen, »aber was soll's, solange wir im

Reich sind, können wir die vier anderen ohnehin nicht hervorziehen.«

Baudolino wußte als einziger, daß es mit dem, den er sich von Abdul genommen hatte, noch sechs Köpfe waren. Er holte einen davon aus seinem Reisegepäck, überreichte ihn Praxeas und sagte dazu, einstweilen – in Erwartung des Ebenholzes, der Leoparden und all der anderen schönen Sachen – möge er dem Diakon die einzige auf dieser Erde noch verbliebene Erinnerung an denjenigen überreichen, der Unseren Herrn Jesus Christus getauft habe.

Bewegt nahm Praxeas das Geschenk entgegen, das in seinen Augen unschätzbar sein mußte, schon wegen des schimmernden Schreins, der, wie er meinte, gewiß aus jener kostbaren gelben Substanz war, von der er schon soviel Fabelhaftes gehört hatte. Begierig, die heilige Reliquie zu verehren, und mit der Miene dessen, der jedes dem Diakon gemachte Geschenk als sein Eigentum betrachtete, klappte er den Kopf mühelos auf (woran Baudolino sah, daß es der von Abdul mit dem schon aufgebrochenen Siegel war), nahm den zusammengeschrumpften bräunlichen Schädel, das Werk des ingeniösen Ardzrouni heraus, hielt ihn hoch und rief mit gebrochener Stimme, noch nie im Leben habe er eine so kostbare Reliquie betrachtet.

Dann fragte der Obereunuch, mit welchen Namen er seine ehrwürdigen Gäste ansprechen solle, nachdem die Tradition ihnen schon so viele zugewiesen habe und niemand mehr wisse, welche die richtigen seien. Sehr vorsichtig antwortete Baudolino, zumindest bis sie in Gegenwart des Priesters seien, wünschten sie, mit denjenigen Namen angesprochen zu werden, unter welchen man sie im fernen Abendland kenne, und nannte die wahren Namen der elf Reisenden. Praxeas schätzte den evokativen Klang der Namen Ardzrouni und Boidi, fand Baudolino, Colandrino und Scaccabarozzi sehr musikalisch und träumte von exotischen Ländern, als er die Namen Porcelli und Cuttica hörte. Er sagte, er respektiere ihre Zurückhaltung, und schloß: »Nun tretet ein. Es ist spät geworden, der Diakon kann euch erst morgen empfangen. Heute seid ihr meine Gäste, ich versichere euch, es wird ein Bankett geben, das ihr reicher und üppiger nie erlebt habt, und ihr werdet Köstlichkeiten so erlesener Art genießen, daß ihr voller Verachtung an jene zurückdenkt, die euch in den Ländern der untergehenden Sonne vorgesetzt worden sind.«

»Dabei sind sie in solche Lumpen gekleidet, daß eine von unseren Frauen den eigenen Mann gekreuzigt hätte, um was Besseres zu kriegen«, knurrte der Poet. »Wir sind losgezogen und haben erlitten, was wir erlitten haben, um Kaskaden von Edelsteinen zu sehen. Als wir den Brief des Priesters schrieben, konntest du das Wort Topas nicht mehr hören, und jetzt sitzen die hier mit zehn Kieselsteinchen und vier bunten Kordeln und meinen, sie seien die Reichsten der Welt!«

»Sei still und wart's ab«, knurrte Baudolino zurück.

Praxeas schritt ihnen voran ins Innere des Turms und führte sie in einen fensterlosen Saal, der von Glutbecken auf Dreifüßen erleuchtet wurde. In der Mitte lag ein Teppich, der mit Bechern und Schüsseln aus Ton vollgestellt und mit Kissen umgeben war, auf denen sich die Bankettgäste im Schneidersitz niederließen. Serviert wurde von Jünglingen, sicher gleichfalls Eunuchen, deren halbnackte Körper mit wohlriechendem Öl eingerieben waren. Sie reichten zunächst Schalen mit aromatischen Flüssigkeiten, in welche die Eunuchen ihre Finger tauchten, um sich diese sodann an Ohrläppchen und Nasenlöcher zu führen. Nachdem sie sich so benetzt hatten, streichelten sie die Jünglinge sanft und forderten sie auf, die Schalen auch den Gästen darzubieten. Diese paßten sich den Gebräuchen ihrer Gastgeber an, wobei jedoch der Poet zwischen den Zähnen knurrte, wenn einer von diesen Kerlen ihn auch nur berührte, würde er ihm mit einem einzigen Hieb alle Zähne ausschlagen.

Die Speisenfolge war so: große Portionen Brot beziehungsweise die ortsüblichen Fladen; eine Riesenschüssel gekochtes Gemüse, vor allem Kohl, der aber nicht allzusehr stank, weil er mit diversen Gewürzen bestreut war; Schalen mit einer brandheißen schwärzlichen Sauce, genannt *sorq*, in welche die Fladen getunkt wurden, und der Porcelli, der als erster davon probierte, bekam einen solchen Hustenanfall, daß man meinte, er sprühe Feuer aus den Nüstern, so daß seine Freunde sich damit begnügten, nur ganz wenig davon zu kosten (und dann die ganze Nacht lang brennenden Durst hatten); ein trockener magerer Flußfisch, den sie *thinsireta* nannten (sieh da, sieh da, murmelten unsere Freunde), mit Grieß paniert und buchstäblich ertränkt in einem siedenden Öl, das seit vielen Banketten immer dasselbe gewesen sein mußte; eine Leinsamensuppe, die sie *marac* nannten und die nach Ansicht des Poeten wie Kacke schmeckte, auf der Geflügelstücke schwammen, die aber so wenig durchgebraten waren, daß sie wie Leder wirkten, und Praxeas sagte voller Stolz, es handle sich um *methagallinarius* (sieh da, sieh da, stießen sich unsere Freunde erneut an), und schließlich ein Nachtisch namens *cenfelec,* der aus kandierten Früchten bestand, aber mehr Pfeffer als Früchte zu haben schien. Bei jedem neuen Gang griffen die Eunuchen gierig zu, und beim Kauen schmatzten sie laut, um ihr Wohlgefallen auszudrücken, nicht ohne den Gästen verständnisinnig zuzunicken, als wollten sie sagen: »Na, schmeckt's? Ist das nicht eine Gabe des Himmels?« Sie aßen mit den Fingern, auch die Suppe schöpften sie mit bloßen Händen, sie vermengten unterschiedliche Dinge zu einem Happen und steckten sich alles auf einmal in den Mund. Aber nur mit der rechten Hand, denn die linke hielten sie die meiste Zeit auf der Schulter des Jünglings, der sie geflissentlich mit Nachschub versorgte. Nur zum Trinken nahmen sie sie dort weg, um nach Krügen zu greifen, die sie sich über die Köpfe hoben, um sich das Wasser in hohem Bogen durch die Luft in den Mund zu gießen.

Erst am Ende dieses Nabob-Schmauses machte Praxeas ein Zeichen, und es erschienen Nubier, die eine weiße Flüssigkeit in winzige Schälchen gossen. Der Poet kippte seines in einem einzigen Zug hinunter, lief sofort dunkelrot an, stieß eine Art Röhren aus und stürzte wie tot zu Boden, um liegenzubleiben, bis einige Jünglinge ihm Wasser ins Gesicht spritzten. Praxeas erklärte, leider wachse bei ihnen der Baum des Weines nicht, und das einzige alkoholische Getränk, das sie herstellen könnten, komme aus der Gärung des *burq*, einer bei ihnen sehr verbreiteten Beerenart. Allerdings sei die Stärke dieses Getränks derart, daß man es nur in winzigen Schlückchen zu sich nehmen könne, indem man gerade nur die Zungenspitze hineintauche. Es sei wirklich ein Jammer, daß sie nicht jenen Wein hätten, von dem in den Evangelien geschrieben stehe, denn jedesmal wenn die Priester von Pndapetzim eine Messe läsen, verfielen sie in die unschicklichste Trunkenheit und hätten Mühe, bis zum Schlußsegen durchzuhalten.

»Aber was sollten wir auch von diesen Monstern anderes erwarten?« seufzte Praxeas, während er sich mit Baudolino in eine Ecke zurückzog, derweil die anderen Eunuchen quiekend vor Neugier die eisernen Waffen der Reisenden musterten.

»Monster?« fragte Baudolino mit gespielter Naivität. »Ich hatte bisher den Eindruck, daß hier niemand die wundersamen Deformationen der anderen überhaupt wahrnimmt.«

»Sicher hast du einen von ihnen reden gehört«, sagte Praxeas mit einem verächtlichen Lächeln. »Sie leben hier seit Jahrhunderten zusammen, sie haben sich aneinander gewöhnt, und indem sie sich weigern, die Monstrosität ihrer Nachbarn zur Kenntnis zu nehmen, übersehen sie die eigene. Monster, jawohl, Tieren ähnlicher als Menschen, aber fähig, sich schneller als Kaninchen zu reproduzieren. Das ist das Volk, das wir regieren müssen, und zwar mit unbeugsamer Härte, um zu verhindern, daß sie einander gegenseitig umbringen, jeder benebelt von seiner eigenen Häresie. Deshalb hat der Priester sie vor Jahrhunderten hier angesiedelt, an der Grenze des Reiches, damit sie mit ihrem abscheulichen Anblick nicht seine anderen Untertanen verwirren, die nämlich – das kannst du mir glauben, edler Herr Baudolino – lauter sehr schöne Menschen sind. Aber es ist ganz natürlich, daß die Natur auch Monster hervorbringt, unerklärlich ist eher, warum nicht inzwischen die ganze menschliche Gattung monströs geworden ist, seit sie das gräßlichste aller Verbrechen begangen und Gottvater gekreuzigt hat.«

Auf einmal bemerkte Baudolino, daß auch die Eunuchen

438

schlecht dachten, und stellte seinem Gastgeber einige Fragen. »Einige dieser Monster glauben«, sagte Praxeas, »daß der Sohn vom Vater nur adoptiert worden sei, andere hören nicht auf zu diskutieren, wer von wem ausgeht, und jeder läßt sich, monströs wie er ist, von seinem monströsen Irrtum dazu hinreißen, die Hypostasen der Gottheit zu vervielfachen, im Glauben, das Höchste Wesen bestehe aus drei oder gar vier verschiedenen Wesenheiten. Heiden! Es gibt eine einzige göttliche Wesenheit, die sich im Laufe der menschlichen Geschichte in verschiedenen Formen oder Personen manifestiert. Diese einzige göttliche Wesenheit ist, insofern sie zeugt, Vater, insofern sie gezeugt ist, Sohn, und insofern sie heiligt, Geist, aber es handelt sich stets um ein und dieselbe göttliche Natur – der Rest ist wie eine Maske, hinter der Gott sich verbirgt. Eine Wesenheit ist eine einzige dreifaltige Person und nicht, wie einige Häretiker behaupten, drei Personen in einem Wesen. Aber wenn das so ist und wenn Gott wirklich Fleisch geworden ist, als ganzer, wohlgemerkt, und nicht indem er bloß einen adoptierten Ableger seiner selbst delegiert, dann hat kein anderer als der Vater selbst am Kreuz gelitten. Den Vater kreuzigen! Begreifst du, was das heißt? Nur eine verfluchte Rasse konnte sich zu dieser äußersten Tat versteigen, und so ist es Aufgabe jedes Gläubigen, den Vater zu rächen. Kein Erbarmen für die verfluchte Nachkommenschaft Adams!«

Bisher hatte Niketas schweigend zugehört, ohne Baudolino zu unterbrechen. Nun aber tat er es, weil er bemerkte, daß sein Gesprächspartner unsicher war, wie er das, was er gerade erzählte, interpretieren sollte. »Glaubst du«, fragte er, »daß die Eunuchen das Menschengeschlecht haßten, weil es den Vater hatte leiden lassen, oder daß sie sich diese Häresie zu eigen gemacht hatten, weil sie das Menschengeschlecht haßten?«

»Das habe ich mich auch immer gefragt, damals und später, ohne bisher eine Antwort gefunden zu haben.«

»Ich weiß, wie die Eunuchen denken. Ich habe im Palast des Kaisers viele von ihnen kennengelernt. Sie versuchen,

Macht anzuhäufen, um ihrem Groll auf alle Zeugungsfähigen Luft zu machen. Aber oft in meiner langen Erfahrung habe ich den Eindruck gehabt, daß auch viele, die keine Eunuchen sind, die Macht benutzen, um auszudrücken, was sie sonst nicht ausdrücken könnten. Vielleicht ist das Befehlen noch eine größere Leidenschaft als das Kopulieren.«

»Da war noch mehr, was mich ratlos machte. Hör zu: Die Eunuchen von Pndapetzim bildeten eine Kaste, die sich durch Auswahl reproduzierte, da ihre Natur ihnen keine andere Möglichkeit ließ. Seit Generationen und Abergenerationen, sagte Praxeas, wählten die Ältesten unter ihnen anmutige Jünglinge aus und reduzierten sie zu ihresgleichen, um sie erst zu ihren Sklaven und dann zu ihren Erben zu machen. Woher aber nahmen sie diese graziösen und wohlgeformten Jünglinge, wenn doch die ganze Provinz von Pndapetzim nur von Launen der Natur bewohnt war?«

»Sicher stammten die Eunuchen aus einem anderen Land. Es kommt in vielen Armeen und öffentlichen Verwaltungen vor, daß die Regierenden nicht derselben Gemeinschaft angehören dürfen wie die von ihnen Regierten, damit sie für ihre Untertanen keine Sympathie- oder Komplizengefühle entwickeln. Vielleicht hatte der Priester es so gewollt, um jene streitsüchtigen Mißgestalten niederhalten zu können.«

»Sag lieber: um sie ohne Gewissensbisse verheizen zu können. Denn aus Praxeas' Worten habe ich noch zwei andere Dinge begriffen. Pndapetzim war der letzte Vorposten, bevor das Reich des Priesters begann. Danach kam nur noch eine Schlucht in den Bergen, die zu einem anderen Landstrich führte, und auf den Höhen über dieser Schlucht waren nubische Wachen postiert, die nur darauf warteten, Steinlawinen auf jeden stürzen zu lassen, der sich dort hineinwagte. Am Ausgang der Schlucht begann ein riesiger Sumpf, der so tückisch war, daß jeder, der ihn zu durchqueren versuchte, in Schlamm- oder Flugsandlöchern versank, und wenn er nur bis zu den Waden eingesunken war, konnte er sich nicht mehr herausziehen und versank immer tiefer, bis er ganz verschwunden war wie einer, der im Meer ertrinkt. Durch diesen Sumpf gab es nur einen einzigen sicheren Weg, den jedoch nur die Eunuchen kannten, die gelernt hatten, ihn an gewissen Zeichen zu erkennen. Daher war Pndapetzim das Tor, die Verteidigungsstellung, die Sperre, die man durchbrechen mußte, wenn man ins Reich wollte.«

»Da ihr die ersten Besucher seit wer weiß wie vielen Jahrhunderten wart, kann diese Verteidigung nicht allzu mühsam gewesen sein.«

»Im Gegenteil. Praxeas äußerte sich sehr vage über diesen Punkt, als läge ein Verbot auf dem Namen derer, die sie bedrohten, aber dann entschloß er sich, mir mit halben Worten anzudeuten, daß die ganze Provinz unter dem Alptraum eines kriegerischen Volkes lebte, dem der Weißen Hunnen, die jeden Augenblick eine Invasion versuchen könnten. Wenn diese Feinde im Weichbild von Pndapetzim auftauchten, würden ihnen Skiapoden und Blemmyer und alle anderen Monster entgegengeschickt, damit sie sich von ihnen massakrieren ließen und so die Eroberung ein wenig aufhielten, und derweil würden die Eunuchen den Diakon durch die Schlucht führen, hinter ihm genügend Lawinen hinunterstürzen lassen, um den Durchgang zu verstopfen, und sich ins Reich zurückziehen. Sollten sie das nicht rechtzeitig schaffen und gefangengenommen werden, so daß die Weißen Hunnen einen von ihnen unter der Folter zwingen könnten, den einzigen Weg durch den Sumpf zu verraten, seien sie alle darauf vorbereitet, mit einem Gift aus dem Leben zu scheiden, das jeder von ihnen in einem Beutel an der Brust trug. Das Schreckliche an der Sache war aber, daß Praxeas nicht daran zweifelte, sich in jedem Fall retten zu können, denn im letzten Moment würden sie als Schutzschild die Nubier haben. Es sei das Beste, was einem passieren könne, sagte er, als Leibwächter Circumcellionen zu haben.«

»Ich habe von ihnen gehört, aber die Sache hat sich vor Jahrhunderten an den Küsten Afrikas zugetragen. Dort gab es Häretiker, die man Donatisten nannte, sie vertraten die Ansicht, die Kirche müsse die Gemeinschaft der Heiligen sein, aber leider seien ihre Diener inzwischen alle verdorben, und darum könne kein Priester mehr die Sakramente vollziehen. Sie lagen in einem Dauerkrieg mit allen anderen Christen. Die entschiedensten unter ihnen waren eben die Circumcellionen, barbarische Angehörige der Mohrenrasse, die übers Land und durch die Täler zogen auf der Suche nach dem Martyrium. Sie stürzten sich mit dem Ruf *Deo laudes* von den Felsen auf die Wanderer, bedrohten sie mit ihren Keulen und befahlen ihnen, sie zu töten, damit sie der Glorie des Opfers teilhaftig würden. Und wenn die erschrockenen Leute sich weigerten, nahmen ihnen die Circumcellionen zuerst alles weg und zerschmetterten ihnen dann den Schädel... Ich hatte allerdings gedacht, diese Exaltierten seien längst ausgestorben.«

»Offenbar waren die Nubier von Pndapetzim späte Nachkommen von ihnen. Sie seien sehr gut im Krieg zu gebrauchen, sagte mir Praxeas mit seiner gewohnten Verachtung für seine Untertanen, denn sie ließen sich gerne vom Feind töten, und in der Zeit, die es brauche, um sie alle zu töten, würden die Eunuchen die Schlucht unpassierbar machen. Aber die Nubier warteten seit zu vielen Jahrhunderten auf dieses Glück, niemand komme, um die Provinz zu erobern, und so ballten sie nur ungeduldig die Fäuste. Über die Monster konnten sie nicht gut herfallen, da sie den Auftrag hatten, sie zu beschützen, und so versuchten sie sich Luft zu machen, indem sie wilde Tiere mit bloßen Händen jagten und töteten. Manchmal begaben sie sich bei ihren Jagden sogar über den Sambatyon in die Steinwüste, wo sie Chimären und Mantikoren erlegten, und gelegentlich hatte einer von ihnen die Freude, wie Abdul zu enden. Aber das genügte ihnen nicht. Es kam vor, daß gerade die Überzeugtesten von ihnen durchdrehten. Praxeas hatte bereits erfahren, daß einer von ihnen uns an jenem Nachmittag angefleht hatte, ihn zu enthaupten; andere stürzten sich, während sie die Schlucht bewachten, von den Felsen – kurzum, sie waren immer schwerer im Zaum zu halten. Den Eunuchen blieb nichts anderes übrig, als ständig ihre Wachsamkeit zu schüren, ihnen täglich von neuem die unmittelbare Gefahr auszumalen, sie glauben zu machen, daß die Weißen Hunnen tatsächlich vor den Toren stünden, und so schweiften die Nubier durch die Ebene, angestrengt Ausschau haltend, vor Freude jubelnd über jedes Staubwölkchen, das sie in der Ferne sichteten, die Ankunft der Feinde erwartend in einer Hoffnung, die sie seit Jahrhunderten verzehrte. Und in der Zwischenzeit, da nicht alle wirklich zum Opfer bereit waren, aber lauthals ihren Wunsch nach Martyrium verkündeten, um gut genährt und gut gekleidet zu werden, mußte man sie bei Laune halten, indem man ihnen Lekkerbissen und viel *burq* gab. Ich konnte verstehen, wie der Groll der Eunuchen von Tag zu Tag wuchs – gezwungen, über Monster zu herrschen, die sie haßten, und ihr Leben in die Hände exaltierter und ständig betrunkener Schlemmer zu legen.«

Es war spät geworden, und Praxeas ließ seine Gäste von der nubischen Wache in ihre Unterkünfte bringen – eine Felsenhöhle gegenüber dem Turm, die zwar klein war, aber Platz für alle bot. Sie stiegen die schmalen Leitern hinauf, legten sich sofort hin und schliefen, erschöpft von diesem einzigartigen Tag, bis zum nächsten Morgen.

Geweckt wurden sie von Gavagai, der sich dienstbereit meldete. Ihm war von den Nubiern mitgeteilt worden, daß der Diakon bereit sei, seine Gäste zu empfangen.

Sie kehrten zum Turm zurück, und Praxeas persönlich führte sie den äußeren Rundgang empor bis zum obersten Stockwerk. Dort schritten sie durch eine Tür und befanden sich in einem runden Korridor, auf den sich viele andere Türen öffneten, eine neben der anderen wie die Lücken in einem Zahnkranz.

»Ich habe erst später begriffen, Kyrios Niketas, wie dieses Stockwerk angelegt war. Es ist nicht leicht zu beschreiben, aber ich will es versuchen. Stell dir jenen Korridor als die Peripherie eines Kreises vor, in dessen Mitte sich ein ebenfalls kreisrunder Raum befindet. Jede Tür, die sich auf den Korridor öffnet, führt in einen Gang, und jeder dieser Gänge müßte geradewegs wie ein Radius des Kreises in den zentralen Raum führen. Aber wenn die Gänge gerade wären, könnte jeder Besucher vom äußeren Rundgang aus sehen, was in dem zentralen Raum geschieht, und jeder, der sich in dem zentralen Raum befindet, könnte sehen, ob jemand durch einen der Gänge kommt. Nun verlief zwar jeder dieser Gänge zunächst gerade nach innen, machte dann aber, bevor er in den zentralen Raum mündete, eine Kurve, so daß niemand aus dem äußeren Rundgang in den zentralen Raum sehen konnte, was den dort Befindlichen vor fremden Blicken schützte...«

»Aber ihn auch nicht sehen ließ, wer sich ihm näherte, außer im letzten Augenblick.«

»Genau, das ist mir auch gleich aufgefallen. Stell dir vor, der Diakon, der nominale Herrscher jener Provinz, war vor indiskreten Blicken geschützt, aber zugleich konnte er ohne Vorankündigung von einem Besuch seiner Eunuchen überrascht werden. Er war ein Gefangener, der zwar nicht von seinen Wächtern beobachtet werden konnte, aber sie auch seinerseits nicht im Blick hatte.«

»Diese Eunuchen waren noch gewiefter als unsere. Aber jetzt erzähl mir von dem Diakon.«

Sie traten ein. Der runde Raum war unmöbliert, bis auf den Thron und einige Truhen ringsum. Der Thron stand in der Mitte, war aus dunklem Holz und hatte einen Baldachin. Auf dem Thron saß eine menschliche Gestalt, in ein dunkles Gewand gehüllt und mit einem Turban auf dem Kopf, das Gesicht unter einem Schleier verborgen. Die Füße steckten in dunklen Pantoffeln und die Hände in dunklen Handschuhen, so daß man nichts von den Zügen und Formen des Sitzenden sah.

Zu beiden Seiten des Thrones, neben dem Diakon, kauerten weitere verhüllte Gestalten. Eine von ihnen reichte dem Diakon ab und zu eine Schale mit glimmenden Duftstoffen, damit er den Rauch einatme. Der Diakon wehrte ab, doch Praxeas drängte ihn durch ein Zeichen, scheinbar flehend, die Gabe anzunehmen, also mußte es sich wohl um eine Medizin handeln.

»Bleibt fünf Schritte vor dem Thron stehen, verbeugt

euch und wartet, bevor ihr euren Gruß entbietet, bis Er euch dazu auffordert«, flüsterte Praxeas.

»Warum ist er verschleiert?« fragte Baudolino.

»Das fragt man nicht, es gefällt ihm so.«

Sie taten, wie ihnen geheißen. Der Diakon hob eine Hand und sagte auf Griechisch: »Seit meiner Kindheit bin ich auf den Tag eurer Ankunft vorbereitet worden. Mein Logothet hat mir alles berichtet, und es wird mir eine Freude sein, euch beizustehen und als meine Gäste zu bewirten, solange ihr auf euren illustren Gefährten wartet. Ich habe auch euer unvergleichliches Geschenk erhalten. Es ist unverdient, um so mehr, als mir eine so heilige Reliquie von Gästen geschenkt wird, die selber nicht minder verehrungswürdig sind.«

Seine Stimme war schwach wie die eines Leidenden, aber sie klang jugendlich. Baudolino erging sich in derart ehrfurchtsvollen Begrüßungen, daß niemand ihm später hätte vorwerfen können, sich hochtrabend mit der Würde gebrüstet zu haben, die ihm zugeschrieben wurde. Der Diakon bemerkte jedoch, daß soviel Demut ganz offenkundig die Heiligkeit seiner Gäste bezeuge, und dagegen war nichts zu machen.

Sodann lud er sie ein, sich auf elf Kissen niederzulassen, die er in einem Halbkreis fünf Schritte vor dem Thron hatte bereitlegen lassen, bot ihnen *burq* mit süßen, leicht ranzig schmeckenden Teigkringeln an und sagte, er sei begierig, von ihnen als Leuten, die aus dem märchenhaften Okzident kamen, zu hören, ob es dort wirklich all die Wunder gebe, von denen er in so vielen Büchern gelesen habe. Zum Beispiel, ob es dort wirklich ein Land namens Enotria gebe, in dem der Baum wachse, der jenes Getränk ausscheide, welches Unser Herr Jesus in sein Blut verwandelt habe. Ob es wahr sei, daß dort das Brot nicht plattgedrückt und einen halben Finger dick sei, sondern jeden Morgen beim Hahnenschrei wundersam aufgehe und zur Form einer weichen Frucht mit knuspriger goldener Kruste gedeihe. Ob es wahr sei, daß man dort freistehende, außerhalb von Felsen gebaute Kirchen sehen könne, und ob der Palast des großen Priesters in Rom wirklich Dekken und Balken aus duftendem Holz von der legendären Insel Zypern habe. Ob dieser Palast wirklich Tore aus blauem Stein und mit Hörnern der Hornviper habe, die verhinderten, daß der Eintretende Gift hineinbringe, und Fenster aus einem Stein, der das Licht durchlasse. Ob es wahr sei, daß in jener selben Stadt ein großes rundes Bauwerk stehe, in welchem die Christen heute Löwen verspeisten und an dessen Gewölbe zwei perfekte Imitationen der Sonne und des Mondes erschienen, groß wie in Wirklichkeit, die ihren Lauf am Himmel vollzögen, zwischen von Menschenhand gemachten Vögeln, die süßeste Melodien sängen. Ob es wahr sei, daß unter dem Boden, auch er aus durchsichtigem Stein, von selbst sich bewegende Fische aus klarem Stein schwömmen. Ob es wahr sei, daß man zu dem Bauwerk über eine Treppe gelange, an der sich auf der Höhe einer bestimmten Stufe ein Guckloch befinde, durch welches man alles sehen könne, was im Universum geschieht, alle Monster der Meerestiefe, die Morgen- und Abendröte, die Menschenmassen, die im Ultima Thule leben, ein silbriges Spinnennetz inmitten einer schwarzen Pyramide, die Flocken einer kalten weißen Substanz, die im August vom Himmel herab auf das Versengte Afrika fallen, sämtliche Wüsten dieser Welt, jeden Buchstaben auf jeder Seite jedes Buches, rosige Sonnenuntergänge über dem Sambatyon, das Tabernakel der Welt zwischen zwei spiegelnden Steinplatten, die es endlos vervielfältigten, Wasserflächen wie Seen ohne Ufer, Stiere, Sturzfluten, alle Ameisen, die es auf der Erde gibt, eine Sphäre, die den Gang der Sterne reproduziert, das pochende Geheimnis des eigenen Herzens und der eigenen Eingeweide sowie das Gesicht eines jeden von uns, wenn wir vom Tod entstellt sein werden...

»Wer erzählt denn den Leuten hier solche Lügenmärchen?« fragte sich der Poet empört, während Baudolino vorsichtig zu antworten versuchte, indem er sagte, die Wunder des fernen Okzidents seien gewiß zahlreich, auch wenn bisweilen das Gerücht, das vergrößernd über Täler und Berge fliege, zu übertreiben beliebe, und gewiß könne er bezeugen, daß er nie irgendwo in den Ländern der unter-

gehenden Sonne Christen gesehen habe, die Löwen verspeisten. »Jedenfalls nicht an Fastentagen«, fügte der Poet
halblaut knurrend hinzu.

Sie merkten, daß ihre bloße Anwesenheit die Phantasie
dieses jungen Fürsten entzündet hatte, der da ewig eingeschlossen in seinem runden Gefängnis saß, und sie machten sich klar, daß man, wenn man im Land der aufgehenden Sonne lebt, nicht umhinkann, von den Wundern des
Abendlandes zu träumen – besonders wenn man, fügte der
Poet wieder halblaut und zum Glück auf teutonisch hinzu,
an einem so miesen Ort wie Pndapetzim lebte.

Schließlich begriff der Diakon, daß auch seine Gäste
etwas wissen wollten, und zeigte Verständnis dafür, daß
sie sich nach so vielen Jahren der Abwesenheit vielleicht
nicht mehr erinnerten, wie man in jenes Reich zurückfand,
aus dem sie der Tradition nach gekommen waren, auch weil
in den Jahrhunderten seither allerlei Erdbeben und andere
Transformationen des Landes die Form der Berge und
Ebenen gründlich verändert hatten. Er erläuterte, wie
schwierig es sei, die Schlucht und den Sumpf zu überwinden, und machte darauf aufmerksam, daß die Regenzeit
bald einsetzen werde, weshalb es nicht ratsam sei, die Reise
sofort anzutreten. »Außerdem müssen meine Eunuchen«,
sagte er, »erst Boten zu meinem Vater schicken, um ihn auf
euren Besuch vorzubereiten, und diese Boten müssen mit
seiner Einwilligung zu eurer Reise zurückkehren. Der Weg
ist weit, das alles wird mindestens ein Jahr und vielleicht
noch länger dauern. In der Zwischenzeit könnt ihr hier
auf die Ankunft eures Mitbruders warten. Selbstverständlich werdet ihr eurem Rang gemäß untergebracht sein.« Er
sprach mechanisch, als sagte er eine soeben gelernte Lektion auf.

Die Gäste fragten ihn, was die Funktion und Aufgabe
eines Diakons Johannes sei, und er erklärte es ihnen: Zu
ihrer Zeit sei es vielleicht noch nicht so gewesen, aber die
Gesetze des Reiches seien kurz nach der Abreise der Magier geändert worden. Man dürfe nicht meinen, der Priester
sei ein einzelner Mensch, der ununterbrochen seit Jahrtausenden herrsche, es handle sich vielmehr um einen Titel.

Beim Tod eines Priesters besteige sein jeweiliger Diakon den Thron. Unverzüglich machten sich dann Würdenträger des Reiches auf, um alle Familien zu besuchen und anhand bestimmter wunderbarer Zeichen ein Kind zu identifizieren, das nicht älter als drei Monate sein dürfe und zum künftigen Erben und Adoptivsohn des Priesters bestimmt sei. Dieses Kind werde von seiner Familie mit Freude hergegeben und sogleich nach Pndapetzim geschickt, wo es während seiner Kinder- und Jugendjahre darauf vorbereitet werde, seinem Adoptivvater nachzufolgen, ihn zu fürchten und zu lieben. Der junge Mann sprach mit trauriger Stimme, denn es sei das Schicksal eines jeden Diakons, sagte er, seinen Vater niemals kennenzulernen, weder den leiblichen noch den geistigen, den er nicht einmal auf der Totenbahre zu sehen bekomme, denn vom Zeitpunkt seines Todes bis zu dem, an welchem sein Erbe in der Hauptstadt des Reiches eintreffe, vergehe mindestens ein Jahr.

»Was ich von ihm sehen werde«, sagte er, »und ich hoffe aufs innigste, daß es erst so spät wie möglich sein wird, ist lediglich ein Abbild auf dem Grabtuch, in das er vor der Beerdigung eingehüllt werden wird, nachdem man seinen Leib mit Öl und anderen wundertätigen Substanzen eingerieben hat, die seine Formen in das Leinen eindrücken.« Dann fügte er hinzu: »Ihr werdet hier lange bleiben, und ich bitte euch, mich hin und wieder zu besuchen. Ich liebe es, von den Wundern des Okzidents erzählt zu bekommen und auch Geschichten von den tausend Schlachten und Belagerungen zu hören, die dort, wie es heißt, das Leben lebenswert machen. Ich sehe Waffen an euren Gürteln, sehr viel schönere und stärkere, als sie bei uns gebräuchlich sind, und ich stelle mir vor, daß ihr selber Heere in die Schlacht geführt habt, wie es sich für Könige ziemt. Bei uns dagegen bereitet man sich seit unvordenklicher Zeit auf den Krieg vor, aber ich habe noch nie das Vergnügen gehabt, eine Armee in offener Feldschlacht zu befehligen.« Es war keine bloße Einladung, es war eine fast flehentliche Bitte, vorgetragen im Ton eines Jungen, dessen Phantasie sich über Büchern voll atemberaubender Abenteuer entzündet hatte.

»Bedenkt aber, daß Ihr Euch nicht zu sehr anstrengt, Herr«, sagte Praxeas sehr unterwürfig. »Jetzt ist es spät und Ihr seid müde. Besser, Ihr entlaßt für heute Eure Besucher.« Der Diakon nickte, doch an der resignierten Geste, mit der er seinen Abschiedsgruß begleitete, erkannten Baudolino und die Seinen, wer wirklich an diesem Ort das Kommando hatte.

31. Kapitel

Baudolino wartet auf die Weiterreise zum Reich des Priesters Johannes

Baudolino hatte zu lange erzählt, und Niketas war hungrig geworden. Theophilattos bat ihn zu Tisch und servierte Kaviar von verschiedenen Fischen, gefolgt von einer Suppe mit Zwiebeln und Öl und Oliven, die in einem Teller voller Brotkrümel serviert wurde, danach eine Sauce aus zerstampften Muscheln, angemacht mit Wein, Öl, Knoblauch, Zinnamom, Oregano und Senf. Nicht eben viel, nach Niketas' Maßstäben, aber er ließ es sich schmecken. Während die Frauen, die gesondert gegessen hatten, sich zum Schlafen rüsteten, begann er Baudolino wieder zu befragen und wollte wissen, ob sie nun endlich ins Reich des Priesters gelangt waren.

»Du hättest gern, daß ich schnell mache, Kyrios Niketas, aber wir sind zwei lange Jahre in Pndapetzim geblieben, und zuerst ist die Zeit immer gleich verlaufen. Von Zosimos hörten wir nichts, und Praxeas machte uns darauf aufmerksam, daß es, falls der zwölfte unserer Gruppe nicht käme, sinnlos wäre, uns ohne das angekündigte Geschenk für den Priester auf die Reise zu machen. Im übrigen brachte er uns jede Woche neue entmutigende Nachrichten: Die Regenzeit habe länger als üblich gedauert und der Sumpf sei noch unpassierbarer geworden, von den zum Priester gesandten Boten sei bisher keine Nachricht gekommen, vielleicht könnten sie den einzigen gangbaren Weg nicht mehr finden... Dann kam die gute Jahreszeit, und es wurde gemunkelt, die Weißen Hunnen seien im Anmarsch, ein Nubier habe sie im Norden gesichtet, und man könne jetzt keine Männer opfern, um uns auf einer so schwierigen Reise zu begleiten, und so weiter. Da wir nicht wußten, was wir sonst tun sollten, lernten wir allmählich, uns in den verschiedenen Sprachen auszudrücken, die in Pndapetzim gesprochen wurden. So wußten wir zum Beispiel inzwischen: Wenn ein Pygmäe *Hekinah degul* ausrief, wollte er damit sagen, daß er zufrieden sei, und die Grußformel, die man mit ihm tauschte, hieß *Lumus kelmin pesso desmar lon emposo*, was soviel bedeutete wie, daß man sich verpflichtete, keinen Krieg gegen ihn und sein Volk zu führen. Wenn ein Gigant eine Frage mit *Bodh-koom* beantwortete, hieß das soviel wie »Ich weiß nicht«. Die Nubier nannten das Pferd *nek*, vielleicht in Analogie zu *nekbraffar*, ihrem Wort für Kamel, während die Blemmyer das Pferd *houyhmhnm* nannten, und dies war das einzige Mal, daß wir sie Laute aussprechen hörten, die nicht Vokale waren, was uns vermuten ließ, daß sie für ein nie zuvor gesehenes Tier einen nie zuvor gehörten Ausdruck erfanden. Die Skiapoden beteten mit den Worten *Hai coba*, was für sie »Vater unser« bedeutete, und sie nannten das Feuer *deba*, den Regenbogen *deta* und den Hund *zita*. Die Eunuchen priesen Gott während ihrer Messe, indem sie sangen: *Khondinbas Ospamerostas, kamedumas karpanemphas, kapsimunas Kamerostas perisimbas prostamprostamas.* Wir wurden mehr und mehr zu Einwohnern von Pndapetzim, so daß uns schließlich die Blemmyer oder Panothier gar nicht mehr so verschieden von uns selbst vorkamen. Wir verwandelten uns in träge dahinlebende Gewohnheitstiere, Boron und Ardzrouni verbrachten die Tage mit Diskussionen über die Leere, und Ardzrouni hatte Gavagai überredet, ihn mit einem Zimmermann der Ponkier in Kontakt zu bringen, mit dem zusammen er ausprobierte, ob es möglich war, allein aus Holz, ohne alles Metall, eine seiner mirakulösen Luftpumpen nachzubauen. Wenn Ardzrouni sich seinem verrückten Unternehmen widmete, zog Boron sich mit Kyot zurück, um Ausritte in die Ebene zu machen und dabei über den Gradal zu fabulieren, wobei sie angespannt Ausschau hielten, ob nicht am Horizont das Phantom von Zosimos auftauchte. Vielleicht, meinte der Boidi, habe Zosimos einen anderen Weg genommen, sei den Weißen Hunnen begegnet und habe ihnen, die ja Götzendiener sein mußten, wer weiß was erzählt und sei gerade dabei, sie zum Angriff gegen das Reich aufzuhetzen… Die Alexandriner Porcelli, Cuttica und Aleramo Scaccabarozzi genannt il Ciula, die sich bei der Gründung ihrer Heimatstadt einige Kenntnisse im Bauwesen erworben hatten, hatten sich in den Kopf gesetzt, die Bewohner von Pndapetzim zu überzeugen, daß vier gutgemauerte Wände besser waren als ihre Taubenlöcher im Felsen, und hatten ein paar Giganten gefunden, die ja von Berufs wegen jene Löcher in die Felsen schlugen, denen sie beibrachten, wie man Mörtel anrührt und wie man Ziegel aus Lehm formt, um sie dann in der Sonne trocknen zu lassen. So waren am Stadtrand fünf oder sechs Häuser errichtet worden, aber eines schönen Morgens wurden sie von den Zungenlosen besetzt, die aus Berufung Landstreicher waren und aus Prinzip auf anderer Leute Kosten lebten. Man versuchte, sie mit Steinwürfen zu vertreiben, aber vergeblich. Der Boidi spähte jeden Abend in Richtung der Schlucht, um zu sehen, ob nicht endlich die Schönwetterzeit wiederkam. Kurzum, jeder hatte sich seinen eigenen Zeitvertreib erfunden, wir hatten uns an die scheußlichen Speisen gewöhnt und konnten vor allem nicht mehr auf den *burq* verzichten. Uns tröstete der Gedanke, daß ja nun das Reich bloß noch zwei Schritte entfernt war, beziehungsweise ein Jahr Fußmarsch, wenn alles gutging, aber wir fühlten uns nicht mehr verpflichtet, irgendwas zu entdecken oder einen anderen Weg zu finden, wir mußten bloß warten, daß die Eunuchen uns den richtigen führten. Wir waren, könnte man sagen, selig entnervt und glücklich gelangweilt. Jeder von uns, außer Colandrino, war bereits in die Jahre gekommen. Ich hatte die Fünfzig überschritten, und in dem Alter stirbt man, wenn man nicht schon lange tot ist. Wir dankten Gott, daß wir noch lebten, und offenbar tat uns das Klima gut, denn wir kamen uns alle verjüngt vor, ich zum Beispiel sah aus, als hätte ich zehn Jahre weniger auf dem Buckel als zur Zeit unserer Ankunft. Wir waren körperlich kräftig und geistig schlaff, wenn ich so sagen darf. Wir hatten uns so sehr mit den Leuten von Pndapetzim identifiziert, daß wir sogar anfingen, uns für ihre theologischen Debatten zu erwärmen.«

»Mit wem hieltet ihr es?«

»Tatsächlich hatte alles damit angefangen, daß dem Poeten das Blut kochte und er es nicht mehr ohne ein weibliches Wesen aushielt. Dabei schaffte das sogar der arme Colandrino, aber der war ein Engel auf Erden, wie seine arme Schwester. Den Beweis dafür, daß auch unsere Augen sich an jenen Ort gewöhnt hatten, bekam ich, als der Poet anfing, für eine junge Panothierin zu schwärmen. Ihre langen fließenden Ohren hatten es ihm angetan, die Weiße ihrer Haut erregte ihn, er fand sie biegsam und pries ihre schön gezeichneten Lippen. Er hatte zufällig mit angesehen, wie zwei Panothier sich im Freien paarten, und ihm schien es sehr lustvoll gewesen zu sein: Beide hatten einander mit ihren Ohren umhüllt und kopulierten wie im Inneren einer Muschel, oder als ob sie jene Fleischbällchen in Weinblättern wären, die wir in Armenien gekostet hatten. Es muß wunderbar gewesen sein, sagte er. Dann, als die Panothierin, der er sich zu nähern versuchte, sich sträubte, hatte er sich in eine Blemmyerin verguckt. Er fand, daß sie, einmal abgesehen von ihrem fehlenden Kopf, eine zarte Hüfte und eine einladende Vagina hatte, und im übrigen müsse es wunderbar sein, eine Frau auf den Mund zu küssen, als küsse man sie auf den Bauch. So hatte er angefangen, die Blemmyer zu frequentieren. Eines Abends nahm er uns zu einer ihrer Versammlungen mit. Die Blemmyer hätten, wie alle Monster jener Provinz, keine Angehörigen der anderen Rassen zu ihren Debatten über die heiligen Dinge zugelassen, aber wir waren anders, man hielt es nicht für möglich, daß auch wir schlecht denken könnten, im Gegenteil, jede Rasse war überzeugt, daß wir so dachten wie sie. Der einzige, der seine Enttäuschung über unsere Vertrautheit mit den Blemmyern gern gezeigt hätte, war Gavagai, aber inzwischen war es soweit, daß der getreue Skiapode uns verehrte, und so konnte alles, was wir taten, für ihn nur wohlgetan sein. Ein bißchen aus Naivität, ein bißchen aus Liebe hatte er sich eingeredet, wir gingen zu den Riten der Blemmyer, um sie zu lehren, daß Jesus der Adoptivsohn Gottes gewesen sei.«

Die Kirche der Blemmyer befand sich auf Bodenhöhe, eine bloße Fassade mit zwei Säulen und einem Tympanon, alles übrige war im Innern des Felsens. Der Priester rief die Gläubigen zur Andacht, indem er mit einem Hämmerchen auf eine mit Seilen umwickelte Steinplatte schlug, die scheppernd wie eine geborstene Glocke klang. Innen sah man nur den Altar, beleuchtet von Lampen, in denen, nach dem Geruch zu urteilen, nicht Öl, sondern Butter brannte, vielleicht Ziegenmilchbutter. Es gab weder Kruzifixe noch andere Bilder, weil, wie der Blemmyer erklärte, der Baudolino und den Seinen als Führer diente, nach Überzeugung der Blemmyer (der einzig richtigen) der Logos nicht Fleisch geworden war und sie also nicht das Bild eines Bildes verehren konnten. Aus dem gleichen Grund könnten sie auch die Eucharistie nicht ernst nehmen, weshalb es in ihrer Messe keine Wandlung gebe. Nicht einmal das Evangelium könnten sie lesen, denn es sei ja bloß die Erzählung einer Sinnestäuschung.

Baudolino fragte, was für eine Art von Messe sie denn dann noch feiern könnten, und der Führer sagte, tatsächlich versammelten sie sich zum Gebet, und dann diskutierten sie alle gemeinsam über das große Mysterium der falschen Fleischwerdung, das gänzlich aufzuklären ihnen noch nicht gelungen sei. Und wirklich, nachdem die Blemmyer niedergekniet waren und sich eine halbe Stunde lang in ihren seltsamen Vokalisen ergangen hatten, eröffnete der Priester das, was er ihr heiliges Palaver nannte.

Einer der Gläubigen stand auf und gab zu bedenken, daß der Jesus der Passion vielleicht kein echtes Phantasma gewesen sei, sonst müßte man ja die Apostel für blöd erklären, sondern eine höhere Macht, die vom Vater ausgegangen sei, ein Äon, der in den schon vorhandenen Leib eines Zimmermanns aus Galiläa gefahren sei. Ein anderer brachte den Gedanken vor, daß vielleicht Maria, wie einige schon erwogen hatten, zwar wirklich ein menschliches Wesen geboren hatte, daß aber der Gottessohn – also der Logos, der nicht Fleisch werden konnte – durch sie nur hindurchgeströmt sei wie Wasser durch eine Röhre, vielleicht sei er auch durch ein Ohr in sie eingedrungen. An dieser Stelle brach ein Sturm von Protesten los, und viele schrien »Paulikianer! Bogomile!« – womit sie ausdrücken wollten, daß der Betreffende eine häretische Lehre vorgebracht habe, und tatsächlich wurde er aus dem Tempel gejagt. Ein dritter erkühnte sich zu der These, daß derjenige, der am Kreuz gelitten hatte, Simon von Kyrene gewesen sei, der Jesus im letzten Moment ersetzt habe, wogegen die anderen einwandten, daß es, um jemand ersetzen zu können, diesen Jemand erst einmal geben müsse. Nein, erwiderte der Sprecher, der Jemand, der da ersetzt worden sei, sei eben genau der Jesus als Phantasma gewesen, der als solches nicht habe leiden können, und ohne Passion hätte es keine Erlösung gegeben. Erneuter Proteststurm, denn wer so rede, behaupte, daß die Menschheit durch den armen Simon von Kyrene erlöst worden sei. Ein vierter Gläubiger erinnerte daran, daß der Logos, also das Wort Gottes, während der Taufe am Jordan in Gestalt einer Taube in den Leib Jesu gefahren sei, aber es war klar, daß man auf diese Weise das Wort mit dem Heiligen Geist verwechselte und daß der von diesem durchdrungene Leib kein Phantasma war – und warum sollten sich dann die Blemmyer, wie sie es zu Recht taten, als *phantasiastoi* bezeichnen?

Von der Debatte mitgerissen, meldete sich an dieser Stelle der Poet zu Wort und fragte: »Aber wenn der nicht fleischgewordene Sohn bloß ein Phantasma war, warum spricht er dann im Garten Gethsemane so verzweifelte Worte, und warum beklagt er sich am Kreuz? Was kümmert es ein göttliches Phantasma, ob man ihm Nägel in einen Leib schlägt, der bloße Erscheinung ist? Hat er nur eine Szene gemacht, wie ein Schauspieler?« Der Poet hatte das eigentlich nur gefragt, weil er dachte, er könne durch Bezeugung von Scharfsinn und Durst nach Erkenntnis die Blemmyerfrau verführen, auf die er ein Auge geworfen hatte, aber die entgegengesetzte Wirkung trat ein. Die ganze Gemeinde schrie auf: »Anathema! Anathema!«, und unsere Freunde begriffen, daß der Moment gekommen war, die Versammlung fluchtartig zu verlassen. So war es dem Poeten aufgrund übertriebener theologischer Spitzfindigkeit mißlungen, seine drängende fleischliche Leidenschaft zu befriedigen.

Während Baudolino und die anderen Christen sich diesen Erfahrungen widmeten, befragte Solomon die Einwohner von Pndapetzim einen nach dem anderen, ob sie etwas von den zehn verstreuten Stämmen wüßten. Gavagais am ersten Tag gemachte Bemerkung über die Rabbiner hatte ihm gesagt, daß er auf dem richtigen Weg war. Doch ob nun die Monster der verschiedenen Rassen wirklich nichts wußten, oder ob das Thema mit einem Tabu belegt war, jedenfalls gelang es Solomon nicht, irgend etwas herauszubekommen. Schließlich sagte ihm einer der Eunuchen, jawohl, der Tradition nach seien Gruppen von Juden durch das Reich des Priesters Johannes gezogen, vor vielen Jahrhunderten sei das gewesen, aber dann hätten sie beschlossen weiterzuziehen, vielleicht aus Furcht, daß die angedrohte Invasion der Weißen Hunnen sie zu einer neuen Diaspora zwingen könnte, und Gott allein wisse, wohin sie gezogen seien. Solomon kam jedoch zu dem Schluß, daß der Eunuch log, und wartete weiter darauf, endlich in jenes Reich zu kommen, wo er seine Glaubensbrüder bestimmt finden würde.

Manchmal versuchte Gavagai, seine Schutzbefohlenen zum richtigen Denken zu bekehren. Der Vater sei doch unbestreitbar das Vollkommenste und am weitesten von uns Entfernte, was es im Universum geben könne, nicht wahr? Wie könne er dann einen Sohn gezeugt haben? Die Menschen zeugten Söhne, um in ihren Nachkommen weiterzuleben, auch noch in jener Zeit, die sie nicht mehr selber erleben würden, weil ihr Tod dazwischengekommen sei. Aber ein Gott, der es nötig habe, einen Sohn zu zeugen, wäre nicht schon von Anbeginn aller Zeiten vollkommen. Und wenn der Sohn schon immer zusammen mit dem Vater existiert hätte, als Teil derselben göttlichen Substanz oder Natur oder wie immer man das nennen wolle (hier geriet Gavagai durcheinander und nannte griechische Begriffe wie *ousia, hypostasis, physis* und *hyposopon*, die auch Baudolino nicht klar auseinanderhalten konnte), dann hätten wir den unglaublichen Fall, daß ein Gott, der qua Definition ungezeugt ist, seit Anbeginn der Zeiten gezeugt wäre. Infolgedessen sei der Logos, den der Vater zeuge, auf daß er sich um die Erlösung der Menschheit kümmere, nicht von derselben Substanz wie der Vater: Er werde später gezeugt, sicher vor der Erschaffung der Welt und auf höherer Stufe als jede andere Kreatur, aber ebenso sicher auf niedrigerer als der Vater. Der Christus sei gewiß nicht irgendeine Potenz wie die Heuschrecke, er sei vielmehr eine große Potenz, aber er sei erstgeboren und nicht eingeboren.

»Demnach ist für euch der Sohn«, fragte Baudolino, »nur vom Vater adoptiert und folglich nicht Gott?«

»Nein, aber trotzdem Allerheiligster, so wie Allerheiligster Diakon, der ja Adoptivsohn von Priester. Wenn funktioniere mit Priester, warum soll nicht auch funktioniere mit Gott? Ich gehört, daß Poet Blemmys gefragt, warum Jesus, wenn bloß Phantasma, Angst gehabt in Garten Gethsemane und geklagt an Kreuz. Blemmys, die schlecht denke, nicht wisse, was darauf antworten. Richtige Antwort: Jesus nicht Phantasma, sondern Adoptivsohn, und Adoptivsohn kann nicht alles so wissen wie Vater. Du versteh? Sohn nicht *homoousios*, von gleichem Wesen wie Vater, sondern *homoiousios*, von ähnlichem Wesen. Wir nicht Häretiker wie Anomöer, die behaupte, daß Logos nicht einmal wesensähnlich dem Vater, sondern ganz anders. Aber zum Glück wir habe hier in Pndapetzim keine Anomöer. Die denke noch schlechter als alle andern.«

Da Baudolino, als er diese Geschichte erzählte, auch gesagt hatte, daß unsere Freunde sich weiter fragten, was es denn für einen Unterschied mache, ob Christus *homoousios* oder *homoiousios* sei und ob Gott sich auf zwei kleine Wörter reduzieren lasse, hatte Niketas lächelnd gesagt: »Das macht einen Unterschied, o ja, das macht einen Unterschied! Vielleicht sind diese Streitfragen bei euch im Westen vergessen worden, aber im Reich von uns Römern hat man sie lange diskutiert, und es hat Leute gegeben, die wegen solcher Nuancen exkommuniziert, verbannt oder sogar getötet worden sind. Was mich überrascht, ist, daß diese Diskussionen, die bei uns seit langem unterdrückt worden sind, dort noch weiterleben.«

Und im stillen dachte er: Ich habe immer Zweifel, ob dieser Baudolino mir nicht Lügenmärchen erzählt, aber ein halber Barbar wie er, der unter Alemannen und Langobarden gelebt hat, denen es schwerfällt, zwischen der Heiligen Dreifaltigkeit und Karl dem Großen zu unterscheiden, der könnte diese Dinge nicht wissen, wenn er sie nicht dort gehört hätte. Oder hat er sie vielleicht woanders gehört?

Immer wieder wurden unsere Freunde zu den widerwärtigen Festessen bei Praxeas eingeladen. Ermutigt vom *burq*, mußten sie dabei wohl gegen Ende des Mahles gelegentlich Dinge gesagt haben, die sich für Magier kaum geziemten, und im übrigen hatte Praxeas inzwischen Vertrauen zu ihnen gefaßt. So kam es, daß er eines Abends, als er und sie reichlich getrunken hatten, zu ihnen sagte: »Meine hochgeschätzten Herren Gäste, ich habe lange über jedes Wort nachgedacht, das ihr seid eurer Ankunft hier gesprochen habt, und mir ist klargeworden, daß ihr niemals behauptet habt, die Magier zu sein, die wir erwartet haben. Ich glaube zwar immer noch, daß ihr es seid, aber wenn ihr es zufällig, ich sage zufällig, *nicht* sein solltet, wäre es nicht eure Schuld, daß alle es glauben. In jedem Fall, erlaubt mir, wie ein Bruder mit euch zu sprechen. Ihr habt gesehen, was für ein Ketzernest Pndapetzim ist und wie schwer es ist, dieses Monsterpack ruhigzuhalten, einerseits mit der Angst vor den Weißen Hunnen und andererseits, indem wir uns zu Interpreten des Willens und Wortes jenes Priesters Johannes machen, den sie nie gesehen haben. Was kann da unser junger Diakon helfen, werdet auch ihr euch gefragt haben. Wenn wir Eunuchen jedoch auf die Unterstützung und Autorität der Magier zählen können, vergrößert sich unsere Macht. Sie vergrößert und festigt sich hier, aber sie könnte sich auch... woandershin ausdehnen.«

»Ins Reich des Priesters?« fragte der Poet.

»Wenn ihr dorthin kämt, müßtet ihr als die legitimen Herren anerkannt werden. Um dorthin zu kommen, braucht ihr uns, und wir brauchen euch hier. Wir sind eine eigenartige Rasse, nicht wie die Monster da draußen, die sich nach den elenden Gesetzen des Fleisches reproduzieren. Eunuch wird man, weil die anderen Eunuchen einen auserwählt und zum Eunuchen gemacht haben. In dem, was viele für ein Unglück halten, fühlen wir uns vereint wie in einer Familie, ich meine, wir mit allen anderen Eunuchen, die irgendwo auf der Welt regieren, und wir wissen, daß es auch im fernen Okzident sehr mächtige gibt, um nicht von den vielen anderen Reichen in Indien und Afrika zu reden. Wir bräuchten nur von einem besonders mächtigen Zentrum aus unsere Mitbrüder in allen Ländern der Erde zu einem geheimen Bund zu vereinigen, und wir hätten das größte aller Reiche gegründet. Ein Reich, das niemand erobern oder zerstören könnte, weil es nicht aus Armeen und Territorien bestünde, sondern aus einem Gewebe wechselseitigen Einverständnisses. Ihr wärt das Symbol und die Garantie unserer Macht.«

Am nächsten Tag kam Praxeas zu Baudolino und gestand ihm, daß er den Eindruck habe, am Abend zuvor sehr dumme und sinnlose Sachen gesagt zu haben, die er nie ernst gemeint habe. Es tue ihm leid und er bitte sehr darum, seine Worte zu vergessen. Beim Abschied wiederholte er noch einmal: »Ich bitte euch, denkt daran, sie zu vergessen.«

»Priester oder nicht«, kommentierte der Poet noch am selben Tag, »Praxeas bietet uns ein Reich an.«

»Du bist verrückt«, entgegnete Baudolino, »wir haben eine Mission, und wir haben es Friedrich geschworen.«

»Friedrich ist tot«, sagte der Poet trocken.

Mit Erlaubnis der Eunuchen ging Baudolino häufig den Diakon besuchen. Sie hatten sich angefreundet, Baudolino erzählte ihm von der Zerstörung Mailands, von der Gründung Alexandrias, von den Einzelheiten der Belagerungen – wie man die Mauern erklimmt oder was man tun muß, um die Wurfmaschinen und Rammböcke der Angreifer in Brand zu stecken. Ihm schien, daß dem jungen Diakon bei diesen Erzählungen die Augen glänzten, obwohl sein Gesicht unter einem Schleier verborgen blieb.

Danach fragte Baudolino den Diakon nach den theologischen Kontroversen, die in seiner Provinz tobten, und ihm schien, daß er bei der Antwort melancholisch lächelte. »Das Reich des Priesters ist uralt«, sagte er, »und in ihm haben alle Sekten Zuflucht gefunden, die im Lauf der Jahrhunderte aus der christlichen Welt des Okzidents ausgestoßen wurden.« Es war klar, daß für ihn auch Byzanz, von dem er wenig wußte, zum Fernen Okzident gehörte. »Der Priester hat keinem dieser Ausgestoßenen seinen Glauben nehmen wollen, und die Predigt vieler von ihnen hat die verschiedenen Bewohner des Reiches in Versuchung geführt. Aber schließlich, was macht das schon, wozu muß man wissen, wie die Allerheiligste Dreifaltigkeit wirklich beschaffen ist? All diese Leute brauchen bloß die Gebote des Evangeliums zu befolgen, und sie werden nicht in die Hölle kommen, bloß weil sie meinen, daß der Heilige Geist allein vom Vater ausgeht. Es sind gute Leute, du wirst es bemerkt haben, und mir bricht das Herz bei dem Gedanken, daß sie vielleicht eines Tages allesamt umkommen werden, benutzt und verheizt als Bollwerk gegen die Weißen Hunnen. Jawohl, Baudolino, so ist es: Solange mein Vater am Leben ist, herrsche ich über ein Reich von Todgeweihten. Aber vielleicht sterbe ich ja vor ihm.«

»Was sagst du da, edler Herr? An deiner Stimme höre ich und schon wegen deines Erbpriester-Amtes weiß ich, daß du noch jung bist!« Der Diakon schüttelte traurig den Kopf. Da versuchte Baudolino ihn zu erheitern und erzählte ihm von seinen Studentenstreichen in Paris, doch er merkte, daß er damit nur unbändig-wilde Gelüste im Herzen des jungen Mannes weckte und zugleich Erbitterung darüber, daß er diese Gelüste nicht befriedigen konnte. So zeigte sich Baudolino als der, der er war und gewesen war, und vergaß, sich als einen der Magier auszugeben. Aber auch der Diakon legte keinen Wert mehr auf diese Fiktion und ließ durchblicken, daß er an die elf Magier ohnehin nie geglaubt und nur nachgesprochen habe, was ihm die Eunuchen vorgesagt hatten.

Angesichts seines offenkundigen Grams darüber, daß er von den Freuden der Jugend ausgeschlossen war, versuchte

Baudolino ihm eines Tages klarzumachen daß man das Herz auch voller Liebe für eine unerreichbare Geliebte haben konnte, und erzählte ihm von seiner Leidenschaft für eine hochedle Dame und von den Briefen, die er an sie geschrieben hatte. Der Diakon hörte ihm mit wachsender Erregung zu, dann brach er in eine heftige Klage aus: »Alles ist mir verboten, Baudolino, auch eine bloß geträumte Liebe. Wenn du wüßtest, wie gern ich an der Spitze eines Heeres reiten würde, dem Geruch des Windes folgend und dem Geruch des Blutes! Tausendmal besser, in der Schlacht zu sterben, den Namen der Geliebten auf den Lippen, als hier in dieser Höhle zu sitzen und zu warten... auf was? Vielleicht auf nichts...«

»Aber, edler Herr«, sagte Baudolino, »du bist dazu ausersehen, das Oberhaupt eines großen Reiches zu werden. Eines Tages wirst du – Gott gebe deinem Vater ein langes Leben – diese Höhle verlassen, und Pndapetzim wird nur die letzte und abgelegenste deiner Provinzen sein.«

»Eines Tages, eines Tages...«, murmelte der Diakon. »Wer garantiert mir das? Weißt du, Baudolino, meine tiefste Befürchtung ist, und Gott vergebe mir diesen Zweifel, der mich zerfrißt, daß es das Reich meines Vaters gar nicht gibt. Wer hat mir von ihm erzählt? Die Eunuchen, seit ich ein kleines Kind war. Zu wem kehren die Boten zurück, die sie – *sie*, sage ich – zu meinem Vater schicken? Zu *ihnen*, den Eunuchen. Sind diese Boten wirklich aufgebrochen? Sind sie wirklich zurückgekehrt? Haben sie überhaupt jemals existiert? Ich weiß alles nur von den Eunuchen. Was, wenn alles, diese ganze Provinz, vielleicht die ganze Welt, nur die Frucht eines Komplotts der Eunuchen wäre, die sich über mich lustig machen wie über den letzten Nubier oder Skiapoden? Und wenn auch die Weißen Hunnen nicht existierten? Von allen Menschen wird ein tiefer Glaube an den Schöpfer des Himmels und der Erde und die unergründlichsten Mysterien unserer heiligen Religion erwartet, auch wenn sie unserem Verstand aufs krasseste widersprechen. Aber die Forderung, an diesen unbegreiflichen Gott zu glauben, ist unendlich viel leichter erfüllbar als die an mich gestellte Forderung, allein den Eunuchen zu glauben.«

»Nein, edler Herr, nein, mein Freund«, tröstete ihn Baudolino, »das Reich deines Vaters gibt es wirklich, ich habe es nicht nur von den Eunuchen gehört, sondern schon lange vorher von Leuten, die fest daran glaubten. Der Glaube macht, daß die Dinge wahr werden. Meine Mitbürger hatten an eine neue Stadt geglaubt, an eine, die sogar einem großen Kaiser Angst einzujagen vermochte, und diese Stadt ist entstanden, weil sie so fest an sie glaubten. Das Reich des Priesters ist wahr, weil meine Freunde und ich zwei Drittel unseres Lebens damit verbracht haben, nach ihm zu suchen.«

»Mag sein«, sagte der Diakon, »aber auch wenn es existiert, werde ich es nie zu sehen bekommen.«

»Genug davon!« sagte Baudolino eines Tages. »Du fürchtest, daß das Reich nicht existiert, und während du darauf wartest, es zu sehen, überläßt du dich einem allumfassenden Weltverdruß, der dich töten wird. Im Grunde schuldest du niemandem etwas, weder den Eunuchen noch dem Priester. Sie haben dich gewählt, du warst ein Säugling und konntest sie nicht wählen. Du willst ein Leben in Abenteuer und Ruhm? Wohlan, nimm eines unserer Pferde, reite nach Palästina, wo tapfere Christen gegen die Mauren kämpfen. Werde der Held, der du sein möchtest, die Burgen des Heiligen Landes sind voller Prinzessinnen, die ihr Leben für ein Lächeln von dir geben würden.«

»Hast du jemals mein Lächeln gesehen?« erwiderte der Diakon. Mit einem Ruck riß er sich den Schleier vom Gesicht, und Baudolino erblickte eine gespenstische Maske mit roten Lippen, die faules Zahnfleisch und kariöse Zähne enthüllten. Die Gesichtshaut war runzlig und an manchen Stellen so weit geschwunden, daß man, in einem abstoßenden Rosa, das Fleisch bloßliegen sah. Die Augen glühten unter hängenden und zerfressenen Lidern hervor. Die Stirn war eine einzige Wunde. Das Haar war lang und strähnig, und ein spärlicher zweigeteilter Bart bedeckte das, was ihm vom Kinn noch geblieben war. Er streifte sich die Handschuhe ab, und zum Vorschein kamen knochendürre, mit schwarzen Knötchen übersäte Hände.

»Das ist die Lepra, Baudolino, die Lepra, die weder Könige noch andere Machthaber dieser Erde verschont. Seit meinem zwanzigsten Lebensjahr trage ich dieses Geheimnis in mir, von dem mein Volk nichts ahnt. Ich habe die Eunuchen gebeten, Boten an meinen Vater zu schicken, damit er weiß, daß ich ihm nicht werde auf dem Thron folgen können, und sich beeilt, einen anderen Erben heranzuziehen – sollen sie ruhig sagen, ich sei gestorben, ich werde mich in einer Kolonie meiner Leidensgenossen verbergen, und niemand wird mehr etwas von mir hören. Aber die Eunuchen behaupten, mein Vater wolle, daß ich bleibe. Und das glaube ich ihnen nicht. Den Eunuchen kommt ein schwacher Diakon sehr gelegen, vielleicht werden sie, wenn ich gestorben bin, meinen einbalsamierten Leib in dieser Höhle behalten, um im Namen meines Leichnams zu regieren. Vielleicht wird, wenn der Priester gestorben ist, einer von ihnen meinen Platz einnehmen, und niemand wird sagen können, daß nicht ich es bin, denn hier hat nie jemand mein Gesicht gesehen, und im Reich hat man mich nur gesehen, als ich noch an der Mutterbrust lag. Verstehst du jetzt, Baudolino, warum ich den Tod durch Verschmachten vorziehe, ich, der ich schon bis auf die Knochen vom Tod durchdrungen bin? Ich werde nie Ritter sein, ich werde nie Liebender sein. Auch du bist soeben, du hast es gar nicht gemerkt, drei Schritte zurückgewichen. Und vielleicht hast du bemerkt, daß Praxeas mindestens fünf Schritte Abstand hält, wenn er mit mir redet. Schau her, die einzigen, die es wagen, mir nahe zu sein, sind diese beiden verschleierten Eunuchen: junge Leute wie ich, die an derselben Krankheit leiden und daher berühren können, was ich berührt habe, ohne etwas zu verlieren. Erlaube, daß ich mich wieder verhülle, vielleicht wirst du mich nicht noch einmal deines Mitgefühls oder gar deiner Freundschaft unwürdig finden.«

»Ich rang nach Worten des Trostes, Kyrios Niketas, aber mir fiel nichts ein. Ich schwieg. Dann sagte ich ihm, vielleicht sei unter allen Rittern, die zum kühnen Sturm auf eine Stadt ansetzten, der wahre Held er, der sein Schicksal in Schweigen und Würde ertrug. Er dankte mir und bat mich, ihn für den Rest jenes Tages allein zu lassen. Aber von nun an war ich diesem unglücklichen Menschen herzlich zugetan, ich besuchte ihn täglich und erzählte ihm von meinen einstigen Lektüren, von den Diskussionen am Hof des Kaisers, ich beschrieb ihm die Orte, die ich gesehen hatte, von Regensburg bis Paris, von Venedig bis Byzanz, und dann Ikonion und Armenien und die Völker, denen wir auf unserer Reise begegnet waren. Ihm war es beschieden zu sterben, ohne je etwas anderes gesehen zu haben als die Felsenhöhlen von Pndapetzim, und ich versuchte, ihn durch meine Erzählungen am Leben teilhaben zu lassen. Und vielleicht habe ich auch manches erfunden, ich erzählte ihm von Städten, die ich nie besucht, von Schlachten, die ich nie geschlagen, von Prinzessinnen, die ich nie besessen hatte. Ich schilderte ihm die Wunder der Länder der sinkenden Sonne. Ich ließ ihn herrliche Sonnenuntergänge über der Propontis genießen, smaragdene Reflexe auf dem Wasser der Lagune von Venedig, ein Tal in Hibernia, wo sieben weiße Kirchen sich am Ufer eines stillen Sees aufreihen, zwischen Herden ebenso weißer Schafe, ich schilderte ihm, wie die Gipfel der Alpen stets mit einer weichen weißen Masse bedeckt sind, die sich im Sommer in majestätische Katarakte auflöst und in Flüsse und Bäche ergießt an sanften Hängen unter üppigen Kastanien, ich erzählte ihm von den Salzwüsten, die sich an den Küsten Apuliens erstrecken, ich ließ ihn erzittern, indem ich vor seinen Augen Meere heraufbeschwor, die ich nie befahren hatte, aus denen Fische springen, groß wie Kälber, aber so zahm, daß die Menschen auf ihnen reiten können, ich berichtete ihm von den Reisen des heiligen Brendan zu den Inseln der Seligkeit und wie der Heilige eines Tages im Glauben, er sei auf einer Insel im Meer gelandet, auf den Rücken eines Wals trat, der ein Fisch von der Größe eines Berges ist und ein ganzes Schiff verschlingen kann, aber ich mußte ihm auch erklären, was ein Schiff ist, nämlich ein Fisch aus Holz, der durchs Wasser pflügt, indem er weiße Flügel bewegt, ich zählte ihm die wunderbaren Wildtiere meiner Heimat auf, den Hirsch, der zwei große Hörner in Kreuzesform hat, den Storch, der von Land zu Land fliegt

464

und sich liebevoll um seine greisen Eltern kümmert, indem er sie auf seinem Rücken über den Himmel trägt, den Marienkäfer, der einem kleinen Pilz ähnelt, rot mit milchweißen Punkten, die Eidechse, die wie ein Krokodil aussieht, aber so klein ist, daß sie unter den Türen hindurchschlüpfen kann, den Kuckuck, der seine Eier in die Nester der anderen Vögel legt, die Eule, die große runde Augen hat, die in der Nacht wie zwei Lichter leuchten, und die davon lebt, daß sie das Öl aus den Ewigen Lampen der Kirchen trinkt, den Igel, ein Tier mit dem Rücken voller Stachel, das die Milch der Kühe trinkt, die Auster, eine lebende Schatulle, die manchmal eine tote, aber unschätzbar wertvolle Schönheit hervorbringt, die Nachtigall, die singend die Nacht durchwacht und die Rose anbetet, die Languste, ein gepanzertes Monster in flammendem Rot, das rückwärts flieht, um sich vor den auf sein Fleisch begierigen Jägern zu retten, den Aal, eine furchterregende Wasserschlange, die jedoch sehr fett ist und köstlich schmeckt, die Möwe, die über den Wassern schwebt, als wäre sie ein Engel des Herrn, aber schrille Schreie ausstößt wie ein Teufel, die Amsel, ein schwarzer Vogel mit gelbem Schnabel, der sprechen kann wie ein Mensch und denunziatorisch immer das sagt, was sein Herr ihm anvertraut hat, den Schwan, der majestätisch durchs Wasser pflügt und im Moment seines Todes eine wundersüße Melodei anstimmt, das Mauswiesel, das biegsam ist wie ein junges Mädchen, den Falken, der im Sturzflug auf seine Beute niederfährt und sie dem Ritter bringt, der ihn aufgezogen hat. Ich malte ihm die Pracht von Edelsteinen aus, die er nie gesehen hatte (sowenig wie ich): die purpurnen und milchigen Flecken der Murrhina, die violetten und weißen Adern einiger ägyptischer Steine, das Gleißen des Orichalkums, die Transparenz des Kristalls, das Funkeln des Diamanten, und dann pries ich ihm den Glanz des Goldes, eines weichen Metalls, das zu feinsten Blättern geformt werden kann, das Zischen der glühenden Klingen, wenn sie zum Abkühlen ins Wasser gehalten werden, ich hielt ihm vor Augen, welche unvorstellbaren Reliquiare in den Schatzhäusern der großen Abteien zu sehen sind, wie hoch und spitz die Türme unserer Kirchen sind, wie hoch und gerade die Säulen des Hippodroms in Konstantinopel, was für Bücher die Juden lesen, Bücher voller Zeichen, die wie Insekten aussehen, und was für Laute sie ausstoßen, wenn sie darin lesen, wie ein großer christlicher König einmal von einem Kalifen einen eisernen Hahn geschenkt bekam, der bei jedem Sonnenaufgang ganz von selber krähte, was es mit jener Kugel auf sich hat, die sich dreht und dabei Dampf ausstößt, wie die Archimedes-Spiegel brennen und Dinge in Brand stecken können, wie erschreckend es ist, wenn man nachts eine Windmühle sieht, und schließlich erzählte ich ihm vom Gradal, von den Rittern, die ihn noch immer in der Bretagne suchen, und daß wir ihn seinem Vater zurückbringen würden, sobald wir den treulosen Zosimos wiedergefunden hätten. Als ich sah, daß all diese Herrlichkeiten ihn faszinierten, zugleich aber ihre Unerreichbarkeit ihn betrübte, hielt ich es für gut – um ihm deutlich zu machen, daß es noch schlimmere Leiden gab als das seine –, ihm von den Folterqualen des Andronikos zu erzählen, mit Einzelheiten, die weit übertrafen, was ihm angetan worden war, von den Massakern in Crema, von den Gefangenen mit abgeschnittenen Händen, Ohren und Nasen, ich malte ihm unsägliche Krankheiten aus, mit denen verglichen die Lepra das kleinere Übel war, ich beschrieb ihm als gräßliche Leiden die Skrofulose, die Wundrose, die Gürtelrose, den Veitstanz, den Tarantelstich, die Krätze, die einen dazu bringt, sich die Haut Schuppe für Schuppe aufzukratzen, den unheilvollen Biß der Aspisviper, die Marter der heiligen Agathe, der sie die Brüste abrissen, die der heiligen Lucia, der sie die Augen ausstachen, die des heiligen Sebastian, der von Pfeilen durchbohrt wurde, die des heiligen Stephanus, dessen Schädel von Steinen zertrümmert wurde, die des heiligen Laurentius, der bei kleinem Feuer auf einem Rost gebraten wurde, und ich erfand weitere Heilige und weitere Gräßlichkeiten, wie den heiligen Ursicinus, den sie vom Anus bis zum Mund mit einem Pfahl durchbohrten, den heiligen Sarapion, dem sie die Haut abzogen, den heiligen Mopsuestios, den sie mit Armen und Beinen an vier rasende Pferde

466

banden und vierteilten, den heiligen Dracontios, den sie zwangen, kochendes Pech zu trinken... Mir schien, daß ihm diese Greuel eine gewisse Erleichterung verschafften, aber dann fürchtete ich, übertrieben zu haben, und ging dazu über, ihm die weiteren Schönheiten der Welt zu beschreiben, die den Gefangenen schon erquickten, wenn er bloß an sie dachte: die Anmut der jungen Pariserinnen, den trägen Liebreiz der venezianischen Dirnen, den unvergleichlichen Duft einer Kaiserin, das kindliche Lachen meiner Colandrina, die Augen einer fernen Prinzessin. Er geriet in Erregung, wollte mehr davon hören, fragte nach dem Haar der Gräfin Melisande von Tripoli, nach den Lippen jener strahlenden Schönheiten, die die Ritter von Broceliande mehr verzauberten als der Gradal; er erregte sich, Gott vergebe mir, aber ich glaube, daß er ein- oder zweimal eine Erektion hatte und das Vergnügen des Samenergusses erlebte. Und damit nicht genug, versuchte ich ihm begreiflich zu machen, wie reich das Universum an betörenden Düften ist, und da ich keine Duftstoffe bei mir trug, versuchte ich mich an die Namen sowohl derer zu erinnern, die ich kennengelernt hatte, als auch an die, die ich nur dem Namen nach kannte, in der Annahme, daß diese Namen ihn betäubten wie die Gerüche, und so nannte ich ihm den Moschus, den Balsam, den Weihrauch, die Narde, den Bocksdorn, die Röhrenkassie, den Sandarak, das Sandelholz, den Safran, den Ingwer, den Kardamom, das Zinnamom, den Lorbeer, den Majoran, den Koriander, den Dill, den Estragon, den Nelkenpfeffer, den Sesam, den Mohn, die Muskatnuß, das Zitronellgras, die Kurkuma und den Kümmel. Der Diakon hörte mir voller Entzücken zu, schlug sich die Hände vors Gesicht, als ob seine arme Nase all diese Gerüche gar nicht ertragen könnte, fragte schluchzend, was diese vermaledeiten Eunuchen ihm bisher zu essen gegeben hätten unter dem Vorwand, er sei krank, immer nur Ziegenmilch und in *burq* getunktes Brot, von dem sie behaupteten, es sei gut für die Lepra, und so habe er seine Tage benebelt verbracht, fast immer schlafend und tagaus, tagein mit demselben Geschmack im Munde.«

»Du hast seinen Tod beschleunigt, indem du ihn zur Raserei und zur äußersten Aufreizung aller Sinne gebracht hast. Und zugleich hast du deine Lust am Fabulieren befriedigt, du warst stolz auf deine Erfindungen.«

»Vielleicht, aber für das bißchen, was er noch zu leben hatte, habe ich ihn glücklich gemacht. Und außerdem, ich habe dir von unseren Gesprächen erzählt, als hätten sie alle an einem Tag stattgefunden, aber inzwischen hatte sich auch in mir eine neue Flamme entzündet, und ich lebte in einem ständigen Hochgefühl, das ich auf ihn zu übertragen suchte, indem ich ihm in verkleideter Form einen Teil meines Glücks weitergab. Ich war Hypatia begegnet.«

32. Kapitel

Baudolino sieht eine Dame mit Einhorn

»Vorher war da noch die Geschichte mit der Armee der Monster, Kyrios Niketas. Die Angst vor den Weißen Hunnen wuchs und wurde immer bedrückender, denn ein Skiapode, der bis zu den äußersten Grenzen der Provinz gelangt war (diese Wesen liefen manchmal riesige Strecken, als ob ihr Wille von ihrem unermüdlichen Fuß beherrscht wurde), erzählte bei der Rückkehr, er habe sie gesehen: Gelbgesichter mit lang herunterhängenden Schnauzbärten, klein von Statur, auf ebenfalls kleinen, aber sehr schnellen Pferden, mit denen sie zu einem einzigen Körper zusammengewachsen schienen. Sie zögen in Horden durch Wüsten und Steppen und hätten außer ihren Waffen nichts anderes bei sich als eine lederne Flasche für die Milch und einen kleinen Tontopf, in dem sie kochten, was sie unterwegs fanden, aber sie könnten tagelang reiten, ohne etwas zu essen noch zu trinken. Sie hätten die Karawane eines Kalifen angegriffen, die gerade ihr Lager aufschlug, mit Sklaven, Odalisken, Kamelen und prächtigen Zelten. Die Krieger des Kalifen seien den Hunnen entgegengeritten, sie seien schön und schrecklich anzusehen gewesen, riesige Männer, die auf ihren Kamelen dahinpreschten, bewaffnet mit schreckenerregenden Krummsäbeln. Vor diesem Ansturm seien die Hunnen scheinbar zurückgewichen, um die Verfolger hinter sich herzuziehen, dann hätten sie plötzlich kehrtgemacht, seien im Kreis um die Feinde herumgeritten und hätten sie wild schreiend niedergemetzelt. Anschließend hätten sie das Lager überfallen und allen Überlebenden die Kehlen durchgeschnitten, Frauen, Sklaven, wirklich allen, auch den kleinen Kindern, nur einen einzigen Zeugen des Gemetzels hätten sie am

Leben gelassen. Dann hätten sie die Zelte angesteckt und seien weitergeritten, ohne sich mit Plündern aufzuhalten, woran man sehen könne, daß sie nicht aus Habgier zerstörten, sondern um ihren Ruf zu verbreiten, daß wo sie durchgezogen seien, kein Gras mehr wachse, damit ihre Opfer beim nächsten Mal schon vor Angst wie gelähmt waren. Vielleicht sprach der Skiapode ein bißchen unter dem Einfluß des *burq*, an dem er sich erquickt hatte, aber wer konnte überprüfen, ob er erzählte, was er wirklich gesehen hatte, oder ob er das Blaue vom Himmel herunter log? Die Angst ging um in Pndapetzim, man spürte sie in der Luft, man hörte sie an dem Raunen und Wispern, mit dem die Leute einander das Neueste von Mund zu Mund weitergaben, als könnten die Invasoren sie bereits hören. An diesem Punkt beschloß der Poet, auf Praxeas' Angebot einzugehen, auch wenn er es als das Gefasel eines Betrunkenen ausgegeben hatte. Er hielt ihm vor Augen, daß die Weißen Hunnen jeden Augenblick über sie hereinbrechen könnten, und bitte, was würde man ihnen entgegensetzen? Die Nubier, sicher, stets opferbereite Kämpfer, aber dann? Abgesehen von den Pygmäen, die in ihrem Dauerkampf gegen die Kraniche mit dem Bogen umzugehen gelernt hatten – sollten die Skiapoden etwa mit bloßen Händen kämpfen, die Ponkier mit eingelegtem Glied zum Sturm ansetzen, die Zungenlosen als Kundschafter vorgeschickt werden, damit sie dann berichteten, was sie gesehen hatten? Dabei könne man doch sehr wohl aus dieser Versammlung von Monstern, wenn man ihre Fähigkeiten nur richtig zu nutzen verstehe, ein furchterregendes Heer machen. Und wenn einer sich darauf verstehe, dann er, der Poet.«

»Man kann Anspruch auf die Kaiserkrone erheben, wenn man ein siegreicher Feldherr gewesen ist. Bei uns in Byzanz ist das jedenfalls mehr als einmal passiert.«

»Und sicher war das auch der Hintergedanke meines Freundes. Die Eunuchen haben sofort zugestimmt. Ich vermute, sie dachten sich, solange Frieden war, stellte der Poet mit seiner Armee keine Gefahr für sie dar, und sollte es Krieg geben, konnte er das Eindringen der Feinde zumindest so lange hinauszögern, daß ihnen Zeit blieb, sich durch die Berge in Sicherheit zu bringen. Außerdem hielt die Aufstellung einer Armee ihre Untertanen im Zustand gehorsamer Wachsamkeit, und genau das hatten die Eunuchen ja immer gewollt.«

Baudolino, der Krieg nicht mochte, bat um Befreiung vom Wehrdienst. Die anderen nicht. Der Poet war der Meinung, daß die fünf Alexandriner gute Hauptleute abgeben würden, da er die Belagerung ihrer Stadt miterlebt hatte, und zwar auf der anderen Seite, bei den Verlierern. Ähnlich große Stücke hielt er auf Ardzrouni, der den Monstern vielleicht beibringen könnte, die eine oder andere Kriegsmaschine zu bauen. Auch Solomon verschmähte er nicht: Ein Heer müsse immer einen erfahrenen Mediziner dabeihaben, sagte er, denn schließlich könne man kein Omelett zubereiten, ohne Eier zu zerschlagen. Am Ende beschloß er, daß auch Boron und Kyot, die er als Träumer ansah, in seinem Plan eine Funktion haben könnten: In ihrer Eigenschaft als Schriftkundige und Literaten könnten sie die Bücher der Armee führen, sich um den Nachschub kümmern und für die Labung der Krieger sorgen.

Er hatte die Eigenarten und Fähigkeiten der verschiedenen Rassen genau bedacht. Über die Nubier und die Pygmäen gab es nichts weiter zu sagen, es ging nur darum, in welcher Position sie bei einer eventuellen Schlacht am besten eingesetzt werden sollten. Die Skiapoden könnten, schnell, wie sie waren, als Sturmtruppen dienen, waren sie doch befähigt, sich dem Feind möglichst rasch zwischen Farnen und Gräsern zu nähern und plötzlich aufzutauchen, ehe die Gelbgesichter mit den langen Schnauzbärten Zeit hatten, sich darauf einzustellen. Es genüge, sie im Gebrauch des Blasrohrs zu unterweisen, meinte Ardzrouni, das leicht herzustellen sei, da es in jener Gegend Röhricht im Überfluß gab. Vielleicht könnte Solomon unter all den Kräutern auf dem Markt ein Gift finden, mit dem sich die Pfeile tränken ließen, und er solle sich bitte nicht zieren, Krieg sei nun mal Krieg. Solomon erwiderte, während der Schlacht um Masada habe sein Volk den Römern harte

Nüsse zu knacken gegeben, denn die Juden seien kein Volk, das sich wortlos ins Gesicht schlagen ließe, wie die Gojim meinten.

Die Giganten waren gut einsetzbar, nicht auf weite Distanz, wegen ihres nur einen Auges, aber im Nahkampf, womöglich indem sie gleich hinter den Skiapoden aus dem Farnkraut auftauchten. Riesig, wie sie waren, könnten sie die kleinen Pferde der Weißen Hunnen mit einem Schlag auf die Nase zum Stehen bringen, sie mit bloßen Händen an der Mähne packen und so lange schütteln, bis der Reiter aus dem Sattel fiel, um diesen dann mit einem Fußtritt zu erledigen, betrug doch die Größe eines Gigantenfußes gut das Doppelte eines Skiapodenfußes.

Weniger leicht verwendbar waren die Blemmyer, die Ponkier und die Panothier. Ardzrouni regte an, letztere mit ihren großen Ohren durch die Luft segeln und im Gleitflug von oben herunterkommen zu lassen. Wenn die Vögel sich durch Flügelschlag in der Luft halten könnten, pflichtete ihm Boron bei, warum sollten es dann nicht auch die Panothier mit ihren Ohren schaffen, zum Glück schlügen sie diese ja nicht im Leeren. Somit wären die Panothier für jenen fatalen Moment zu reservieren, in dem die Weißen Hunnen nach Überwindung der ersten Verteidigungslinien in die Stadt eindringen würden. Die Panothier würden sie hoch oben in ihren Felsennestern erwarten, würden sich durch die Luft auf sie stürzen und könnten ihnen die Kehlen durchschneiden, sofern man sie entsprechend gut im Gebrauch eines Messers, sei es auch aus Obsidian, unterwiesen hatte. Die Blemmyer waren nicht gut als Späher verwendbar, da sie zum Ausschauhalten mit dem ganzen Oberkörper aus der Deckung gehen müßten, was unter Kriegsbedingungen einem Selbstmord gleichkäme. Aber passend eingesetzt wären sie als Sturmtruppe nicht zu verachten, denn der Weiße Hunne war gewohnt (nahm man an), auf den Kopf zu zielen, und wenn man plötzlich einen Feind ohne Kopf vor sich hat, ist man zumindest für einen Augenblick ratlos. Genau diesen Augenblick könnten die Blemmyer nutzen, um mit Steinäxten unter die Pferde zu schlüpfen.

Die Ponkier waren der wunde Punkt in der Kriegskunst des Poeten, denn wie sollte man Leute einsetzen, die den Penis an der Brust haben, also sehr leicht beim ersten Zusammenstoß eins in die Eier kriegen und sich dann wimmernd am Boden wälzen? Allerdings konnte man sie als Späher verwenden, denn wie sich herausgestellt hatte, war dieser Penis so etwas wie der Fühler bei manchen Insekten, insofern er sich bei der geringsten Veränderung des Windes oder der Temperatur aufrichtete und zu vibrieren begann. Infolgedessen könnten sie als Kundschafter im Vorfeld der Truppe eingesetzt werden, und sollten sie dann als erste fallen, sei das eben nicht zu ändern, sagte der Poet, Krieg sei nun mal Krieg und lasse keinen Raum für christliche Nächstenliebe.

Die Zungenlosen wollten sie zuerst in ihrem eigenen Saft schmoren lassen, denn undiszipliniert, wie sie waren, konnten sie einem Heerführer mehr Probleme bereiten als der Feind. Dann aber wurde beschlossen, daß sie, gehörig mit Peitschenhieben traktiert, in der Etappe arbeiten könnten, etwa indem sie den Jüngsten unter den Eunuchen halfen, sich unter Solomons Anleitung um die Verwundeten zu kümmern, oder indem sie die Frauen und Kinder aller Rassen betreuten und aufpaßten, daß sie den Kopf nicht aus ihren Löchern streckten.

Als sie Gavagai das erste Mal begegnet waren, hatte er auch die Satyrn-die-man-nie-sieht erwähnt, und der Poet nahm an, daß sie mit ihren Hörnern stoßen könnten und auf Bocksfüßen durch die Gegend sprangen, aber auf jede Frage über dieses Volk bekam er nur ausweichende Antworten. Sie lebten im Gebirge, jenseits des Sees (welches Sees?), und niemand hatte sie je gesehen. Formal dem Priester untertan, lebten sie ganz für sich, ohne irgendwelchen Verkehr mit anderen zu unterhalten, und es war, als ob sie gar nicht existierten. Was soll's, sagte der Poet, womöglich haben sie gewundene Hörner mit nach innen oder nach außen gedrehten Spitzen und müssen sich zum Stoßen auf den Rücken legen oder auf alle viere niederlassen. Nein, ehrlich, mit Ziegen kann man nicht Krieg führen.

»Man kann sehr wohl auch mit Ziegen Krieg führen«,

widersprach Ardzrouni und erzählte von einem großen Heerführer, der Fackeln an die Hörner der Ziegen gebunden und diese dann nachts zu Tausenden in die Ebene geschickt hatte, in der die Feinde anrückten, so daß diese glaubten, die Verteidiger hätten eine riesige Armee. Da sie in Pndapetzim über Ziegen mit sechs Hörnern verfügten, würde der Effekt höchst eindrucksvoll sein. »Das mag vielleicht gehen, wenn die Feinde nachts kommen«, meinte der Poet skeptisch. Aber für alle Fälle solle Ardzrouni möglichst viele Ziegen und möglichst viele Fackeln bereithalten, man wisse ja nie.

Auf der Grundlage dieser Prinzipien, die einem Vegetius oder Frontinus unbekannt waren, wurden die Unterweisungen und die nötige Ausbildung vorgenommen. Die Ebene wimmelte von Skiapoden, die sich darin übten, in ihre nagelneuen Blasrohre zu pusten, angeleitet von dem Porcelli, der jedesmal gotteslästerlich fluchte, wenn sie das Ziel verfehlten, wobei es ein Glück war, daß er immer nur Jesus Christus anrief, denn für diese Häretiker war der unnütze Gebrauch des Namens von einem, der bloß Adoptivsohn war, keine Sünde. Colandrino kümmerte sich darum, die Panothier ans Fliegen zu gewöhnen, was sie noch nie probiert hatten, aber auf Anhieb so gut konnten, daß es schien, als habe der Herrgott sie zu nichts anderem erschaffen. Es war schwierig, ungestört durch die Straßen von Pndapetzim zu spazieren, denn immer wenn man am wenigsten darauf gefaßt war, fiel einem ein Panothier auf den Kopf, aber alle hatten den Gedanken akzeptiert, daß man sich auf einen Krieg vorbereitete, und niemand beschwerte sich. Am glücklichsten von allen waren die Panothier selbst, sie waren so überrascht und hingerissen von ihrer niegeahnten Fähigkeit, daß sogar die Frauen und Kinder bei dem Unternehmen mitmachen wollten, was der Poet großmütig gestattete.

Aleramo Scaccabarozzi genannt il Ciula bildete die Giganten im Ergreifen und Schütteln der Pferde aus, aber die einzigen am Ort verfügbaren Pferde waren die der Magier, und nach zwei oder drei Versuchen drohten sie, ihre Seele Gott zu befehlen, so daß man auf Esel zurückgreifen mußte. Das erwies sich als besser, denn die Esel schlugen laut protestierend aus, sie waren schwieriger im Genick zu pakken als ein galoppierendes Pferd, und so wurden die Giganten bald Meister in dieser Kunst. Allerdings mußten sie auch lernen, tief gebückt durch das Farnkraut zu laufen, so tief, daß sie nicht von den Feinden gesehen wurden, und viele von ihnen beschwerten sich, weil ihnen nach jeder Übung der Rücken weh tat.

Der Boidi trainierte die Pygmäen, denn ein Weißer Hunne ist kein Kranich, und sie mußten lernen, mitten zwischen die Augen zu zielen. Der Poet instruierte persönlich die Nubier, die nichts anderes erwarteten, als im Kampf zu sterben, Solomon suchte nach giftigen Tinkturen und probierte immer wieder, eine Pfeilspitze damit zu tränken, aber einmal gelang es ihm nur, ein Kaninchen für kurze Zeit einzuschläfern, und ein andermal brachte er ein Huhn zum Fliegen. Macht nichts, sagte der Poet, ein Weißer Hunne, der für die Dauer eines *Benedicite* einschläft oder aufgeregt mit den Armen zu rudern beginnt, ist schon ein toter Hunne, also nicht verzagen.

Der Cuttica bemühte sich, den Blemmyern beizubringen, unter ein Pferd zu schlüpfen und ihm mit einer Steinaxt den Bauch aufzuschlitzen, aber das mit Eseln zu üben, war eine Strafe. Was schließlich die Ponkier anging, die ja zum Kundschafterdienst gehören sollten, so kümmerten sich Boron und Kyot um ihre Ausbildung.

Baudolino berichtete dem Diakon von ihren Bemühungen, und der junge Mann schien wie neugeboren. Er ließ sich mit Erlaubnis der Eunuchen auf den äußeren Umgang des Turms führen und beobachtete von oben die Truppen bei ihren Übungen. Er sagte, er wolle lernen, sich auf ein Pferd zu setzen, um seine Untertanen zu führen, aber gleich darauf erlitt er einen Schwächeanfall, vielleicht wegen der allzu großen Erregung, und die Eunuchen brachten ihn zurück in den Thronsaal, wo er erneut in tiefe Trübsal versank.

In jenen Tagen war es, daß Baudolino sich ein bißchen aus Neugier, ein bißchen aus Langeweile fragte, wo eigentlich die Satyrn-die-man-nie-sah leben mochten. Er fragte alle danach, einmal sogar einen der Ponkier, deren Sprache ihm nie zu entschlüsseln gelungen war. Der Befragte antwortete: »*Prug frest frinss sorgdmand strochdt drhds pag brlelang gravot chavygny rusth pkalhdrcg*«, und das war nicht viel. Sogar Gavagai blieb im vagen. »Dort oben«, sagte er und deutete auf eine bläuliche Hügelkette im Westen, hinter der sich in der Ferne die Berge abzeichneten, aber dorthin sei er nie gegangen, weil die Satyrn keine Eindringlinge mochten. »Was denken die Satyrn?« fragte Baudolino, und Gavagai antwortete, sie dächten noch schlechter als alle anderen, denn sie seien der Meinung, es habe niemals eine Ursünde gegeben. Die Menschen seien nicht erst infolge dieser Sünde sterblich geworden, sie wären es auch dann, wenn Adam nie von dem Apfel gegessen hätte. Daher sei auch keine Erlösung notwendig, jeder könne durch seinen eigenen guten Willen zum Heil gelangen. Die ganze Geschichte mit Jesus habe nur dazu gedient, ein gutes Beispiel für tugendhaftes Leben zu geben, nichts anderes. »Fast wie Häretiker von Mahumeth, die sage, Jesus bloß Prophet gewesen.«

Auf die Frage, warum denn nie jemand zu den Satyrn gehe, antwortete Gavagai, am Fuße jener Hügel sei ein Wald mit einem See, und es sei allen verboten, ihn zu betreten, denn dort lebe eine Rasse übler heidnischer Frauen. Die Eunuchen sagten, ein guter Christ gehe da nicht hin, denn er könne in einen bösen Zauber geraten, und so gehe da eben niemand hin. Aber mit Unschuldsmiene beschrieb Gavagai den Weg dorthin so genau, daß man annehmen mußte, er oder irgendein anderer Skiapode waren bei ihren weitläufigen Exkursionen auch bis zu jenem See gelangt.

Mehr brauchte es nicht, um Baudolinos Neugier zu wekken. Er wartete auf einen Augenblick, in dem ihn niemand beachtete, sprang auf sein Pferd, durchquerte in weniger als zwei Stunden eine weite Steppe und kam an den Rand eines dichten Waldes. Er band das Pferd an einen Baum und drang in das frische duftende Grün ein. Über Wurzeln stolpernd, die bei jedem Schritt auftauchten, und riesige

Pilze in allen Farben streifend, gelangte er schließlich ans Ufer eines Sees, auf dessen gegenüberliegender Seite steil die Hügel aufragten, in denen die Satyrn lebten. Es war um die Zeit des Sonnenuntergangs, das kristallklare Wasser begann sich langsam zu verdunkeln und spiegelte die langen Schatten der vielen Zypressen, die es umstanden. Überall herrschte tiefe Stille, nicht einmal unterbrochen von Vogelgesang.

Während Baudolino sinnend am Ufer dieses spiegelglatten Wassers stand, sah er auf einmal ein Tier aus dem Wald treten, das er noch niemals im Leben gesehen hatte, aber auf Anhieb erkannte. Es sah aus wie ein Fohlen, war ganz weiß und bewegte sich zierlich und fließend. Auf dem wohlgeformten Kopf, direkt über der Stirn, hatte es ein ebenfalls weißes Horn, das spiralförmig gewunden war und in einer scharfen Spitze endete. Es war das Einhorn, das *lioncorno*, wie Baudolino als Kind gesagt hatte, das Monoceros seiner kindlichen Phantasien. Er bewunderte es mit angehaltenem Atem, als er hinter ihm eine weibliche Gestalt aus den Bäumen treten sah.

Gertenschlank, in ein langes Kleid gehüllt, das kleine vorspringende Brüste anmutig hervortreten ließ, bewegte sich die Kreatur im trägen Gang eines Kameloparden, und ihr Kleid streifte das Gras, das die Ufer des Sees verschönte, als schwebte sie über dem Boden. Sie hatte langes blondes Haar, das ihr bis zu den Hüften reichte, und ein Profil von solcher Reinheit, als wäre es für eine Elfenbeinfigur modelliert. Der Teint war leicht rosig, und dieses engelhafte Antlitz war in der Haltung eines stillen Gebetes zum See gerichtet. Das neben ihr stehende Einhorn trat sanft von einem Bein auf das andere, ab und zu mit leisem Schnauben den Kopf hebend, um eine Liebkosung entgegenzunehmen.

Baudolino schaute hingerissen.

»Sicher denkst du jetzt, Kyrios Niketas, daß ich seit Beginn unserer Reise keine Frau mehr gesehen hatte, die diesen Namen verdiente. Versteh mich nicht falsch, es war nicht Begierde, was mich erfaßt hatte, eher ein Gefühl von heiterer Verehrung, nicht nur für sie, sondern auch für das Tier, den stillen See, die Berge, das Licht jenes zur Neige gehenden Tages. Ich kam mir vor wie in einem Tempel.«

Baudolino versuchte, seine Vision mit Worten zu beschreiben, was man sicher nicht kann.

»Weißt du, es gibt Momente, in denen die Vollkommenheit selbst in einer Hand oder einem Antlitz erscheint, in einer Wolke am Hang eines Hügels oder über dem Meer, Momente, in denen einem das Herz stehenbleibt angesichts des Wunders der Schönheit… In jenem Moment erschien mir die herrliche Kreatur wie ein erhabener Wasservogel, bald wie ein Reiher, bald wie ein Schwan. Ich sagte, daß ihr Haar blond war, aber nein, als sie den Kopf leicht bewegte, nahm es bald bläuliche Reflexe an, bald schien es von einem leichten Feuer durchzogen. Ich sah ihre Brust im Profil, weich und zart wie die Brust einer Taube. Ich war reiner Blick geworden. Ich sah etwas Antikes, ich wußte, daß ich nicht etwas Schönes sah, sondern die Schönheit selbst als heiligen Gedanken Gottes. Ich entdeckte, daß die Vollkommenheit, wenn man sie einmal erblickt und nur dieses eine Mal, etwas Leichtes, ja Schwereloses ist. Ich betrachtete die Gestalt aus der Ferne, aber ich spürte, daß ich jenes Bild nicht zu fassen vermochte, wie es vorkommt, wenn man in fortgeschrittenem Alter ist und einem scheint, daß man klare Zeichen auf einem Pergament entdeckt, aber man weiß, daß sie, sobald man näher hinschaut, sich verwischen und man nie das Geheimnis wird lesen können, das dieses Pergament einem versprach – oder wie in den Träumen, wenn einem etwas erscheint, was man gerne hätte, und man die Hand danach ausstreckt, aber die Finger im Leeren bewegt und nichts zu fassen bekommt.«

»Ich beneide dich um jenen Zauber.«

»Um ihn nicht zu brechen, hatte ich mich in eine Statue verwandelt.«

33. Kapitel

Baudolino begegnet Hypatia

Der Zauber war jedoch bald vorbei. Mit dem Instinkt einer Kreatur des Waldes hatte sie Baudolinos Anwesenheit bemerkt und sich zu ihm umgedreht. In ihrem Blick lag keine Spur von Erschrecken, nur Staunen.

»Wer bist du?« fragte sie auf Griechisch. Da er nicht antwortete, ging sie beherzt auf ihn zu und musterte ihn aus der Nähe, ohne Scheu und ohne Arg, und auch ihre Augen waren wie ihre Haare von wechselnder Farbe. Das Einhorn stellte sich neben sie und senkte den Kopf, als wollte es seine prächtige Waffe schützend vor seine Herrin halten.

»Du bist nicht aus Pndapetzim«, sagte sie. »Du bist weder ein Eunuche noch ein Monster, du bist ... ein Mensch!« Offenbar erkannte sie einen Menschen so, wie er das Einhorn erkannt hatte: als etwas, von dem sie oft hatte reden hören, ohne es je gesehen zu haben. »Du bist schön, ein Mensch ist etwas Schönes, darf ich dich anfassen?« Sie streckte die Hand aus, strich ihm mit zarten Fingern über den Bart und berührte die Narbe an seiner Wange, wie damals die Kaiserin Beatrix. »War das eine Verletzung, bist du einer von jenen Menschen, die Krieg führen? Was ist das, was du da am Gürtel hast?«

»Ein Schwert«, antwortete Baudolino, »aber ich benutze es nur zur Verteidigung gegen wilde Tiere, ich bin keiner, der Krieg führt. Mein Name ist Baudolino, ich komme aus den Ländern der sinkenden Sonne, von dort hinten«, er deutete vage nach Westen und merkte, daß seine Hand zitterte. »Und wer bist du?«

»Ich bin eine Hypatia«, sagte sie, belustigt, eine so naive Frage zu hören, und lachte, wodurch sie noch schöner

479

wurde. Dann, als ihr einfiel, daß sie mit einem Fremden sprach, erklärte sie: »In diesem Wald, hinter diesen Bäumen, leben nur wir Hypatien. Hast du keine Angst vor mir, wie die in Pndapetzim?« Diesmal war es an Baudolino zu lächeln: Sie fürchtete, daß er Angst vor ihr habe! »Kommst du oft hierher?« fragte er. »Nicht immer«, antwortete sie. »Die Große Mutter will nicht, daß wir allein aus dem Wald gehen. Aber der See ist so schön, und Akazio beschützt mich«, dabei deutete sie auf das Einhorn. Dann fügte sie mit einem besorgten Blick hinzu: »Es ist spät. Ich darf nicht so lange fortbleiben. Ich dürfte auch nicht den Leuten aus Pndapetzim begegnen, wenn sie sich hierher trauten. Aber du bist keiner von ihnen, du bist ein Mensch, und niemand hat mir verboten, mit Menschen zu reden.«

»Ich komme morgen wieder«, sagte Baudolino, »aber wenn die Sonne hoch am Himmel steht. Wirst du da sein?«

»Ich weiß nicht«, sagte die Hypatia verwirrt, »vielleicht«, und verschwand lautlos zwischen den Bäumen.

In jener Nacht schlief Baudolino nicht, er hatte schon soviel geträumt – sagte er sich –, daß es genügte, sich sein ganzes Leben lang an diesen einen Traum zu erinnern. Aber am nächsten Tag, als die Sonne hoch am Himmel stand, nahm er sein Pferd und ritt wieder zu dem See.

Er wartete bis zum Abend, ohne jemanden zu sehen. Enttäuscht kehrte er nach Hause zurück, und an der Stadtgrenze traf er auf eine Gruppe Skiapoden, die mit dem Blasrohr übten. Unter ihnen war Gavagai, der zu ihm sagte: »Du schau!« Er hob das Rohr hoch, schoß einen Pfeil ab und traf einen Vogel, der nicht weit von ihnen zu Boden stürzte. »Ich großer Krieger«, sagte Gavagai, »wenn Weißer Hunne kommen, ich ihn durchbohren!« Baudolino lobte ihn und ging nach Hause, um sich sofort schlafen zu legen. In jener Nacht träumte er von der Begegnung am Vortag, und am Morgen sagte er sich, daß ein Traum allein nicht für das ganze Leben genügte.

Er ritt erneut zu dem See, setzte sich ans Wasser und lauschte dem Gesang der Vögel, die den Morgen begrüßten, danach dem Zirpen der Zikaden in der Stunde, wenn der Mittagsdämon umgeht. Aber es war nicht heiß, die Bäume verbreiteten eine angenehme Kühle, und es machte ihm nichts aus, noch weitere Stunden zu warten. Endlich erschien sie.

Sie setzte sich zu ihm und sagte, sie sei gekommen, um mehr von den Menschen zu hören. Baudolino wußte nicht, wo er anfangen sollte, und begann mit der Gegend, in der er geboren war, dann beschrieb er die Geschehnisse am Hofe Friedrichs, erklärte, was Reiche waren, wie man mit Falken zur Jagd ging, was eine Stadt war und wie man sie baute, er erzählte dieselben Dinge, die er dem Diakon erzählt hatte, allerdings unter Weglassung aller schlimmen und schlüpfrigen Geschichten, und während er redete, ging ihm auf, daß man von den Menschen sehr wohl auch ein liebevolles Bild zeichnen konnte. Sie hörte ihm zu, und ihre Augen glänzten in unterschiedlichen Farben, je nach ihrer Gefühlslage.

»Wie schön du erzählst. Können alle Menschen so schöne Geschichten erzählen wie du?« Nein, räumte Baudolino ein, vielleicht erzähle er mehr und besser als seine Artgenossen, aber es gebe unter ihnen auch die Poeten, die noch besser erzählen könnten. Und er begann, eines der Lieder von Abdul zu singen. Sie verstand die provenzalischen Worte nicht, aber sie war von der Melodie bezaubert, wie einst die Abkasianer. Jetzt glitzerten ihre Augen feucht.

»Sag mir«, bat sie ein wenig errötend, »gibt es bei den Menschen auch... Weibchen?« Es klang, als ob sie gehört hätte, daß die Worte, die Baudolino gesungen hatte, an eine Frau gerichtet waren. Aber gewiß doch, antwortete Baudolino, so wie die Skiapoden sich mit den Skiapodinnen zusammentun, so tun sich die männlichen Menschen mit ihren Weibchen zusammen, sonst könnten sie keine Kinder zeugen, und so sei es, fügte er hinzu, im ganzen Universum.

»Das stimmt nicht«, sagte die Hypatia lachend, »die Hypatien sind nur Hypatien, und es gibt keine, wie soll ich sagen... Hypatiusse!« Sie lachte abermals, sehr belustigt von der Idee. Baudolino fragte sich, was er tun müßte, um sie noch einmal zum Lachen zu bringen, denn ihr Lachen war der süßeste Klang, den er je gehört hatte. Er war versucht, sie zu fragen, wie denn die Hypatien auf die Welt kämen, wenn es keine Hypatiusse gebe, doch er fürchtete, ihre Unschuld zu trüben. Allerdings fühlte er sich nun ermutigt zu fragen, wer und was denn eigentlich die Hypatien seien.

»Oh«, sagte sie, »das ist eine lange Geschichte, und ich kann nicht so gut Geschichten erzählen wie du. Du mußt wissen, vor Tausenden von Jahren lebte in einer mächtigen Stadt fern von hier eine tugendhafte und weise Frau namens Hypatia. Sie unterhielt eine Schule für Philosophie, das ist die Liebe zur Weisheit. Aber in jener Stadt lebten auch böse Menschen, die sich Christen nannten, sie hatten keine Furcht vor den Göttern und haßten die Philosophie, und besonders unerträglich war ihnen, daß es eine Frau war, die die Wahrheit kannte. Eines Tages ergriffen sie Hypatia und ließen sie unter qualvollen Martern sterben. Nur einige ihrer jüngsten Schülerinnen ließen sie am Leben, vielleicht weil sie dachten, es seien unwissende Mädchen, die bloß als Dienerinnen bei ihr waren. Sie flohen, aber inzwischen waren die Christen überall, und so mußten sie lange reisen, bis sie an diesen friedlichen Ort hier gelangten. Hier versuchten sie lebendig zu halten, was sie bei ihrer Lehrerin gelernt hatten, aber sie waren damals noch sehr jung gewesen und erinnerten sich nicht mehr an alles. So beschlossen sie, unter sich zu leben, von der Welt abgeschieden, um wiederzuentdecken, was Hypatia wirklich gesagt hatte. Denn Gott hat Spuren der Wahrheit im tiefsten Herzen einer jeden von uns gelassen, und es geht nur darum, sie auszugraben und im Licht der Weisheit erstrahlen zu lassen, so wie man das Fleisch einer Frucht von der Schale befreit.«

Gott, die Götter, die ja wohl, wenn sie nicht der Christengott waren, falsch und lügnerisch sein mußten... Was erzählte diese Hypatia da, fragte sich Baudolino. Aber es war ihm nicht wichtig, er brauchte sie bloß reden zu hören, und schon war er bereit, für ihre Wahrheit zu sterben.

»Sag mir nur eines«, unterbrach er sie. »Ihr nennt euch Hypatien, nach dem Namen jener Hypatia, soviel habe ich verstanden. Aber wie heißt du?«

»Hypatia.«

»Nein, ich meine du als du, verschieden von einer anderen Hypatia... Ich meine, wie nennen dich deine Gefährtinnen?«

»Hypatia.«

»Aber wenn du heute abend an den Ort zurückkehrst, wo ihr lebt, und du begegnest dort einer Hypatia vor den anderen. Wie begrüßt du sie?«

»Ich wünsche ihr einen guten Abend. So ist es üblich.«

»Ja, aber wenn ich nach Pndapetzim zurückkomme und begegne, sagen wir, einem Eunuchen, dann sagt er zu mir: Guten Abend, o Baudolino. Du sagst: Guten Abend, oh... was?«

»Wenn du so willst, sage ich: Guten Abend, Hypatia.«

»Ihr heißt alle Hypatia?«

»Natürlich, alle Hypatien heißen Hypatia, keine unterscheidet sich von den anderen, sonst wäre sie ja keine Hypatia.«

»Aber wenn eine Hypatia dich sucht, zum Beispiel jetzt gerade, wo du nicht dort bist, und fragt eine andere Hypatia, ob sie die Hypatia gesehen hat, die mit einem Einhorn namens Akazio herumläuft, wie sagt sie dann?«

»Genau so, wie du gesagt hast, sie sucht die Hypatia, die mit dem Einhorn namens Akazio herumläuft.«

Hätte Gavagai so geantwortet, wäre Baudolino versucht gewesen, ihm eine zu langen. Nicht so bei Hypatia, bei ihr dachte Baudolino im Gegenteil, wie wunderbar ein Ort sein mußte, wo alle Hypatien Hypatia hießen.

»Ich brauchte einige Tage, Kyrios Niketas, bis ich begriff, wer die Hypatien wirklich waren...«

»Also habt ihr euch weiter gesehen, nehme ich an.«

»Jeden Tag, oder fast. Daß ich nicht mehr darauf verzichten konnte, sie zu sehen und ihr zuzuhören, wird dich nicht überraschen, aber mich erfüllte mit Staunen und mit einem unendlichen Stolz, daß auch sie glücklich war, mich zu sehen und mir zuzuhören. Ich war... ich war wieder wie ein Kleinkind geworden, das nach der Mutterbrust sucht und weint, wenn die Mutter nicht da ist, weil es fürchtet, daß sie nicht mehr zurückkehrt.«

»Das kommt auch bei Hunden vor, wenn ihr Herr nicht da ist. Aber diese Sache mit den Hypatien macht mich neugierig. Vielleicht weißt du ja, oder weißt es auch nicht, daß jene erste Hypatia wirklich gelebt hat, wenn auch nicht vor Tausenden von Jahren, sondern vor ungefähr acht Jahrhunderten, und zwar im ägyptischen Alexandria, zu der Zeit, als das Reich von Theodosios und dann von Arkadios regiert wurde. Sie war tatsächlich, so wird berichtet, eine Frau von großer Weisheit, versiert in Philosophie, in Mathematik und Astronomie, und sogar die Männer hingen ihr an den Lippen. Während unsere heilige Religion inzwischen in allen Teilen des Reiches triumphierte, gab es dort noch einige Widerspenstige, die das Denken der heidnischen Philosophen lebendig zu halten versuchten, besonders die Philosophie des göttlichen Platon, und ich bestreite nicht, daß sie gut daran taten, auch an uns Christen jenes Wissen weiterzugeben, das sonst verlorengegangen wäre. Nur daß dann einer der größten Christen seiner Zeit, der später ein Heiliger der Kirche wurde, Kyrillos, ein sehr gläubiger, aber auch sehr unnachgiebiger Mann, die Lehre der Hypatia als das Gegenteil des Evangeliums ansah und eine Meute von ignoranten und blutrünstigen Christen auf sie hetzte, Leute, die gar nicht wußten, was sie predigte, aber überzeugt waren, daß sie, wie Kyrillos und andere bezeugten, eine Lügnerin und liederliche Person sei. Vielleicht waren falsche Gerüchte über sie verbreitet worden, auch wenn es wahr ist, daß die Frauen sich nicht in theologische Dinge einmischen sollten. Kurzum, sie schleiften sie in einen Tempel, zogen sie nackt aus, töteten sie und zerfetzten ihren Leib mit Scherben zerbrochener Vasen, danach verbrannten sie ihren Leichnam auf einem Scheiterhaufen... Viele Legenden haben sich um sie gebildet. Es heißt, sie sei wunderschön gewesen, aber sie habe sich der Jungfräulichkeit geweiht. Einmal habe sich ein Jüngling wahnsinnig in sie verliebt, und sie habe ihm ein Tuch mit ihrem Menstruationsblut gezeigt und gesagt, dies allein sei das Objekt seiner Begierde, nicht die Schönheit als solche... In Wirklichkeit hat nie jemand genau erfahren, was sie lehrte. Alle ihre Schriften sind verlorengegangen, die ihre Worte gesammelt hatten, sind umgebracht worden oder hatten versucht, das Gehörte zu vergessen. Alles, was wir über sie wissen, ist von denselben heiligen Vätern überliefert worden, die sie verurteilt hatten, und ehrlich gesagt, ich als Verfasser von Chroniken und Geschichtswerken neige nicht dazu, Worten allzuviel Glauben zu schenken, die ein Feind seinem Feind in den Mund legt.«

Sie hatten noch weitere Begegnungen und viele Gespräche. Hypatia dozierte, und Baudolino wünschte sich, daß ihre Lehre allumfassend und nie zu Ende wäre, um immer weiter an ihren Lippen hängen zu können. Sie antwortete auf alle seine Fragen mit furchtloser Offenheit, ohne je zu erröten; nichts war für sie Gegenstand irgendwelcher unreinen Verbote, alles war transparent.

Schließlich wagte es Baudolino, sie zu fragen, wie sich die Hypatien seit so vielen Jahrhunderten fortpflanzten. Sie antwortete, jedes Jahr wähle die Große Mutter einige von ihnen aus, die gebären sollten, und begleite sie zu den Befruchtern. Über diese äußerte sie sich sehr vage, natürlich hatte sie niemals einen von ihnen gesehen, aber auch die dem Ritus geweihten Hypatien hätten sie niemals gesehen. Sie würden bei Nacht an einen unbekannten Ort geführt, bekämen dort einen Trank verabreicht, der sie bewußt- und gefühllos machte, würden befruchtet, kehrten danach in ihre Gemeinschaft zurück, und diejenigen, die schwanger geworden waren, würden von ihren Genossinnen bis zur Niederkunft umsorgt und gepflegt. War die Frucht ihres Leibes ein männliches Kind, so wurde es den Befruchtern zurückgegeben, war es ein weibliches, blieb es in der Gemeinschaft und wurde als eine Hypatia erzogen.

»Sich fleischlich vereinigen«, sagte Hypatia, »wie es die Tiere tun, die keine Seele haben, heißt nur, den Irrtum der Schöpfung vervielfältigen. Die Hypatien, die zu den Befruchtern geschickt werden, nehmen diese Erniedrigung nur hin, weil wir weiterexistieren müssen, um die Welt von diesem Irrtum zu erlösen. Diejenigen von uns, die die Befruchtung erlitten haben, erinnern sich an nichts von diesem Vorgang, der, wäre er nicht im Geiste des Opfers vollzogen worden, unsere Apathie beeinträchtigt hätte...«

»Was ist eure Apathie?«

»Das, worin jede Hypatia lebt und glücklich ist.«

»Und wieso Irrtum der Schöpfung?«

»Aber Baudolino«, sagte sie mit erstauntem Lachen, »scheint dir, daß die Welt vollkommen ist? Schau diese Blume hier, schau, wie zart der Stengel ist, schau dieses poröse Auge, das in der Blüte triumphiert, schau, wie gleichmäßig die Blütenblätter sind, alle ein wenig gebogen, um morgens den Tau aufzufangen wie in einer Schale, schau, mit welcher Freude sie sich diesem Insekt darbietet, das ihre Lymphe saugt... Ist das nicht schön?«

»Ja, es ist wirklich schön. Aber ist es denn nicht gerade schön, daß es schön ist? Ist es nicht ein Wunder Gottes?«

»Baudolino, morgen früh ist diese Blume tot, in zwei Tagen ist sie verfault. Komm mit.« Sie führte ihn ins Unterholz und zeigte ihm einen roten Pilz mit flammendgelben Streifen.

»Ist der schön?« fragte sie.

»Er ist schön.«

»Er ist giftig. Wer davon ißt, stirbt. Findest du eine Schöpfung vollkommen, in der der Tod lauert? Weißt du, daß auch ich eines Tages sterben werde, daß auch ich verfaulen müßte, wäre ich nicht der Erlösung Gottes geweiht?«

»Der Erlösung Gottes? Erkläre mir das...«

»Du bist doch wohl nicht auch ein Christ, Baudolino, wie diese Monster von Pndapetzim? Die Christen, die Hypatia getötet haben, glaubten an eine grausame Gottheit, die die Welt geschaffen hatte und mit ihr den Tod, das Leiden und, schlimmer noch als das physische Leiden, das der Seele. Die geschaffenen Wesen sind fähig, ihresgleichen zu hassen, zu töten und leiden zu lassen. Du wirst doch nicht glauben, daß ein gerechter Gott seine Kinder in solch ein Elend gestürzt haben kann...«

»Aber es sind die ungerechten Menschen, die solche Dinge tun, und Gott bestraft sie dafür und rettet die guten.«

»Und warum sollte dieser Gott uns geschaffen haben, um uns dann der Gefahr der Verdammnis auszusetzen?«

»Nun, weil das höchste Gut die Freiheit ist, Gutes oder Böses zu tun, und um seinen Kindern dieses höchste Gut zu geben, muß Gott es hinnehmen, daß einige von ihnen schlechten Gebrauch davon machen.«

»Warum sagst du, daß die Freiheit ein Gut ist?«

»Weil, wenn man sie dir wegnimmt, wenn man dich in Ketten legt, wenn man dich nicht machen läßt, was du möchtest, dann leidest du, und deshalb ist das Fehlen von Freiheit ein Übel.«

»Kannst du deinen Kopf so weit umdrehen, daß du dich von hinten siehst, ich meine, daß du wirklich deinen Rükken betrachtest? Kannst du in diesen See gehen und bis heute abend unter Wasser bleiben, ich meine richtig mit dem Kopf unter Wasser, ohne ihn hinauszustrecken?« Sie lachte.

»Nein, weil ich mir den Hals brechen würde, wenn ich den Kopf ganz umzudrehen versuchte, und weil ich unter Wasser nicht atmen könnte. Gott hat mich mit diesen Einschränkungen erschaffen, um zu verhindern, daß ich mir ein Leid antue.«

»Dann sagst du also, daß er dir einige Freiheiten in bester Absicht genommen hat, habe ich recht?«

»Aber er hat sie mir genommen, damit ich nicht leide.«

»Und warum hat er dir dann die Freiheit gegeben, zwischen Gut und Böse zu wählen, so daß du am Ende Gefahr läufst, die ewigen Strafen zu erleiden?«

»Gott hat uns die Freiheit gegeben in der Annahme, daß wir sie richtig gebrauchen. Aber dann ist die Rebellion der Engel gekommen, die das Böse in die Welt gebracht hat, und es war die Schlange, die Eva versucht hat, so daß wir heute alle an der Ursünde leiden. Daran ist Gott nicht schuld.«

»Und wer hat die rebellischen Engel und die Schlange geschaffen?«

»Gott natürlich, aber bevor sie zu rebellieren begannen, waren sie gut, so wie er sie geschaffen hatte.«

»Also haben sie das Böse nicht geschaffen?«

»Nein, sie haben es *getan*, aber es hat schon vorher existiert, als Möglichkeit, sich gegen Gott aufzulehnen.«

»Also hat Gott das Böse geschaffen?«

»Hypatia, du bist klug, sensibel, scharfsinnig, du verstehst eine *disputatio* viel besser zu führen als ich, obwohl ich in Paris studiert habe, aber sag mir nicht solche Sachen über den lieben Gott. Er kann das Böse nicht gewollt haben!«

»Sicher nicht, ein Gott, der das Böse will, wäre das Gegenteil eines Gottes.«

»Also was?«

»Also hat Gott das Böse neben sich vorgefunden, ohne es zu wollen, als den dunklen Teil seiner selbst.«

»Aber Gott ist das vollkommenste Wesen!«

»Sicher, Baudolino, Gott ist das Vollkommenste, was es geben kann, aber weißt du, wie mühsam es ist, vollkommen zu sein? Jetzt will ich dir sagen, Baudolino, wer Gott ist, oder vielmehr, was er nicht ist.«

Sie fürchtete sich wirklich vor nichts. Sie sagte: »Gott ist der Eine und Einzige, und er ist derart vollkommen, daß er keinem der Dinge gleicht, die es gibt, und keinem derer, die es nicht gibt. Du kannst ihn nicht beschreiben, indem du deinen menschlichen Verstand gebrauchst, als ob er einer wäre, der sich erzürnt, wenn du böse bist, oder der sich aus Güte mit dir beschäftigt, einer, der Mund, Ohren, Gesicht oder Flügel hat, oder der Geist, Vater oder Sohn ist, auch nicht seiner selbst. Von dem Einzigen kannst du nicht sagen, daß er da ist oder nicht da ist, er umfaßt alles, aber er ist nichts davon. Du kannst ihn nur durch die Nichtähnlichkeit benennen, denn es ist sinnlos, ihn Güte, Schönheit, Weisheit, Liebe, Kraft oder Gerechtigkeit zu nennen, es wäre dasselbe, wie ihn Bär, Panther, Schlange, Drache oder Greif zu nennen, denn nichts von dem, was du über ihn sagst, kann ihn jemals beschreiben. Gott ist nicht Körper, nicht Gestalt, nicht Form, er hat keine Quantität, keine Schwere oder Leichtigkeit, er sieht nicht, hört nicht, kennt keine Unordnung und Verwirrung, ist nicht Seele, nicht Intelligenz, Imagination, Meinung, Gedanke, Wort, Zahl, Ordnung, Größe, er ist nicht Gleichheit und nicht Ungleichheit, nicht Zeit und nicht Ewigkeit, er ist ein Wille ohne Ziel. Versuche das zu begreifen, Baudolino, Gott ist eine Lampe ohne Flamme, eine Flamme ohne Feuer, ein Feuer ohne Wärme, ein dunkles Licht, ein schweigendes Dröhnen, ein blinder Blitz, ein leuchtender Nebeldunst, ein Strahl der eigenen Finsternis, ein sich ausdehnender Kreis, der sich in sein Zentrum zusammenzieht, eine einsame Vielfalt, er ist... er ist...« Sie suchte nach einem Beispiel, das sie beide überzeugte, sie, die Lehrerin, und ihn, den Schüler. »Er ist ein Raum, der nicht da ist, in dem du und ich dasselbe sind, so wie heute in dieser Zeit, die nicht vergeht.«

Eine leichte Flamme zuckte über ihre Wange. Sie schwieg, erschrocken über dieses unangemessene Beispiel, aber wie kann man etwas als unangemessen verurteilen, das nur ein weiteres Element in einer Liste von Unangemessenheiten ist? Baudolino spürte, wie ihm die gleiche Flamme durch die Brust schoß, doch da er fürchtete, sie verlegen zu machen, erstarrte er, ohne einem einzigen Muskel seines Gesichts zu erlauben, die Regungen seines Herzens zu verraten, noch seiner Stimme, zu zittern, und fragte mit theologischer Festigkeit: »Aber was ist dann mit der Schöpfung? Mit dem Bösen?«

Hypatias Gesicht nahm wieder die rosige Blässe an. »Nun, der Einzige neigt dazu, aufgrund seiner Vollkommenheit, aus Großzügigkeit gegenüber sich selbst, sich zu verströmen, sich auszudehnen in immer weitere Sphären seiner eigenen Fülle, er wird wie die Kerze zum Opfer des Lichtes, das er verbreitet, je mehr er leuchtet, desto mehr löst er sich auf. Jawohl, das ist es, Gott verflüssigt sich in die Schatten seiner selbst, er wird zu einer Vielzahl von Boten-Gottheiten, von Äonen, die viel von seiner Potenz haben, aber in schon schwächeren Formen. Sie sind eine Vielheit von Göttern, Dämonen, Archonten, Tyrannen, Kräfte, Funken, Astren und selbst das, was die Christen Engel oder Erzengel nennen... Aber sie sind von dem

Einzigen nicht geschaffen worden, sie sind seine Emanationen.«

»Emanationen?«

»Ausflüsse, Ausstrahlungen, jawohl. Siehst du den Vogel da? Früher oder später wird er einen anderen Vogel hervorbringen, indem er ein Ei ausbrütet, so wie eine Hypatia ein Kind aus ihrem Bauch hervorbringen kann. Aber wenn die Kreatur einmal hervorgebracht worden ist, sei sie eine Hypatia oder ein Vogel, dann lebt sie aus eigener Kraft und überlebt auch den Tod ihrer Mutter. Nun denk statt dessen ans Feuer. Das Feuer bringt keine Wärme hervor, es strahlt sie aus. Die Wärme ist dasselbe wie das Feuer, wenn du das Feuer löschst, hört auch die Wärme auf. Die Wärme des Feuers ist am stärksten da, wo das Feuer entsteht, und sie wird immer schwächer, je mehr die Flamme zu Rauch wird. So ist es auch mit Gott. Je weiter er sich in Emanationen verströmt und dabei von seinem dunklen Zentrum entfernt, desto mehr verliert er an Kraft, und am Ende wird er eine zähflüssige, trübe Materie, wie das formlose Wachs, in das die Kerze zerfließt. Der Eine und Einzige würde sich lieber nicht so weit ausdehnen, aber er kann nichts tun gegen dieses Sichverströmen bis in die Vielheit und bis ins Chaos.«

»Und dieser dein Gott ist nicht imstande, das Böse aufzulösen, das... das sich rings um ihn bildet?«

»O doch, er könnte schon. Der Eine und Einzige ist immerzu bemüht, diesen Atem, der zu Gift werden kann, wieder einzusaugen, und siebzigmal siebentausend Jahre lang war es ihm stets gelungen, seine Ausdünstungen wieder ins Nichts zurückzuholen. Das Leben Gottes war ein regelmäßiger Atem, er atmete ohne Anstrengung. So, hörst du?« Sie zog die Luft durch die Nase ein, wobei ihre zarten Nasenflügel vibrierten, und stieß sie durch den Mund wieder aus. »Eines Tages jedoch verlor er die Kontrolle über eine seiner Zwischenpotenzen, die wir den Demiurgen nennen, der vielleicht Zebaoth oder Jaldabaoth, der falsche Gott der Christen ist. Dieser Abklatsch Gottes nun, der hat aus Versehen oder aus Stolz oder aus Torheit die Zeit geschaffen, wo es vorher nur Ewigkeit gab. Die

Zeit ist eine stammelnde Ewigkeit, verstehst du? Und zusammen mit der Zeit hat er das Feuer geschaffen, das Wärme spendet, aber auch alles zu verbrennen droht, das Wasser, das den Durst stillt, aber auch alles ersäuft, die Erde, die das Gras und die Kräuter ernährt, aber auch Lawine werden und sie ersticken kann, die Luft, die uns atmen läßt, aber auch Orkan werden kann ... Er hat alles falsch gemacht, dieser täppische Demiurg. Er hat die Sonne gemacht, die Licht spendet, aber die Felder und Wiesen ausdörren kann, den Mond, der die Nacht nur ein paar Nächte lang beherrschen kann, dann nimmt er schon wieder ab und stirbt, die anderen Himmelskörper, die prächtig sind, aber schädliche Einflüsse ausstrahlen können. Und dann die verstandesbegabten Wesen, die aber nicht fähig sind, die großen Mysterien zu verstehen, die Tiere, die uns manchmal treu sind und manchmal bedrohen, die Pflanzen, die uns ernähren, aber nur ein sehr kurzes Leben haben, die Mineralien, die ohne Leben, ohne Seele, ohne Verstand sind und daher nie etwas begreifen. Der Demiurg war wie ein Kind, das Figuren aus Schlamm formt in der Absicht, die Schönheit des Einhorns nachzubilden, und heraus kommt etwas, das eher wie eine Ratte aussieht!«

»Dann ist also die Welt eine Krankheit Gottes?«

»Wenn du vollkommen bist, kannst du nicht umhin, dich in Emanationen zu verströmen, und wenn du anfängst, dich zu verströmen, wirst du krank. Und im übrigen mußt du versuchen zu begreifen, daß Gott in seiner Fülle auch der Ort oder Nicht-Ort ist, in dem die Gegensätze zusammenfallen.«

»Die Gegensätze?«

»Ja, wir spüren die Wärme und die Kälte, das Licht und die Finsternis und all die anderen Dinge, die einander entgegengesetzt sind. Manchmal gefällt uns die Kälte nicht und scheint uns schlecht im Vergleich mit der Wärme, aber manchmal ist uns auch die Wärme zuviel, und wir sehnen uns nach kühler Frische. Wir sind es, die bei Gegensätzen je nach unserer Laune oder unserer Leidenschaft glauben, eines der beiden Elemente sei gut und das andere schlecht.

In Gott fallen nun die Gegensätze zusammen und gelangen zu einer wechselseitigen Harmonie. Doch wenn Gott sich zu verströmen beginnt, gelingt es ihm nicht mehr, die Harmonie der Gegensätze zu kontrollieren, und sie zerbricht, und die Gegensätze bekämpfen einander. Der Demiurg hat die Kontrolle über die Gegensätze verloren, er hat eine Welt geschaffen, in der Stille und Lärm, das Ja und das Nein, das eine Gut und das andere einander bekämpfen. Das ist es, was wir als das Böse empfinden.«

In ihrem Eifer bewegte sie die Hände wie ein Kind, das, wenn es von einer Ratte spricht, deren Form nachbildet, und wenn es ein Gewitter erwähnt, Blitze in die Luft zeichnet.

»Du sprichst vom Irrtum der Schöpfung und vom Bösen, Hypatia, aber so, als ob es dich nicht berührte, und du lebst hier in diesem Wald, als ob alles so schön wäre wie du.«

»Wenn auch das Böse von Gott kommt, muß auch im Bösen etwas Gutes sein. Hör mir gut zu, Baudolino, denn du bist ein Mensch, und die Menschen sind nicht gewohnt, alles Seiende in der richtigen Weise zu denken.«

»Ich wußte es ja, auch ich denke schlecht.«

»Nein, du denkst einfach nur. Und denken allein genügt nicht, das ist nicht die richtige Weise. Paß auf, versuch dir eine Quelle vorzustellen, die keinen Ursprung hat und sich in tausend Flüsse verströmt. Die Quelle bleibt immer ruhig, frisch und klar, während die Flüsse in verschiedene Richtungen fließen, sich mit Sand trüben, sich zwischen Felsen durchdrängen und husten, als ob sie gewürgt würden, bisweilen auch austrocknen. Die Flüsse leiden sehr, weißt du das? Und doch ist das Wasser der Flüsse und selbst der schlammigsten Bäche stets Wasser und kommt aus derselben Quelle wie dieser See hier. Dieser See leidet weniger als ein Fluß, denn in seiner Klarheit erinnert er mehr an die Quelle, aus der er kommt, ein Tümpel voller Insekten leidet mehr als ein See oder ein Wildbach. Aber alle leiden irgendwie, weil sie gerne dorthin zurückkehren würden, woher sie kommen, aber nicht mehr wissen, wie das geht.«

Hypatia nahm Baudolino am Arm und drehte ihn zum Wald. Dabei näherte sich ihr Kopf dem seinen, und er roch den pflanzlichen Duft ihres Haars. »Sieh dort den Baum. Was ihn durchströmt, von den Wurzeln bis in die äußersten Blätter, das ist das Leben selbst. Aber die Wurzeln nähren sich in der Erde, der Stamm verdickt sich und überlebt alle Jahreszeiten, während die Zweige dazu neigen, auszutrocknen und zu brechen, die Blätter halten nur wenige Monate und fallen dann ab, die Triebe leben nur ein paar Wochen. Zwischen den Blättern gibt es mehr Leid als im Stamm. Der Baum ist Einer, aber er leidet im Akt seiner Ausdehnung, weil er zu Vielen wird und, während er sich vervielfältigt, an Kraft verliert.«

»Aber das Laub ist schön, du selbst erfreust dich in seinem Schatten...«

»Siehst du, auch du kannst weise werden, Baudolino! Wenn es dieses Laub nicht gäbe, könnten wir nicht hier sitzen und von Gott reden, wenn es diesen Wald nicht gäbe, wären wir uns nie begegnet, und das wäre das größte aller Übel gewesen.«

Sie sagte das, als ob es die nackte und simple Wahrheit wäre, doch Baudolino fühlte von neuem einen Stich in der Brust, ohne seine Erregung zeigen zu können oder zu wollen.

»Aber dann erkläre mir, wie können die Vielen gut sein, zumindest in gewissem Maße, wenn sie doch eine Krankheit des Einen sind.«

»Siehst du, auch du kannst weise werden, Baudolino! Du hast gesagt, ›in gewissen Maße‹. Trotz des Irrtums der Schöpfung ist ein Teil des Einen und Einzigen in jedem von uns denkenden Kreaturen geblieben und auch in jeder anderen Kreatur, von den Tieren bis zu den toten Körpern. Alles, was uns umgibt, ist von Göttern bewohnt, die Pflanzen, die Samen, die Blumen, die Wurzeln, die Quellen; jede von ihnen, sosehr sie auch daran leidet, eine schlechte Nachahmung der Gedanken Gottes zu sein, möchte nichts anderes, als sich wieder mit ihm vereinen. Wir müssen die Harmonie zwischen den Gegensätzen wiederfinden, wir müssen den Göttern helfen, wir müssen diese Funken zum Leben erwecken, diese Erinnerungen an den Einen und Einzigen, die noch begraben liegen in unseren Seelen und in den Dingen selbst.«

Mindestens zweimal hatte sich Hypatia entschlüpfen lassen, daß sie es schön fand, mit Baudolino zusammenzusein. Das ermutigte ihn wiederzukommen.

Eines Tages erklärte sie ihm, wie die Hypatien es anstellten, den göttlichen Funken in allen Dingen zu entzünden, damit diese aus Sympathie auf etwas verwiesen, das vollkommener war als sie, nicht direkt auf Gott, aber auf seine minder geschwächten Emanationen. Sie führte ihn an eine Stelle am See, wo Sonnenblumen am Ufer wuchsen, während auf dem Wasser Lotosblumen schwammen.

»Siehst du, was die Sonnenblume macht? Sie dreht sich zur Sonne, sucht sie, folgt ihr und betet zu ihr, und es ist schade, daß du noch nicht das Brausen in der Luft hören kannst, das sie macht, während sie ihre Drehung im Laufe des Tages vollführt. Du würdest gewahr werden, daß sie der Sonne ihren Hymnus singt. Nun sieh dir die Lotosblüte an: Sie öffnet sich beim Aufgang der Sonne, bietet sich ihr in voller Pracht dar, wenn sie mittags im Zenit steht, und schließt sich, wenn die Sonne am Abend geht. Sie lobt die Sonne, indem sie ihre Blätter öffnet und schließt, so wie wir unsere Lippen öffnen und schließen, wenn wir beten. Diese Blumen leben in Sympathie mit dem Himmelskörper, und darum bewahren sie sich einen Teil seiner Kraft. Wenn du auf die Blume einwirkst, wirkst du auf die Sonne ein, wenn du auf die Sonne einzuwirken verstehst, kannst du ihre Wirkung beeinflussen und dich von der Sonne aus mit etwas verbinden, was in Sympathie mit der Sonne lebt und vollkommener ist als sie. Aber das geschieht nicht nur bei den Blumen, es geschieht auch bei den Steinen und bei den Tieren. In jedem von ihnen wohnt ein kleiner Gott, der sich durch die jeweils größeren mit dem gemeinsamen Ursprung zu vereinigen sucht. Wir lernen von Kindheit an eine Kunst auszuüben, die uns erlaubt, auf die größeren Götter einzuwirken und die abgerissene Verbindung wiederherzustellen.«

»Was heißt das?«

»Ganz einfach. Wir lernen, Steine, Kräuter, Aromen zusammenzufügen, die vollkommen und göttergleich sind, um aus ihnen... wie kann ich dir das erklären... Gefäße der Sympathie zu bilden, die die Kraft vieler Elemente bündeln und kondensieren. Du mußt wissen, eine Blume, ein Stein, sogar ein Einhorn, sie alle haben göttlichen Charakter, aber von allein gelingt es ihnen nicht, die größeren Götter anzurufen. Unsere Mixturen reproduzieren dank der Kunst die Essenz, die wir anrufen wollen, indem sie die Kraft eines jeden Elementes vervielfachen.«

»Und wenn ihr diese größeren Götter angerufen habt?«

»Das ist erst der Anfang. Wir lernen, Botinnen zu werden zwischen dem, was oben, und dem, was unten ist, wir beweisen, daß der Strom, in dem Gott sich per Emanation in die Ferne ausdehnt, zurückverfolgt werden kann, ein kleines Stück nur, aber damit zeigen wir der Natur, daß es möglich ist. Die höchste Aufgabe ist jedoch nicht, eine Sonnenblume mit der Sonne zu verbinden, sondern uns selbst mit dem Ursprung wiederzuvereinigen. Hier beginnt die Askese. Zuerst lernen wir, uns tugendhaft zu benehmen, wir töten keine lebenden Wesen, wir bemühen uns, zwischen den uns umgebenden Wesen Harmonie zu verbreiten, und schon dadurch können wir überall verborgene Funken wecken. Siehst du diese Grashalme? Sie sind schon gelb geworden und neigen sich zu Boden. Ich kann sie berühren und noch vibrieren lassen, ich kann sie noch spüren lassen, was sie schon vergessen hatten. Schau, allmählich gewinnen sie ihre Frische zurück, als keimten sie gerade jetzt aus der Erde auf. Aber das genügt noch nicht. Um diesen Grashalm wiederzubeleben, muß man die natürlichen Kräfte reaktivieren, die Perfektion des Gesichtssinns und des Gehörs, die Kraft des Körpers, das Gedächtnis und die Lernfähigkeit, die Feinheit der Lebensart, und das erreicht man durch häufige Waschungen, Reinigungszeremonien, Hymnen, Gebete. Man tut einen Schritt vorwärts, indem man Weisheit, Festigkeit, Mäßigung und Gerechtigkeit kultiviert, und schließlich gelingt es, die reinigenden Tugenden zu erwerben: Wir probieren, die Seele vom Leib zu trennen, wir lernen, die Götter zu beschwören – nicht von den Göttern zu reden, wie es die anderen Philosophen taten, sondern auf sie einzuwirken, indem wir mit Hilfe einer magischen Kugel Regen fallen lassen, indem wir uns Amulette gegen die Erdbeben umhängen, indem wir die wahrsagerischen Kräfte der Dreifüße erkunden, indem wir die Statuen mit Leben erfüllen, um von ihnen Orakel zu erhalten, indem wir Asklepios anrufen, daß er die Kranken heile. Aber wohlgemerkt, während wir dies alles tun, müssen wir immer vermeiden, von einem Gott besessen zu sein, denn wer besessen ist, gerät in Verwirrung und erregt sich und entfernt sich infolgedessen von Gott. Man muß lernen, dies alles in absolutester Ruhe zu tun.«

Hypatia nahm Baudolinos Hand, und er hielt seine Hand ganz still, damit dieses wunderbare Wärmegefühl nicht aufhörte. »Baudolino, vielleicht habe ich dich glauben lassen, ich sei schon fortgeschritten in der Askese wie meine größeren Schwestern... Wenn du wüßtest, wie unvollkommen ich noch bin! Ich vertue mich immer noch, wenn ich eine Rose in Kontakt mit der höheren Macht bringen will, mit der sie befreundet ist... Und außerdem, du hörst ja, ich rede noch viel zuviel, und daran sieht man, daß ich noch nicht weise bin, denn die Tugend erwirbt man im Schweigen. Aber ich rede soviel, weil du da bist und unterwiesen werden mußt, und wenn ich eine Sonnenblume unterweise, warum dann nicht auch dich? Wir werden eine höhere Stufe der Vollkommenheit erreichen, wenn es uns gelingt, zusammenzusein, ohne zu reden. Dann genügt eine Berührung, und du wirst trotzdem verstehen. Wie bei der Sonnenblume.« Sie streichelte schweigend die Sonnenblume. Dann begann sie, immer noch schweigend, Baudolinos Hand zu streicheln, und sagte am Ende nur: »Merkst du?«

Am nächsten Tag sprach sie über das bei den Hypatien geübte Schweigen, damit auch er es erlerne, wie sie sagte. »Man muß eine absolute Stille ringsum erzeugen. Dann setzen wir uns in entlegener Einsamkeit vor das, was wir uns dachten, uns ausdachten und empfanden. So gelangen wir zu Ruhe und Frieden. Wir werden dann weder Zorn noch Verlangen, weder Schmerz noch Glück mehr empfinden. Wir werden aus uns selbst herausgetreten sein, entrückt in absoluter Einsamkeit und tiefster Stille. Wir werden nicht mehr die schönen und guten Dinge betrachten, wir werden über das Schöne als solches hinausgelangt sein, jenseits des Schönen als Begriff, jenseits des Chores der Tugenden, so wie diejenigen, die ins Allerheiligste des Tempels eingetreten sind, die Statuen der Götter hinter sich gelassen haben und nicht mehr Bilder sehen, sondern Gott selbst schauen. Wir werden keine Mittlerkräfte mehr anrufen müssen, sondern werden sie überwunden und ihren Mangel besiegt haben in jener Nische, jenem unzugänglichen heiligen Ort, wir werden hinausgelangt sein über das Göttergeschlecht und die Hierarchien der Äonen, all dies wird für uns nur noch Erinnerung sein an etwas, das wir von seinem Leiden am Dasein geheilt haben. Dies wird das Ende des Weges sein, die Befreiung, die Lösung aus allen Fesseln, die Flucht dessen, der nunmehr allein unterwegs zum Einen und Einzigen ist. In dieser Rückkehr zum absolut Einfachen werden wir nichts anderes mehr sehen als die Glorie der Dunkelheit. Entleert von Seele und Verstand, werden wir über das Reich des Geistes hinausgelangt sein, werden uns in Verehrung dort niederlassen, als wären wir eine aufgehende Sonne, mit geschlossenen Augen werden wir in die Sonne des Lichtes blicken, werden zu Feuer werden, zu dunklem Feuer in jenem Dunkel, und durch den Weg des Feuers werden wir unseren Weg vollenden. Und das wird der Augenblick sein, da wir, nachdem wir den Lauf des Flusses zurückverfolgt haben und nicht nur uns selbst, sondern auch den Göttern und Gott bewiesen haben, daß man gegen den Strom zurückrudern kann – das wird der Augenblick sein, da wir die Welt geheilt, das Böse getötet, den Tod haben sterben lassen, der Augenblick, da wir den Knoten gelöst haben, in dem sich die Finger des Demiurgen verfangen hatten. Uns, Baudolino, uns ist es beschieden, Gott zu heilen, uns ist seine Erlösung anvertraut worden: Durch unsere Ekstase werden wir die ganze

497

Schöpfung zurück ins Herz des Einen und Einzigen bringen. Wir werden ihm die Kraft geben, jenen großen Atemzug zu tun, der ihm erlaubt, das Böse, das er ausgehaucht hat, wieder einzusaugen.«

»Das macht ihr? Hat eine von euch das jemals geschafft?«

»Wir warten darauf, daß es uns gelingt, wir alle bereiten uns darauf vor, seit Jahrhunderten, damit es einer von uns gelingt. Was wir seit unserer Kindheit gelernt haben, ist: Wir müssen nicht alle zu diesem Wunder gelangen. Es genügt, daß eine von uns, die Auserwählte, eines Tages, sei es auch erst nach weiteren Jahrtausenden, den Moment der höchsten Vollkommenheit erreicht, in dem sie sich eins fühlt mit ihrem fernen Ursprung, und das Wunder ist vollbracht. Dann, wenn wir gezeigt haben werden, daß man von der Vielfalt der leidenden Welt zum Einen und Einzigen zurückkehren kann, dann werden wir Gott den Frieden und das Vertrauen zurückgegeben haben, die Kraft, sich in seinem eigenen Zentrum neu zu erschaffen, und die Energie, den Rhythmus seines Atems wiederaufzunehmen.«

Ihre Augen funkelten, ihre Wangen hatten sich gerötet, ihre Hände zitterten fast, ihre Stimme klang drängend, und sie schien Baudolino geradezu anzuflehen, ebenfalls an jene Offenbarung zu glauben. Baudolino dachte bei sich, es mochte ja sein, daß der Demiurg viele Fehler gemacht hatte, aber die Existenz dieser einen Kreatur machte die Welt zu einem betörenden und strahlenden Ort aller Vollkommenheiten.

Er konnte nicht widerstehen, ergriff ihre Hand und berührte sie mit einem hingehauchten Kuß. Sie zuckte zusammen, als hätte sie eine bisher unbekannte Erfahrung gemacht. »Auch du bist von einem Gott bewohnt«, sagte sie zuerst. Dann schlug sie sich die Hände vor das Gesicht und murmelte überrascht: »Ich habe... ich habe die Apathie verloren...«

Sie drehte sich um und lief in den Wald, ohne noch etwas zu sagen und ohne sich umzusehen.

»Kyrios Niketas, in jenem Augenblick wurde mir klar, daß ich liebte, wie ich noch niemals im Leben geliebt hatte, aber daß ich ein weiteres Mal die einzige Frau liebte, die nicht die meine sein konnte. Die erste war mir durch die Erhabenheit ihres Standes entzogen worden, die zweite durch das Elend des Todes, jetzt konnte die dritte mir nicht gehören, weil sie der Erlösung Gottes geweiht war. Ich ging fort, kehrte in die Stadt zurück und dachte, ich würde vielleicht nie wiederkommen dürfen. Ich fühlte mich fast erleichtert, als mir Praxeas am nächsten Tag sagte, in den Augen der Bewohner von Pndapetzim sei ich zweifellos der angesehenste unter den Magiern, ich genösse das Vertrauen des Diakons, und der Diakon wünsche sich, daß ich das Oberkommando jener Armee übernähme, die der Poet inzwischen so gut ausgebildet habe. Ich konnte mich dieser Aufforderung nicht entziehen, eine Spaltung in der Gruppe der Magier hätte unsere Lage in den Augen aller unhaltbar gemacht, und alle waren inzwischen so hingebungsvoll mit der Vorbereitung des Krieges beschäftigt, daß ich einwilligte – auch um die Skiapoden, die Panothier, die Blemmyer und all die anderen braven Leute nicht zu enttäuschen, die mir inzwischen richtig ans Herz gewachsen waren. Vor allem dachte ich dabei, daß ich, wenn ich mich dieser neuen Aufgabe widmete, schneller vergessen würde, was ich im Wald zurückgelassen hatte. Zwei Tage lang wurde ich von tausend Pflichten in Anspruch genommen. Ich erfüllte sie jedoch nur zerstreut, denn mich quälte der Gedanke, Hypatia könnte an den See zurückgekehrt sein und, als sie mich nicht vorfand, gedacht haben, sie habe mich durch ihre Flucht beleidigt und ich wolle sie nicht mehr wiedersehen. Ich war bestürzt bei dem Gedanken, sie könnte bestürzt sein und mich nicht mehr sehen wollen. Wenn es so wäre, würde ich mich auf ihre Spur setzen, würde hoch zu Roß an dem Ort erscheinen, wo die Hypatien lebten, und... Was würde ich tun, würde ich sie rauben, würde ich den Frieden jener Gemeinschaft zerstören, würde ich ihre Unschuld trüben, indem ich ihr zu verstehen gäbe, was sie nicht verstehen durfte? Oder würde ich sie, im Gegenteil, ergriffen von ihrer Mission sehen, nun frei von einem kurzen, winzigen Anflug irdischer Leidenschaft? Aber hatte es diesen Anflug wirklich gegeben? Ich vergegenwärtigte mir jedes ihrer Worte, jede ihrer Bewegungen. Zweimal hatte sie unsere Begegnung als Beispiel benutzt, um zu sagen, wie Gott war, aber vielleicht war das nur eine kindliche, ganz unschuldige Art gewesen, mir verständlich zu machen, was sie meinte. Zweimal hatte sie mich berührt, aber so, wie sie eine Sonnenblume berührt hätte. Mein Mund auf ihrer Hand hatte sie erzittern lassen, das wußte ich, aber das war ganz natürlich: Kein menschlicher Mund hatte sie jemals gestreift, es war für sie so gewesen, wie wenn sie im Wald über eine Wurzel gestolpert wäre und für einen Moment das Gleichgewicht verloren hätte; der Moment war vorübergegangen, sie dachte bestimmt nicht mehr daran... Ich diskutierte mit meinen Freunden über Fragen der Kriegführung, ich mußte entscheiden, wo die Nubier eingesetzt werden sollten, und ich wußte nicht einmal, wo ich selber stand. Ich mußte diese Angst überwinden, ich mußte es wissen. Um es in Erfahrung zu bringen, mußte ich mein und ihr Leben in die Hände von jemand legen, der die Verbindung zwischen uns hielt. Ich hatte schon viele Beweise für die Ergebenheit von Gavagai bekommen. Ich sprach heimlich mit ihm, ließ ihn viele Eide schwören, sagte ihm sowenig wie möglich, aber genug, um ihn an den See zu schicken und dort auf sie warten zu lassen. Der gute Skiapode war wirklich hilfsbereit, verständnisvoll und diskret. Er fragte nur wenig, ich glaube, er hatte viel verstanden. An den ersten zwei Tagen kehrte er abends zurück und sagte, niemand sei dagewesen, und es betrübte ihn sehr, mich erblassen zu sehen. Am dritten Tag kam er mit seinem charakteristischen Lächeln, das wie eine Mondsichel aussah, und sagte mir, während er selig ausgestreckt im Schatten seines Fußes gelegen habe, sei jene Kreatur erschienen. Sie habe sich ihm vertrauensvoll und erleichtert genähert, als ob sie jemanden erwartet hätte. Sie habe meine Botschaft mit Erregung entgegengenommen (»Sie mir geschienen, sehr dringend dich sehen wolle«, sagte er mit einer gewissen Verschmitzheit), und sie ließe mir mitteilen, daß sie jeden Tag an den See gekommen sei, jeden Tag (»Sie zweimal gesagt«). Vielleicht erwarte ja auch sie seit langem die Magier, kommentierte er mit Unschuldsmiene. Am nächsten Tag mußte ich noch in Pndapetzim bleiben, aber ich versah meine Pflichten als Heerführer mit einer Begeisterung, die den Poeten erstaunte, der mich als einen dem Waffendienst eher Abgeneigten kannte, die sich jedoch ansteckend auf meine Armee auswirkte. Ich kam mir vor wie der Herr der Welt, ich hätte es furchtlos mit hundert Weißen Hunnen aufgenommen. Zwei Tage später kehrte ich zitternd vor Angst zu jenem schicksalhaften Ort zurück.«

34. Kapitel

Baudolino entdeckt die wahre Liebe

»In jenen Tagen des Wartens, Kyrios Niketas, war ich von gegensätzlichen Gefühlen beherrscht. Ich brannte vor Begierde, sie wiederzusehen, ich fürchtete, sie nie wiederzusehen, ich sah sie umstellt von tausend Gefahren, mit einem Wort, ich machte alle Gefühle durch, die zur Liebe gehören, nur nicht die Eifersucht.«

»Hast du nicht daran gedacht, daß die Große Mutter sie gerade jetzt zu den Befruchtern schicken könnte?«

»Ein solcher Zweifel ist mir nie gekommen. Vielleicht dachte ich, weil ich wußte, wie sehr ich inzwischen der ihre war, sie sei in solchem Grade die meine, daß sie es ablehnen würde, sich von anderen berühren zu lassen. Ich habe lange darüber nachgedacht, hinterher, und bin zu dem Schluß gekommen, daß vollkommene Liebe keinen Platz für Eifersucht läßt. Eifersucht ist Verdacht, Furcht und Verleumdung zwischen Liebenden, und der Apostel Johannes hat gesagt, daß die vollkommene Liebe alle Furcht vertreibt. Ich empfand keine Eifersucht, aber ich versuchte ständig, mir ihr Gesicht vor Augen zu halten, und es gelang mir nicht. Ich erinnerte mich an das, was ich empfunden hatte, wenn ich sie ansah, aber ich konnte sie mir nicht vorstellen. Dabei tat ich während unserer Begegnungen nichts anderes, als sie unverwandt anzusehen...«

»Ich habe gelesen, daß es heftig Liebenden so ergeht...«, sagte Niketas mit der Verlegenheit dessen, der eine so überwältigende Leidenschaft nie selber erfahren hat. »Ist es dir bei Beatrix und bei Colandrina nicht so ergangen?«

»Nein, nicht in dem Maße, daß es mich so hätte leiden lassen. Ich glaube, bei Beatrix habe ich vor allem die Idee der Liebe kultiviert, ich brauchte kein reales Gesicht, und außerdem hätte ich es als Sakrileg empfunden, mir ihre körperlichen Züge vorzustellen. Was Colandrina betraf, so ist mir klargeworden – nachdem ich Hypatia kennengelernt hatte –, daß es bei ihr keine Leidenschaft war, sondern eher Freude, Zärtlichkeit, innigste Zuneigung, wie ich sie, Gott vergebe mir, für eine Tochter oder eine kleine Schwester hätte empfinden können. Ich glaube, es geht allen Verliebten so, aber in jenen Tagen war ich überzeugt, daß Hypatia die erste Frau war, die ich wirklich liebte – und sicher war sie das auch und ist es noch und wird es immer bleiben. Später begriff ich, daß wahre Liebe ihren Wohnsitz im innersten Herzen aufschlägt und dort Ruhe findet, aufmerksam für ihre nobelsten Geheimnisse, und daß sie nur selten in die Räume der Vorstellung zurückkehrt. Deshalb gelingt es ihr nicht, die körperliche Gestalt der abwesenden Geliebten zu reproduzieren. Nur die Liebe zur Unzucht, die nie bis ins Innerste des Herzens eindringt und sich allein von lüsternen Phantasien ernährt, vermag solche Bilder zu produzieren.«

Niketas schwieg, doch es fiel ihm sichtlich schwer, seinen Neid zu beherrschen.

Ihre Wiederbegegnung war schüchtern und bewegt. Hypatias Augen strahlten vor Glück, aber gleich darauf senkte sie schamhaft den Blick. Sie setzten sich ins Gras. Akazio weidete friedlich in geringer Entfernung. Die Blumen ringsum dufteten mehr als gewöhnlich, und Baudolino fühlte sich, als hätte er gerade ein Schlückchen *burq* gekostet. Er wagte nicht zu sprechen, aber schließlich rang er sich dazu durch, weil die Intensität ihres Schweigens ihn sonst zu einer unkontrollierten Bewegung hingerissen hätte.

Erst jetzt verstand er, warum er hatte erzählen hören, daß die wahren Liebenden bei ihrem ersten Liebesgespräch erbleichen, zittern und immer wieder verstummen. Es geschieht, weil die Liebe, da sie sowohl das Reich der Natur wie das der Seele beherrscht, alle Kräfte beider auf sich zieht, wie immer sie sich auch bewegt. So bringt die Liebe, wenn die wahren Liebenden sich begegnen, alle Funktionen des Körpers ins Stocken und fast zum Stillstand, sowohl die körperlichen wie die geistigen: Die Zunge weigert sich zu sprechen, die Augen zu sehen, die Ohren zu hören, und jedes Glied entzieht sich seiner Pflicht. Dies hat zur Folge, daß der Körper, wenn die Liebe sich allzu lange im innersten Herzen aufhält, seiner Kräfte beraubt verfällt. An einem bestimmten Punkt jedoch wirft das Herz, wegen der Ungeduld der Liebesglut, die es empfindet, seine Leidenschaft gleichsam hinaus und erlaubt damit dem Körper, seine Funktionen wieder aufzunehmen. Und dann spricht der Liebende.

»So ist es«, sagte Baudolino, ohne zu erklären, was er empfand und was er gerade verstanden hatte, »all die schönen und schrecklichen Dinge, die du mir erzählt hast, sind das, was euch die weise Hypatia gelehrt hat...«

»O nein«, sagte sie, »ich habe dir gesagt, daß unsere Ahninnen, als sie fliehen mußten, alles vergessen hatten, was Hypatia sie gelehrt hatte, außer der Pflicht zur Erkenntnis. Durch Meditation haben wir dann immer mehr von der Wahrheit entdeckt. Jede von uns hat während dieser Jahrtausende nachgedacht über die Welt, die uns umgibt, und über das, was sie in ihrer Seele empfand, und so ist unser Bewußtsein Tag für Tag reicher geworden, und das Werk ist noch nicht vollendet. Vielleicht waren in dem, was ich dir gesagt habe, auch ein paar Dinge, die meine Gefährtinnen noch nicht verstanden haben und die mir erst aufgegangen sind, als ich versuchte, sie dir zu erklären. So macht jede von uns sich weise, indem sie den anderen erklärt, was sie fühlt, und während sie es erklärt, lernt sie es selber verstehen. Wenn du nicht hier bei mir wärest, hätte ich mir selbst vielleicht einige Dinge nicht so klar gemacht. Du warst mein guter Geist, mein gütiger Archont, Baudolino.«

»Sind alle deine Gefährtinnen so klar und beredt wie du, meine liebreizende Hypatia?«

»Oh, ich bin unter ihnen die letzte. Manchmal machen sie sich über mich lustig, weil ich nicht ausdrücken kann, was ich empfinde. Ich muß noch wachsen, verstehst du? Aber in diesen Tagen habe ich mich stolz gefühlt, als hätte ich ein Geheimnis, das sie nicht kennen, und – ich weiß nicht, warum – ich habe es lieber für mich behalten. Ich verstehe nicht recht, was mit mir geschieht, es ist, als ob... als ob ich das alles lieber zu dir sagte als zu ihnen. Meinst du, das ist etwas Schlechtes, bin ich unlauter zu ihnen?«

»Du bist lauter zu mir.«

»Bei dir ist es leicht. Ich glaube, dir könnte ich alles sagen, was mir durch den Sinn geht und ins Herz kommt. Auch wenn ich nicht sicher wäre, ob es richtig ist. Weißt du, was mir in diesen Tagen passiert ist, Baudolino? Ich habe von dir geträumt. Wenn ich morgens aufgewacht bin, habe ich gedacht, das wird ein schöner Tag, weil du irgendwo in der Nähe warst. Dann habe ich dich nicht gesehen und dachte, der Tag wird häßlich. Es ist seltsam, gewöhnlich lacht man, wenn man glücklich ist, und weint, wenn man leidet, aber mir passiert es neuerdings, daß ich im gleichen Augenblick lache und weine. Bin ich vielleicht krank? Dann ist es jedoch eine wunderschöne Krankheit. Ist es recht, seine eigene Krankheit zu lieben?«

»Du bist hier die Magistra, liebste Freundin«, sagte Baudolino lächelnd, »du darfst mich nicht fragen, auch weil ich, glaube ich, dieselbe Krankheit habe.«

Hypatia streckte eine Hand aus und berührte erneut seine Narbe. »Du mußt etwas Gutes sein, Baudolino, weil es mir angenehm ist, dich zu berühren, wie es mir bei Akazio geht. Berühre auch du mich, vielleicht kannst du einen Funken wecken, der noch in mir ist und von dem ich nichts weiß.«

»Nein, mein Liebling, ich habe Angst, daß ich dir weh tue.«

»Berühre mich hier hinterm Ohr. Ja, so, noch mal... Vielleicht kann man durch dich einen Gott herbeirufen. Du müßtest irgendwo das Zeichen haben, das dich mit etwas anderem verbindet...«

Sie schob die Hände unter sein Gewand und ließ die Finger über seine Brusthaare gleiten. Sie kam näher, um an ihm zu riechen. »Du bist voller Gras, voller gutem Gras«, sagte sie. Und weiter: »Wie schön du dich anfühlst, du bist weich wie ein junges Tier. Bist du jung? Ich weiß nichts über das Alter eines Menschen. Bist du jung?«

»Ich bin jung, mein Liebling, ich werde gerade geboren.«

Er strich ihr jetzt fast mit Gewalt durchs Haar, sie legte ihm die Hände in den Nacken, dann fing sie an, ihm kleine Zungenstöße ins Gesicht zu versetzen, und leckte ihn ab, als ob er ein Zicklein wäre, dann lachte sie, während sie ihm aus nächster Nähe in die Augen sah, und sagte, er schmecke salzig. Baudolino war nie ein Heiliger gewesen, er drückte sie an sich und suchte mit den Lippen nach ihren Lippen. Sie stieß einen halb erschrockenen, halb überraschten Laut aus und versuchte sich ihm zu entziehen, dann gab sie nach. Ihr Mund schmeckte nach Pfirsich und Aprikose, ihre Zunge pochte mit kurzen Stößen an seine, die sie zum ersten Mal kostete.

Baudolino stieß sie zurück, aber nicht aus Tugend, sondern um seine Kleider abzustreifen, sie erblickte sein Glied, berührte es mit den Fingern, spürte, daß es lebendig war, und sagte, daß sie es wolle. Es war klar, daß sie nicht wußte, wie und warum sie es wollte, aber irgendeine Macht des Waldes oder der Quellen sagte ihr, was sie tun mußte. Baudolino fing wieder an, sie mit Küssen zu bedecken, er glitt von den Lippen abwärts zum Hals, dann zu den Schultern, während er langsam ihr Kleid abstreifte, er legte ihre Brüste frei, tauchte sein Gesicht hinein, und dabei fuhr er mit den Händen fort, ihr Kleid abzustreifen, die Hüften hinunter, er fühlte den straffen kleinen Bauch, betastete den Nabel, stieß früher, als er erwartet hatte, auf das, was der Flaum sein mußte, der ihr höchstes Gut bedeckte. Sie nannte ihn flüsternd mein Äon, mein Tyrann, mein Abyssos, meine Ogdoas, mein Pleroma…

Baudolino schob die Hände unter das Kleid, das sie noch verhüllte, und fühlte, daß jener Flaum, der ihren Schoß anzukündigen schien, sich verdichtete, den Ansatz ihrer Beine bedeckte, die Innenseite der Schenkel, sich fortsetzte zum Gesäß…

»Kyrios Niketas, ich riß ihr das Kleid herunter und sah. Vom Bauch an abwärts war Hypatia ziegengestaltig, und ihre Beine endeten in zwei elfenbeinfarbenen Hufen. Mit einem Schlag begriff ich, warum sie, wenn sie vom Kleid bis zum Boden verhüllt war, nicht so zu gehen schien wie jemand, der die Füße aufsetzt, sondern leicht dahinglitt, fast als berühre sie gar nicht den Boden. Und ich begriff, wer die Befruchter waren: die Satyrn-die-man-nie-sah, Wesen mit gehörnten Menschenköpfen und Widderleibern, die Satyrn, die seit Jahrhunderten im Dienst der Hypatien lebten, denen sie die weiblichen Sprößlinge überließen, während sie die männlichen selbst aufzogen, letztere mit dem gleichen abstoßenden Gesicht wie sie, die anderen immer noch mit der ägyptischen Anmut der schönen Hypatia, der antiken, und ihrer ersten Schülerinnen.«

»Welch ein Grauen!« sagte Niketas.

»Grauen? Nein, das war es nicht, was ich in jenem Moment empfand. Überraschung ja, aber nur einen kurzen Augenblick. Dann beschloß ich, dann beschloß mein Körper für meine Seele, oder meine Seele für meinen Körper, daß es wunderschön war, was ich da sah und berührte, denn es war Hypatia, und auch ihre Tiernatur hatte teil an ihrer Anmut, dieses weiche gekräuselte Fell war das Begehrenswerteste, was ich je begehrt hatte, es roch nach Moschus, und diese vorher verborgenen Gliedmaßen waren von der Hand eines Künstlers gestaltet, und ich liebte, ich begehrte und liebte dieses nach Wald duftende Geschöpf, und ich hätte Hypatia auch geliebt, wenn sie die Gestalt einer Chimäre, eines Ichneumons, einer Hornviper gehabt hätte.«

So kam es, daß Hypatia und Baudolino sich vereinten, bis der Abend kam, und als sie schließlich erschöpft waren, blieben sie noch lange beieinander liegen, einander liebkosend und sich zärtliche Namen gebend und alles um sich herum vergessend.

»Meine Seele ist auf- und davongeflogen wie eine Flamme«, sagte Hypatia. »Mir scheint, ich bin ein Teil des gestirnten Himmels geworden...« Sie hörte nicht auf, den Körper des Geliebten zu erforschen. »Wie schön du bist, Baudolino. Aber auch ihr Menschen seid Monster«, scherzte sie. »Du hast lange weiße Beine ohne Fell und die Füße so groß wie die von zwei Skiapoden! Aber du bist trotzdem schön, ja noch schöner…« Er küßte ihr schweigend die Augen.

»Haben die Frauen der Menschen auch so lange Beine?« fragte sie mit gerunzelter Stirn. »Hast du… die Ekstase an der Seite von Langbeinigen erlebt?«

»Ich wußte ja nicht, daß es dich gibt, mein Lieb.«

»Ich will nicht, daß du jemals wieder die Beine von Menschenfrauen betrachtest.« Er küßte ihr schweigend die Hufe.

Es wurde dunkel, und sie mußten sich trennen. »Ich glaube«, murmelte Hypatia, während sie noch einmal seine Lippen streifte, »ich werde meinen Gefährtinnen nichts erzählen. Sie würden vielleicht nichts verstehen, sie wissen ja nicht, daß es auch diese Art des Aufstiegs in höhere Regionen gibt. Bis morgen, mein Lieb. Hörst du? Ich nenne dich so, wie du mich genannt hast. Ich erwarte dich.«

»So vergingen einige Monate, es waren die schönsten und reinsten meines Lebens. Ich ritt jeden Tag zum See, und wenn ich nicht konnte, diente uns der treue Gavagai als Liebesbote. Ich hoffte, daß die Weißen Hunnen nie kommen würden und daß dieses Warten in Pndapetzim bis zu meinem Tod andauerte und darüber hinaus. Aber ich fühlte mich, als ob ich den Tod besiegt hätte.«

Eines Tages dann, viele Monate später, nachdem sie sich ihm mit der gleichen Leidenschaft wie stets hingegeben hatte und noch kaum zur Ruhe gekommen war, sagte Hypatia zu Baudolino: »Mit mir geht etwas vor. Ich weiß, was es ist, denn ich habe die Geständnisse meiner Gefährtinnen gehört, wenn sie von der Nacht mit den Befruchtern zurückkamen. Ich glaube, ich habe ein Kind im Leib.«

Baudolino empfand im ersten Moment nur eine unsägliche Freude, er küßte diesen gesegneten Leib, ob gesegnet von Gott oder von den Archonten. Dann kamen ihm Sorgen: Hypatia würde den anderen ihren Zustand nicht verbergen können, was würde sie tun?

»Ich werde der Großen Mutter die Wahrheit beichten«, sagte sie. »Sie wird verstehen. Jemand, etwas hat gewollt, daß ich das, was die anderen mit den Befruchtern tun, mit dir getan habe. Es war richtig, entsprechend dem guten Teil der Natur. Sie wird es mir nicht vorwerfen können.«

»Aber du wirst neun Monate lang von der Gemeinschaft gehütet werden, und danach werde ich das neugeborene Wesen nie zu sehen bekommen.«

»Ich werde noch oft herkommen. Es dauert lange, bis der Bauch so dick wird, daß alle es merken. Wir werden uns nur in den letzten Monaten nicht sehen können, wenn ich der Großen Mutter alles gesagt habe. Und was das neugeborene Wesen angeht – wenn es ein männliches ist, wird man es dir geben, und wenn es ein weibliches ist, betrifft es dich nicht. So will es die Natur.«

»So wollen es dein Blödmann von Demiurg und diese halben Ziegen, mit denen du lebst!« schrie Baudolino außer sich. »Das neue Wesen gehört auch mir, ob es weiblich oder männlich ist!«

»Wie schön du bist, wenn du dich erzürnst, auch wenn man das nie sollte«, sagte sie und küßte ihn auf die Nase.

»Mach dir doch klar, daß sie dich nach der Geburt nicht mehr zu mir lassen werden, so wie deine Gefährtinnen nie ihre Befruchter wiedergesehen haben! So will es doch, eurer Meinung nach, die Natur, oder nicht?«

Sie machte es sich erst in diesem Augenblick klar und begann zu weinen, mit kleinen Schluchzern, wie wenn sie sich liebten, den Kopf an seine Brust gelegt und die Arme um ihn geschlungen, so daß er ihren zuckenden Busen spürte. Er streichelte sie, sagte ihr zärtliche Worte ins Ohr und machte ihr dann den einzigen Vorschlag, der ihm vernünftig schien: Sie solle mit ihm fliehen. Auf ihren entsetzten Blick hin sagte er, nein, das sei kein Verrat an ihrer Gemeinschaft. Sie sei einfach mit einem anderen Privileg ausgezeichnet worden und habe nun andere Pflichten. Er würde sie in ein fernes Reich mitnehmen, und dort würde sie eine neue Kolonie von Hypatien gründen, sie würde einfach die Saat ihrer fernen Mutter noch fruchtbarer machen und ihre Botschaft anderswohin verbreiten. Nur würde er dann an ihrer Seite leben und neue Befruchter finden, solche in Menschengestalt, wie vermutlich die Frucht ihres

Leibes sein werde. »Wenn du fliehst, tust du nichts Böses«, sagte er, »im Gegenteil, du verbreitest das Gute…«

»Also werde ich die Große Mutter um Erlaubnis bitten.«

»Warte, ich weiß noch nicht, wie diese Große Mutter ist. Laß mich nachdenken. Wir gehen gemeinsam zu ihr, ich werde sie schon überzeugen. Gib mir ein paar Tage Zeit, daß ich mir die richtigen Worte überlege.«

»Mein Lieb, ich will dich nicht nie mehr wiedersehen«, schluchzte sie auf. »Ich tue, was du willst, ich gebe mich als eine Menschenfrau aus, ich gehe mit dir in jene neue Stadt, von der du mir erzählt hast, ich werde mich wie eine Christin benehmen, ich werde sagen, daß Gott einen toten Sohn am Kreuz gehabt hat. Wenn du nicht mehr da bist, will ich keine Hypatia mehr sein!«

»Beruhige dich, mein Lieb. Du wirst sehen, ich finde eine Lösung. Ich habe Karl den Großen heilig werden lassen, ich habe die Magierkönige wiedergefunden, ich werde es auch schaffen, mir meine Braut zu erhalten.«

»Braut? Was ist das?«

»Das erkläre ich dir später. Geh jetzt, es ist spät geworden. Wir sehen uns morgen wieder.«

»Es gab kein Morgen mehr, Kyrios Niketas. Als ich nach Pndapetzim zurückkam, liefen mir alle entgegen, sie hatten mich schon seit Stunden gesucht. Es war nicht mehr zu bezweifeln: Die Weißen Hunnen nahten, man konnte am Horizont schon die Staubwolken sehen, die ihre Pferde aufwirbelten. Sie würden im ersten Morgenlicht an den Grenzen der Farnkrautebene sein. Es blieben uns nur noch wenige Stunden, um die Verteidigung vorzubereiten. Ich begab mich sofort zum Diakon, um ihm anzukündigen, daß ich den Oberbefehl übernehmen würde. Zu spät. Jene Monate qualvollen Wartens auf die Schlacht, die Anstrengung, die er sich abverlangt hatte, um sich auf den Beinen zu halten und bei der Unternehmung mitzumachen, vielleicht auch der neue Lebensmut, den ich ihm mit meinen Erzählungen eingeflößt hatte, hatten sein Ende beschleunigt. Ich hatte keine Angst, ihm nahe zu sein, während er die letzten Atemzüge tat, ja ich drückte ihm sogar die

Hand, als er mir zum Abschied Sieg wünschte. Er sagte, wenn ich gesiegt hätte, würde ich vielleicht ins Reich seines Vaters gelangen, und darum bitte er mich um einen letzten Dienst. Sobald er verschieden sei, würden seine beiden verschleierten Getreuen seinen Leichnam so herrichten, als sei er der eines Priesters, indem sie ihn mit jenen Ölen salbten, die sein Abbild in das Leintuch eindrückten, in das man ihn hüllen werde. Dieses Abbild solle ich dem Priester bringen, und so blaß er darauf auch erscheinen werde, würde er sich seinem Adoptivvater immer noch weniger entstellt zeigen, als er es war. Wenig später verschied er, und die beiden Getreuen taten, was getan werden mußte. Sie sagten mir, das Leintuch brauche einige Stunden, um seine Züge aufzunehmen, sie würden es dann zusammenrollen und in eine Schatulle legen. Sie rieten mir schüchtern, die Eunuchen über den Tod des Diakons zu informieren. Ich beschloß, es nicht zu tun. Der Diakon hatte mich zum Oberbefehlshaber seiner Truppen ernannt, und nur deshalb würden die Eunuchen es nicht wagen, mir nicht zu gehorchen. Ich war darauf angewiesen, daß sie beim Kriegführen einigermaßen kooperierten, indem sie in der Stadt die Aufnahme der Verwundeten vorbereiteten. Hätten sie sofort vom Tod des Diakons erfahren, so hätten sie im Mindestfall den Kampfgeist der Truppen geschwächt, indem sie die traurige Nachricht verbreiteten, und hätten die Leute durch die Beisetzungsfeierlichkeiten abgelenkt. Im schlimmsten Fall hätten sie vielleicht, mißtrauisch, wie sie waren, sofort die höchste Macht ergriffen und damit ebenfalls alle Verteidigungspläne des Poeten umgeworfen. Also auf in den Krieg, sagte ich mir. Auch wenn ich immer ein Mann des Friedens gewesen war – diesmal ging es darum, das noch ungeborene Wesen zu verteidigen.«

35. Kapitel

Baudolino gegen die Weißen Hunnen

Seit Monaten war der Plan in allen Einzelheiten ausgefeilt worden. Hatte sich der Poet bei der Ausbildung seiner Truppen als guter Hauptmann erwiesen, so hatte Baudolino eine Begabung als Stratege an den Tag gelegt. Gleich am Stadtrand erhob sich der höchste jener von weitem wie Sahnekegel aussehenden Hügel, die sie als erstes bei der Ankunft gesehen hatten. Von dort oben beherrschte man die ganze Ebene bis zu den Bergen im Osten und bis über den Rand des Farnwalds hinaus im Norden und Westen. Von dort aus würden Baudolino und der Poet die Bewegungen ihrer Krieger leiten. Eine Schar ausgewählter Skiapoden, angeführt von Gavagai, würde ihnen schnellste Kommunikation mit den diversen Truppenteilen erlauben.

Die Ponkier sollten sich über verschiedene Punkte der Ebene verteilen, um mit ihrem hochempfindlichen Brustorgan die Bewegungen des Gegners zu erspüren und, wie vereinbart, Rauchsignale zu geben.

Ganz vorn, fast am äußersten Rand der Farnwaldes, sollten die Skiapoden bereitstehen, um unter dem Kommando des Porcelli unversehens vor den Invasoren aufzutauchen und mit ihren Blasrohren vergiftete Pfeile auf sie zu schießen. Nachdem die Reihen der Feinde durch diesen ersten Ansturm gelichtet sein würden, sollten hinter den Skiapoden die Giganten aufspringen, geführt von Aleramo Scaccabarozzi genannt il Ciula, um sich ihrer Pferde anzunehmen, aber, so hatte ihnen der Poet eingeschärft, solange sie nicht den Befehl zum Angriff erhielten, sollten sie sich auf allen vieren bewegen.

Sollte es einem Teil der Feinde gelingen, die Barriere der Giganten zu überwinden, so würden von zwei Seiten der

Ebene her einerseits die Pygmäen, geführt von Boidi, und andererseits die Blemmyer unter der Führung von Cuttica in Aktion treten. Durch den Pfeilhagel der Pygmäen zur anderen Seite getrieben, würden die Hunnen dort auf die Blemmyer stoßen, die, noch ehe sie zwischen den Farnen entdeckt wären, mit ihren Steinmessern unter die Pferde schlüpfen könnten.

Keiner von ihnen durfte jedoch zuviel riskieren. Sie sollten dem Feind ernste Verluste zufügen, aber die eigenen so gering wie möglich halten. Denn die Hauptwaffe in dieser Strategie waren die Nubier, die in der Mitte der Ebene warten sollten. Die Hunnen würden die ersten Zusammenstöße sicherlich überstehen, aber sie würden vor den Nubiern angeschlagen eintreffen, zahlenmäßig verringert und voller Wunden, und ihre Pferde würden sich zwischen den hohen Farnen nicht allzu schnell bewegen können. An diesem Punkt würden die kriegerischen Circumcellionen mit ihren todbringenden Keulen und ihrer legendären Verachtung der Gefahr zum Einsatz kommen.

»Einverstanden, zuschlagen und wegrennen ist die Parole«, sagte der Boidi, »die unüberwindliche Schranke werden die tapferen Circumcellionen sein.«

»Und ihr«, mahnte der Poet, »wenn die Hunnen bei euch durchgebrochen sind, müßt ihr sofort wieder eure Reihen schließen und euch zu einem Halbkreis auffächern, der mindestens eine halbe Meile lang ist. So daß, wenn die Feinde auf ihren kindischen Trick mit der vorgetäuschten Flucht zurückgreifen, um die Verfolger zu umzingeln, ihr dann statt dessen *sie* in die Zange nehmt, während sie euch direkt in die Arme laufen. Achtet darauf, daß keiner von ihnen am Leben bleibt. Ein besiegter Feind, der überlebt, sinnt früher oder später auf Rache. Sollte es einigen doch gelingen, euch und den Nubiern zu entkommen und in Richtung der Stadt durchzubrechen, dann stehen dort die Panothier bereit, um von oben über sie zu kommen, und einer solchen Überraschung hält keiner stand.«

Versehen mit einer Strategie, die so gründlich durchgeplant war, daß nichts dem Zufall überlassen blieb, versammelten sich die Kohorten nachts im Zentrum der Stadt, um im Licht der ersten Sterne in die Ebene hinauszuziehen, jede angeführt von ihrem jeweiligen Priester und jede in ihrer Sprache das Vaterunser singend, so daß ein majestätischer Chor entstand, wie man ihn nicht einmal bei den feierlichsten Prozessionen in Rom je gehört hatte:

Mael nio, kui vai o les zeal, aepseno lezai tio mita. Veze lezai tio tsaeleda.

O fat obas, kel binol in süs, paisalidumöz nemola. Komömöd monargän ola.

Pa isel, ka bi ni sieloes. Nom al zi bi santed. Klol alzi komi.

O baderus noderus, ki du esso in seluma, fakdade sankadus hanominanda duus, adfenade ha rennanda duus.

Amy Pornio dan chin Orhnio viey, gnayjorhe sai lory, eyfodere sai bagalin, johre dai domion.

Hai coba ggia rild dad, ha babi io sgymta, ha salta io velca…

Als letzte kamen die Blemmyer, während Baudolino und der Poet sich schon fragten, was der Grund ihrer Verspätung war. Als sie erschienen, trug jeder von ihnen auf dem Rücken, festgebunden unter den Achseln, ein Gestell aus Schilfrohr, auf dem oben ein Vogelkopf befestigt war. Stolz erklärte Ardzrouni, dies sei seine neueste Erfindung. Die Hunnen würden einen Kopf erblicken und auf ihn zielen, und die Blemmyer würden im nächsten Augenblick unverletzt über sie herfallen. Baudolino meinte, das sei eine gute Idee, aber jetzt müßten sie sich beeilen, denn sie hätten nur noch wenige Stunden, um ihre Stellungen zu erreichen. Die Blemmyer schien es nicht zu stören, daß sie einen Kopf bekommen hatten, im Gegenteil, sie trugen ihn stolz erhoben, als hätten sie einen Federbuschhelm.

Baudolino, der Poet und Ardzrouni stiegen auf den Feldherrenhügel, von dem aus sie die Schlacht lenken sollten, und warteten auf die Morgenröte. Sie hatten Gavagai an die vorderste Linie geschickt, damit er sie über alles, was geschah, auf dem laufenden hielt. Der brave Skiapode war davongeflitzt mit dem Kampfruf: »Hoch die allerheiligsten Magier, hoch Pndapetzim!«

Hinter den Bergen im Osten wurde es bereits hell, als eine von den wachsamen Ponkiern genährte Rauchsäule verkündete, daß die Hunnen am Horizont auftauchten.

Tatsächlich erschienen sie dort in breiter Front, alle nebeneinander reitend, so daß es von weitem aussah, als ob sie sich gar nicht vorwärts bewegten, sondern nur auf und ab wogten oder zuckten, und so blieb es für eine lange Zeit, die gar nicht aufhören wollte. Daß sie näher kamen, merkte man nur daran, daß nach einer Weile die Hufe ihrer Pferde nicht mehr zu sehen waren, da sie für den fernen Betrachter schon von den Farnen verdeckt wurden, und so ging es weiter bis zu dem Augenblick, als sie kurz vor den im Farn verborgenen Reihen der Skiapoden angelangt waren und man jeden Moment erwartete, daß die braven Einfüßler aufspringen würden. Doch die Zeit verrann, die Hunnen drangen immer tiefer in den Farnwald ein, und langsam dämmerte den Beobachtern, daß dort hinten etwas Sonderbares geschah.

Während die Hunnen bereits sehr deutlich zu sehen waren und die Skiapoden noch immer kein Lebenszeichen von sich gaben, erhoben sich plötzlich, vor der vereinbarten Zeit, die Giganten, hoch aufragend aus der dichten Vegetation. Doch anstatt die Feinde anzugreifen, stürzten sie sich zwischen die Farne, offenbar in einen Kampf vertieft mit ... ja, wie es aussah, mit den Skiapoden! Baudolino und der Poet konnten aus der Entfernung nicht recht erkennen, was da ablief, aber dank des mutigen Gavagai, der blitzschnell von einem Ende der Ebene zum anderen geflitzt kam, ließen sich die Phasen der Schlacht alsbald Schritt für Schritt rekonstruieren. Aufgrund gattungsgeschichtlicher Prägung ist der Skiapode gewohnt, sich beim Aufgang der Sonne auf den Rücken zu legen und seinen Fuß als Schattenspender über den Kopf zu halten. So hatten es auch die Krieger jener Sturmtruppe getan. Die Giganten, wiewohl nicht allzu schnell von Begriff, hatten gemerkt, daß etwas nicht so lief, wie es sollte, und hatten begonnen, sie zum Kampf anzuspornen, aber nach ihrem häretischen Brauch titulierten sie die Skiapoden dabei als verdammte Homoousiasten und Exkremente des Arius.

»Skiapode gut und gläubig«, jammerte Gavagai, während er das berichtete, »Skiapode mutig und überhaupt nicht feige, aber nicht kann ertragen Beleidigung von häretischem Käsefresser, du das musse verstehen!« Kurzum, zuerst hatte es einen theologischen Streit mit Worten gegeben, dann eine Rauferei mit bloßen Händen, und die Giganten hatten naturgemäß bald die Oberhand gewonnen. Aleramo Scaccabarozzi genannt il Ciula hatte versucht, seine einäugigen Riesen von dieser heillosen Konfrontation abzubringen, aber sie hatten inzwischen das segensreiche Gut des Verstandes verloren und stießen ihn mit Handkantenschlägen zurück, die ihn zehn Meter durch die Luft wirbelten. So merkten sie gar nicht, daß die Hunnen schon über sie gekommen waren, und die Folge war ein Massaker. Es fielen die Skiapoden, es fielen die Giganten, auch wenn einige der letzteren noch versuchten, sich dadurch zu verteidigen, daß sie einen Skiapoden am Fuß ergriffen und wie eine Keule um ihren Kopf schwangen, aber vergebens. Der Porcelli und der Scaccabarozzi warfen sich in das Getümmel, um ihre Truppen wieder zu ordnen, aber sie wurden von den Hunnen umzingelt. Sie wehrten sich tapfer und ließen ihre Schwerter wirbeln, aber sie waren bald von hundert Pfeilen durchbohrt.

Jetzt sah man die Hunnen immer weiter vordringen, die Farne niedertreten und sich zwischen den Opfern ihres Massakers einen Weg bahnen. Der Boidi und der Cuttica konnten von den zwei Seiten der Ebene aus nicht erkennen, was passierte, und es mußte erst Gavagai zu ihnen geschickt werden, damit sie die eigentlich für später vorgesehene laterale Intervention der Blemmyer und der Pygmäen antizipierten. Die Hunnen sahen sich von zwei Seiten attackiert, aber sie hatten eine blendende Idee: Ihre Vorhut preschte über die gefallenen Skiapoden und Giganten hinweg nach vorne, ihre Nachhut zog sich nach hinten zurück, und so liefen die Pygmäen auf der einen Seite und die

Blemmyer auf der anderen unversehens aufeinander zu. Als die Pygmäen nun jene Vogelköpfe aus dem Farnkraut aufragen sahen, ohne etwas von Ardzrounis schöner Erfindung zu ahnen, riefen sie: »Die Kraniche, die Kraniche!« und im Glauben, ihre ewigen Feinde vor sich zu haben, vergaßen sie die Hunnen und schossen eine Salve von Pfeilen auf die Reihen der Blemmyer. Diese wehrten sich gegen die Pygmäen und riefen, da sie an einen Verrat glaubten: »Tod den Häretikern!« Die Pygmäen glaubten ihrerseits an einen Verrat der Blemmyer, und als sie sich nun von diesen der Häresie bezichtigt hörten, während sie selbst sich als die einzigen Wächter des Glaubens erachteten, riefen sie ihrerseits: »Nieder mit den Phantasiasten!« Die Hunnen fielen über dieses Getümmel her und metzelten ihre Feinde der Reihe nach nieder, während diese einander bekämpften. Gavagai berichtete, er habe gesehen, wie der Cuttica ganz allein versuchte, die Feinde aufzuhalten. Aber dann sei er gestürzt und von ihren Pferden überrannt worden.

Als der Boidi den Freund aus Alexandria sterben sah, gab er beide Schlachtreihen verloren, sprang auf sein Pferd und versuchte, zu den Nubiern durchzukommen, um sie zu warnen. Aber die Farne behinderten seinen Ritt, so wie sie übrigens auch das Vordringen der Feinde erschwerten. Er erreichte mit Mühe die Nubier, stellte sich hinter sie und spornte sie an, in kompakter Reihe gegen die Hunnen vorzugehen. Doch kaum sahen sie diese, nach Blut dürstend, vor sich, folgten die verdammten Circumcellionen ihrer Natur, sprich: ihrem natürlichen Hang zum Martyrium. Sie dachten, der erhabene Moment des Opfers sei gekommen, und das Beste sei, ihn zu beschleunigen. So knieten sie einer neben dem anderen nieder und riefen: »Töte mich, töte mich!« Die Hunnen konnten es gar nicht glauben, sie zückten ihre kurzen Schwerter und gingen daran, die Circumcellionen zu enthaupten, die sie umdrängten, ihnen ihre Hälse hinhielten und nach der reinigenden Tat verlangten.

Der Boidi ballte die Fäuste zum Himmel und floh zum Feldherrnhügel, den er gerade noch rechtzeitig erreichte, bevor der Farnwald in Flammen aufging.

Boron und Kyot hatten nämlich, als sie in der Stadt von der drohenden Invasion hörten, es für gut befunden, die Ziegen zum Einsatz zu bringen, die von Ardzrouni für seine am hellen Tage unnütze Kriegslist bereitgestellt worden waren. Sie hatten die Zungenlosen veranlaßt, Hunderte von Tieren mit brennenden Fackeln an den Hörnern in die Ebene zu treiben. Die Jahreszeit war fortgeschritten, die Halme waren schon ziemlich trocken und fingen sofort Feuer. Das Farnmeer verwandelte sich in ein Flammenmeer. Vielleicht hatten Boron und Kyot gedacht, das Feuer würde sich damit begnügen, eine Barriere zu bilden, oder es würde die feindliche Kavallerie zurücktreiben, doch sie hatten die Windrichtung nicht bedacht. Das Feuer gewann rasch an Stärke, breitete sich aber zur Stadt aus. Das kam natürlich den Hunnen zugute, brauchten sie doch nur zu warten, bis das Farnkraut niedergebrannt und die Asche ausgekühlt war, und sie hatten freie Bahn für ihren finalen Galopp. Doch zuerst einmal hielt es sie für mindestens eine Stunde auf. Die Hunnen wußten freilich, daß sie Zeit hatten. Sie begnügten sich damit, an die Ränder des Feuers zu reiten, ihre Bögen zum Himmel zu heben und so viele Pfeile abzuschießen, daß der Himmel verdunkelt wurde, um sie jenseits der Feuerwand niedergehen zu lassen, ohne zu wissen, ob dort noch andere Feinde warteten.

Einer der Pfeile kam zischend heruntergesaust und bohrte sich in Ardzrounis Hals. Der Getroffene stürzte mit einem erstickten Schrei zu Boden und spuckte Blut. Als er die Hände hob, um sich den Pfeil herauszureißen, sah er, daß sie sich mit weißen Flecken überzogen. Baudolino und der Poet beugten sich über ihn und raunten ihm zu, dasselbe geschehe gerade mit seinem Gesicht. »Siehst du, Solomon hatte recht«, sagte der Poet, »es gibt ein Heilmittel. Vielleicht sind die Pfeile der Hunnen mit einem Gift getränkt, das für dich ein Gegengift ist und die Wirkung der schwarzen Steine aufhebt.«

»Was kümmert's mich, ob ich weiß oder schwarz sterbe«, röchelte Ardzrouni und starb mit noch unbestimmter Farbe. Doch weitere Pfeile hagelten nun immer dichter, und sie mußten den Hügel verlassen. Sie flohen zur Stadt, und mit versteinertem Gesicht sagte der Poet: »Es ist vorbei, ich habe ein Reich verspielt. Vom Widerstand der Panothier dürfen wir uns nicht allzuviel erwarten. Wir können nur hoffen, daß uns die Flammen noch etwas Zeit lassen. Holen wir unsere Sachen und verschwinden wir hier. Nach Westen ist der Weg noch frei.«

Baudolino hatte in diesem Moment nur einen einzigen Gedanken. Die Hunnen würden nach Pndapetzim eindringen und es zerstören, aber ihr wütender, alles niedertretender Sturm würde damit nicht enden, sie würden bis zu dem See vordringen und in den Wald der Hypatien einfallen. Er mußte ihnen zuvorkommen. Aber er konnte seine Freunde nicht im Stich lassen, er mußte sie wiederfinden, ihre Sachen holen, ein bißchen Proviant einpacken, sich auf eine lange Flucht vorbereiten. »Gavagai, Gavagai!« rief er, und im Nu stand sein treuer Helfer neben ihm. »Lauf zum See, finde Hypatia, ich weiß nicht, wie, aber finde sie. Sag ihr, sie soll sich bereithalten, ich komme sie retten!«

»Ich nix wisse, wie, aber ich sie finde«, sagte der Skiapode und sauste davon.

Baudolino und der Poet kamen in die Stadt. Die Nachricht von der verheerenden Niederlage war inzwischen eingetroffen, Frauen aller Rassen liefen mit ihren Kleinen auf dem Arm ziellos herum. Die erschrockenen Panothier stürzten sich im Glauben, sie könnten nun fliegen, ins Leere. Aber sie waren nur dazu ausgebildet, sich im Gleitflug sinken zu lassen, nicht schwebend in der Luft zu verharren, und so waren sie im Handumdrehen unten. Diejenigen, die verzweifelt mit den Ohren zu schlagen versuchten, um sich in der Luft zu halten, stürzten nach kurzer Zeit erschöpft ab und zerschellten an den Felsen. Baudolino und der Poet fanden Colandrino, der verzweifelt über den Mißerfolg seiner Ausbildung war, und Solomon und Boron und Kyot, die nach den anderen fragten. »Sie sind tot, Friede ihren Seelen«, sagte der Poet grimmig. »Rasch zu unserer Felsenhöhle«, rief Baudolino, »und dann ab nach Westen!«

In ihrer Felsenhöhle rafften sie alles zusammen, was sie in die Finger bekamen. Als sie eilig hinunterstiegen, sahen sie vor dem Turm ein Hin und Her von Eunuchen, die ihr

Hab und Gut auf Maultiere luden. Praxeas kam mit fahlem Gesicht auf sie zu. »Der Diakon ist tot, und du hast es gewußt«, sagte er zu Baudolino.

»Tot oder lebendig, du wärst ohnehin geflohen.«

»Wir gehen fort. In der Schlucht werden wir die Lawine auslösen, und der Weg zum Reich des Priesters wird für immer versperrt sein. Wollt ihr mitkommen? Ihr müßt euch aber an unsere Vereinbarungen halten.«

Baudolino fragte gar nicht, welche Vereinbarungen er meinte. »Was liegt mir an deinem verdammten Priester Johannes«, schrie er, »ich habe an ganz was anderes zu denken! Los, Freunde, gehen wir.«

Die anderen waren zuerst eine Weile sprachlos. Dann räumten Boron und Kyot ein, daß ihr eigentliches Ziel immer noch war, Zosimos mit dem Gradal wiederzufinden, und Zosimos war sicher noch nicht ins Reich gelangt und würde auch nie mehr dorthin gelangen. Colandrino und der Boidi sagten, mit Baudolino seien sie gekommen, mit Baudolino würden sie auch wieder gehen. Solomon bemerkte, seine zehn Stämme könnten sowohl jenseits wie diesseits jener Berge sein und daher sei für ihn jede Richtung gut. Der Poet sagte nichts, er schien jeden Willen verloren zu haben, und jemand mußte sein Pferd am Zügel nehmen, um ihn mit fortzuziehen.

Als sie gerade aufbrechen wollten, sah Baudolino einen der beiden verschleierten Getreuen des Diakons auf sich zukommen. Er trug eine Schatulle. »Hier ist das Laken mit seinen Zügen«, sagte er. »Er wollte, daß du es bekommst. Nutze es gut.«

»Flieht ihr auch?«

Der Verschleierte schüttelte den Kopf. »Ob hier oder drüben, wenn es denn ein Drüben gibt, für uns ist das gleich. Uns erwartet das Los unseres Herrn. Wir werden hierbleiben und die Hunnen anstecken.«

Kaum waren sie aus der Stadt, bot sich ihnen ein unheilverkündender Anblick. Unter den blauen Hügeln flackerten Flammen. Anscheinend hatte ein Teil der Hunnen am Morgen begonnen, um das Schlachtfeld herumzureiten,

und war nun, einige Stunden später, schon am See angelangt.

»Schnell«, rief Baudolino verzweifelt, »alle dorthin, im
Galopp!« Die anderen verstanden nicht. »Wieso dorthin,
wenn dort schon diese Kerle sind?« fragte der Boidi. »Eher
hier lang, vielleicht kommen wir bloß noch im Süden
durch.«

»Macht, was ihr wollt, ich will dorthin!« schrie Baudolino
und preschte los.

»Er ist verrückt geworden, wir müssen ihm folgen, damit
er sich nichts antut«, beschwor Colandrino die anderen.

Doch Baudolino hatte sie bereits weit hinter sich gelassen und ritt, auf den Lippen den Namen Hypatias, dem
sicheren Tod entgegen.

Nach einer halben Stunde wilden Galopps hielt er an, als
er eine Gestalt sehr schnell auf sich zukommen sah. Es war
Gavagai.

»Du ganz ruhig sein«, sagte er. »Ich sie gesehen. Sie jetzt
in Sicherheit.« Die gute Nachricht verwandelte sich jedoch
rasch in eine Quelle der Verzweiflung, denn dies war es,
was Gavagai zu berichten hatte: Die Hypatien waren rechtzeitig vor der Ankunft der Hunnen gewarnt worden, und
zwar von den Satyrn, die von ihren Höhen herabgestiegen
waren und sie zusammengeholt hatten. Als Gavagai eintraf,
waren sie gerade dabei, sie fortzuführen, hinauf in die Berge, wo nur sie sich bewegen konnten und die Hunnen nie
hingelangen würden. Hypatia hatte bis zuletzt gewartet,
von ihren Gefährtinnen schon am Arm gezogen, um
Nachricht von Baudolino zu hören, und sie hatte nicht
mitgehen wollen, bevor sie nicht wußte, wie es ihm ergangen war. Als sie die Botschaft von Gavagai hörte, beruhigte
sie sich, und unter Tränen lächelnd sagte sie ihm, er solle
ihn von ihr grüßen, und zitternd trug sie ihm auf, ihm
auszurichten, er solle fliehen, denn sein Leben sei in Gefahr, und schluchzend hinterließ sie ihm ihre letzte Botschaft: Sie liebe ihn, und sie würden sich niemals wiedersehen.

Baudolino fuhr ihn an, er sei wohl verrückt geworden, er
könne doch Hypatia nicht in die Berge gehen lassen, er

werde sie holen und mitnehmen. Aber Gavagai erwiderte, dafür sei es zu spät, denn bevor er dort hinkommen werde, wo übrigens inzwischen die Hunnen uneingeschränkt herrschten, würden die Hypatien schon wer weiß wo sein. Dann, seinen Respekt vor einem der Magier überwindend, legte er Baudolino eine Hand auf den Arm und wiederholte ihm Hypatias letzte Botschaft: Sie würde sogar auf ihn gewartet haben, aber ihre erste Pflicht sei es, ihr gemeinsames Geschöpf zu beschützen. »Sie gesagt: Ich immer bei mir Geschöpf, das mich erinnern an Baudolino.« Und von unten zu ihm aufblickend fragte er: »Du Geschöpf gemacht mit diesem Weibchen?«

»Das geht dich gar nichts an«, erwiderte Baudolino undankbar. Gavagai verstummte.

Baudolino zögerte noch, als seine Gefährten bei ihm eintrafen. Er machte sich klar, daß er ihnen nichts erklären konnte, nichts, was sie verstehen würden. Sodann versuchte er, sich selbst zu überzeugen. Es war alles so einsichtig: Der Wald war inzwischen vom Feind erobertes Land, die Hypatien hatten glücklich die Höhen erreicht, wo sie in Sicherheit waren, Hypatia hatte richtigerweise ihre Liebe zu Baudolino geopfert für die Liebe zu jenem werdenden Wesen, das sie von ihm hatte. Es war alles so herzzerreißend vernünftig, und es gab keine andere Wahl.

»Ich war ja gewarnt worden, Kyrios Niketas: Der Demiurg hatte alles nur halb gemacht.«

36. Kapitel

Baudolino und die Vögel Roch

»Armer unglücklicher Baudolino«, sagte Niketas so tief bewegt, daß er ganz vergaß, den mit Salz, Zwiebeln und Knoblauch gekochten Schweinekopf zu kosten, den Theophilattos den ganzen Winter über in einem kleinen Faß Meerwasser konserviert hatte. »Noch einmal, jedesmal, wenn es dir unterkam, dich für etwas Wahres zu begeistern, hat dich das Schicksal bestraft.«

»Seit jenem Abend sind wir drei Tage und drei Nächte ununterbrochen geritten, ohne zu schlafen, ohne zu essen und ohne zu trinken. Später erfuhr ich, daß meine Freunde Wunder an Schläue vollbracht hatten, um den Hunnen zu entgehen, auf die man im Umkreis von Meilen und Meilen überall stoßen konnte. Ich ließ mich führen. Ich folgte ihnen und dachte an Hypatia. Es ist richtig, sagte ich mir, daß es so gekommen ist. Hätte ich sie wirklich mitnehmen können? Hätte sie sich an eine ihr fremde Welt gewöhnt, der Unschuld des Waldes entzogen, der familiären Wärme ihrer Riten und der Gesellschaft ihrer Schwestern? Hätte sie darauf verzichtet, eine Auserwählte zu sein, dazu berufen, Gott zu erlösen? Ich hätte sie in eine Sklavin verwandelt, in eine unglückliche Sklavin. Und außerdem, ich hatte sie nie gefragt, wie alt sie war, aber sie hätte vielleicht zweimal meine Tochter sein können. Als ich Pndapetzim verließ, war ich, glaube ich, fünfundfünfzig Jahre alt. Ich war ihr jung und kräftig erschienen, weil ich der erste Mann war, den sie jemals gesehen hatte, aber ich ging in Wirklichkeit auf das Alter zu. Ich hätte ihr nur sehr wenig geben können und ihr alles genommen. Ich versuchte mir einzureden, daß die Dinge gegangen waren, wie sie gehen mußten. Sie mußten so gehen, daß sie mich für immer unglücklich machten. Wenn ich dies akzeptierte, würde ich vielleicht meinen Frieden finden.«

»Warst du nicht versucht umzukehren?«

»Jeden Moment, nach den drei ersten lethargischen Tagen. Aber wir waren vom Weg abgekommen. Wir hatten nicht denselben Weg eingeschlagen, den wir gekommen waren, wir waren ständig irgendwo abgebogen, hatten dreimal dasselbe Gebirge überquert, oder vielleicht waren es auch drei verschiedene Gebirge, aber wir waren nicht mehr imstande, sie zu unterscheiden. Die Sonne allein genügte nicht zur Orientierung, und wir hatten weder Ardzrouni noch seine Karte dabei. Vielleicht waren wir um den großen Berg herumgegangen, der sich in der Mitte des Tabernakels erhebt, und auf die andere Seite der Erde gelangt. Außerdem hatten wir keine Pferde mehr. Die armen Tiere waren seit Anfang der Reise bei uns gewesen und mit uns alt geworden. Wir hatten es nicht gleich gemerkt, weil es ja in Pndapetzim keine anderen Pferde gab, mit denen man sie vergleichen konnte. Die hektische Flucht der ersten drei Tage hatte sie erschöpft. Eins nach dem anderen starb, und das war für uns beinahe ein Glück, denn sie hatten immer die Umsicht, an Orten zu sterben, wo es nichts zu essen gab, so daß wir ihr Fleisch essen konnten, das wenige, was noch an ihren Knochen hing. Wir gingen zu Fuß weiter, auf wunden Füßen, und der einzige, der sich nicht beschwerte, war Gavagai, der niemals Pferde gebraucht hatte und dessen Fußsohle mit einer zwei Finger dicken Hornhaut bewehrt war. Wir aßen echte Heuschrecken, aber ohne Honig, im Gegensatz zu den heiligen Vätern der Wüste. Dann verloren wir Colandrino.«

»Ausgerechnet den Jüngsten...«

»Den Unerfahrensten von uns. Er suchte nach etwas Eßbarem zwischen den Felsen, streckte die Hand in eine tückische Höhle und wurde von einer Schlange gebissen. Er hatte gerade noch genug Atem, mir zum Abschied zu sagen, ich solle die Erinnerung an seine geliebte Schwester und meine geliebte Gattin treu bewahren, damit sie wenigstens in meinem Gedächtnis weiterlebe. Ich hatte Colandrina vergessen und fühlte mich ein weiteres Mal als Ehebrecher und Verräter, an ihr und an ihm.«

»Und dann?«

»Dann wird alles dunkel in meiner Erinnerung. Kyrios Niketas, aus Pndapetzim fortgegangen sind wir nach meinen Berechnungen im Sommer 1197. Hier in Konstantinopel angekommen sind wir im Januar dieses Jahres. Dazwischen liegen also sechseinhalb dunkle Jahre, dunkel für meinen Geist und vielleicht auch für die Welt.«

»Sechs Jahre seid ihr durch Wüsten geirrt?«

»Ein Jahr, vielleicht zwei, wer achtete noch auf die Zeit? Nach Colandrinos Tod, vielleicht Monate später, fanden wir uns erneut am Fuße eines Gebirges, bei dessen Anblick wir nicht wußten, wie wir es übersteigen sollten. Von den zwölf zu Beginn der Reise waren nur noch sechs übrig, sechs Menschen und ein Skiapode. Zerlumpt, abgemagert und sonnenverbrannt, hatten wir nichts als unsere Waffen und unsere Reisesäcke. Wir dachten schon, wir wären vielleicht ans Ende unserer Reise gelangt und es sei uns beschieden, dort zu sterben. Da sahen wir auf einmal eine Reiterschar auf uns zukommen. Es waren prächtig gekleidete Reiter, sie hatten schimmernde Waffen, Menschenleiber und Hundeköpfe.«

»Es waren Kynokephalen. Also gibt es sie wirklich!«

»So wahr es Gott gibt. Sie begrüßten uns mit bellenden Lauten, wir verstanden nichts, einer, der offenbar ihr Anführer war, lächelte – vielleicht war es ein Lächeln, vielleicht auch ein Knurren, das seine spitzen Hundezähne enthüllte –, bellte einen Befehl, und die anderen banden uns so aneinander, daß wir im Gänsemarsch gehen mußten. Sie führten uns auf einem verborgenen Weg durchs Gebirge; nach einigen Stunden Wanderung gelangten wir in ein Tal, in dessen Mitte sich ein steiler Felsen erhob, gekrönt von einer mächtigen Burg, über welcher Raubvögel kreisten, die auch aus der Ferne noch riesig wirkten. Mir fiel die Beschreibung ein, die Abdul mir einst gegeben hatte, und ich erkannte die Felsenburg Aloadins.«

Sie war es. Die Hundsköpfigen ließen ihre Gefangenen vielfach gewundene, in den Felsen gehauene Stufen zu der uneinnehmbaren Festung hinaufsteigen und führten sie ins Innere der Burg, die ihnen fast so groß wie eine Stadt vorkam und in der sie zwischen Türmen und Zinnen hängende Gärten und überdachte Gänge mit vergitterten Fenstern gewahrten. Sie wurden von anderen, diesmal mit Peitschen bewaffneten Hundsköpfigen in Empfang genommen. Als sie durch einen Korridor gingen, sah Baudolino im Vorbeigehen durch ein Fenster in einen kahlen Hof zwischen hohen Mauern, in dem zahlreiche junge Männer angekettet am Boden lagen, und er erinnerte sich, wie Aloadin seine Häscher zum Morden erzog, indem er sie mit grünem Honig verhexte. In einen prächtigen Saal geführt, erblickten sie einen auf gestickten Kissen sitzenden Greis, der mindestens hundert Jahre alt sein mußte. Er hatte einen weißen Bart, schwarze Augenbrauen und einen finsteren Blick. Schon gefürchtet und mächtig, als er vor fast einem halben Jahrhundert Abdul entführt hatte, war Aloadin immer noch da, um das Regiment über seine Sklaven zu führen.

Er musterte die Neuankömmlinge mit einem verächtlichen Blick, offenbar sah er gleich, daß diese Unglücklichen nicht für seine Mördertruppe taugten. Er würdigte sie keines Wortes, sondern gab nur einem seiner Diener einen gelangweilten Wink, als wollte er sagen: Macht mit ihnen, was ihr wollt. Seine Neugier erwachte erst, als er hinter ihnen den Skiapoden erblickte. Er ließ ihn vortreten, forderte ihn durch Gesten auf, den Fuß über den Kopf zu heben, und lachte. Die sechs Männer wurden abgeführt, und Gavagai blieb bei dem Alten.

So begann die lange Gefangenschaft von Baudolino, Boron, Kyot, Rabbi Solomon, Boidi und dem Poeten. Immerfort mit einer Eisenkette am Fuß, die in einer schweren Steinkugel endete, mußten sie Sklavenarbeit verrichten, manchmal die steinernen Böden und Wände schrubben, manchmal die Mühlsteine der Ölmühlen drehen, manchmal auch Widderviertel zu den Vögeln Roch bringen.

»Das waren«, erklärte Baudolino, »riesige Raubvögel, groß wie zehn Adler zusammen, mit einem scharfen Krummschnabel, mit dem sie in kürzester Zeit einen Ochsen bis auf die Knochen vertilgen konnten. An den Füßen hatten sie Krallen, die den Rammspornen von Schlachtschiffen glichen. Sie wurden in einem großen Käfig hoch oben auf einem Turm gehalten, in dem sie auf Stangen saßen, immer voller Unruhe und bereit, jeden anzugreifen, der ihnen zu nahe kam – bis auf einen Eunuchen, der ihre Sprache zu sprechen schien und sich unbehelligt zwischen ihnen bewegte, als wäre er zwischen den Hühnern in seinem Hühnerhof. Er war auch der einzige, der sie als Aloadins Boten aussenden konnte: Er legte einem von ihnen robuste Ledergurte um Hals und Rücken, zog sie unter den Flügeln durch und befestigte daran einen Korb oder einen anderen Behälter, dann öffnete er ein Gitter, gab ein Kommando, und der so aufgezäumte Vogel – nur dieser eine – flog davon und verschwand am Himmel. Wir sahen auch manchmal, wie sie zurückkamen: Der Eunuch ließ sie herein und befreite sie von einem Beutelsack oder einem Metallzylinder, der offensichtlich eine Botschaft für den Burgherrn enthielt.«

Andere Male verbrachten die Gefangenen Tage und Tage mit Müßiggang, denn es gab nichts zu tun. Manchmal wurden sie beauftragt, demjenigen Eunuchen zu helfen, der den in Ketten liegenden jungen Männern den grünen Honig servierte, und dann erschraken sie, wenn sie die Gesichter sahen, entstellt von ihrem verzehrenden Traum. Aber wenn nicht ein Traum, so doch ein subtiles Sehnen verzehrte auch unsere Gefangenen, die sich die Zeit damit vertrieben, einander unentwegt von ihren Erlebnissen zu erzählen. Sie erinnerten sich an Paris, an Alexandria, an den fröhlichen Markt von Kalliupolis, an den heiteren Aufenthalt bei den Gymnosophisten. Sie sprachen vom Brief des Priesters Johannes, und der Poet, der sich jeden Tag mehr verfinsterte, schien die Worte des Diakons zu wiederholen, als hätte er sie mit eigenen Ohren gehört: »Der Zweifel, der mich zerfrißt, ist, daß es das Reich gar nicht gibt. Wer hat uns in Pndapetzim von ihm erzählt? Die Eunuchen. Zu wem sind die Boten zurückgekehrt, die sie zum Priester schickten? Zu *ihnen*, den Eunuchen. Waren diese Boten wirklich aufgebrochen? Waren sie wirklich zurückgekehrt? Der Diakon hatte seinen Vater niemals gesehen. Alles, was wir dort erfahren haben, haben wir von den Eunuchen erfahren. Vielleicht war alles nur ein Komplott der Eunuchen, die sich über den Diakon und uns lustig machten wie über den letzten Nubier oder Skiapoden. Manchmal frage ich mich sogar, ob die Weißen Hunnen überhaupt existiert haben...« Baudolino sagte, er solle doch an ihre in der Schlacht gefallenen Kameraden denken, aber der Poet schüttelte nur den Kopf. Um sich nicht einzugestehen, daß er besiegt worden war, glaubte er lieber, einer raffinierten Täuschung zum Opfer gefallen zu sein.

Immer wieder kamen sie auch auf den Tag zurück, an dem Friedrich gestorben war, und jedesmal erfanden sie eine neue Erklärung für diesen unerklärlichen Tod. Zosimos war es gewesen, klar. Nein, Zosimos hatte den Gradal gestohlen, aber erst hinterher. Jemand anders mußte vorher tätig geworden sein, in der Hoffnung, den Gradal an sich zu bringen. Ardzrouni? Wer konnte das wissen? Einer ihrer gefallenen Kameraden? Was für ein gräßlicher Gedanke. Einer von ihnen? Ja Herr im Himmel, rief Baudolino, müssen wir denn in all unserem Unglück auch noch die Qualen der gegenseitigen Verdächtigung erleiden?

»Solange wir erwartungsvoll nach dem Reich des Priesters suchten, waren uns nie solche Zweifel gekommen. Jeder half dem anderen im Geiste der Freundschaft. Es war die Gefangenschaft, die uns unleidlich machte, wir konnten einander nicht mehr in die Augen sehen, und jahrelang haben wir uns gegenseitig gehaßt. Ich lebte in mich zurückgezogen. Ich dachte an Hypatia, aber es gelang mir nicht, mich an ihr Gesicht zu erinnern, ich erinnerte mich nur an die Freude, die sie mir gab. Nachts kam es vor, daß ich die Hände unruhig auf meinem Schamhaar bewegte und dabei träumte, ihr nach Moschus duftendes Vlies zu berühren. Ich konnte mich erregen, denn während der Geist sich in Träumereien verlor, erholte sich unser Körper allmählich von den Auswirkungen unserer Irrfahrt. Wir wurden nicht schlecht ernährt dort oben, wir bekamen zweimal am Tag reichlich zu essen. Vielleicht war das die Art, wie Aloadin uns ruhig hielt, nachdem er uns nicht an den Mysterien des grünen Honigs teilhaben lassen wollte. Tatsächlich kamen wir wieder zu Kräften, aber trotz der harten Arbeit, die wir verrichten mußten, wurden wir dick. Ich sah auf meinen wohlgerundeten Bauch und sagte zu mir: Du bist schön, Baudolino, sind alle Menschen so schön wie du? Dann lachte ich wie ein Blöder.«

Einziger Trost waren die Momente, in denen sie Besuch von Gavagai bekamen. Ihr Freund war Aloadins Hofnarr geworden, er amüsierte den Alten mit seinen unvermuteten Bewegungen, leistete ihm kleine Dienste, indem er durch Säle und Korridore flitzte, um seine Befehle zu überbringen, hatte Sarazenisch gelernt (das er so ähnlich sprach wie sein Griechisch) und genoß viele kleine Freiheiten. Er brachte seinen Freunden manchmal Leckerbissen aus der Küche des Herrn, hielt sie auf dem laufenden über die Geschehnisse in der Burg, über die verdeckten Kämpfe zwischen den Eunuchen um die Gunst des Herrn und über die mörderischen Missionen, zu denen die halluzinierenden Jünglinge ausgesandt wurden.

Einmal brachte er Baudolino etwas grünen Honig, nur ganz wenig, sagte er, sonst würde er sich so zurichten wie diese mörderischen Bestien. Baudolino nahm davon und erlebte eine Liebesnacht mit Hypatia. Doch gegen Ende des Traums verwandelte sich die Gestalt der Geliebten: Sie bekam schöne glatte weiße Beine, wie sie die Menschenfrauen haben, und einen Ziegenkopf.

Eines Tages sagte Gavagai den Gefangenen, daß ihre Waffen und ihre Reisesäcke in einer Kammer lagen und daß er sie holen könne, wenn sie eine Flucht versuchen wollten. »Ja glaubst du denn wirklich, Gavagai, daß wir eines Tages von hier fliehen können?« fragte ihn Baudolino. »Ich glaube ja. Ich glaube, gibt viele gute Arten von Flucht. Muß nur rausfinden, welche beste. Aber du werden dick wie Eunuche, und wenn dick, du schlecht fliehen. Du muß Körper bewegen, wie ich, du halte Fuß über Kopf, dann du werden sehr schnell.«

Den Fuß hielt sich Baudolino nicht über den Kopf, aber

er begriff, daß die Hoffnung auf eine Flucht, sei sie auch vergeblich, ihm helfen würde, die Gefangenschaft zu ertragen, ohne verrückt zu werden, und so bereitete er sich darauf vor, indem er die Arme streckte und Kniebeugen machte, bis er erschöpft auf seinen wohlgerundeten Bauch fiel. Er empfahl es auch den anderen, und mit dem Poeten übte er Kampfbewegungen; bisweilen verbrachten sie ganze Nachmittage mit dem Versuch, sich gegenseitig zu Boden zu werfen. Mit der Kette am Fuß war das nicht leicht, und sie hatten ihre einstige Gelenkigkeit verloren. Nicht nur wegen der Gefangenschaft. Es war das Alter. Aber die Bewegung tat ihnen gut.

Der einzige, der seinen Körper völlig vergaß, war Rabbi Solomon. Er aß nur sehr wenig und war zu schwach für die verschiedenen Arbeiten, so daß die Freunde seinen Teil übernahmen. Da er keine Buchrolle zum Lesen und kein Werkzeug zum Schreiben hatte, verbrachte er seine Tage damit, den Namen des Herrn zu wiederholen, und jedesmal war es ein anderer Klang. Er hatte die noch verbliebenen Zähne verloren, sein Mund war jetzt auf beiden Seiten zahnlos. Er aß mümmelnd und sprach nuschelnd. Er war zu der Überzeugung gelangt, daß die zehn verstreuten Stämme nicht in einem Reich bleiben konnten, das zur Hälfte von Nestorianern bewohnt war – die ja noch angehen mochten, denn auch für die Juden konnte die gute Frau Maria unmöglich einen Gott geboren haben –, aber zur anderen Hälfte von Götzenanbetern, die je nach Lust und Laune die Zahl ihrer Götter vermehrten oder verringerten. Nein, sagte er sich ungetröstet, vielleicht sind die zehn Stämme durch das Reich gezogen und haben danach wieder angefangen, in der Welt umherzuschweifen. Wir Juden suchen immer nach einem Gelobten Land, sofern es nur anderswo ist, und wer weiß, wo sie jetzt sein mögen, vielleicht sind sie ganz in der Nähe von diesem Ort, wo ich dabei bin, meine Tage zu beenden, aber ich habe alle Hoffnung verloren, ihnen zu begegnen. Erdulden wir die Prüfungen, die uns der Herr, heilig immerdar sei der Gesegnete, schickt. Hiob hat Schlimmeres erlebt.

»Er war mit dem Kopf woanders, das sah man ihm an. Und mit dem Kopf woanders schienen mir auch Boron und Kyot zu sein, die ständig über jenen Gradal phantasierten, den sie zu finden hofften, ja den sie inzwischen sicher waren zu finden, und je mehr sie von ihm redeten, desto wunderbarer wurden seine ohnehin schon wunderbaren Kräfte und desto heftiger träumten sie davon, ihn zu besitzen. Der Poet wiederholte in einem fort: Laßt mich nur Zosimos zu fassen kriegen, dann werde ich zum Herrn der Welt. Vergeßt Zosimos, sagte ich: Er ist nicht einmal bis nach Pndapetzim gelangt, vielleicht hat er sich unterwegs verirrt, sein Skelett verstaubt irgendwo an einem staubigen Ort, seinen Gradal haben sich ungläubige Nomaden genommen, die ihn vielleicht als Nachttopf benutzen. Sei still, sei still, sagte Boron erbleichend.«

»Wie habt ihr's geschafft, aus dieser Hölle zu entkommen?« fragte Niketas.

»Eines Tages sagte uns Gavagai, er habe den Fluchtweg gefunden. Der arme Gavagai, auch er war inzwischen gealtert. Ich weiß nicht, wie alt Skiapoden werden, aber er war nicht mehr sich selbst voraus, wie der Blitz. Er kam eher wie der Donner, ein bißchen hinterher, und nach dem Lauf keuchte er.«

Der Plan war folgender: Man mußte den Eunuchen, der das Amt des Vogel-Roch-Wärters versah, mit Waffengewalt überraschen, ihn zwingen, die Vögel wie gewohnt aufzuzäumen, aber so, daß die Ledergurte, die ihr Transportgut sicherten, um die Hüften der Flüchtlinge gebunden wurden. Dann mußte er den Vögeln befehlen, nach Konstantinopel zu fliegen. Gavagai hatte mit dem Wärter gesprochen und erfahren, daß die Vögel oft dorthin geschickt wurden, immer zu einem Agenten Aloadins, der auf einem Hügel bei Pera wohnte. Sowohl Baudolino als auch Gavagai verstanden die Sarazenensprache und konnten überprüfen, ob der Wärter den richtigen Befehl gab. Einmal ans Ziel gelangt, würden die Vögel von selbst zur Landung ansetzen. »Wieso ich bloß nicht gleich daran gedacht?« sagte Gavagai und klopfte sich drollig mit den Fäusten an die Stirn.

»Na schön«, sagte Baudolino, »aber wie können wir mit einer Kette am Fuß fliegen?«

»Ich besorg Feile«, sagte Gavagai.

In der Nacht holte Gavagai die Waffen und das Gepäck der Gefangenen und brachte sie in den Schlafsaal. Die Schwerter und Dolche waren ein bißchen verrostet, aber sie verbrachten die folgenden Nächte damit, sie zu reinigen und zu schärfen, indem sie sie an den Steinen der Wände rieben. Dann bekamen sie die Feile. Sie taugte nicht viel, und sie brauchten Wochen, um die Ringe, mit denen die Ketten an ihren Knöcheln befestigt waren, bis auf einen dünnen Rest durchzufeilen. Aber schließlich gelang es ihnen, sie banden die brüchigen Ringe mit einem Bindfaden an die Kette, und so sah es aus, als bewegten sie sich wie üblich behindert durch die Burg. Wer genau hinsah, hätte den Betrug freilich entdecken können, aber sie waren schon so lange dort, daß niemand genau hinsah, und die Kynokephalen betrachteten sie inzwischen als eine Art Haustiere.

Eines Abends erfuhren sie, daß sie am nächsten Tag einige Säcke mit schlecht gewordenem Fleisch aus der Küche abholen und zu den Vögeln bringen sollten. Gavagai brachte ihnen die Nachricht und erklärte, dies sei die Gelegenheit, auf die sie gewartet hätten.

Am Morgen gingen sie die Säcke holen, wobei sie so taten, als ob ihnen der Auftrag sehr unangenehm sei, machten dann einen Abstecher in ihren Schlafraum, holten die Waffen und versteckten sie zwischen den Fleischstükken. Als sie zum Käfig kamen, war Gavagai schon da und amüsierte den Wärter-Eunuchen mit Luftsprüngen. Der Rest war leicht, sie schnürten die Säcke auf, holten die Dolche heraus, setzten dem Wärter sechs davon an die Kehle (Solomon stand daneben und sah zu, als ob ihn das Ganze nichts anginge), und Baudolino erklärte ihm, was er tun solle. Zuerst behauptete er, es seien nicht genügend Ledergurte vorhanden, aber als der Poet eine Anspielung auf das Ohrenabschneiden machte, erklärte sich der Eunuch, der von Abschneiden genug hatte, kooperationsbereit. Sieben Vögel wurden dazu hergerichtet, das Gewicht von sieben Menschen zu tragen, beziehungsweise von sechs Menschen und einem Skiapoden. »Ich brauche den stärksten«, sagte der Poet, »denn du« – er wandte sich an den Eunuchen – »kannst leider nicht hierbleiben, weil du sonst Alarm schlagen oder die Vögel zurückrufen würdest. An meiner Hüfte wird ein weiteres Seil befestigt sein, und daran wirst du hängen. Darum muß mein Vogel das Gewicht von zwei Personen tragen.«

Baudolino übersetzte, der Eunuch erklärte sich glücklich, seine Entführer bis ans Ende der Welt begleiten zu dürfen, fragte aber, was danach mit ihm geschehen würde. Sie versicherten ihm, daß er, einmal in Konstantinopel angekommen, seiner Wege gehen könne. »Aber jetzt machen wir schnell«, drängte der Poet, »der Gestank in diesem Käfig ist unerträglich.«

Es dauerte jedoch fast eine Stunde, bis alles so hergerichtet war, wie es sein sollte. Jeder hängte sich, so gut es ging, an seinen Vogel, und der Poet band sich außerdem noch das Seil um den Leib, das den Eunuchen tragen sollte. Der einzige noch nicht Angeschnallte war Gavagai, der an der Ecke eines Korridors aufpaßte, daß nicht jemand überraschend kam und alles zunichte machte.

Jemand kam. Einige Wächter hatten sich gewundert, daß die Gefangenen, die zum Füttern der Vögel losgeschickt worden waren, so lange fortblieben. Ein Trupp Kynokephalen erschien besorgt bellend am Ende des Korridors. »Achtung, Hundeköpfe!« rief Gavagai. »Ihr sofort losfliegen!«

»Wir nix sofort losfliegen«, rief Baudolino. »Komm schnell her, wir binden dich noch rechtzeitig an!«

Das stimmte nicht, und Gavagai begriff es. Wenn er wegliefe, würden die Kynokephalen beim Käfig sein, bevor der Eunuch das Gitter öffnen und die Vögel fortfliegen lassen konnte. Er rief den anderen zu, sie sollten den Käfig öffnen und losfliegen. Unter den Waffen, die sie in den Säcken zwischen dem Fleisch versteckt hatten, war auch sein Blasrohr gewesen. Das zog er nun heraus, zusammen mit den drei noch verbliebenen Pfeilen. »Skiapode sterben, aber treu allerheiligsten Magiern«, sagte er. Dann legte er sich auf den Rücken, hob den Fuß über den Kopf, führte sich das Blasrohr an den Mund, blies hinein, und tödlich getroffen brach der erste Hundsköpfige zusammen. Während die anderen zurückwichen, schaffte es Gavagai, noch zwei weitere niederzustrecken, dann hatte er keine Pfeile mehr. Um die Angreifer abzuschrecken, hielt er das Blasrohr weiter an den Mund, als ob er hineinbliese, aber er konnte sie nur kurze Zeit täuschen. Dann fielen die wütenden Bestien über ihn her und durchbohrten ihn mit ihren Schwertern.

Unterdessen hatte der Poet dem Eunuchen seinen Dolch so hart unters Kinn gehalten, daß dieser, als die ersten Blutstropfen kamen, begriff, was von ihm verlangt wurde, und, wiewohl behindert durch seine Fesseln, das Gitter glücklich geöffnet hatte. Als der Poet Gavagai sterben sah, schrie er: »Los, los, er ist hin, nix wie weg!« Der Eunuch gab den Vögeln Roch einen Befehl, sie stürzten sich hinaus und erhoben sich zum Flug. Genau in diesem Moment kamen die Kynokephalen in den Käfig gestürmt, doch ihr Eifer wurde von den verbliebenen Vögeln gebremst, die, erbost über das Durcheinander, sie mit wütenden Schnabelhieben empfingen.

Kurz darauf flogen die sechs Flüchtlinge bereits hoch am Himmel dahin. »Hat er den richtigen Befehl für Konstantinopel gegeben?« schrie der Poet zu Baudolino hinüber, und Baudolino nickte. »Dann brauchen wir ihn nicht mehr«, sagte der Poet, durchtrennte mit einem einzigen Schnitt das Seil, das ihn mit dem Eunuchen verband, und dieser stürzte ins Leere. »So fliegt sich's besser«, sagte der Poet, »und Gavagai ist gerächt.«

»Wir flogen, Kyrios Niketas, wir flogen hoch über trostlose Ebenen, die nur von den Spuren ausgetrockneter Flüsse durchzogen waren, über bestellte Felder, Seen und Wälder, wobei wir uns an die Füße der Vögel Roch klammerten, denn wir fürchteten, daß die Gurte nicht halten würden. Ich weiß nicht, wie lange wir so flogen, jedenfalls waren unsere Hände bald wund. Unter uns sahen wir Sandwüsten, fruchtbares Land, Wiesen und Bergzüge. Wir flogen unter der Sonne, aber im Schatten der riesigen Flügel, die über unseren Köpfen die Luft schlugen. Wir flogen und flogen, immer weiter, auch bei Nacht und in einer Höhe, die den Engeln sicher verboten war. An einem bestimmten Punkt sahen wir unter uns in einer wüsten Ebene zehn Karawanen – so schien uns – von Menschen (oder waren es Ameisen?), die sich fast parallel voranbewegten, wer weiß wohin. Rabbi Solomon rief, das seien die zehn verstreuten Stämme, die er finden wollte. Er versuchte, seinen Vogel zum Hinuntergehen zu bewegen, indem er ihn an den Füßen zog, versuchte seinen Flug zu lenken, wie man es mit den Leinen eines Segels oder mit einer Ruderpinne macht, aber der Vogel wurde wild, befreite sich aus seinem Griff und hackte nach seinem Kopf. Solomon, mach keinen Unsinn, rief der Boidi, das sind nicht deine Leute, das sind irgendwelche Nomaden, die einfach so umherziehen! Vergebliche Liebesmühe. Von einer mystischen Raserei ergriffen, schlug Solomon derart um sich, daß sein Gurt aufging und er hinunterstürzte, nein, was sage ich, er flog mit ausgebreiteten Armen durch den Himmel wie ein Engel des Allerhöchsten, der immerdar sei der gesegnete Heilige, aber er war ein Engel, der von einem Gelobten Land angezogen wurde. Wir sahen ihn kleiner und kleiner werden, bis sein Bild mit dem der Ameisen dort unten verschmolz.«

Nach einer weiteren Zeit erreichten die Vögel Roch, treu den empfangenen Befehl befolgend, das Weichbild von Konstantinopel, dessen Kuppeln in der Sonne glitzerten. Sie landeten, wo sie landen sollten, und unsere Freunde befreiten sich aus ihren Gurten. Ein Mann, vielleicht der Agent Aloadins, kam ihnen entgegengelaufen, überrascht von der Ankunft so vieler Boten auf einmal. Der Poet lächelte ihn an, zog sein Schwert und schlug ihm mit einem einzigen Hieb den Kopf ab. »Ich segne dich im Namen Aloadins«, sagte er feierlich, während der Mann zusammensackte. »Ksch! Ksch!« machte er dann zu den Vögeln. Sie schienen den Sinn des Befehls zu verstehen, erhoben sich zum Flug und verschwanden am Horizont.

»Wir sind wieder zu Hause«, sagte der Boidi glücklich, obwohl er noch tausend Meilen von seinem Zuhause entfernt war.

»Hoffen wir, daß es hier noch irgendwo unsere genuesischen Freunde gibt«, sagte Baudolino. »Gehen wir sie suchen.«

»Ihr werdet sehen, unsere Täuferköpfe werden uns wieder zugute kommen«, sagte der Poet, der mit einem Schlag verjüngt schien. »Wir sind wieder unter Christen. Wir haben Pndapetzim verloren, aber wir könnten Konstantinopel erobern.«

»Er wußte nicht«, kommentierte Niketas mit einem traurigen Lächeln, »daß schon andere Christen dabei waren, es zu tun.«

37. Kapitel

Baudolino bereichert die Schätze von Byzanz

»Kaum hatten wir versucht, das Goldene Horn zu überqueren und die Stadt zu betreten, begriffen wir sofort, daß
wir uns in der sonderbarsten Situation befanden, die wir je
erlebt hatten. Es war keine belagerte Stadt, denn die Feinde
waren, obwohl ihre Schiffe noch auf der Reede lagen, in
Pera einquartiert, und viele von ihnen gingen in der Stadt
umher. Es war aber auch keine eroberte Stadt, denn neben
den Invasoren mit dem Kreuz auf der Brust patrouillierten
auch die Bewaffneten des Kaisers durch die Straßen. Mit
einem Wort, die Kreuzpilger waren in Konstantinopel, aber
Konstantinopel gehörte nicht ihnen. Und als wir meine
genuesischen Freunde erreichten, dieselben, bei denen
auch du gewohnt hast, da konnten auch sie nicht so recht
erklären, was geschehen war, noch was womöglich geschehen würde.«

»Das war auch für uns nicht leicht zu verstehen«, sagte
Niketas mit einem resignierten Seufzer. »Und doch werde
ich eines Tages die Geschichte dieser Monate schreiben
müssen. Nach dem schlimmen Ende der Expedition zur
Rückeroberung Jerusalems, die dein Friedrich und die Könige von Frankreich und England versucht hatten, wollten
die Lateiner es zehn Jahre später noch einmal versuchen,
diesmal unter der Führung großer Fürsten wie Balduin von
Flandern oder Bonifaz von Montferrat. Aber sie brauchten
eine Flotte, und die ließen sie sich von den Venezianern
bauen. Ich habe dich höhnisch über den Geiz der Genueser reden hören, aber verglichen mit den Venezianern sind
die Genueser die Großzügigkeit in Person. Die Lateiner
hatten ihre Schiffe bekommen, aber sie hatten kein Geld,
um sie zu bezahlen, und da verlangte der venezianische

Doge Enrico Dandolo (das Schicksal wollte, daß auch er blind war, aber unter den vielen Blinden dieser Geschichte war er der einzige Weitblickende), daß sie zur Begleichung ihrer Schuld, bevor sie ins Heilige Land fuhren, für ihn die dalmatinische Hafenstadt Jadara oder Zara, wie ihr sie nennt, unterwarfen. Die Pilger willigten ein, und das war ihr erstes Verbrechen, denn man nimmt nicht das Kreuz, um dann eine Stadt für die Venezianer zu erobern. Unterdessen hatte Alexios, der Bruder jenes Isaakios Angelos, der Andronikos abgesetzt und selber die Macht ergriffen hatte, seinen Bruder blenden lassen und ans Ufer des Meeres verbannt, um sich seinerseits als Basileus zu proklamieren.«

»Das hatten mir die Genueser sofort erzählt. Es war eine wirre Geschichte, denn Isaakios' Bruder war Alexios III. geworden, aber es gab auch einen Alexios, der Isaakios' Sohn war: Er hatte fliehen können und war nach Zara gegangen, das inzwischen fest in venezianischer Hand war, um die lateinischen Pilger zu bitten, ihm auf den Thron seines Vaters zu verhelfen, wofür er ihnen seine Hilfe bei der Eroberung des Heiligen Landes versprach.«

»Man kann leicht etwas versprechen, das man noch nicht hat. Alexios III. hätte im übrigen begreifen müssen, daß sein Reich in Gefahr schwebte. Aber obgleich er seine Augen noch hatte, war er verblendet von der Trägheit und Korruption, die ihn umgab. Stell dir vor, einmal wollte er weitere Kriegsschiffe bauen lassen, aber die Waldhüter der kaiserlichen Wälder erlaubten nicht, daß Bäume für das Bauholz gefällt wurden. Andererseits hatte Michael Stryphnos, ein General der Armee, bereits Segel und Taue, Steuerruder und andere Teile der vorhandenen Schiffe verschachert, um seine Kassen zu füllen. Unterdessen war der junge Alexios in Zara von der dortigen Bevölkerung als Kaiser von Byzanz begrüßt worden, und im Juni des vorigen Jahres erschienen die Lateiner dann hier vor der Stadt. Hundertzehn Galeeren und siebzig Segelschiffe, die tausend Ritter und dreißigtausend Fußsoldaten transportierten, mit den Schilden an den Seiten und den Fahnen im Wind und den Bannern auf den Kastellen, fuhren wie bei einer Parade in den Sankt-Georgs-Arm ein, mit Trommeln und Trompeten, und die Unseren standen gaffend auf den Mauern. Nur einige warfen Steine, aber mehr um zu lärmen, als um wirklich Schaden anzurichten. Erst als die Lateiner genau vor Pera ankerten, ließ dieser Tor Alexios III. die kaiserliche Armee ausrücken. Aber es war ebenfalls eher eine Parade, in Konstantinopel lebte man wie in einem Halbschlaf. Du weißt vielleicht, daß der Eingang zum Goldenen Horn mit einer großen Kette versperrt war, die von einem Ufer zum anderen reichte, aber sie wurde von den Unseren schlecht verteidigt: Die Lateiner durchbrachen die Kette, fuhren in den Meeresarm ein und setzten ihre Armee genau vor dem Blachernenpalast an Land. Unsere Armee machte einen Ausfall vor die Mauern, geführt von dem jungen Kaiser, die Damen verfolgten das Spektakel von den Fenstern und Zinnen des Palastes aus und sagten, die Unseren hätten wie Engel ausgesehen mit ihren schönen, in der Sonne schimmernden Rüstungen. Erst als der Kaiser, anstatt sich in die Schlacht zu stürzen, wieder in die Stadt zurückkehrte, begriffen sie, daß etwas nicht so lief, wie es sollte. Und noch besser begriffen sie das ein paar Tage später, als die Lateiner die Mauern vom Meer aus angriffen und es einigen von ihnen gelang, sie zu erklimmen und die nächststehenden Häuser in Brand zu stecken. So kam es zur ersten großen Feuersbrunst, und nun erst begannen meine Mitbürger zu begreifen. Was aber tat Alexios III.? Er ließ nächtens zehn Kentenare Gold und anderen Schmuck auf ein Schiff verladen und floh mit ihm aus der Stadt.«

»Und sein Bruder Isaakios kehrte auf den Thron zurück.«

»Ja, aber er war schon alt und zudem geblendet, und die Lateiner erinnerten ihn daran, daß er die Herrschaft mit seinem Sohn teilen mußte, der nun Alexios IV. wurde. Mit diesem törichten, unerfahrenen Kind hatten die Lateiner Pakte geschlossen, von denen wir noch nichts wußten: Das Byzantinische Reich sollte zum römisch-katholischen Glauben zurückkehren, der Basileus sollte den Kreuzpilgern zweihunderttausend Silbermark, Lebensmittel für ein

Jahr, zehntausend Ritter zur Eroberung Jerusalems und eine Besatzung von fünfhundert Rittern im Heiligen Land geben. Isaakios stellte fest, daß nicht genug Geld im kaiserlichen Schatz war, und er konnte ja nicht gut hingehen und Klerus und Volk zu erzählen, daß er sich auf einmal dem Papst in Rom unterworfen habe... So begann eine Farce, die sich über Monate hinzog. Einerseits machten sich Isaakios und sein Sohn, um das nötige Geld zusammenzuraffen, über die Kirchen her und plünderten sie. Die heiligen Ikonen Christi wurden mit Beilen von der Wand geschlagen, ihr Schmuck wurde abgebrochen und eingeschmolzen, die geweihten Geräte wurden aus den Kirchen geschleppt, ins Feuer geworfen und wie gewöhnliches Silber und Gold den Feinden gegeben. Andererseits tummelten sich die Lateiner, die vor Pera ankerten, auch auf dieser Seite des Goldenen Horns, saßen mit Isaakios an der Tafel, spielten sich überall als Herren auf und taten alles, um ihre Abreise zu verzögern. Sie behaupteten, sie warteten nur darauf, voll bezahlt zu werden, und wer am meisten darauf drängte, war der Doge Dandolo mit seinen Venezianern, aber ich glaube, in Wirklichkeit hatten sie hier das Paradies gefunden und lebten selig auf unsere Kosten. Noch nicht zufrieden damit, daß sie die Christen erpreßten, und vielleicht zum Ausgleich dafür, daß sie noch nicht mit den Sarazenen in Jerusalem kämpften, gingen einige von ihnen hin und plünderten die Häuser der Sarazenen von Konstantinopel, die dort seit langer Zeit friedlich lebten, und bei dieser Gelegenheit legten sie den Brand, der zur zweiten großen Feuersbrunst führte, in der ich auch das schönste meiner Häuser verlor.«

»Und die zwei Kaiser protestierten nicht bei ihren Verbündeten?«

»Sie waren inzwischen nur noch zwei Geiseln in den Händen der Lateiner, die Alexios IV. zum Gegenstand ihres Gespötts gemacht hatten. Einmal, als er in ihrem Lager war, um sich wie ein gewöhnlicher Ritter bei Wein und Würfelspiel zu vergnügen, nahmen sie ihm die goldene Krone vom Kopf und setzten sie sich selber auf. Nie ist ein Basileus von Byzanz so tief gedemütigt worden! Was den alten Isaakios betraf, so verblödete er unter gefräßigen Mönchen, faselte von der Weltherrschaft, die er erringen wolle, und daß er das Augenlicht zurückgewinnen werde… Bis das Volk sich schließlich erhob und nach einigem Hin und Her den jungen Nikolaos Kanabos zum Basileus wählte. Eine gute Wahl, kein Zweifel, aber der starke Mann war inzwischen Alexios Dukas Murtzuphlos, der von den Anführern des Heeres unterstützt wurde. So war es für ihn ein leichtes, die Macht zu ergreifen. Isaakios starb an gebrochenem Herzen, Murtzuphlos ließ den Kanabos ins Gefängnis werfen, erwürgte eigenhändig Alexios IV. und wurde selbst Alexios V.«

»Ja, und damit sind wir in jenen Tagen angelangt, als niemand mehr wußte, wer eigentlich das Sagen hatte, ob Isaakios, Alexios, Kanabos, Murtzuphlos oder die Lateiner, und als wir nicht begriffen, wenn einer von Alexios sprach, ob er den dritten, vierten oder fünften meinte. Wir fanden die Genueser noch dort, wo auch du sie kennengelernt hast, während die Häuser der Venezianer und der Pisaner bei der zweiten Feuersbrunst verbrannt waren und sie selbst sich nach Pera zurückgezogen hatten. Und in dieser unglücklichen Stadt, so beschloß der Poet, sollten wir nun unser Glück machen.«

Wenn Anarchie herrscht, so der Poet, kann jeder König werden. Aber erst einmal mußten sie irgendwie Geld auftreiben. Unsere fünf Überlebenden waren abgerissen, verdreckt und bar aller Mittel. Die Genueser nahmen sie gastfreundlich auf, sagten aber, Gäste seien wie Fische, die nach drei Tagen stinken. Der Poet wusch sich gründlich, stutzte sich Haare und Bart, lieh sich von den Gastgebern ein anständiges Gewand und begab sich eines Morgens in die Stadt, um die Lage zu sondieren.

Am Abend kam er zurück und sagte: »Seit heute ist Murtzuphlos der Basileus, er hat die anderen allesamt ausgeschaltet. Es scheint, daß er die Lateiner provozieren will, um sich bei seinen Untertanen in ein gutes Licht zu setzen, und die Lateiner betrachten ihn als einen Usurpator, weil sie ihre Absprachen mit Alexios IV. getroffen hatten –

Friede seiner Seele, er war noch so jung, aber wie man sieht, war ihm wirklich nichts Gutes beschieden. Die Lateiner warten darauf, daß Murtzuphlos einen falschen Schritt macht. Fürs erste besaufen sie sich weiter in den Tavernen, aber sie wissen, daß sie ihn früher oder später verjagen und die Stadt plündern werden. Sie wissen schon, welches Gold sie in welchen Kirchen finden werden, sie wissen, daß es in der Stadt jede Menge versteckte Reliquien gibt, aber sie wissen auch, daß man mit Reliquien nicht scherzt und daß ihre Anführer sie für sich haben wollen, um sie in ihre Heimatstädte mitzunehmen. Da jedoch diese Graeculi nicht besser sind als sie selbst, machen die Pilger diesem oder jenem den Hof, um sich schon jetzt und für wenig Geld die besten Reliquien zu sichern. Moral der Geschicht': Wer in dieser Stadt sein Glück machen will, verkauft Reliquien, und wer es nach seiner Rückkehr bei sich zu Hause machen will, kauft sich welche.«

»Also ist der Moment gekommen, unsere Täuferköpfe rauszuholen!« sagte der Boidi hoffnungsvoll.

»Was redest du da für einen Unsinn, Boidi!« sagte der Poet. »Erstens kannst du in einer Stadt höchstens *einen* Kopf verkaufen, weil es sich dann herumspricht. Zweitens habe ich sagen hören, daß es hier in Konstantinopel schon einen Täuferkopf gibt und vielleicht sogar zwei. Angenommen, sie haben schon zwei gekauft, und wir kommen mit einem dritten, dann schneiden sie uns doch die Kehle durch! Also nix mit Täuferköpfen. Aber nach Reliquien zu *suchen* ist Zeitverschwendung. Es geht nicht darum, welche zu finden, sondern welche zu *machen*, und zwar genauso wie die, die es schon gibt, aber die bisher noch niemand aufgetrieben hat. Ich habe mich in der Stadt ein bißchen umgehört, die Leute reden zum Beispiel vom Purpurmantel Christi, von der Rute und der Säule der Geißelung, von dem mit Galle und Essig getränkten Schwamm, der dem sterbenden Jesus ans Kreuz gereicht wurde, nur daß er inzwischen trocken ist, von der Dornenkrone, von einem Kästchen, in dem ein Stück des gewandelten Brotes vom Letzten Abendmahl aufbewahrt wird, von Barthaaren des Gekreuzigten, von seinem nahtlosen Gewand, um das die Soldaten gewürfelt haben, vom Kleid der Madonna...«

»Man müßte mal sehen, welche sich am leichtesten nachmachen lassen«, sagte Baudolino gedankenvoll.

»Genau«, sagte der Poet. »Eine Rute findet man überall, an eine Säule wollen wir lieber nicht denken, weil man die nicht gut unterm Tresen verkaufen kann.«

»Aber wieso sollen wir das Risiko mit Duplikaten eingehen? Nachher findet jemand die echte Reliquie, und die, denen wir die falsche verkauft haben, wollen ihr Geld zurück«, sagte Boron sehr vernünftig. »Überlegt doch mal, wie viele Reliquien es geben *könnte*. Zum Beispiel die zwölf Körbe der wunderbaren Vermehrung der Brote und Fische. Körbe gibt es überall, man muß sie nur ein bißchen dreckig machen, daß sie alt aussehen. Oder die Axt, mit der Noah die Arche gebaut hat, es wird doch wohl noch irgendwo eine alte Axt geben, die unsere Genueser weggeworfen haben, weil sie stumpf geworden ist.«

»Das ist keine schlechte Idee«, erwärmte sich der Boidi. »Geh auf die Friedhöfe und finde den Unterkiefer des Apostels Paulus, nicht den Kopf, sondern den linken Arm Johannes’ des Täufers und mehr von der Sorte: die Reste der heiligen Agathe, des heiligen Lazarus, der Propheten Daniel, Samuel und Jesaja, den Schädel der heiligen Helena, ein Stück vom Kopf des Apostels Philippus.«

»Wenn’s darum geht«, sagte Pevere mitgerissen von der Idee, »da brauch ich bloß dort unten ein bißchen zu wühlen, und im Nu finde ich euch ein Stück von der Krippe in Bethlehem, ein ganz kleines, bei dem man nicht genau weiß, wo es herkommt.«

»Ja, machen wir nie gesehene Reliquien«, sagte der Poet, »aber machen wir auch die, die es schon gibt, denn von denen reden die Leute, und der Preis steigt täglich.«

Das Haus der Genueser verwandelte sich für eine Woche in eine rührige Werkstatt. Der Boidi stolperte im Sägemehl über einen Nagel vom Heiligen Kreuz, Boiamondo band sich nach einer Nacht voll gräßlicher Schmerzen einen Faden um einen kariösen Schneidezahn, zog heftig daran, und schon hatte er einen Zahn der heiligen Agathe, Grillo ließ Brot in der Sonne trocknen und tat Krümel davon in Kästchen aus altem Holz, die Taraburlo soeben gefertigt hatte. Pevere hatte ihnen die Körbe der wundersam vermehrten Brote und Fische ausgeredet, denn nach einem solchen Wunder hatten die Leute, meinte er, die Körbe doch sicher unter sich aufgeteilt, so daß nicht einmal Konstantin sie wieder hätte zusammensetzen können. Nur einen davon zu verkaufen mache keinen guten Eindruck, und auf jeden Fall würde es schwierig sein, ihn heimlich von Hand zu Hand weiterzureichen, denn wenn Jesus damit so viele Menschen gespeist hatte, konnte es sich nicht um ein Körbchen handeln, das man unter dem Mantel verstecken kann. Na schön, lassen wir die Körbe weg, meinte der Poet, aber Noahs Axt, die findest du mir. Warum nicht, sagte Pevere, hier hast du eine mit einer Klinge, die schon fast eine Säge ist, und mit einem schon ganz verkohlten Griff.

Danach verkleideten sich unsere Freunde als armenische Händler (die Genueser waren inzwischen bereit, die Unternehmung zu finanzieren) und zogen mit Verschwörermiene durch Tavernen und Feldlager der Pilger, hier ein halbes Wort fallenlassend, dort auf die Schwierigkeiten der Sache hinweisend, den Preis in die Höhe treibend, weil sie schließlich ihr Leben riskierten, und dergleichen mehr.

Eines Abends sagte der Boidi, er habe einen Ritter aus Montferrat gefunden, der sich für Noahs Axt interessierte, aber er wolle sicher sein, daß es die echte war. »Na schön«, sagte Baudolino, »gehen wir zu Noah und bitten ihn um eine eidesstattliche Erklärung mit Siegel.«

»Konnte Noah denn schreiben?« fragte Boron.

»Noah konnte sich bloß die Hucke vollaufen lassen«, sagte der Boidi. »Er muß ganz schön blau gewesen sein, als er die Tiere in die Arche lud: Bei den Mücken hat er's übertrieben, und die Einhörner hat er völlig vergessen, weswegen man heute keine mehr sieht.«

»Man sieht noch welche, man sieht schon noch welche...«, murmelte Baudolino, der plötzlich seine gute Laune verloren hatte.

Pevere sagte, er habe auf seinen Reisen ein bißchen die Schrift der Juden erlernt und könne mit einem Messer ein paar von ihren Krakeln auf den Stiel der Axt ritzen. »Noah war doch Jude, oder?« Klar, Jude, bestätigten die Freunde. Armer Solomon, ein Glück, daß er nicht mehr da war, wie hätte er gelitten! Aber auf diese Weise gelang es dem Boidi am Ende tatsächlich, die Axt an den Mann zu bringen.

An manchen Tagen war es schwierig, Käufer zu finden, weil die Stadt allmählich in Aufruhr geriet und die Pilger überraschend ins Lager zurückgerufen wurden, um dort auf weitere Befehle zu warten. So hieß es zum Beispiel, Murtzuphlos habe Philea angegriffen, unten an der Küste, die Pilger seien kompakt dazwischengegangen, es sei zu einer Schlacht gekommen oder jedenfalls zu einem Scharmützel, Murtzuphlos habe eine schöne Schlappe erlitten, und sie hätten das Banner mit der Jungfrauen-Ikone erobert, das sein Heer als Feldzeichen vor sich hertrug. Murtzuphlos war dann nach Konstantinopel zurückgekehrt, aber er hatte seinen Leuten verboten, zu irgendwem von dieser Schande zu sprechen. Die Lateiner hatten von seiner Zurückhaltung erfahren, und so ließen sie eines Morgens direkt vor den Mauern eine Galeere vorbeidefilieren, mit dem Banner gut in Sicht und auf Deck angetretenen Männern, die den Romäern obszöne Gesten hinübersandten, wie das Feigenzeichen oder das Schlagen der linken Hand auf den rechten Arm. Murtzuphlos hatte nicht gut ausgesehen, und in den Straßen sangen die Leute Spottlieder über ihn.

Kurz und gut, zwischen der Zeit, die man zur Herstellung einer guten Reliquie braucht, und der, die es dauert, bis man sie gut untergebracht hat, vergingen für unsere Freunde die Monate Januar, Februar und März; mit dem Kinn des heiligen Eoban heute und dem Schienbein der heiligen Kunigunde morgen brachte sie eine hübsche Summe zusammen, die es ihnen erlaubte, sowohl den Kredit der Genueser zurückzuzahlen als auch sich selbst gehörig neu einzukleiden.

»Dies mag dir erklären, Kyrios Niketas, warum in den letzten Wochen so viele doppelt vorhandene Reliquien in deiner Stadt aufgetaucht sind, bei denen inzwischen Gott allein weiß, welche von beiden die echte ist. Aber versetz dich einmal in unsere Lage, wir mußten ja irgendwie überleben, zwischen den Lateinern einerseits, die jederzeit zu Diebstahl und Raub bereit waren, und deinen Graeculi, entschuldige, deinen Römern andererseits, die bereit waren, sie zu betrügen. Letztlich haben wir nur die Betrüger betrogen.«

»Nun ja«, sagte Niketas resigniert, »vielleicht werden ja viele dieser Reliquien verrohte Lateiner, die sich in ihren rohen Kirchen versammeln, zu heiligen Gedanken inspirieren. Heilig der Gedanke, heilig die Reliquie. Die Wege des Herrn sind unendlich.«

Eigentlich konnten sie sich nun entspannen und in ihre Heimatländer abreisen. Boron und Kyot hatten keine Ideen mehr, sie hatten es inzwischen aufgegeben, nach dem Gradal zu suchen und mit ihm nach Zosimos. Der Boidi sagte, mit dem verdienten Geld werde er sich in Alexandria ein Weingut kaufen und den Rest seines Lebens als Herr verbringen. Baudolino hatte noch weniger Ideen als die anderen: Die Suche nach dem Reich des Priesters Johannes war beendet, Hypatia war verloren, was bedeutete es ihm da noch, ob er lebte oder starb? Nur der Poet wurde immer noch von Allmachtsphantasien umgetrieben: Er verstreute die Dinge des Herrn in der Welt, er hätte längst anfangen können, einige Stücke nicht bloß untergeordneten Pilgern anzubieten, sondern den Mächtigen, die sie führten, um dafür deren Gunst zu erwerben.

Eines Abends kam er nach Hause und berichtete, in Konstantinopel befinde sich das Mandylion, das Antlitz von Edessa, eine Reliquie von unschätzbarem Wert.

»Was ist denn dieses Mandylion?« fragte Boiamondo.

»Ein kleines Tuch, mit dem man sich das Gesicht abtrocknet«, erklärte der Poet, »und darauf ist das Antlitz des Herrn zu sehen. Nicht gemalt, sondern eingedrückt, durch Naturkraft eingeprägt – ein *acheiropoieton*, ein nicht von Menschenhand gemachtes Werk. König Abgar V. von Edessa war leprakrank und hatte seinen Archivar Hannan zu Jesus gesandt, um ihn zu bitten, nach Edessa zu kommen und ihn zu heilen. Jesus konnte nicht nach Edessa gehen, und da hat er dieses Tuch genommen, sich damit das Gesicht abgetrocknet und sein Abbild darin hinterlassen. Natürlich ist der König, als er das Tuch bekam, sofort gesund geworden und hat sich zum wahren Glauben bekehrt. Später, als die Perser Edessa belagerten, wurde das Mandylion auf der Stadtmauer gehißt und hat die Stadt gerettet. Dann erwarb es der Kaiser Konstantin und brachte es hierher, und hier war es zuerst in der Blachernenkirche, dann in der Hagia Sophia und dann in der Pharoskapelle. Und es ist wirklich das echte Mandylion, auch wenn behauptet wird, daß es noch andere gebe – im kappadokischen Camulia, im ägyptischen Memphis und in Anablatha bei Jerusalem. Was nicht unmöglich ist, denn schließlich hatte sich Jesus mehrmals im Leben das Gesicht abtrocknen können. Aber dieses hier ist sicher das wundertätigste von allen, denn am Ostertag ändert sich das Antlitz mit den Stunden des Tages: Bei Sonnenaufgang nimmt es die Züge des neugeborenen Jesus an, in der dritten Stunde die des zwölfjährigen Jesus und so weiter, bis es schließlich im Moment der Passion als erwachsener Jesus erscheint.«

»Woher weißt du das alles?« fragte der Boidi.

»Das hat mit ein Mönch erzählt. Nun paßt auf, dies ist eine wahrhaftige Reliquie, und mit einem solchen Objekt kann man sich in unseren Ländern hohe Ehren und gute Posten erwerben, man muß nur den richtigen Bischof finden, so wie es Baudolino mit seinen drei Magiern bei Rainald gemacht hat. Bisher haben wir Reliquien verkauft, jetzt ist der Moment gekommen, eine zu erwerben, aber eine, die unser Glück machen wird.«

»Und von wem willst du das Mandylion erwerben?« fragte Baudolino müde, denn er hatte allmählich genug von diesem ganzen Geschacher.

»Es ist bereits von einem Syrer erworben worden, mit dem ich einen Abend gepichelt habe, und der arbeitet für den Herzog von Athen. Aber er hat mir gesagt, daß dieser Herzog das Mandylion und wer weiß was sonst noch alles hergeben würde, um die Sydoines zu kriegen.«

»Und was bitte ist die Sydoines?« fragte der Boidi.

»Das heilige Schweißtuch, auf dem ein Abbild des ganzen Leibes Jesu zu sehen ist. Es heißt, es sei in der Marienkirche der Blachernen gewesen. Man spricht davon in der Stadt, es heißt, König Amalrich von Jerusalem habe es gesehen, als er den Kaiser Manuel Komnenos besuchte. Andere haben mir gesagt, es sei in die Obhut der Marienkirche am Bukoleon gegeben worden. Aber niemand hat es jemals gesehen, und wenn es dort gewesen war, ist es seit langem verschwunden.«

»Ich verstehe nicht, worauf du hinauswillst«, sagte Baudolino. »Jemand hat das Mandylion, einverstanden, und er könnte es gegen diese Sydoines eintauschen, aber du hast die Sydoines nicht, und ich kann mir beim besten Willen nicht vorstellen, wie wir hier ein Abbild von Unserem Herrn Jesus Christus herstellen sollen. Also was?«

»Ich habe die Sydoines nicht«, sagte der Poet. »Aber du.«

»Ich?«

»Weißt du noch, wie ich dich gefragt habe, was in dieser Schatulle war, die dir die beiden Getreuen des Diakons vor unserer Flucht aus Pndapetzim übergaben? Du hast mir gesagt, da sei das Abbild dieses Unglücklichen drin, eingedrückt in sein Leichentuch, kurz nachdem er gestorben war. Zeig es mir.«

»Du bist verrückt, das ist ein heiliges Vermächtnis, der Diakon hat es mir anvertraut, damit ich es dem Priester Johannes bringe.«

»Baudolino, du bist über sechzig und glaubst immer noch an den Priester Johannes? Wir haben es doch mit Händen gegriffen, daß es ihn nicht gibt! Zeig mir dieses Tuch.«

Widerwillig holte Baudolino die Schatulle aus seinem Reisesack, entnahm ihr eine Stoffrolle und brachte, als er sie entrollte, ein großes Leintuch zum Vorschein. Es war so groß, daß er die anderen bitten mußte, Tische und Schemel beiseite zu rücken, denn er brauchte viel Platz, um es ganz auf dem Boden auszubreiten.

Es war ein ungewöhnlich großes Bettlaken, auf dem eine menschliche Gestalt in doppelter Ausführung zu sehen war, als hätte der darin eingehüllte Leib seinen Abdruck zweimal hinterlassen, einmal von vorn und einmal von hinten. Man erkannte sehr gut ein Gesicht, das lange, auf die Schultern fallende Haar, den Bart, die geschlossenen Augen. Von der Gnade des Todes berührt, hatte der unglückliche Diakon auf diesem Tuch das Bildnis heiterer Züge und eines gesunden Leibes hinterlassen, in dem man nur mit Mühe undeutliche Zeichen von Verletzungen, Flecken oder Wunden erkannte, die Spuren der Lepra, die ihn zerstört hatte.

Baudolino betrachtete es bewegt und mußte zugeben, daß der Verstorbene auf diesem Leinen die Stigmata seiner leiderfüllten Majestät zurückerworben hatte. Dann sagte er: »Wir können doch nicht das Abbild eines Leprakranken, noch dazu eines Nestorianers, als das Unseres Herrn verkaufen!«

»Erstens weiß der Herzog von Athen das nicht«, entgegnete der Poet, »und *ihm* müssen wir es ja andrehen, nicht dir. Und zweitens verkaufen wir es nicht, sondern wir tauschen es. Und folglich ist es keine simonistische Schacherei. Ich gehe zu diesem Syrer.«

»Der Syrer wird dich fragen, warum du es tauschen willst, wo doch eine Sydoines unvergleichlich viel kostbarer ist als ein Mandylion«, sagte Baudolino.

»Weil es schwieriger ist, sie heimlich aus Konstantinopel hinauszuschaffen. Weil sie wertvoller ist und nur ein König sich erlauben könnte, sie zu erwerben, während wir für das Antlitz weniger hochmögende Interessenten finden können, die aber bar auf die Hand zahlen. Weil, wenn wir die Sydoines einem christlichen Fürsten anböten, er behaupten könnte, wir hätten sie hier gestohlen, und uns aufknüpfen lassen würde, während das Antlitz von Edessa immer auch das von Camulia, von Memphis oder von Anablatha sein könnte. Der Syrer wird meine Argumente verstehen, wir sind vom gleichen Schlag.«

»Na gut«, sagte Baudolino, »du läßt dieses Tuch dem Herzog von Athen zukommen, und es ist mir egal, ob er ein Bildnis erwirbt, das nicht das von Christus ist. Aber du weißt, daß dieses Bildnis für mich kostbarer ist als das von

Christus, du weißt, woran es mich erinnert, und du kannst nicht Schacher treiben mit einem so verehrungswürdigen Erinnerungsstück...«

»Baudolino«, sagte der Poet, »wir wissen nicht, was wir vorfinden werden, wenn wir nach Hause kommen. Mit dem Antlitz von Edessa können wir einen Bischof auf unsere Seite ziehen, und unser Glück ist von neuem gemacht. Und außerdem, Baudolino, wenn du dieses Laken nicht aus Pndapetzim mitgenommen hättest, würden es jetzt die Hunnen benutzen, um sich den Hintern damit abzuwischen. Dieser Mann ist dir lieb und teuer gewesen, du hast mir seine Geschichte erzählt, als wir durch die Wüsten irrten und als wir in Gefangenschaft waren, und du hast seinen Tod beweint, der sinnlos war und an den kein Grabmal erinnert. Nun denn, sein letztes Abbild wird irgendwo als das Abbild Christi verehrt werden. Was für ein erhabeneres Grabmal kannst du dir wünschen für einen, den du geliebt hast? Wir erniedrigen dein Erinnerungsstück nicht, im Gegenteil, wir... wie könnte man sagen, Boron?«

»Wir verklären es.«

»Genau.«

»Vielleicht hatte ich in den Wirren jener Tage den Sinn für richtig und falsch verloren, Kyrios Niketas, vielleicht war ich auch bloß müde. Ich willigte ein. Der Poet ging hin, um die Sydoines – unsere, nein, meine, nein, die des Diakons – gegen das Mandylion zu vertauschen.«

Baudolino lachte auf, und Niketas verstand nicht, warum.

»Die wahre Posse erfuhren wir dann am Abend. Der Poet war in die einschlägige Taverne gegangen, hatte dort seinen ruchlosen Handel getätigt, hatte sich, um den Syrer betrunken zu machen, selber betrunken, war dann hinausgegangen, war von jemandem verfolgt worden, der über seine Machenschaften Bescheid wußte, vielleicht von dem Syrer selbst – der ja, wie der Poet gesagt hatte, vom selben Schlage war –, hatte in einer finsteren Gasse eins über den Schädel bekommen, war niedergeschlagen worden und kam nach Hause, betrunkener als Noah, blutend, zerschlagen, ohne Sydoines und ohne Mandylion. Ich hätte ihn mit Fußtritten umbringen können, aber er war ein gebrochener Mann. Zum zweiten Mal hatte er ein Reich verloren. In den folgenden Tagen mußten wir ihn gewaltsam ernähren. Ich sagte mir, daß ich froh sein konnte, nie allzu große Ambitionen gehabt zu haben, wenn einen das Scheitern einer Ambition in einen solchen Zustand versetzen kann. Dann gab ich zu, daß auch ich vielen enttäuschten Ambitionen zum Opfer gefallen war – ich hatte meinen geliebten Adoptivvater verloren, ohne für ihn das Reich gefunden zu haben, von dem er träumte, ich hatte die Frau, die ich liebte, für immer verloren... Allerdings hatte ich gerade von ihr gelernt, daß der Demiurg alles nur halb gemacht hat, während der Poet immer noch glaubte, daß es möglich sei, auf dieser Welt einen Sieg zu erringen.«

Anfang April erkannten unsere Freunde, daß Konstantinopels Tage gezählt waren. Es hatte einen sehr dramatischen Zusammenstoß gegeben zwischen dem Dogen Dandolo, der auf dem Bug einer Galeere stand, und Murtzuphlos, der ihn vom Ufer aus beschimpfte und den Lateinern zurief, sie sollten sein Land umgehend verlassen. Es war klar, daß Murtzuphlos verrückt geworden war und die Lateiner ihn, wenn sie wollten, mit einem Schlag erledigen konnten. Man sah auf der anderen Seite des Goldenen Horns die Vorbereitungen in ihrem Lager, und auf dem Deck der dort vor Anker liegenden Schiffe war ein ständiges Kommen und Gehen von Seeleuten und Bewaffneten, die sich auf den Angriff vorbereiteten.

Der Boidi und Baudolino fanden, daß es Zeit war, zumal sie ja nun ein bißchen Geld hatten, sich aus Konstantinopel fortzumachen, denn ausgeplünderte Städte hätten sie schon zur Genüge gesehen. Boron und Kyot waren einverstanden, doch der Poet bat sie, noch ein paar Tage zu warten. Er hatte sich von seiner Schlappe erholt und wollte offensichtlich die letzten Stunden noch nutzen, um einen großen Coup zu landen, von dem er selber nicht wußte, worin der bestehen könnte. Er hatte bereits den Blick eines

Irren, und mit Irren kann man bekanntlich nicht diskutieren. So erfüllten sie ihm seinen Wunsch, wobei sie sich sagten, es werde genügen, die Schiffe im Auge zu behalten, um zu wissen, wann der Moment gekommen sein würde, sich ins Landesinnere davonzumachen.

Der Poet blieb zwei Tage fort, und das war zuviel. Denn am Morgen des Freitag vor Palmsonntag war er noch nicht zurück, und da hatten die Pilger schon angefangen, vom Meer aus anzugreifen, zwischen dem Blachernenpalast und dem Euergeteskloster, ungefähr in der Gegend namens Petria, nördlich der Konstantinsmauer.

Es war zu spät, die Stadt zu verlassen, die inzwischen von allen Seiten umzingelt war. Ihren Herumtreiber von Gefährten verfluchend, beschlossen Baudolino und die anderen, lieber bei den Genuesern zu bleiben, deren Viertel nicht bedroht zu sein schien. So warteten sie, und Stunde für Stunde hörten sie neue Nachrichten aus Petria.

Die Schiffe der Pilger strotzten von Belagerungsmaschinen. Murtzuphlos stand auf einem kleinen Hügel hinter der Mauer, zusammen mit allen seinen Heerführern und Höflingen und Bannerträgern und Trompetern. Doch trotz dieser Parade schlugen sich seine Soldaten nicht schlecht: Die Lateiner hatten mehrmals zu stürmen versucht und waren jedesmal zurückgeworfen worden, unter dem Jubel der Graeculi, die auf den Mauern standen und den Abgewiesenen ihren nackten Hintern zeigten, während Murtzuphlos triumphierte, als habe *er* das alles gemacht, und schon den Befehl gab, die Siegesfanfaren zu blasen.

So schien es zunächst, daß Dandolo und die anderen Anführer darauf verzichteten, die Stadt auszuquetschen, und sowohl der Samstag als auch der Sonntag vergingen, ohne daß etwas geschah, auch wenn alle sehr wachsam blieben. Baudolino nutzte die gespannte Ruhe, um kreuz und quer durch Konstantinopel zu streifen auf der Suche nach dem Poeten, aber vergeblich.

Es war schon die Nacht zum Montag, als ihr Gefährte endlich wiederkam. Sein Blick war noch irrer als zuvor, er sagte kein Wort, setzte sich hin und trank schweigend bis zum nächsten Morgen.

Im ersten Licht jenes Montagmorgens begannen die Pilger wieder zu stürmen, und so ging es den ganzen Tag weiter. Die Sturmleitern der venezianischen Schiffe waren erfolgreich an einige Türme der Stadtmauern angelegt worden, die Kreuzritter waren in die Stadt eingedrungen, oder nein, es war nur ein einziger, ein Riese mit einem Helm wie eine turmbewehrte Stadt, der die Verteidiger mit Entsetzen erfüllt und in die Flucht getrieben hatte. Oder nein, jemand war an Land gesprungen, hatte eine Pforte in der Mauer gefunden, hatte sie mit Piken zerstört und ein Loch in die Mauer geschlagen, ja, aber dann waren sie zurückgedrängt worden, doch einige Türme waren bereits erobert...

Der Poet ging im Zimmer auf und ab wie ein Tier im Käfig, er schien ungeduldig darauf zu warten, daß die Schlacht sich für eine der beiden Seiten entschied, er sah Baudolino an, als wollte er ihm etwas sagen, verzichtete dann aber darauf und verfolgte mit düsterem Blick die Bewegungen seiner drei anderen Gefährten. Nach einer Weile kam die Nachricht, daß Murtzuphlos sein Heer im Stich gelassen und die Flucht ergriffen hatte, woraufhin die Verteidiger das bißchen Mut, das ihnen noch geblieben war, verloren, so daß die Pilger vorstoßen und die Mauern überwinden konnten. Sie wagten allerdings nicht, tiefer in die Stadt einzudringen, da es bereits dunkelte, und begnügten sich damit, die ersten Häuser anzuzünden, um eventuell dort verschanzte Verteidiger zu vertreiben. »Die dritte Feuersbrunst in weniger als einem Jahr«, klagten die Genueser. »Aber dies ist sowieso keine Stadt mehr, nur noch ein Haufen Müll, der verbrannt werden muß, wenn er zu groß wird.«

»Der Teufel soll dich holen!« fuhr der Boidi den Poeten an, »Hättest du uns nicht warten lassen, wären wir längst aus diesem Müllhaufen raus! Was machen wir jetzt?«

»Halt's Maul, ich weiß schon, was ich tue«, fauchte der Poet zurück.

Die ganze Nacht über war der Widerschein des Brandes am Himmel zu sehen. Als es hell wurde, sah Baudolino, der zu schlafen schien, aber die Augen offen hatte, wie der Poet erst zu Boidi schlich, dann zu Boron und schließlich zu

Kyot, um ihnen etwas ins Ohr zu flüstern. Danach verschwand er. Später sah Baudolino, wie Kyot und Boron miteinander tuschelten, etwas in ihren Reisesäcken suchten und leise hinausgingen, offensichtlich bemüht, ihn nicht zu wecken.

Kurz darauf kam der Boidi zu ihm und rüttelte ihn am Arm. Er war beunruhigt. »Baudolino«, sagte er, »ich weiß nicht, was vorgeht, aber hier sind anscheinend alle dabei, verrückt zu werden. Der Poet ist zu mir gekommen und hat mir genau diese Worte gesagt: ›Ich habe Zosimos gefunden, und jetzt weiß ich, wo der Gradal ist, versuch nicht, den Schlaumeier zu spielen, nimm deinen Täuferkopf und finde dich bis heute nachmittag in Katabate ein, dort, wo Zosimos damals den Basileus empfangen hatte, du kennst den Weg.‹ Was meint er mit Katabate? Und von welchem Basileus hat er gesprochen? Hat er dir nichts gesagt?«

»Nein«, sagte Baudolino, »im Gegenteil, es scheint, daß er gerade mich über all dies im dunkeln lassen will. Und vor lauter Aufregung hat er ganz vergessen, daß zwar Boron und Kyot damals dabei waren, als wir vor Jahren hingingen, um Zosimos in Katabate zu fangen, aber du nicht. Alles sehr seltsam. Ich will jetzt Klarheit über die Sache haben.«

Er ging zu Boiamondo. »Hör zu«, sagte er, »erinnerst du dich an jenen Abend vor vielen Jahren, als du uns in die Krypta unter dem alten Kloster von Katabate geführt hast? Da müssen wir jetzt wieder hin.«

»Kein Problem. Du mußt zu dem kleinen Pavillon gehen, der nicht weit von der Kirche der Heiligen Apostel ist. Und vielleicht schaffst du es bis dorthin, ohne auf Pilger zu stoßen, die noch nicht so weit vorgedrungen sein können. Wenn du heil zurückkommst, wird das bedeuten, daß ich recht gehabt habe.«

»Ja, aber ich müßte dorthin, ohne dort aufzutauchen. Ich meine, ich kann dir jetzt nicht erklären, warum, aber ich muß jemandem folgen oder ihm zuvorkommen, der denselben Weg geht, und ich will nicht, daß er mich sieht. Wenn ich mich recht erinnere, gibt es da unten doch mehrere Gänge. Kommt man nicht auch auf einem anderen Weg hin?«

Boiamondo lachte. »Wenn du keine Angst vor den Toten hast . . . Man kann auch durch einen anderen Pavillon in der Nähe des Hippodroms hinein, und auch dort kommst du, glaube ich, noch unbehelligt hin. Danach gehst du eine ganze Weile unterirdisch, und dann bist du im Friedhof der Mönche von Katabate, von dem niemand mehr weiß, daß er noch existiert, aber er ist noch da. Die Gänge dieses unterirdischen Friedhofs führen bis zu jener Krypta, aber du kannst auch vorher anhalten, wenn du willst.«

»Führst du uns hin?«

»Baudolino, die Freundschaft ist mir heilig, aber die eigene Haut ist mir noch teurer. Ich erkläre dir alles genau, du bist ein gescheiter Bursche und wirst den Weg allein finden. Einverstanden?«

Boiamondo beschrieb ihm den Weg mit allen Einzelheiten und gab ihm auch zwei gut geharzte Holzstücke mit. Baudolino ging zu Boidi zurück und fragte ihn, ob er Angst vor den Toten habe. Wo denkst du hin, lachte der, ich habe nur Angst vor den Lebenden. »Dann machen wir's so«, sagte Baudolino. »Du nimmst deinen Täuferkopf, und ich begleite dich dort hinunter. Dann gehst du zu eurem vereinbarten Treffpunkt, und ich verstecke mich kurz vorher, um herauszufinden, was dieser Irre im Schilde führt.«

»So machen wir's«, sagte der Boidi.

Als sie gerade hinausgehen wollten, überlegte Baudolino einen Moment, kehrte noch einmal um und holte sich ebenfalls seinen Täuferkopf, wickelte ihn in einen Lappen und nahm ihn unter den Arm. Dann überlegte er noch einmal und steckte sich die beiden arabischen Dolche in den Gürtel, die er in Kalliupolis gekauft hatte.

38. Kapitel

Baudolino bei der Abrechnung

Baudolino und der Boidi erreichten die Gegend des Hippodroms, als die Flammen des Brandes schon nahten und eine Schar verstörter Bürger bedrängten, die nicht wußten, nach welcher Seite sie fliehen sollten, weil einige schrien, die Pilger kämen von rechts, und andere, sie kämen von links. Die beiden fanden den Pavillon, brachen die mit einer schwachen Kette gesicherte Tür auf, stiegen in einen unterirdischen Gang hinunter und entzündeten die Fakkeln, die ihnen Boiamondo mitgegeben hatte.

Sie mußten ein langes Stück wandern, der Gang führte offenbar vom Hippodrom zur Konstantinsmauer. Nach einer Weile ging es ein paar feucht-glitschige Stufen hinauf, und langsam stieg ihnen ein dumpfer, an Tod gemahnender Modergeruch in die Nase, der immer stärker wurde. Es war kein Geruch von kürzlich verstorbenen Toten, es war, wenn man so sagen kann, ein Modergeruch von Vermodertem, ein Geruch von lange schon toten Toten, die verwest und gleichsam zu Mumien geschrumpft waren.

Sie traten in einen Gang – und sahen rechts und links ähnliche Gänge abzweigen –, in dessen Wänden sich dicht an dicht Nischen auftaten, bewohnt von einer unterirdischen Population fast noch lebendig wirkender Toter. Tote waren es zweifellos, diese vollständig bekleideten Gestalten, die da aufrecht in ihren Wandvertiefungen standen, vielleicht mit Eisenstäben im Rücken gehalten; aber die Zeit schien ihr Zerstörungswerk nicht vollendet zu haben, denn diese eingefallenen, lederfarbenen Gesichter mit leeren Augenhöhlen, oft gezeichnet durch ein zahnloses Grinsen, erweckten einen seltsamen Eindruck von Leben. Es waren keine Skelette, sondern ausgetrocknete Leiber, verdorrt, als hätte eine Kraft von innen heraus die Eingeweide und alles übrige aufgezehrt, um nur die Knochen mit der Haut darüber und vielleicht einen Teil der Muskeln übrigzulassen.

»Kyrios Niketas, wir waren in einen Katakombenfriedhof gelangt, in dem die Mönche von Katabate jahrhundertelang ihre gestorbenen Mitbrüder beigesetzt hatten, ohne sie zu beerdigen, denn eine wundersame Verbindung des Bodens, der Luft und einer Substanz, die aus den Tuffsteinwänden dieser unterirdischen Gänge tropfte, bewahrte sie vor dem Zerfall.«

»Ich dachte, das sei schon lange nicht mehr Brauch, und von den Katakomben des Katabateklosters hatte ich keine Ahnung – woran man sieht, daß diese Stadt noch Geheimnisse birgt, die niemand von uns kennt. Aber ich habe davon gehört, wie bestimmte Mönche in früheren Zeiten, um das Werk der Natur zu beschleunigen, die Leichen ihrer gestorbenen Mitbrüder acht Monate lang zwischen den Ausdünstungen des Tuffsteins modern ließen, sie dann herausholten, mit Essig abwuschen, einige Tage der frischen Luft aussetzten, sie bekleideten und wieder in ihre Nischen stellten, auf daß die in gewisser Weise balsamische Luft dieser Umgebung sie ihrer gleichsam geräucherten Unsterblichkeit übergebe.«

Während sie weiterschritten, vorbei an jener langen Reihe verstorbener Mönche, alle mit liturgischen Gewändern bekleidet, als müßten sie noch ihres Amtes walten, funkelnde Ikonen küssend mit ihren fahlen Lippen, entdeckten sie Gesichter mit verzerrtem und asketischem Lächeln, andere, denen die Pietät der Weiterlebenden Bärte angeklebt hatte, so daß sie würdig wie einst erschienen, und deren Lider geschlossen waren, so daß sie zu schlafen schienen, wieder andere, bei denen der Kopf zu einem Totenschädel reduziert war, aber mit ledrigen Hautfetzen an den Wangenknochen. Einige hatten sich im Lauf der Jahrhunderte verformt und sahen aus wie Launen der Natur, mißratene Föten, nichtmenschliche Wesen, auf deren verkrümmter

Gestalt sich Meßgewänder unnatürlich abhoben, arabeskenverzierte Kaseln in verblaßten Farben, Dalmatiken, die aussahen wie mit Stickereien verziert, aber sie waren vom Zahn der Zeit und von Katakombenwürmern zernagt. Bei wieder anderen waren die Gewänder zerschlissen, zerbröselt in den Jahrhunderten, und unter den Fetzen ihrer Paramente erschienen abgemagerte Körperchen, die Rippen überzogen mit einer straff wie das Fell einer Trommel gespannten Haut.

»Mag sein, daß es Pietät war, was zu dieser heiligen Inszenierung geführt hatte«, sagte Baudolino zu Niketas, »aber pietät- und gnadenlos waren die Überlebenden, die das Gedenken an jene Toten als eine permanente Drohung inszeniert hatten, die nicht im geringsten dazu angetan war, die Lebenden mit dem Tod zu versöhnen. Wie kann man für die Seele von jemandem beten, der einen von seiner Wand herab anstarrt, als wollte er sagen: ›Hier bin ich und hier werde ich bleiben‹, wie kann man an die Auferstehung des Fleisches glauben und an die Verklärung unserer irdischen Leiber nach dem Jüngsten Gericht, wenn diese Leiber noch da sind, jeden Tag häßlicher als am vorigen? Ich habe in meinem Leben nur allzu viele Leichen gesehen, aber wenigstens konnte ich hoffen, daß sie, nachdem sie sich in der Erde aufgelöst hatten, eines Tages schön und blühend wie eine Rose erstrahlen würden. Wenn dort droben nach dem Ende der Zeiten Leute wie diese hier umgehen sollten, so sagte ich mir, dann lieber die Hölle, die uns mit ihrem Feuer und ihren Spießen und Zangen doch wenigstens ein Abbild dessen gibt, was hier bei uns auf Erden geschieht… Der Boidi, weniger sensibel für die letzten Dinge als ich, versuchte jene Gewänder zu lupfen, um zu sehen, in welchem Zustand die Gemächte der Mumien waren, aber wenn dir jemand das eine zeigt, wie kannst du dich dann beschweren, wenn anderen das andere in den Sinn kommt?«

Noch bevor sie das Ende der Katakomben erreichten, gelangten sie in einen runden Raum, in dessen gewölbter

Decke durch eine kaminartige Öffnung hoch oben der nachmittägliche Himmel zu sehen war. Offenbar diente ein Brunnen auf Bodenhöhe zur Belüftung der Anlage. Sie löschten die Fackeln. Nicht länger von zuckenden Flammen beleuchtet, sondern von jenem fahlen Licht, das sich zwischen den Nischen verbreitete, wirkten die Leiber der Mönche noch beunruhigender. Man konnte meinen, daß sie, vom Licht des Tages berührt, sich zu regen begannen.

Endlich mündete der Gang, den die beiden genommen hatten, in den Umgang hinter den Säulen rings um die Krypta, in der sie beim ersten Mal Zosimos gesehen hatten. Sie näherten sich auf Zehenspitzen, denn da waren Lichter zu sehen. Die Krypta wurde, wie damals, von zwei Glutbecken auf Dreifüßen beleuchtet. Es fehlte nur das runde Wasserbecken, das Zosimos für seine Wahrsagerei benutzt hatte. Vor der Ikonostase standen bereits, nervös wartend, Boron und Kyot. Baudolino flüsterte dem Boidi zu, er solle zwischen den beiden Säulen neben der Ikonostase hervortreten, als ob er denselben Weg wie die beiden gegangen wäre; er selbst werde sich versteckt halten.

Der Boidi tat, wie ihm geheißen, und die beiden empfingen ihn ohne Überraschung. »Also hat der Poet auch dir erklärt, wie man hierherkommt«, sagte Boron. »Wir glauben, Baudolino hat er es nicht gesagt, wozu sonst all die Vorsichtsmaßnahmen? Hast du eine Ahnung, warum er uns hierherbestellt hat?«

»Er hat von Zosimos und vom Gradal gesprochen, und er hat mir gegenüber seltsame Drohungen angedeutet.«

»Uns gegenüber auch«, sagten Kyot und Boron.

Plötzlich hörten sie eine Stimme, und sie schien aus dem Mund des Pantokrators auf der Ikonostase zu kommen. Baudolino sah genauer hin und entdeckte, daß die Augen jenes Weltenherrschers zwei schwarze Mandeln waren, was darauf schließen ließ, daß jemand hinter der Ikone stand und das Geschehen in der Krypta beobachtete. Obgleich entstellt, war die Stimme erkennbar – es war die des Poeten. »Willkommen«, sagte sie. »Ihr seht mich nicht, aber ich sehe euch. Ich habe einen Bogen, und ich könnte euch auf der Stelle durchbohren, wenn ich wollte.«

»Aber wieso denn, Poet, was haben wir denn getan?« fragte Boron erschrocken.

»Was ihr getan habt, wißt ihr besser als ich. Aber kommen wir zur Sache. Tritt hervor, Elender.« Man hörte ein ersticktes Stöhnen, und hinter der Ikonostase trat eine schwankende Gestalt hervor.

Obwohl es so viele Jahre her war, obwohl die Gestalt sich krumm und gebeugt dahinschleppte, obwohl die Haare und der Bart inzwischen schlohweiß waren, erkannten sie Zosimos.

»Jawohl, es ist Zosimos«, sagte die Stimme des Poeten. »Ich bin ihm gestern ganz zufällig begegnet, während er bettelnd eine Straße entlangging. Er ist blind und verkrüppelt, aber er ist es. Zosimos, erzähle unseren Freunden, wie es dir ergangen ist seit deiner Flucht aus Ardzrounis Burg.«

Mit klagender Stimme begann Zosimos zu erzählen. Ja, er hatte den Täuferkopf gestohlen, in dem der Gradal versteckt war, und hatte sich mit ihm davongemacht, aber eine Karte von Kosmas hatte er nicht nur niemals besessen, sondern auch nie gesehen, und so hatte er nicht gewußt, wohin er sich wenden sollte. Er war umhergezogen, bis ihm das Maultier gestorben war, er hatte sich durch die unwirtlichsten Gegenden der Welt geschleppt, die Augen brennend von der Sonnenglut, so daß er die Himmelsrichtungen nicht mehr unterscheiden konnte. Dann war er in eine von Christen bewohnte Stadt gekommen, wo er Hilfe und Aufnahme fand. Er hatte sich als der letzte der Magier vorgestellt, die anderen hätten inzwischen den Frieden des Herrn gefunden und ruhten in einer Kirche im fernen Abendland. Er hatte in feierlichem Ton erklärt, in seinem Reliquiar befinde sich der Heilige Gradal, den er dem Priester Johannes übergeben müsse. Seine Gastgeber hatten gerüchteweise von beidem gehört, sie warfen sich ihm zu Füßen und führten ihn dann in feierlicher Prozession zu ihrem Tempel. Dort nahm er auf einem Bischofsschemel Platz und sprach jeden Tag Orakel, gab Ratschläge über den Gang der Dinge, aß und trank nach Herzenslust und wurde allseits geachtet.

Kurzum, als letzter der allerheiligsten Könige und Hüter

des Heiligen Gradals war er zur höchsten geistlichen Autorität jener Gemeinde geworden. Jeden Morgen las er die Messe, und im Moment der Elevation zeigte er außer Hostie und Kelch auch sein kopfförmiges Reliquiar, und die Gläubigen knieten nieder und meinten, himmlische Düfte zu riechen.

Sie brachten auch die gefallenen Frauen zu ihm, damit er sie auf den rechten Weg zurückbringe. Er sagte ihnen, daß Gottes Barmherzigkeit grenzenlos sei, und versammelte sie zur Abendzeit in der Kirche, um mit ihnen, wie er sagte, in ununterbrochenem Gebet die Nacht zu verbringen. Es hieß, er habe diese Unseligen in lauter Magdalenen verwandelt, die sich in seinen Dienst gestellt hätten. Tagsüber bereiteten sie ihm die köstlichsten Speisen, brachten ihm die erlesensten Weine und salbten ihn mit duftenden Ölen; nachts beteten sie mit ihm so inbrünstig vor dem Altar, sagte Zosimos, daß seine Augen am nächsten Morgen gerötet waren von dieser Buße. Zosimos hatte endlich sein Paradies gefunden und war entschlossen, diesen gesegneten Ort nie mehr zu verlassen.

Er hielt in seiner Erzählung inne und seufzte tief auf, dann fuhr er sich mit der Hand über die Augen, als sähe er in deren Dunkel immer noch eine höchst schmerzliche Szene vor sich. »Meine Freunde«, sagte er, »bei jedem Gedanken, der euch kommt, fragt ihn stets: Bist du einer der Unseren oder kommst du vom Feind? Ich vergaß, diese heilige Maxime zu befolgen, und versprach der ganzen Stadt, zu Ostern das Reliquiar zu öffnen und den Gradal zu zeigen. Am Karfreitag öffnete ich den Kopf für mich allein und fand darin einen jener widerwärtigen Totenschädel, die Ardzrouni hineingetan hatte. Ich schwöre es euch: Ich hatte den Gradal im ersten Kopf links versteckt, und genau den ersten links hatte ich dann genommen, als ich mich aus der Burg davonmachte. Aber irgendwer, sicher einer von euch, muß die Köpfe vertauscht haben, denn der, den ich genommen hatte, enthielt nicht mehr den Gradal. Wer ein Eisen schmiedet, überlege sich vorher, was er daraus machen will, ob eine Sichel, ein Schwert oder eine Axt. Ich beschloß zu schweigen. Pater Agaton hat drei Jahre mit einem Stein im Munde gelebt, bis es ihm nicht mehr gelang, sein Schweigegelübde zu halten. Ich sagte allen, ich sei von einem Engel des Herrn besucht worden, der mir gesagt habe, es lebten noch zu viele Sünder in der Stadt und darum sei noch niemand würdig, jenen hochheiligen Gegenstand zu sehen. Den Karsamstagabend verbrachte ich, wie es sich für einen ehrbaren Mönch gehört, in frömmster Kasteiung, vielleicht in übertriebener, denn am nächsten Morgen fühlte ich mich total erschöpft, als hätte ich die ganze Nacht – Gott vergebe mir den bloßen Gedanken – mit Saufen und Huren verbracht. Ich zelebrierte die Messe schwankend, und in dem feierlichen Moment, in dem ich das Reliquiar den Gläubigen zeigen sollte, stolperte ich auf der obersten Stufe des Altars und stürzte hinunter. Das Reliquiar glitt mir aus der Hand, beim Aufprall am Boden sprang es auf, und alle sahen, daß es keineswegs einen Gradal enthielt, sondern bloß einen verschrumpelten Schädel. Nichts ist ungerechter als die Strafe für den Gerechten, der einmal gesündigt hat, meine Freunde, denn dem schlimmsten der Sünder vergibt man die letzte der Sünden, aber dem Gerechten nicht einmal die erste. Die frommen Leute meinten, sie seien von mir betrogen worden – von mir, der noch bis vor drei Tagen, Gott war mein Zeuge, in treuestem Glauben gehandelt hatte! Sie fielen über mich her, rissen mir die Kleider vom Leibe, prügelten mich derart mit Stöcken, daß ich seither an Armen, Beinen und Rücken verkrüppelt bin, dann schleppten sie mich vor ihr Gericht, wo beschlossen wurde, mir die Augen auszustechen. Sie jagten mich aus der Stadt wie einen räudigen Hund. Ihr wißt nicht, wie ich gelitten habe. Ich zog als Bettler umher, blind und verkrüppelt, und so, verkrüppelt und blind, wurde ich nach Jahren des Umherirrens von einer sarazenischen Handelskarawane aufgelesen und hierher nach Konstantinopel gebracht. Die einzige Nächstenliebe, die ich erfahren habe, ist mir von Ungläubigen zuteil geworden, Gott vergelte es ihnen, indem er ihnen die eigentlich verdiente Verdammnis erspart. So bin ich vor einigen Jahren in diese meine Stadt zurückgekehrt, wo ich seither von Almosen lebe, und es war ein Glück, daß mich eines Tages eine gute Seele an die Hand genommen und zu den Ruinen dieses Klosters geführt hat, wo ich tastend die Orte wiedererkenne und seither die Nächte verbringe, geschützt vor Kälte, Hitze und Regen.«

»Das ist Zosimos' Geschichte«, sagte die Stimme des Poeten. »Sein Zustand bezeugt, für einmal wenigstens, seine Aufrichtigkeit. Also muß ein anderer von uns, der gesehen hat, wie er den Gradal versteckte, die Köpfe vertauscht haben, um Zosimos in sein Verderben laufen zu lassen und jeden Verdacht von sich abzulenken. Aber dieser andere, der den richtigen Kopf genommen hat, ist derselbe, der Friedrich umgebracht hat. Und ich weiß, wer es ist.«

»Poet«, rief Kyot aus, »warum sagst du das? Warum hast du nur uns drei hierherbestellt und nicht auch Baudolino? Warum hast du uns nichts davon bei den Genuesern gesagt?«

»Ich habe euch hierherbestellt, weil ich diesen Krüppel nicht durch eine vom Feind eroberte Stadt schleppen konnte. Weil ich nicht vor den Genuesern sprechen wollte und schon gar nicht vor Baudolino. Baudolino hat mit unserer Geschichte nichts mehr zu tun. Einer von euch wird mir den Gradal geben, und das wird allein meine Sache sein.«

»Warum meinst du nicht, daß Baudolino den Gradal hat?«

»Baudolino kann Friedrich nicht getötet haben. Er hat ihn geliebt. Baudolino hatte auch kein Interesse daran, den Gradal zu stehlen, er war der einzige von uns, der ihn wirklich zum Priester Johannes bringen wollte, im Namen des Kaisers. Und schließlich, erinnert euch, was mit den sechs Täuferköpfen passiert ist, die nach Zosimos' Flucht übriggeblieben sind: Jeder von uns hatte einen genommen, Baudolino, Boron, Kyot, der Boidi, Abdul und ich. Ich habe meinen gestern nach meiner Begegnung mit Zosimos geöffnet. Es war ein geräucherter Schädel darin. Was den von Abdul angeht, ihr erinnert euch sicher: Ardzrouni hatte ihn geöffnet, um Abdul im Moment seines Todes den Schädel in die Hände zu legen, als Amulett oder etwas

dergleichen, und nun liegt er mit Abdul im Grab. Baudolino hat seinen als Gastgeschenk dem Obereunuchen Praxeas gegeben, der hat ihn vor unseren Augen geöffnet, und
darin war ein Schädel. Bleiben also noch drei Reliquiare,
und das sind eure. Ich weiß inzwischen, wer von euch
dreien den Gradal hat, und ich weiß, daß er es weiß. Ich
weiß auch, daß er ihn nicht zufällig hat, sondern weil alles
so von ihm geplant war seit dem Moment, da er Friedrich
umgebracht hatte. Aber ich will, daß er den Mut aufbringt,
es uns selber zu sagen, uns zu gestehen, daß er uns jahrelang getäuscht und betrogen hat. Wenn er es gestanden hat,
werde ich ihn töten. Also entscheidet euch. Wer etwas zu
sagen hat, sage es jetzt. Wir sind ans Ende unserer Reise
gelangt.«

»Hier geschah etwas Außergewöhnliches, Kyrios Niketas. Ich beobachtete die Szene von meinem Versteck aus
und versuchte, mich in die Lage meiner drei Freunde zu
versetzen. Angenommen, einer von ihnen, nennen wir ihn
Ego, wußte, daß er den Gradal besaß und daß er eine
Schuld auf sich geladen hatte. Er würde sich gesagt haben,
daß es an diesem Punkt das beste war, alles auf eine Karte
zu setzen, sein Schwert oder seinen Dolch zu ziehen, sich
in die Richtung zu stürzen, aus der er gekommen war, und
zu fliehen, bis er die Zisterne und dann das Tageslicht
erreicht hatte. Ich glaube, das war es, was der Poet erwartete. Vermutlich wußte er gar nicht, wer von den dreien
den Gradal hatte, aber diese Flucht würde es ihm verraten.
Stellen wir uns nun aber vor, daß Ego nicht sicher war, ob
er den Gradal besaß, da er nie in seinem Täuferkopf nach-
geschaut hatte, aber daß er trotzdem ein schlechtes Gewissen im Zusammenhang mit dem Tod Friedrichs hatte. Also
würde Ego abwarten müssen, um zu sehen, ob jemand vor
ihm, jemand, der wußte, daß er den Gradal besaß, zur
Flucht ansetzte. Ego wartete also und rührte sich nicht.
Und da sah er, daß auch keiner der beiden anderen sich
rührte. Also hat keiner von ihnen den Gradal, dachte er,
und keiner von ihnen glaubt, im mindesten verdächtig zu
sein. Infolgedessen – so mußte Ego schließen – bin ich es,

an den der Poet denkt, und ich muß fliehen. Bestürzt faßte er nach seinem Schwert oder Dolch und setzte zu einem Schritt an. Aber da sah er, daß auch die beiden anderen dasselbe taten. Also blieb er wieder stehen in der Annahme, daß die beiden anderen sich schuldiger fühlten als er... Genau das war es, Kyrios Niketas, was in jener Krypta geschah. Jeder der drei, jeder offensichtlich so denkend wie der, den ich Ego genannt habe, war zuerst abwartend stehengeblieben, dann hatte er einen Schritt gemacht, und dann war er wieder stehengeblieben. Ein klares Zeichen dafür, daß keiner von ihnen sicher war, den Gradal zu besitzen, aber alle drei sich etwas vorzuwerfen hatten. Der Poet begriff das sehr gut und erklärte den dreien, was ich begriffen und dir soeben erklärt habe.«

So sprach die Stimme des Poeten: »Elende, alle drei! Jeder von euch weiß, daß er schuldig ist. Ich weiß – ich habe es immer gewußt –, daß ihr alle drei versucht habt, Friedrich zu töten, und vielleicht habt ihr ihn alle drei getötet, so daß der arme Mann dreimal gestorben ist. Ich war in jener Nacht sehr früh hinausgegangen und bin als letzter zurückgekommen. Ich hatte nicht schlafen können, vielleicht hatte ich zuviel getrunken, ich habe dreimal im Hof gepinkelt und bin zwischendurch draußen geblieben, um euch nicht zu stören. Während ich draußen war, hörte ich Boron herauskommen. Er nahm die Treppe zum Erdgeschoß, und ich folgte ihm. Er ging in den Saal mit den Maschinen, trat zu jenem Zylinder, der einen luftleeren Raum produziert, und betätigte mehrere Male den Hebel. Ich verstand nicht recht, was er wollte, aber am nächsten Morgen habe ich es verstanden. Entweder hatte Ardzrouni ihm etwas anvertraut, oder er hatte es von selbst begriffen, aber offenbar war das Zimmer, in dem der Zylinder einen luftleeren Raum produzierte – jenes, in dem das Huhn erstickt war –, genau dasjenige, in dem Friedrich schlief und das Ardzrouni zu benutzen pflegte, um sich Feinde vom Hals zu schaffen, die er heuchlerisch als seine Gäste bewirtete. Du, Boron, hast jenen Hebel betätigt, bis sich im Zimmer des Kaisers eine Leere bildete oder, da du ja nicht an die

Leere glaubst, wenigstens jene dicke und dichte Luft, in der, wie du wußtest, die Kerzen erlöschen und die Tiere ersticken. Friedrich spürte, daß ihm die Luft ausging, er dachte sofort an ein Gift und trank schnell das Gegengift aus dem Gradal. Aber er stürzte zu Boden, ohne sich noch zu rühren. Am nächsten Morgen warst du bereit, dir in der allgemeinen Verwirrung den Gradal zu schnappen, aber Zosimos ist dir zuvorgekommen. Du hast ihn gesehen und hast auch gesehen, wo er den Gradal versteckte. So war es dir ein leichtes, die Köpfe zu vertauschen, und im Moment des Aufbruchs hast du dir den richtigen genommen.«

Boron war schweißüberströmt. »Poet«, sagte er, »du hast richtig gesehen, ich war in dem Raum mit der Pumpe. Das Streitgespräch mit Ardzrouni hatte mich neugierig gemacht. Ich hatte versucht, sie in Gang zu setzen, aber ich wußte nicht, ich schwöre es dir, ich wußte nicht, auf welches Zimmer sie sich auswirkte. Im übrigen war ich sicher, daß die Pumpe gar nicht funktionieren konnte. Ich habe gespielt, das ist wahr, aber ich habe wirklich nur gespielt, ohne Mordabsichten. Und außerdem, wenn ich so gehandelt hätte, wie du gesagt hast, wie erklärst du dann, daß in Friedrichs Zimmer das Holz im Kamin ganz verbrannt war? Wenn man tatsächlich einen luftleeren Raum erzeugen könnte, um jemanden durch Luftmangel umzubringen, dann würde in dieser Leere kein Feuer brennen...«

»Vergiß den Kamin«, sagte die Stimme des Poeten scharf, »dafür gibt es eine andere Erklärung. Mach lieber mal deinen Täuferkopf auf, wenn du so sicher bist, daß er nicht den Gradal enthält.«

Knurrend, daß ihn auf der Stelle der Blitz erschlagen solle, wenn er je daran gedacht habe, den Gradal zu besitzen, zerbrach Boron das Siegel mit seinem Dolch, und aus dem Schrein rollte ein Schädel zu Boden, ein kleinerer als die bisher gesehenen, vielleicht weil Ardzrouni nicht gezögert hatte, auch Kindergräber zu schänden.

»Nun gut, du hast den Gradal nicht«, sagte die Stimme des Poeten, »aber das spricht dich nicht frei von dem, was du getan hast. Kommen wir jetzt zu dir, Kyot. Du bist gleich nach Boron hinausgegangen, als brauchtest du ein bißchen frische Luft. Aber du brauchtest anscheinend sehr viel davon, denn du bist bis auf die äußere Mauer gegangen, dorthin, wo die Archimedes-Spiegel standen. Ich bin dir gefolgt, ich habe dich gesehen. Du hast sie berührt, hast den bewegt, der auf kurze Entfernung wirkt, wie Ardzrouni es dir erklärt hatte, und hast ihn in eine Richtung gedreht, die nicht zufällig war, denn du hast es mit großer Sorgfalt getan. Du hast den Spiegel so ausgerichtet, daß er bei Sonnenaufgang die ersten Strahlen genau auf das Fenster von Friedrichs Schlafzimmer konzentrierte. So ist es dann geschehen, und die gebündelten Sonnenstrahlen haben das Holz im Kamin entzündet. Inzwischen war die von Boron erzeugte Leere bereits wieder von neuer Luft verdrängt worden, und die Flammen konnten auflodern. Du wußtest, was Friedrich tun würde, wenn er halb erstickt vom Rauch aus dem Kamin erwachte. Er würde glauben, er sei vergiftet worden, und würde aus dem Gradal trinken. Ich weiß, du hattest selber daraus getrunken an jenem Abend, aber wir haben dich nicht genügend im Auge behalten, als du den Gradal in den Schrein zurückstelltest. Irgendwie hattest du dir auf dem Markt von Kalliupolis Gift besorgt, und davon hast du ein paar Tropfen in den Gradal fallen lassen. Der Plan war perfekt. Nur wußtest du nicht, was Boron gemacht hatte. Friedrich hat dein Gift getrunken, aber nicht, als das Kaminfeuer brannte, sondern lange vorher, als Boron ihm die Luft nahm.«

»Du bist verrückt, Poet«, rief Kyot, bleich wie ein Toter, »ich weiß nichts vom Gradal, sieh her, jetzt öffne ich meinen Täuferkopf... Da, siehst du, da ist ein Schädel!«

»Nun gut, auch du hast den Gradal nicht«, sagte die Stimme des Poeten, »aber du leugnest nicht, die Spiegel bewegt zu haben.«

»Mir war nicht gut, du hast es gesagt, ich wollte die frische Nachtluft atmen. Ich habe mit den Spiegeln herumgespielt, jawohl, aber der Blitz soll mich treffen, jetzt gleich, wenn ich gewußt hatte, daß sie das Kaminfeuer in jenem Zimmer entzünden würden! Glaub nicht, ich hätte in all diesen Jahren nicht immer wieder an meine Unbesonnenheit gedacht und mich gefragt, ob es nicht meine Schuld war, daß sich das Feuer entzündet hatte, und ob das nicht etwas mit dem Tod des Kaisers zu tun haben könnte. Jahre voll quälender Zweifel. In gewisser Weise hast du mich jetzt erleichtert, sagst du mir doch, daß Friedrich zu der Zeit auf jeden Fall schon tot war! Aber was das Gift angeht – wie kannst du so etwas Infames behaupten? Ich habe an jenem Abend guten Glaubens getrunken, ich fühlte mich wie ein Opferlamm...«

»Ja natürlich, ihr seid allesamt Unschuldslämmer! Unschuldslämmer, die fast fünfzehn Jahre lang mit dem Verdacht gelebt haben, sie könnten schuld an Friedrichs Tod sein, gilt das nicht auch für dich, Boron? Aber nun zu unserem Boidi. Du bist jetzt der einzige, der den Gradal haben kann. Du warst in jener Nacht nicht hinausgegangen. Du hast am Morgen wie alle anderen Friedrich tot in seinem Zimmer gefunden. Das hattest du nicht erwartet, aber du hast die Gelegenheit beim Schopf ergriffen. Vorbereitet hattest du sie schon lange. Im übrigen warst du der einzige, der Gründe hatte, Friedrich zu hassen, war er doch schuld am Tod so vieler deiner Mitbürger vor den Mauern von Alexandria. In Kalliupolis hast du uns gesagt, du hättest einen Ring mit einem Herzmittel in der Kapsel gekauft. Aber niemand war dabei, als du ihn gekauft hast. Wer sagt uns, daß es wirklich ein Herzmittel war? Du hattest schon lange mit deinem Gift auf der Lauer gelegen und hast begriffen, daß dies der richtige Augenblick war. Vielleicht hatte Friedrich, dachtest du, nur das Bewußtsein verloren. Also hast du ihm das Gift in den Mund geträufelt, wobei du so tatest, als ob du ihn wiederbeleben wolltest, und erst danach, wohlgemerkt, erst danach hat Solomon seinen Tod festgestellt.«

»Poet«, rief der Boidi und fiel auf die Knie, »wenn du wüßtest, wie oft ich mich in all den Jahren gefragt habe, ob dieses Herzmittel nicht womöglich ein Gift war! Aber jetzt sagst du mir, daß Friedrich schon vorher tot war, umgebracht von einem dieser beiden hier oder von allen beiden, Gott sei Dank!«

»Das ändert nichts«, sagte die Stimme des Poeten, »es

geht allein um die Absicht. Doch über deine Absichten wirst du Gott Rechenschaft ablegen müssen. Ich will nur den Gradal. Öffne den Schrein.«

Mit zitternden Fingern versuchte der Boidi, sein Reliquiar zu öffnen, dreimal hielt der Siegellack stand. Boron und Kyot waren ein Stück zurückgewichen, als ob er, wie er sich da über jenen schicksalhaften Behälter beugte, bereits der überführte Schuldige wäre. Beim vierten Versuch ging der Schrein auf, und ein weiteres Mal kam ein Schädel zum Vorschein.

»Bei allen gottverfluchten Heiligen!« brüllte der Poet und trat hinter der Ikonostase hervor.

»Er war der Inbegriff von Wut und Raserei, Kyrios Niketas, und ich erkannte meinen einstigen Freund nicht wieder. Aber in diesem Augenblick fiel mir ein, wie ich an jenem Tag in der Burg noch einmal die Täuferköpfe betrachten ging, nachdem Ardzrouni uns vorgeschlagen hatte, sie auf unsere Reise mitzunehmen, und nachdem Zosimos bereits, ohne daß wir es wußten, den Gradal in einem von ihnen versteckt hatte. Ich war in die kleine Kammer getreten, hatte einen der Köpfe in die Hand genommen, wenn ich mich recht erinnere den ersten links, und hatte ihn mir genau angesehen. Dann hatte ich ihn wieder hingestellt. Nun rief ich mir jenen Augenblick vor fast fünfzehn Jahren wieder in Erinnerung, vergegenwärtigte ihn mir genau und sah mich, wie ich den Kopf rechts neben die anderen stellte, als letzten der sieben. Als Zosimos dann kam, um sich vor seiner Flucht den Gradal zu holen – den er ja in den ersten Kopf links getan hatte, wie er sich erinnerte –, hatte er diesen genommen, der jedoch vorher der zweite gewesen war. Und als wir dann die Köpfe unter uns aufteilten, bevor wir aufbrachen, hatte ich meinen als letzter genommen. Also den von Zosimos. Du wirst dich erinnern, daß ich seit Abduls Tod auch dessen Kopf bei mir hatte, ohne es jemandem gesagt zu haben. Als wir dann nach Pndapetzim kamen und ich einen der beiden Köpfe Praxeas schenkte, habe ich ihm offensichtlich den von Abdul gegeben, was ich schon damals daran bemerkte, daß er so leicht aufging, weil ja das Siegel bereits von Ardzrouni zerbrochen worden war. Also hatte ich fast fünfzehn Jahre lang den Gradal mit mir herumgetragen, ohne es zu wissen. Ich war mir nun dessen so sicher, daß ich es nicht einmal mehr nötig hatte, meinen Kopf zu öffnen. Dennoch tat ich es, so leise wie möglich. Trotz der Dunkelheit hinter der Säule konnte ich sehen, daß der Gradal sich tatsächlich darin befand, fest eingefügt, die Öffnung nach vorn und der Boden rund wie ein Schädel in den Hinterkopf geschmiegt.«

Der Poet packte jeden der drei am Gewand und schüttelte sie, überhäufte sie mit Beleidigungen, brüllte, er lasse sich nicht von ihnen an der Nase herumführen, und tobte, als wäre ein Dämon in ihn gefahren. Da ließ Baudolino sein Reliquiar hinter einer Säule und trat aus seinem Versteck hervor. »Ich bin es, der den Gradal hat«, sagte er.

Der Poet hielt überrascht inne. Dann lief er dunkelrot an und sagte: »Du hast uns belogen, die ganze Zeit! Und ich hielt dich für den Reinsten unter uns!«

»Ich habe euch nicht belogen. Ich wußte es selber nicht, bis heute abend. Du hast dich beim Zählen der Köpfe vertan.«

Der Poet streckte die Hände zu dem Freund und sagte mit Schaum vor dem Mund: »Gib ihn mir!«

»Warum dir?« fragte Baudolino.

»Unsere Reise ist zu Ende«, wiederholte der Poet. »Es war eine von Unglück verfolgte Reise, und dies ist meine letzte Möglichkeit. Gib ihn mir, oder ich bringe dich um.«

Baudolino wich einen Schritt zurück und legte die Hände um die Griffe seiner beiden arabischen Dolche. »Du wärst dazu fähig, nachdem du wegen dieses Gegenstandes schon Friedrich umgebracht hast.«

»Blödsinn!« sagte der Poet. »Du hast doch gehört, was diese drei eben gestanden haben.«

»Drei Geständnisse sind zuviel für einen einzigen Mord«, sagte Baudolino. »Ich könnte dir erwidern, selbst wenn jeder von ihnen getan hätte, was er getan hat, hast du es sie doch tun lassen. Es hätte genügt, als du Boron den

Hebel der Pumpe betätigen sahst, ihn daran zu hindern. Es hätte genügt, als Kyot den Spiegel bewegt hatte, Friedrich zu warnen, bevor die Sonne aufging. Du hast es nicht getan. Du wolltest, daß jemand Friedrich umbrachte, um dann daraus Nutzen zu ziehen. Aber ich glaube nicht, daß einer von diesen armen Freunden den Tod des Kaisers verursacht hat. Als ich dich hinter der Ikonostase reden hörte, ist mir das Medusenhaupt eingefallen, durch das man in Friedrichs Zimmer hören konnte, was unten in der Schnecke gemurmelt wurde. Jetzt werde ich dir sagen, was geschehen ist. Schon vor Beginn der Expedition nach Jerusalem hast du deine Ungeduld kaum bezähmen kön-nen, du wolltest auf eigene Faust zum Reich des Priesters aufbrechen, mit dem Gradal. Du hast nur auf eine günstige Gelegenheit gewartet, den Kaiser loszuwerden. Danach hättest du zwar noch uns am Hals gehabt, aber wir waren offensichtlich für dich kein Hindernis. Oder vielleicht woll-test du das tun, was Zosimos vor dir getan hat. Das weiß ich nicht. Aber ich hätte schon lange merken müssen, daß du inzwischen deine eigenen Träume verfolgtest, nur hatte die Freundschaft mir den Blick getrübt.«

»Sprich weiter«, sagte der Poet grinsend.

»Das tue ich. Als Solomon in Kalliupolis das Gegengift kaufte, hatte der Händler, ich erinnere mich noch gut dar-an, uns auch eine genau gleich aussehende Phiole mit ei-nem sehr wirksamen Gift angeboten. Nach dem Besuch in jenem Zelt hatten wir dich im Gedränge für eine Weile aus den Augen verloren. Dann bist du wieder aufgetaucht, aber du hattest kein Geld mehr und hast behauptet, du seist bestohlen worden. In Wahrheit bist du, während wir über den Markt bummelten, rasch noch einmal dorthin zurück-gekehrt und hast das Gift gekauft. Es wird dir nicht schwer gefallen sein, Solomons Phiole durch deine zu ersetzen, während der langen Reise durch das Land des Sultans von Ikonion gab es Gelegenheiten genug. Am Abend vor Friedrichs Tod warst du es dann, der ihm mit lauter Stimme riet, sich ein Gegengift zu besorgen. So hast du den guten Solomon auf die Idee gebracht, ihm seines anzubieten – also dein Gift. Für einen Augenblick mußt du sehr erschrocken gewesen sein, als Kyot sich anbot, davon zu kosten, aber dann ist dir wohl eingefallen, daß diese Substanz, in kleinen Dosen eingenommen, nichts schadete, und nur zum Tod führte, wenn man alles auf einmal trank. Daß Kyot in jener Nacht ein so starkes Bedürfnis nach frischer Luft gehabt hatte, könnte daran gelegen haben, daß auch jener winzige Schluck ihm zugesetzt hatte, aber da bin ich mir nicht sicher.«

»Und wo bist du dir sicher?« fragte der Poet immer noch grinsend.

»Ich bin mir sicher, daß du, bevor du Boron und Kyot an Ardzrounis Maschinen herumspielen sahst, deinen Plan schon fertig im Kopf hattest. Du bist in den Saal mit der Schnecke gegangen, in der man sprechen mußte, um oben in Friedrichs Zimmer gehört zu werden. Daß dieses Spiel dir gefällt, hast du ja auch heute abend wieder bewiesen, und als ich dich dort hinter der Ikonostase sprechen hörte, fing ich an zu begreifen. Du bist an das Dionysios-Ohr getreten und hast Friedrich gerufen. Ich nehme an, du hast dich dabei für mich ausgegeben, im Vertrauen darauf, daß die Stimme im oberen Stockwerk entstellt ankam. Du hast Friedrich gesagt, wir hätten entdeckt, daß jemand Gift in sein Essen gemischt habe, womöglich hast du sogar hinzugefügt, daß einer von uns schon gräßliche Schmerzen litte und daß Ardzrouni seine Häscher losgeschickt habe. Du hast ihm gesagt, er solle den Schrein öffnen und sofort das Gegengift trinken. Mein armer Vater hat dir geglaubt, hat getrunken und ist tot umgefallen.«

»Schöne Geschichte«, sagte der Poet. »Und der Kamin?«

»Vielleicht ist er wirklich durch die Sonnenstrahlen aus dem Spiegel angezündet worden, aber erst, als Friedrich schon tot war. Der Kamin hat nichts damit zu tun, er war kein Teil deines Plans, jeder hätte ihn anzünden können, er hat dir nur geholfen, uns zu verwirren. Du hast Friedrich getötet, und erst heute bin ich dank deiner Mithilfe darauf gekommen. Sei verflucht! Wie konntest du dieses Verbrechen begehen, diesen Vatermord an deinem Wohltäter, nur aus Ruhmsucht? Hast du dir nicht klargemacht, daß du ein weiteres Mal dabei warst, dir den Ruhm anderer Leute anzueignen, so wie du es bei meinen Gedichten getan hast?«

»Das ist gut!« rief lachend der Boidi, der sich inzwischen von seinem Schrecken erholt hatte. »Der große Poet hat sich seine Gedichte von anderen schreiben lassen!«

Diese Demütigung, nach den vielen Enttäuschungen jenes Tages, im Verein mit dem verzweifelten Willen, den Gradal zu besitzen, trieb den Poeten zum Äußersten. Er zog sein Schwert, schrie: »Ich bringe dich um, ich bringe dich um!« und stürzte sich auf Baudolino.

»Ich habe dir immer gesagt, daß ich ein Mann des Friedens sei, Kyrios Niketas. Ich war zu schonungsvoll mit mir selbst. In Wirklichkeit bin ich ein Feigling, Friedrich hatte recht gehabt, damals. In diesem Augenblick haßte ich den Poeten aus tiefster Seele, ich wollte seinen Tod, und doch wollte ich ihn nicht töten, ich wollte nur verhindern, daß er mich tötete. Ich sprang rückwärts zwischen die Säulen, dann stürzte ich mich in den Gang, aus dem ich gekommen war. Ich floh ins Dunkel und hörte, wie er mir wutschnaubend folgte. Der Gang hatte kein Licht, wenn man sich tastend voranbewegte, berührte man die Mumien in den Nischen; sobald ich eine Öffnung zur Linken fand, hastete ich in jene Richtung. Er folgte dem Geräusch meiner Schritte. Endlich sah ich einen Lichtschimmer vor mir, und kurz darauf fand ich mich am Grund jenes nach oben offenen Brunnens, den ich schon beim Kommen passiert hatte. Inzwischen war es Abend, und fast wie durch ein Wunder erblickte ich genau über mir den Mond, der die Stelle beleuchtete, wo ich stand, und einen silbernen Widerschein auf die Gesichter der Toten warf. Vielleicht waren sie es, die mir mir sagten, daß man seinen Tod nicht überlisten kann, wenn er einem auf den Fersen ist. Ich blieb stehen. Ich sah den Poeten auf mich zukommen, er hielt sich die linke Hand vor die Augen, um diese unerwarteten Gäste nicht sehen zu müssen. Ich packte eines ihrer mottenzerfressenen Gewänder und zog mit aller Kraft daran. Eine Mumie stürzte direkt zwischen mich und den Poeten, Staub aufwirbelnd, vermischt mit winzigen Fetzen des Gewebes, das im Moment der Bodenberührung zerfiel. Der Kopf hatte sich vom Körper gelöst und rollte vor die Füße meines Verfolgers, genau unter den Mondstrahl, so daß er ihm sein gräßliches Grinsen zeigte. Der Poet hielt einen Augenblick erschrocken inne, dann stieß er den Schädel mit einem Fußtritt beiseite. Ich ergriff zwei weitere Mumien auf der gegenüberliegenden Seite und schleuderte sie ihm direkt ins Gesicht. »Schaff mir diese Toten vom Hals!« schrie der Poet, während ihm winzige staubtrockene Hautfetzen um den Kopf flogen. Ich konnte dieses Spiel nicht endlos fortsetzen, ich wäre aus dem Lichtkreis hinausgestürzt und wieder ins Dunkel gefallen. So zog ich meine beiden arabischen Dolche und hielt die Klingen gerade ausgestreckt vor mich hin wie ein Paar Hörner. Der Poet ging mit erhobenem Schwert auf mich los, er hob es mit beiden Armen, um mir den Schädel zu spalten, doch er stolperte über das zweite Skelett, das vor seine Füße gerollt war, und fiel mir entgegen, ich kippte nach hinten, lag rücklings am Boden, auf die Ellenbogen gestützt, er fiel auf mich drauf, wobei ihm das Schwert aus den Händen glitt... Ich sah sein Gesicht über meinem, seine blutunterlaufenen Augen direkt vor mir, ich roch die Ausdünstung seiner Wut, den Gestank eines wilden Tieres, das seine Beute packt, ich spürte seine Hände, die sich mir um den Hals legten, ich hörte das Knirschen seiner Zähne... Ich reagierte instinktiv, hob die Ellenbogen und stieß die beiden Dolche rechts und links in seine Seiten. Ich hörte das Geräusch von zerreißendem Stoff, mir schien, daß die beiden Klingen sich in der Mitte seines Unterleibs trafen. Dann sah ich ihn weiß werden, und ein dünner Blutstrom quoll aus seinem Mund. Seine Stirn berührte die meine, sein Blut rann auf meinen Mund. Ich weiß nicht mehr, wie ich mich aus dieser Umarmung befreit habe, ich ließ die Dolche in seinem Leib stecken und schüttelte die Last von mir ab. Er sank neben mir auf den Boden, die weitgeöffneten Augen auf den Mond in der Höhe gerichtet, und war tot.«

»Der erste Mensch, den du in deinem Leben getötet hast.«

»Und gebe Gott, daß es auch der letzte war! Er war mein Jugendfreund gewesen, der Gefährte unzähliger Abenteuer in mehr als vierzig Jahren. Ich wollte weinen, aber dann fiel mir ein, was er getan hatte, und ich hätte ihn noch einmal töten können. Ich stand auf, was mir schwerfiel, denn ich hatte zu töten begonnen, als ich nicht mehr die Beweglichkeit meiner besten Jahre besaß. Ich schwankte keuchend bis zum Ende des Ganges, trat wieder in die runde Krypta, sah die drei anderen bleich und zitternd dort warten und besann mich auf meine Würde als Ministeriale und Adoptivsohn Friedrichs. Ich durfte keine Schwäche zeigen. Hochaufgerichtet, den Rücken zur Ikonostase gekehrt, als wäre ich ein Erzengel unter Erzengeln, sagte ich: Der Gerechtigkeit ist Genüge getan, ich habe den Mörder des Kaisers des Heiligen Römischen Reiches gerichtet.«

Baudolino ging sein Reliquiar holen, nahm den Gradal heraus, zeigte ihn vor, wie man eine geweihte Hostie zeigt, und sagte nur: »Erhebt einer von euch darauf Ansprüche?«

»Baudolino«, sagte Boron, dem es immer noch nicht gelang, seine Hände ruhig zu halten, »heute abend habe ich mehr durchgemacht als in all den Jahren, die wir zusammen verbracht haben. Es ist sicher nicht deine Schuld, aber etwas ist zwischen uns zerbrochen, zwischen dir und mir, zwischen Kyot und mir, zwischen Boidi und mir. Noch vor kurzem hatte sich jeder von uns, wenn auch nur für einige Augenblicke, glühend gewünscht, daß der andere der Schuldige sei, um den eigenen Schuldvorwürfen ein Ende zu setzen. Das ist keine Freundschaft mehr. Nach dem Fall von Pndapetzim sind wir nur umständehalber zusammengeblieben. Was uns zusammenhielt, war die Suche nach dem Gegenstand, den du da in der Hand hältst. Die Suche danach, sage ich, nicht der Gegenstand selbst. Jetzt weiß ich, daß der Gegenstand die ganze Zeit über bei uns war, und das hat uns nicht daran gehindert, mehrmals beinahe in unser Verderben zu laufen. Heute abend habe ich begriffen, daß ich den Gradal nicht haben darf, auch nicht, um ihn jemandem zu geben, sondern daß ich nur die Flamme der Suche nach ihm am Leben erhalten muß. Also behalte das Ding, es hat nur dann die Macht, die Menschen mitzureißen, wenn man es nicht findet. Ich gehe fort. Ich werde versuchen, die Stadt so schnell wie möglich zu verlassen, dann werde ich anfangen, über den Gradal zu schreiben, und meine einzige Macht wird in meiner Erzählung liegen. Ich werde über bessere Ritter als uns schreiben, und wer mich liest, wird von der Reinheit träumen, nicht von unserem Elend. Lebt wohl, ihr alle, meine verbliebenen Freunde. Nicht wenige Male war es schön, mit euch zu träumen.« Er drehte sich um und verschwand auf dem Weg, den er gekommen war.

»Baudolino«, sagte Kyot, »ich glaube, daß Boron die richtige Wahl getroffen hat. Ich bin kein Gelehrter wie er, ich weiß nicht, ob ich die Geschichte des Gradals schreiben könnte, aber bestimmt werde ich jemanden finden, dem ich sie erzählen kann, damit er sie schreibt. Boron hat recht, ich werde meiner seit so vielen Jahren betriebenen Suche treu bleiben, wenn ich andere dazu bringe, sich den Gradal zu wünschen. Ich werde auch nicht mehr von dem Gefäß sprechen, das du da in der Hand hältst. Vielleicht werde ich sagen, der Gradal sei ein vom Himmel gefallener Stein. Ob Kelch oder Stein oder Lanze, was bedeutet das schon. Worauf es ankommt, ist, daß niemand ihn findet, sonst würden die anderen aufhören, nach ihm zu suchen. Wenn du auf mich hören willst: Versteck das Ding da, damit niemand den Traum davon tötet, indem er es in Besitz nimmt. Und im übrigen, auch ich würde mich unwohl fühlen, wenn ich bei euch bliebe, zu viele leidvolle Erinnerungen würden mich plagen. Du, Baudolino, bist ein Racheengel geworden. Vielleicht mußtest du tun, was du getan hast. Aber ich will dich nicht mehr sehen. Leb wohl.« Und damit ging auch er aus der Krypta.

Da sprach der Boidi, und nach so vielen Jahren begann er wieder in der heimischen Sprache der Frascheta zu sprechen. »Baudolino«, sagte er, »ich habe nicht den Kopf in den Wolken wie jene beiden, und Geschichten kann ich nicht erzählen. Daß die Leute rumlaufen, um nach etwas zu suchen, was es nicht gibt, darüber kann ich nur lachen. Die Dinge, auf die es ankommt, sind die, die es gibt, nur darfst du sie nicht jedem zeigen, denn die Eifersucht ist eine häßliche Bestie. Dieser Gradal da ist ein heiliges Ding, glaub mir, denn er ist schlicht und einfach wie alle heiligen Dinge. Ich weiß nicht, wohin du ihn tun willst, aber jeder Ort außer dem, den ich dir jetzt sagen werde, wäre der falsche. Hör zu, was mir eingefallen ist. Nach dem Tod deines armen Vaters Gagliaudo selig, erinnerst du dich, da hatten doch alle in Alexandria angefangen zu sagen, wer eine Stadt rettet, der soll eine Statue kriegen. Aber du weißt ja, wie es dann geht: Man redet, man redet, und nie kommt was Rechtes zustande. Ich hatte jedoch bei meinen Rundreisen als Getreidehändler in einer halbverfallenen kleinen Kirche nahe bei Villa del Foro eine wunderschöne Statue gefunden, wer weiß, wo die herkam. Sie stellt einen gebeugten alten Mann dar, der mit den Händen eine Art Mühlstein auf dem Kopf hält, einen Schlußstein, vielleicht auch ein großes Käserad, wer kann das wissen, und es scheint, als ob er darunter zusammenbricht, weil er das Ding kaum noch halten kann. Ich hab mir gesagt, so eine Figur sollte sicherlich was bedeuten, auch wenn ich keine Ahnung habe, was sie bedeutet, aber du weißt ja, wie das ist, du machst eine Figur, und dann erfinden die anderen eine Bedeutung für sie, und dir kann's recht sein. Tja, und da hab ich mir gesagt, was für ein schöner Zufall, dies könnte die Statue von Gagliaudo sein, du baust sie über dem Portal oder an einer Seitenwand der Kathedrale ein, wie eine kleine Säule, der dieser Stein auf dem Kopf als Kapitell dient, und dann ist es der arme Alte, der das ganze Gewicht der Belagerung trägt. Ich hab sie mit nach Hause genommen und in meinen Heuschober gestellt, und als ich den anderen davon erzählte, fanden alle, das sei wirklich eine schöne Idee. Dann kam diese Geschichte dazwischen, daß wer ein guter Christ war nach Jerusalem zog, und da bin auch ich mitgegangen, das schien ja damals wer weiß was Tolles zu sein. Na ja, vorbei und erledigt. Jetzt gehe ich wieder nach Hause, und dann werden wir ja sehen, wie sie mich feiern werden, unsere Altersgenossen, soweit sie noch auf dieser Welt sind, und für die Jüngeren werde ich der sein, der mit dem Kaiser nach Jerusalem gezogen ist und abends am Feuer mehr zu erzählen hat als der Meister Vergil, paß auf, womöglich wählen sie mich noch, bevor ich sterbe, zum Konsul... Ich komme also nach Hause, gehe ohne ein Wort zu sagen in den Heuschober, finde die Statue, mache irgendwie ein Loch in das Ding, das sie auf dem Kopf trägt, und tue den Gradal rein. Dann schmiere ich Mörtel drüber, lege Steinsplitter drauf, daß man nicht mal mehr einen Spalt sieht, und bringe sie zur Kathedrale. Wir stellen sie an eine passende Stelle und mauern sie fest, und dann steht sie da *per omnia saecula saeculorum*, und niemand holt sie mehr runter, auch nicht, um nachzusehen, was dein Vater da auf der Rübe trägt. Wir sind eine junge Stadt und haben nicht allzu viele Grillen im Kopf, aber irgendein Segen vom Himmel kann nie schaden. Ich werde sterben, meine Kinder werden sterben, und der Gradal wird immer dasein, um die Stadt zu beschützen, ohne daß jemand es weiß, es genügt, daß der Herrgott es weiß. Was hältst du davon?«

»Kyrios Niketas, dies war das richtige Ende für die Schale, auch weil ich, obwohl ich jahrelang vorgab, es vergessen zu haben, als einziger wußte, woher sie kam. Nach dem, was ich gerade getan hatte, wußte ich selber nicht mehr, wozu ich eigentlich auf der Welt war, ich hatte nie etwas wirklich Gutes zustande gebracht. Mit diesem Gradal in der Hand würde ich weitere Dummheiten machen. Er hatte recht, der gute Boidi. Ich wäre gern mitgekommen nach Alexandria, aber was sollte ich dort, umgeben von tausend Erinnerungen an Colandrina und jede Nacht von Hypatia träumend? So dankte ich dem Boidi für seine schöne Idee und wickelte den Gradal wieder in den Lappen, in dem ich ihn hergebracht hatte, aber ohne das Reliquiar. Wenn du auf Reisen bist und triffst womöglich auf Räuber, sagte ich ihm, dann würden sie dir ein scheinbar goldenes Reliquiar gleich wegnehmen, während sie eine schlichte Holzschale nicht mal anrühren. Geh mit Gott, Boidi, möge er dir bei deinem Vorhaben helfen. Laß mich hier, ich muß eine Weile allein bleiben. – So ging auch er. Ich schaute mich um, und da fiel mir Zosimos ein. Er war nicht mehr da. Wann er sich davongemacht hatte, weiß ich nicht, er hatte wohl gehört, daß einer den anderen umbringen wollte, und inzwischen hatte ihn das Leben gelehrt, jeden Wirrwarr zu meiden. Tastend hatte er, der jene Gänge ja bestens kannte, sich davongemacht, während wir auf ganz anderes achteten. Er hatte es wahrhaft bunt getrieben, aber er war dafür bestraft worden. Soll er weiter in den Straßen betteln, und möge der Herr ihm gnädig sein. Tja, Kyrios Niketas, so bin ich also zurückgegangen durch meine Mumiengalerie, bin über die Leiche des Poeten gestiegen und schließlich nahe am Hippodrom wieder ans Licht des Brandes gekommen. Was mir gleich darauf passiert ist, habe ich dir schon erzählt, und bald danach bin ich dir begegnet.«

39. Kapitel

Baudolino als Säulenheiliger

Niketas schwieg. Auch Baudolino schwieg und hielt die Hände offen im Schoß, als wollte er sagen: »Das war's.«

»Da ist etwas in deiner Geschichte«, sagte Niketas nach einer Weile, »was mich noch nicht überzeugt. Der Poet hatte phantasiereiche Anklagen gegen deine Gefährten vorgebracht, als hätte jeder von ihnen Friedrich getötet, und dann hat nichts davon gestimmt. Du hast geglaubt, die Vorgänge in jener Nacht rekonstruiert zu haben, aber wenn du mir alles erzählt hast, dann hat der Poet nie gesagt, daß es tatsächlich so gewesen war.«

»Er hat mich umzubringen versucht!«

»Er war von Sinnen, das ist klar. Er wollte den Gradal um jeden Preis haben, und um ihn zu kriegen, hatte er sich in den Kopf gesetzt, daß der, der ihn hatte, schuldig war. Bei dir konnte er nur denken, daß du, wenn du ihn hattest, ihn vor ihm verborgen hattest, und das hat ihm genügt, über deine Leiche zu gehen, um dir diese Schale abzunehmen. Aber er hat nie gesagt, daß er der Mörder Friedrichs war.«

»Und wer war es dann?«

»Ihr habt fünfzehn Jahre lang gedacht, daß Friedrich durch einen Zufall ums Leben gekommen sei...«

»Wir haben uns darauf versteift, das zu denken, um uns nicht gegenseitig zu verdächtigen. Außerdem gab es ja das Phantom von Zosimos, mit dem hatten wir einen Schuldigen.«

»Mag sein. Aber glaub mir, ich habe in den kaiserlichen Palästen viele Verbrechen gesehen. Auch wenn unsere Kaiser sich immer damit ergötzten, ausländischen Besuchern wunderbare Maschinen und Automaten vorzuführen, habe ich doch nie gehört, daß jemand diese Maschinen zum Töten benutzte. Hör zu, du wirst dich erinnern, als du das erste Mal auf Ardzrouni zu sprechen kamst, habe ich dir gesagt, daß ich ihn in Konstantinopel kennengelernt hatte und daß einer meiner Freunde aus Selymbria ein- oder zweimal auf seiner Burg gewesen war. Dieser Freund heißt Paphnutios, er ist ein Mann, der vieles über Ardzrounis technische Hexereien weiß, weil er selber ganz ähnliche Maschinen für die Kaiserpaläste konstruiert hat. Und er weiß auch sehr gut, wo diese Hexereien ihre Grenzen haben, denn einmal, zur Zeit von Andronikos, hatte er dem Kaiser einen Automaten versprochen, der sich im Kreis drehen und eine Standarte schwenken würde, sobald der Kaiser in die Hände klatschte. Er baute den Automaten, Andronikos wollte ihn während eines Festessens mit ausländischen Gesandten vorführen und klatschte in die Hände, der Automat rührte sich nicht, und Paphnutios wurden die Augen ausgestochen. Ich werde ihn fragen, ob er Lust hat, uns besuchen zu kommen. Hier in Selymbria hat man ja als Verbannter nicht viel Abwechslung.«

Paphnutios kam, geführt von einem Knaben. Trotz seines Unglücks und seines Alters war er ein wacher und scharfsinniger Mann. Er unterhielt sich mit Niketas, den er lange nicht gesprochen hatte, und fragte, womit er Baudolino dienlich sein könne.

Baudolino erzählte ihm die Geschichte, anfangs summarisch, dann detaillierter, vom Markt in Kalliupolis bis zum Tode Friedrichs. Er konnte nicht vermeiden, Ardzrouni zu erwähnen, aber er ließ die Identität seines Adoptivvaters im dunkeln und sagte, er sei ein flämischer Graf gewesen, den er sehr geliebt habe. Er ließ auch den Gradal unerwähnt und sprach statt dessen von einem mit Edelsteinen besetzten Kelch, der dem Getöteten sehr viel bedeutet habe und um den ihn sicher viele beneidet hätten. Während Baudolino erzählte, unterbrach ihn Paphnutios immer wieder. »Du bist ein Franke, nicht wahr?« sagte er etwa und erklärte dann, daß seine Art, bestimmte griechische Wörter auszusprechen, typisch für die Leute aus der Provence sei. Oder er fragte: »Warum faßt du dir immer an die Narbe auf deiner Wange, während du sprichst?« Und als Baudolino schon glaubte, er täusche seine Blindheit nur vor, erklärte er ihm, daß seine Stimme manchmal ein wenig dumpfer klinge, als ob er sich die Hand vor den Mund hielte. Würde er sich jedoch, wie es viele täten, über den Bart streichen, so würde er die Hand nicht vor den Mund halten. Also müsse er sich an die Wange fassen, und wenn einer sich an die Wange fasse, tue er das entweder, weil er Zahnweh, oder weil er einen Pickel oder eine Narbe auf der Wange habe. Da Baudolino jedoch ein Schwert trage, sei ihm die Hypothese der Narbe als die vernünftigste vorgekommen.

Schließlich erzählte Baudolino alles, und Paphnutios sagte: »Und jetzt möchtest du gerne wissen, was wirklich in jenem geschlossenen Zimmer des Kaisers Friedrich geschehen ist.«

»Woher weißt du, daß ich von Friedrich gesprochen habe?«

»Nun, alle wissen doch, daß der Kaiser im Kalykadnos ertrunken ist, nahe bei Ardzrounis Burg, so daß dieser seit damals verschwunden ist, denn sein Fürst Leo wollte ihn köpfen lassen, weil er ihn dafür verantwortlich machte, daß sein illustrer Gast nicht gut bewacht worden war. Es hat mich immer gewundert, daß dein Kaiser, der bekanntlich so gern und häufig in Flüssen schwamm, sich von der Strömung eines Flüßchens wie des Kalykadnos hatte fortreißen lassen, und jetzt erklärst du mir vieles. Also, versuchen wir klarzusehen.« Er sagte das ohne Ironie, als verfolge er tatsächlich gerade eine Szene, die sich vor seinen toten Augen abspielte.

»Räumen wir erst einmal den Verdacht aus, daß Friedrich wegen der Maschine, die Leere erzeugt, gestorben sein könnte. Ich kenne diese Maschine, erstens wirkte sie sich auf ein kleines fensterloses Zimmerchen im Oberstock aus und bestimmt nicht auf das Zimmer des Kaisers, wo es einen Rauchfang gab und wer weiß wie viele andere Schlitze und Spalten, durch die Luft hereinkonnte, soviel wie nur wollte. Und zweitens konnte die Maschine selbst überhaupt nicht funktionieren. Ich habe sie ausprobiert.

Der innere Zylinder füllte den äußeren nicht vollkommen aus, auch dort konnte die Luft an tausend Stellen ein- und austreten. Erfahrenere Mechaniker als Ardzrouni haben schon vor Jahrhunderten solche Experimente zu machen versucht, ohne Erfolg. Es ist eine Sache, jene sich drehende Kugel zu konstruieren oder jene Tür, die sich durch die Kraft der Wärme öffnet, das sind Spielchen, die wir seit den Zeiten des Ktesibios und des Heron kennen. Aber die Leere, nein, lieber Freund, die absolut nicht. Ardzrouni war eitel, er liebte es, seine Gäste zu verblüffen, das war alles. Kommen wir nun zu den Spiegeln. Daß der große Archimedes mit ihnen die römischen Schiffe in Brand gesteckt haben soll, behauptet zwar die Legende, aber wir wissen nicht, ob es stimmt. Ich habe Ardzrounis Spiegel betastet: Sie waren zu klein und zu roh geschliffen. Aber auch wenn sie perfekt gewesen wären – ein Spiegel reflektiert Sonnenstrahlen mit einer gewissen Kraft nur am Mittag, wenn die Sonne hoch steht, nicht am frühen Morgen, wenn die Strahlen noch schwach sind. Nimm hinzu, daß die Strahlen durch ein Fenster mit bunten Scheiben hätten einfallen müssen, und du siehst, daß dein Freund, selbst wenn es ihm gelungen wäre, einen der Spiegel exakt auf das Fenster des Kaisers auszurichten, nichts damit erreicht hätte. Habe ich dich überzeugt?«

»Kommen wir zum Rest.«

»Die Gifte und Gegengifte... Ihr Lateiner seid wirklich naiv. Meint ihr, daß auf dem Markt in Kalliupolis Substanzen verkauft werden, die eine so große Wirkkraft haben, daß sogar ein Basileus sie nur von Hofalchimisten erhält, und nur wenn er ihr Gewicht in Gold aufwiegt? Alles, was dort verkauft wird, ist falsch, gerade gut genug für die Barbaren, die aus Ikonion kommen oder aus der balkanischen Wildnis. In den beiden Phiolen, die man euch gezeigt hat, war reines Wasser, und ob Friedrich die Flüssigkeit aus der Phiole deines Juden getrunken hätte oder die deines Freundes, den du Poet nennst, wäre dasselbe gewesen. Und dasselbe können wir für jenes wundertätige Herzmittel annehmen. Wenn es ein solches Herzmittel gäbe, würde es jeder Stratege horten, um seine verwundeten Soldaten wiederzubeleben und erneut in die Schlacht zu schicken. Im übrigen hast du mir erzählt, zu welchem Preis ihr diese Wunderdinge gekauft habt: Er war so lächerlich, daß er kaum die Mühe lohnte, das Wasser aus der Quelle zu holen und in die Phiolen zu füllen. Nun zu diesem Dionysios-Ohr. Das in Ardzrounis Burg hat nie richtig funktioniert. Spiele dieser Art mögen gelingen, wenn die Distanz zwischen der Öffnung, in die man hineinspricht, und der, aus der man die Stimme hört, sehr gering ist, sie funktionieren dann so ähnlich, wie wenn man die Hände trichterförmig an den Mund legt, um etwas weiter entfernt gehört zu werden. Aber in der Burg war der Gang, der von einem Stockwerk zum anderen führte, lang und gewunden und mußte durch dicke Mauern... Hat Ardzrouni euch seine Vorrichtung etwa ausprobieren lassen?«

»Nein.«

»Siehst du? Er zeigte sie seinen Gästen, um sich damit zu brüsten, und das war alles. Selbst wenn der Poet versucht hätte, mit Friedrich zu sprechen, und Friedrich wach geworden wäre, hätte er höchstens ein undeutliches Raunen aus dem Mund der Medusa gehört. Vielleicht hat Ardzrouni die Anlage benutzt, um dort einquartierte Gäste zu erschrecken und sie glauben zu machen, es gäbe Gespenster im Zimmer, aber mehr nicht. Dein Poet kann Friedrich auf diesem Weg keinerlei Nachricht geschickt haben.«

»Aber die leere Schale am Boden, das Feuer im Kamin...«

»Du hast mir gesagt, daß Friedrich sich an jenem Abend nicht wohl fühlte. Er war den ganzen Tag lang geritten, unter der sengenden Sonne jener Länder, die einem heftig zusetzt, wenn man sie nicht gewohnt ist, er hatte viele Tage voll unaufhörlicher Irrfahrten und blutiger Schlachten hinter sich... Er war sicher müde, geschwächt, vielleicht hatte er Fieber. Was tut man, wenn man nachts mit Fieberschauern aufwacht? Man versucht sich besser zuzudecken, aber wenn man Fieber hat, friert man auch unter den Decken. Dein Kaiser hat den Kamin angezündet. Danach hat er sich noch schlechter gefühlt als vorher, ihn überkam die Angst, er sei vergiftet worden, und da hat er sein unnützes Gegengift getrunken.«

»Aber warum hat er sich noch schlechter gefühlt?«

»Hier bin ich mir nicht mehr sicher, aber wenn man's genau bedenkt, sieht man gleich, daß es nur eine Antwort geben kann. Beschreib mir noch einmal diesen Kamin, so daß ich ihn gut vor mir sehen kann.«

»Da waren runde Holzscheite auf einem Bett aus Reisig, da waren Zweige mit wohlriechenden Beeren... und dann Brocken einer dunklen Materie, ich glaube, es war Kohle, aber überzogen mit etwas Öligem...«

»Das war Naphtha, auch Bitumen genannt, eine Substanz, die sich in großen Mengen zum Beispiel in Palästina findet, im sogenannten Toten Meer, wo das, was du für Wasser hältst, so dicht und schwer ist, daß du in jenem Meer nicht versinkst, sondern oben schwimmst wie ein Boot. Plinius schreibt, daß diese Substanz eine so enge Beziehung zum Feuer hat, daß sie es, wenn sie ihm nahe kommt, auflodern läßt. Was die Kohle angeht, so wissen wir alle, was sie ist, wenn man sie, wie ebenfalls Plinius schreibt, aus Eichen gewinnt, indem man frische Zweige in einem Meiler verbrennt, das heißt in einem konusförmigen Haufen mit einem Überzug aus nasser Tonerde, in die Löcher gemacht worden sind, damit die ganze Feuchtigkeit während der Verbrennung abziehen kann. Aber manchmal wird das auch mit anderen Hölzern gemacht, deren Eigenschaften nicht immer bekannt sind. Nun haben viele Ärzte beobachtet, was geschieht, wenn man die Dämpfe einer schlechten Kohle einatmet, zumal wenn sie durch die Vereinigung mit bestimmten Arten von Bitumen noch gefährlicher wird. Es strömen dann giftige Dämpfe aus, die viel subtiler und tückischer sind als der Rauch, der sichtbar von einem Feuer aufsteigt, so daß es genügt, ein Fenster zu öffnen, um ihn loszuwerden. Diese Dämpfe dagegen sind unsichtbar, sie verbreiten sich im Raum, und wenn er geschlossen ist, stauen sie sich. Man könnte sie zwar bemerken, denn wenn diese Ausdünstungen in Kontakt mit der Flamme einer Öllampe kommen, färbt sich die Flamme blau. Aber meistens bemerkt man sie erst, wenn es schon zu spät ist und dieser üble Atem bereits die reine Luft ringsum verpestet hat. Der Unglückliche, der diese mephitische Luft einatmet, verspürt eine große Schwere im Kopf, hört ein Sausen in den Ohren, glaubt zu ersticken, sein Blick trübt sich... Lauter gute Gründe, sich für vergiftet zu halten, also ein Gegengift zu trinken, und so hat es dein Kaiser getan. Aber wenn man, nachdem man diese Übel verspürt hat, nicht sofort den verpesteten Raum verläßt oder von jemandem herausgeholt wird, passiert noch Schlimmeres. Man fühlt sich von einer bleiernen Müdigkeit erfaßt, man sinkt zu Boden, und in den Augen derer, die einen hinterher finden, erscheint man tot, ohne Atem, ohne Farbe, ohne Puls- und Herzschlag, die Glieder starr und das Gesicht leichenblaß... Auch der erfahrenste Arzt wird glauben, einen Toten vor sich zu haben. Man weiß von Personen, die in solchem Zustand begraben worden sind, während es genügt hätte, sie mit kalten Kopfumschlägen und Fußbädern zu behandeln, sie am ganzen Leib mit belebenden Ölen einzureiben...«

»Willst du mir«, unterbrach ihn da Baudolino, bleich wie das Antlitz Friedrichs an jenem Morgen, »willst du mir etwa sagen, daß wir den Kaiser nur für tot *hielten* und daß er in Wahrheit noch *lebte*...?«

»So gut wie sicher, mein armer Freund. Er starb, als er in den Fluß geworfen worden war. Das eisige Wasser hatte in gewisser Weise begonnen, ihn wieder zum Leben zu erwekken, und das hätte sogar eine gute Kur sein können, aber er hat, noch bevor er wieder zu Bewußtsein kam, wieder zu atmen begonnen, dabei hat er Wasser geschluckt und ist ertrunken. Als ihr ihn ans Ufer gezogen habt, müßtet ihr gesehen haben, ob er das Aussehen eines Ertrunkenen hatte...«

»Er war aufgedunsen. Ich wußte, daß es nicht sein konnte, und hielt es für eine Einbildung angesichts dieser zerschundenen und zerschlagenen Reste...«

»Ein Toter bläht sich nicht auf, wenn er unter Wasser liegt. Das geschieht nur bei einem Lebenden, der unter Wasser stirbt.«

»Dann ist also Friedrich nur einem außergewöhnlichen, ihm unbekannten Unwohlsein zum Opfer gefallen und nicht getötet worden?«

»Ihm ist das Leben genommen worden, sicher, aber von dem, der ihn ins Wasser geworfen hat.«

»Aber das war ich!«

»Wirklich ein furchtbares Unglück. Ich verstehe deine Erregung. Aber beruhige dich. Du hast es in gutem Glauben getan, bestimmt nicht, um seinen Tod herbeizuführen.«

»Aber ich habe bewirkt, daß er gestorben ist!«

»Das nenne ich nicht töten.«

»Aber ich wohl!« schrie Baudolino auf. »Ich habe meinen geliebten Vater ertrinken lassen, während er noch lebte! Ich...« Er wurde noch bleicher, stammelte ein paar zusammenhanglose Worte und verlor das Bewußtsein.

Er kam wieder zu sich, als Niketas ihm kalte Tücher auf die Stirn legte. Paphnutios war gegangen, vielleicht fühlte er sich schuldig, weil er Baudolino, um zu zeigen, wie gut er die Dinge durchschaute, eine schreckliche Wahrheit enthüllt hatte.

»Versuche jetzt, ruhig zu bleiben«, sagte Niketas. »Ich verstehe, daß du erschüttert bist, aber es war ein Unglück, eine Verkettung fataler Umstände. Du hast gehört, was Paphnutios gesagt ha: Jeder hätte diesen Mann für tot gehalten. Auch mir sind Fälle von Scheintod zu Ohren gekommen, die jeden Mediziner getäuscht haben.«

»Ich habe meinen Vater getötet«, wiederholte Baudolino in einem fort, nun von heftigen Fieberschauern geschüttelt. »Ich habe ihn, ohne es zu wissen, gehaßt, weil ich seine Frau begehrt hatte, meine Adoptivmutter. Ich war erst Ehebrecher und dann Vatermörder, und nachdem ich mir diese Lepra aufgeladen hatte, habe ich mit meinem inzestuösen Samen die reinste der Jungfrauen besudelt und sie glauben lassen, dies sei die Ekstase, die man ihr versprochen hatte. Ich bin ein Mörder, weil ich den Poeten getötet habe, der unschuldig war...«

»Er war nicht unschuldig, er war von einer rasenden Gier erfüllt, er wollte dich töten, du hast dich nur gewehrt.«

»Ich habe ihn zu Unrecht des Mordes bezichtigt, den ich selbst begangen hatte, ich habe ihn getötet, um nicht zugeben zu müssen, daß ich mich selbst bestrafen müßte, ich habe mein ganzes Leben lang in der Lüge gelebt, ich will sterben, ich will zur Hölle fahren und in Ewigkeit leiden...«

Es war nutzlos, ihn beruhigen zu wollen, und man konnte nichts tun, um ihn zu heilen. Niketas ließ Theophilattos einen Schlaftee bereiten und flößte ihn ihm ein. Kurz darauf schlief Baudolino den unruhigsten Schlaf seines Lebens.

Als er am nächsten Tag wieder erwachte, lehnte er eine Tasse heiße Brühe ab, die ihm gebracht wurde, und ging wortlos hinaus in den Garten, setzte sich unter einen Baum und verharrte dort schweigend, den Kopf in die Hände gestützt, den ganzen Tag lang, und am nächsten Morgen saß er immer noch da. Niketas kam zu dem Schluß, daß in solchen Fällen das beste Heilmittel Wein sei, und brachte ihn dazu, im Überfluß davon zu trinken. Baudolino blieb in einem Zustand anhaltender Starre drei Tage und drei Nächte unter dem Baum.

Am Morgen des vierten Tages kam Niketas, um wie üblich nach ihm zu sehen, und fand ihn nicht mehr. Er durchsuchte den Garten und das Haus, aber Baudolino war verschwunden. Schon fürchtend, er könnte beschlossen haben, eine Verzweiflungstat zu begehen, schickte Niketas den getreuen Theophilattos und seine beiden Söhne aus, in ganz Selymbria und Umgebung nach ihm zu suchen. Zwei Stunden später kamen sie zurück und riefen Niketas, er solle rasch kommen und sehen. Sie führten ihn zu jenem offenen Platz am Stadtrand, auf dem die Eremitensäule stand, die sie bei ihrer Ankunft aus Konstantinopel gesehen hatten.

Eine Gruppe Neugieriger hatte sich um die Säule geschart und zeigte hinauf. Die Säule war aus weißem Stein, etwa so hoch wie ein zweistöckiges Haus. Oben verbreiterte sie sich zu einer quadratischen Plattform mit einer Balustrade aus kleinen Säulen in weiten Abständen und einem Handlauf darüber, ebenfalls aus Stein. In der Mitte der Plattform erhob sich ein kleiner Pavillon. Alles dort oben war sehr eng, um auf der Plattform sitzen zu können, mußte man die Beine herunterbaumeln lassen, und in dem Pavillon war allenfalls Platz für einen zusammengekauerten Mann. Dort oben saß, die Beine draußen, Baudolino, und man sah, daß er splitternackt war.

Niketas rief ihn an, schrie hinauf, er solle herunterkommen, versuchte die kleine Tür am Fuß der Säule zu öffnen, hinter der, wie in all diesen Bauwerken, eine Wendeltreppe zur Plattform hinaufführte. Aber die Tür war, obwohl nicht ganz geschlossen, von innen verbarrikadiert.

»Komm runter, Baudolino, was willst du da oben?« Baudolino antwortete etwas, aber Niketas konnte es nicht verstehen. Er bat die Umstehenden, ihm eine ausreichend lange Leiter zu holen. Sie kam, er kletterte mühsam hinauf und fand sich mit dem Kopf auf der Höhe von Baudolinos Füßen. »Was willst du hier oben?« fragte er noch einmal.

»Hierbleiben. Jetzt beginnt meine Buße. Ich werde beten, meditieren, mich in Schweigen auflösen. Ich werde versuchen, die Einsamkeit fernab von jeder Meinung und Vorstellung zu erreichen, weder Zorn noch Begierde mehr zu empfinden, auch nicht mehr zu räsonieren und nichts mehr zu denken, mich aus allen Bindungen zu lösen, zurückzukehren zum absolut Einfachen, um nichts mehr zu sehen außer dem Glorienschein der Dunkelheit. Ich werde mich der Seele und des Verstandes begeben, ich werde über das Reich des Geistes hinausgelangen, ich werde im Dunkeln meine Bahn auf den Wegen des Feuers vollenden...«

Niketas machte sich klar, daß er Dinge wiederholte, die er von Hypatia gehört hatte. So restlos will dieser Unglückliche jede Leidenschaft fliehen, dachte er, daß er sich hier oben isoliert, im Versuch, derjenigen, die er immer noch liebt, gleich zu werden. Aber das sagte er ihm nicht. Er fragte ihn nur, wie er zu überleben gedachte.

»Du hast mir doch erzählt, daß die Eremiten einen Korb an einem Seil hinunterließen«, sagte Baudolino, »und da haben die Gläubigen ihre Essensreste hineingetan und besser noch die ihrer Tiere. Und dazu ein bißchen Wasser, obwohl man auch Durst leiden und warten kann, bis es dann und wann regnet.«

Niketas seufzte, stieg hinunter, ließ einen Korb mit einem Seil holen und Brot, gekochtes Gemüse, Oliven und ein Stück Fleisch hineintun. Einer von Theophilattos' Söhnen warf das Seil hinauf, Baudolino fing es und zog den Korb zu sich empor. Er nahm nur das Brot und die Oliven, das übrige gab er zurück. »Jetzt laß mich bitte«, rief er zu Niketas hinunter. »Was ich begreifen wollte, während ich dir meine Geschichte erzählte, das habe ich begriffen. Wir haben uns nichts mehr zu sagen. Danke, daß du mir geholfen hast, dahin zu gelangen, wo ich nun bin.«

Niketas ging ihn jeden Tag besuchen, Baudolino grüßte mit einer Handbewegung und schwieg. Nach einiger Zeit bemerkte Niketas, daß es nicht mehr nötig war, ihm Essen zu bringen, denn in Selymbria hatte es sich herumgesprochen, daß nach Jahrhunderten wieder ein Heiliger auf der Säule lebte, und jeder ging hin, um sich darunter zu bekreuzigen und etwas zu essen oder zu trinken in den Korb zu tun. Baudolino zog dann den Korb zu sich herauf, behielt das wenige, was ihm für den Tag genügte, und verteilte den Rest an die zahlreichen Vögel, die sich auf seiner Balustrade niedergelassen hatten. Er interessierte sich nur für sie.

Den ganzen Sommer blieb Baudolino dort oben, ohne ein Wort zu sprechen, verbrannt von der Sonne und, obwohl er sich oft in den Pavillon zurückzog, von der Hitze gemartert. Sein Bedürfnis verrichtete er nachts über die Balustrade, und am nächsten Morgen sah man die Exkremente am Fuß der Säule, klein wie Ziegenköttel. Sein Bart und seine Haare wuchsen immer länger, und er war so schmutzig, daß man es von unten sehen und langsam auch riechen konnte.

Zweimal mußte sich Niketas aus Selymbria fortbegeben. In Konstantinopel war Balduin von Flandern zum Basileus ernannt worden, und die Lateiner besetzten allmählich das ganze Reich, aber Niketas mußte sich um seine Besitzungen kümmern. Unterdessen bildete sich in Nikäa das letzte Bollwerk des Byzantinischen Reiches, und Niketas erwog, sich dorthin zu begeben, wo man einen Berater mit seiner

Erfahrung gut gebrauchen könnte. Daher mußte er Kontakte knüpfen und diese neue, höchst gefahrvolle Reise vorbereiten.

Jedesmal, wenn er zurückkam, sah er eine dichtere Menge zu Füßen der Säule. Jemand war auf den Gedanken gekommen, daß ein Säulenheiliger, der durch sein fortwährendes Opfer zu solcher Reinheit gelangt war, auch eine tiefe Weisheit haben müßte. Also stieg er mit Hilfe einer Leiter zu ihm hinauf, um Rat und Trost von ihm zu erbitten. Er erzählte ihm von seinem Unglück, und Baudolino antwortete zum Beispiel: »Bist du stolz, so bist du der Teufel. Bist du traurig, so bist du sein Sohn. Und sorgst du dich um tausend Dinge, so bist du sein nimmermüder Diener.«

Ein anderer erbat seinen Rat, wie er einen Streit mit seinem Nachbarn beenden könnte. Darauf Baudolino: »Sei wie ein Kamel: Trage die Last deiner Sünden und folge den Schritten dessen, der die Wege des Herrn kennt.«

Wieder ein anderer sagte ihm, seine Schwiegertochter könne kein Kind bekommen. Und Baudolino: »Alles, was ein Mensch denken kann über die Dinge unter dem Himmel und die Dinge über dem Himmel, ist müßig. Nur wer im Gedächtnis Christi verharrt, ist in der Wahrheit.«

»Wie weise er ist«, sagten die Frager, ließen ihm ein paar Münzen da und gingen getröstet nach Hause.

Es kam der Winter, und Baudolino hockte fast immer zusammengekauert im Pavillon. Um sich nicht lange Geschichten von seinen Besuchern anhören zu müssen, fing er an, sie zu antizipieren. »Du liebst eine Person von ganzem Herzen, aber manchmal kommen dir Zweifel, ob diese Person dich ebenso liebt«, sagte er etwa. Und der Besucher: »Wie wahr das ist! Du hast in meiner Seele gelesen wie in einem aufgeschlagenen Buch! Was muß ich tun?« Und Baudolino: »Schweige, und miß dich nicht selber.«

Zu einem dicken Mann, der als nächster kam und schnaufend hinaufgestiegen war, sagte er: »Du wächst jeden Morgen mit Halsschmerzen auf und hast Mühe, dir die Schuhe anzuziehen.« – »So ist es«, sagte der Dicke bewundernd. Und Baudolino: »Iß drei Tage lang nichts. Aber werde nicht stolz auf dein Fasten. Bevor du stolz darauf wirst, iß lieber ein Stück Fleisch. Es ist besser, Fleisch zu essen, als sich zu brüsten. Und nimm deine Leiden als Strafe für deine Sünden.«

Ein Vater kam und sagte, sein Sohn sei mit Schwären bedeckt. Ihm antwortete Baudolino: »Wasch ihn dreimal am Tag mit Wasser und Salz und sprich dazu die Worte: Jungfrau Hypatia, sorge für deinen Sohn.« Der Mann ging, kam nach einer Woche wieder und sagte, die Schwären seien dabei zu verheilen. Er gab ihm Münzen, eine Taube und eine Flasche Wein. Alle verwunderten sich sehr, und wer krank war, ging in die Kirche und betete: »Jungfrau Hypatia, sorge für deinen Sohn.«

Ein schlechtgekleideter Mann mit düsterem Blick kam die Leiter heraufgestiegen. Baudolino sagte zu ihm: »Ich weiß, was du hast. Du trägst Groll auf jemanden in deinem Herzen.«

»Du weißt alles«, sagte der Mann.

Baudolino fuhr fort: »Wenn jemand Böses mit Bösem vergelten will, kann er einen Bruder auch mit einem bloßen Wink verletzen. Halte die Hände immer hinter dem Rücken.«

Es kam einer mit traurigen Augen und sagte: »Ich weiß nicht, welches Übel ich habe.«

»Ich weiß es«, sagte Baudolino. »Du bist träge.«

»Wie kann ich gesund werden?«

»Die Trägheit zeigt sich das erste Mal, wenn man bemerkt, mit welch extremer Langsamkeit sich die Sonne bewegt.«

»Und was tut man dagegen?«

»Schau nie in die Sonne.«

»Man kann ihm nichts verbergen«, sagten die Leute von Selymbria.

»Wie kommt es, daß du so weise bist?« fragte ihn einer. Und Baudolino: »Weil ich mich verstecke.«

»Wie kannst du dich verstecken?«

Baudolino streckte ihm eine geöffnete Hand entgegen. »Was siehst du vor dir?« fragte er. »Eine Hand«, sagte der andere.

»Siehst du, ich kann mich gut verstecken«, sagte Baudolino.

Der Frühling kam wieder. Baudolino wurde immer schmutziger und struppiger. Außerdem war er von Vögeln bedeckt, die in Scharen geflogen kamen und die Würmer aufpickten, die inzwischen auf seinem Körper lebten. Da er alle diese Geschöpfe ernähren mußte, füllten die Leute ihm mehrmals am Tag seinen Korb.

Eines Morgens kam ein Ritter, erschöpft und staubbedeckt. Er sagte ihm, ein adliger Herr habe während einer Jagdpartie einen Pfeil schlecht abgeschossen und den Sohn seiner Schwester getroffen. Der Pfeil sei in ein Auge eingedrungen und im Nacken herausgekommen. Der Knabe atme noch, und der Herr bitte Baudolino, alles zu tun, was ein Gottesmann tun könne.

Baudolino sagte: »Aufgabe des Säulenheiligen ist es, die eigenen Gedanken aus der Ferne eintreffen zu sehen. Ich wußte, daß du kommen würdest, aber du hast zuviel Zeit gebraucht, und ebenso lange wirst du für deine Rückkehr brauchen. Die Dinge laufen auf dieser Welt, wie sie laufen müssen. Wisse, daß der Knabe gerade stirbt, ja, daß er jetzt in diesem Augenblick schon gestorben ist, Gott erbarme sich seiner.«

Der Ritter kehrte zurück, und der Knabe war bereits tot. Als sich die Nachricht herumsprach, riefen viele in Selymbria, Baudolino habe die Gabe der Hellseherei und habe gesehen, was viele Meilen entfernt geschah. Unweit der Säule stand jedoch die Kirche des heiligen Mardonios, deren Priester Baudolino haßte, weil er ihm seit Monaten die milden Gaben seiner einstigen Schäfchen entzog. Der fing nun an zu sagen, das sei ja ein schönes Wunder gewesen, was Baudolino da vollbracht habe, und solche Wunder könne ein jeder vollbringen. Er ging unter die Säule und rief zu Baudolino hinauf, wenn ein Säulenheiliger noch nicht einmal in der Lage sei, einem Jungen einen Pfeil aus dem Auge zu ziehen, dann sei das genauso, als wenn er den Jungen umgebracht habe.

Baudolino erwiderte: »Das Bestreben, den Menschen gefällig zu sein, läßt jede geistige Blüte verwelken.«

Der Priester warf einen Stein nach ihm, und sofort liefen einige Exaltierte zusammen und schleuderten ebenfalls Steine und Erdklumpen nach der Plattform. Sie warfen den ganzen Tag lang weiter, während Baudolino zusammengekauert in seinem Pavillon hockte und sich die Hände vor das Gesicht hielt. Erst als es dunkel wurde, trollten sie sich.

Am nächsten Morgen kam Niketas, um nach seinem Freund zu sehen, und fand ihn nicht mehr. Die Säule war verwaist. Besorgt kehrte er nach Hause zurück und entdeckte Baudolino in Theophilattos' Stall. Er hatte sich eine Wanne mit Wasser gefüllt und war dabei, sich mit einem Messer den ganzen Dreck abzuschaben, der sich auf ihm angesammelt hatte. Er hatte sich, so gut es ging, den Bart und die Haare geschnitten. Er war braungebrannt von Sonne und Wind, schien nicht zu sehr abgemagert, hatte nur etwas Mühe, aufrecht zu stehen, und bewegte Arme und Schultern, um die steifen Rückenmuskeln zu lockern.

»Hast du gesehen? Das einzige Mal in meinem Leben, daß ich die Wahrheit und nur die Wahrheit gesagt habe, haben sie mich beinahe gesteinigt.«

»Das ist auch den Aposteln passiert. Du warst ein Heiliger geworden und läßt dich so schnell entmutigen?«

»Vielleicht hatte ich ein Zeichen vom Himmel erwartet. In den letzten Monaten haben sich etliche Münzen bei mir angesammelt. Ich habe einen der Söhne von Theophilattos gebeten, mir Kleider, ein Pferd und ein Maultier zu kaufen. Irgendwo im Hause müssen auch noch meine Waffen sein.«

»Du willst fortgehen?« fragte Niketas.

»Ja«, sagte Baudolino. »In der Zeit auf der Säule habe ich vieles begriffen. Ich habe begriffen, daß ich gesündigt hatte, aber nie, um zu Macht und Reichtum zu kommen. Ich habe begriffen, daß ich, wenn ich Vergebung erlangen will, drei Versprechen einlösen muß. Erstens: Ich hatte mir vorgenommen, einen Gedenkstein für Abdul errichten zu lassen, und deswegen hatte ich seinen Täuferkopf an mich genommen. Das Geld ist nun anderswoher gekommen, und das ist besser so, denn es stammt nicht aus simonistischem Handel mit falschen Reliquien, sondern aus Spenden von guten Christen. Ich werde die Stelle wiederfinden, wo wir Abdul begraben haben, und werde ihm eine Kapelle errichten.«

»Aber du weißt doch gar nicht mehr, wo er gestorben ist!«

»Gott wird mich führen, und ich habe Kosmas' Karte im Kopf. Zweitens: Ich hatte meinem guten Vater Friedrich – um nicht von Bischof Otto zu reden – ein hochheiliges Versprechen gegeben, und bis heute habe ich es nicht gehalten. Ich muß ins Reich des Priesters Johannes gelangen. Sonst hätte ich mein Leben umsonst gelebt.«

»Aber ihr habt doch mit Händen gegriffen, daß es nicht existiert!«

»Wir haben mit Händen gegriffen, daß wir nicht hingelangt sind. Das ist etwas anderes.«

»Aber ihr seid euch doch klargeworden, daß die Eunuchen logen.«

»Daß sie *vielleicht* logen. Aber nicht gelogen haben konnten der gute Bischof Otto und die ganze Tradition, die davon handelt, daß es den Priester irgendwo gibt.«

»Aber du bist nicht mehr so jung wie damals, als du es das erste Mal probiert hattest!«

»Ich bin klüger geworden. Drittens: Ich habe dort einen Sohn oder eine Tochter. Und dort ist Hypatia. Ich will sie wiederfinden und sie beschützen, wie es meine Pflicht ist.«

»Aber es sind mehr als sieben Jahre vergangen!«

»Dann wird das Kind mehr als sechs Jahre alt sein. Ist ein Kind von sechs Jahren nicht mehr dein Kind?«

»Aber es könnte ein Knabe sein und folglich ein Satyr-den-man-nie-sieht!«

»Und es könnte auch eine kleine Hypatia sein. Ich werde das Geschöpf in jedem Fall lieben.«

»Aber du weißt nicht, wo die Berge sind, in die sie sich geflüchtet haben!«

»Ich werde sie suchen.«

»Aber Hypatia könnte dich vergessen haben. Vielleicht

wird sie denjenigen nicht wiedersehen wollen, bei dem sie ihre Apathie verloren hat!«

»Du kennst Hypatia nicht. Sie wartet auf mich.«

»Aber du warst schon alt, als du sie geliebt hast, jetzt wirst du ihr wie ein Greis vorkommen!«

»Sie hat nie jüngere Männer gesehen.«

»Aber du wirst Jahre und Jahre brauchen, um jene Orte wiederzufinden und dann noch weiter zu gehen!«

»Wir aus der Frascheta sind berühmt für unseren Dickkopf.«

»Aber wer sagt dir, daß du bis zum Ende deiner Reise am Leben bleibst?«

»Reisen hält jung.«

Es war nichts zu machen. Am nächsten Tag umarmte Baudolino Niketas und seine ganze Familie, auch seine Gastgeber, stieg mit einiger Mühe auf sein Pferd, das hochbeladene Maultier am Zügel und das Schwert am Sattel, und ritt los.

Niketas sah ihn in der Ferne entschwinden, die Hand noch winkend erhoben, doch ohne sich noch einmal umzudrehen, unbeirrt unterwegs zum Reich des Priesters Johannes.

40. Kapitel

Baudolino ist nicht mehr da

Niketas ging den klugen Paphnutios besuchen. Er berichtete ihm alles von Anfang bis Ende, seit dem Augenblick seiner Begegnung mit Baudolino in der Hagia Sophia, und alles, was Baudolino ihm erzählt hatte.

»Was muß ich tun?« fragte er.

»Für ihn? Nichts, er geht seinem Schicksal entgegen.«

»Nicht für ihn, für mich. Ich bin Geschichtsschreiber, früher oder später werde ich mich daranmachen müssen, die Chronik der letzten Tage von Byzanz zu schreiben. Wo soll ich die Geschichte einordnen, die mir Baudolino erzählt hat?«

»Nirgendwo. Es ist allein seine Geschichte. Und außerdem, bist du denn sicher, daß sie wahr ist?«

»Nein, alles, was ich darüber weiß, habe ich von ihm gehört, so wie ich auch von ihm gehört habe, daß er ein Lügner ist.«

»Nun, siehst du«, sagte Paphnutios, »einem so ungewissen Zeugnis darf ein Geschichtsschreiber keinen Glauben schenken. Tilge Baudolino aus deiner Chronik.«

»Aber wenigstens während der letzten Tage haben wir eine gemeinsame Geschichte gehabt, im Hause der Genueser.«

»Tilge auch die Genueser, sonst müßtest du die Reliquien erwähnen, die sie fabrizieren, und deine Leser würden den Glauben an die heiligsten Dinge verlieren. Es wird dir nicht schwerfallen, die Ereignisse ein bißchen zu verändern, sag einfach, dir sei von Venezianern geholfen worden. Ja, ich weiß, das ist nicht die Wahrheit, aber in einer großen Geschichte kann man kleine Wahrheiten ändern, damit die größere Wahrheit hervortritt. Du mußt die wahre

Geschichte des Reiches der Römer erzählen, nicht eine kleine Privatgeschichte, die in einem fernen Sumpf begonnen hat, in einer barbarischen Gegend unter barbarischen Leuten. Und außerdem, würdest du deinen künftigen Lesern in den Kopf setzen wollen, daß es dort irgendwo zwischen Eis und Schnee einen Gradal gibt – und das Reich des Priesters Johannes in den sonnenverbrannten Ländern? Wer weiß, wie viele Verrückte sich aufmachen würden, um unentwegt danach zu suchen, Jahrhunderte und Aberjahrhunderte lang…«

»Es war eine schöne Geschichte. Schade, daß sie nun niemand erfährt.«

»Glaub nicht, du wärst der einzige Geschichtenverfasser in dieser Welt. Früher oder später wird sie jemand erzählen, der noch verlogener ist als Baudolino.«

Inhalt